Les Éditions du Boréal
4447, rue Saint-Denis
Montréal (Québec) H2J 2L2
www.editionsboreal.qc.ca

SOLOMON GURSKY

CHEZ LE MÊME ÉDITEUR

Un certain sens du ridicule, essai, coll. « Papiers collés », 2007.

Mordecai Richler

SOLOMON GURSKY

roman

traduit de l'anglais (Canada)
par Lori Saint-Martin et Paul Gagné

Boréal

Dépôt légal : 1er trimestre 2015
Bibliothèque et Archives nationales du Québec

L'édition originale de cet ouvrage a été publiée en 1989
par Penguin Books Canada sous le titre *Solomon Gursky Was Here.*

Diffusion au Canada : Dimedia
Diffusion et distribution en Europe : Volumen

Catalogage avant publication de Bibliothèque et Archives nationales du Québec et Bibliothèque et Archives Canada

Richler, Mordecai, 1931-2001

[Solomon Gursky was here. Français]

Solomon Gursky

Traduction de : Solomon Gursky was here.

ISBN 978-2-7646-2374-9

I. Saint-Martin, Lori, 1959- . II. Gagné, Paul, 1961- . III. Titre. IV. Titre : Solomon Gursky was here. Français.

PS8535.I38S5614 2015 C813'.54 C2015-940324-3

PS9535.I38S5614 2015

ISBN PAPIER 978-2-7646-2374-9

ISBN PDF 978-2-7646-3374-8

ISBN ePUB 978-2-7646-4374-7

Pour Florence

N
O
E
S
Grise Fiord
Île Beechey
Mer de Beaufort
Presqu'île de Boothia
Inuvik
Aklavik
Dawson
Kuglatuk
Glacier Hubbard
Pelly Bay
Coppermine
Lac Point
Alsek
Chesterfield Inlet
Yellowknife
Col Chilkoot
Yakutat
Grand lac des Esclaves
Île du Prince-de-Galles
York Factory
Îles de la Reine-Charlotte
Cumberland House
Parc national de Banff
Saskatoon
Regina
Vancouver
Passage entre Oxbow et Estevan
Winnipeg
Saint-Malo

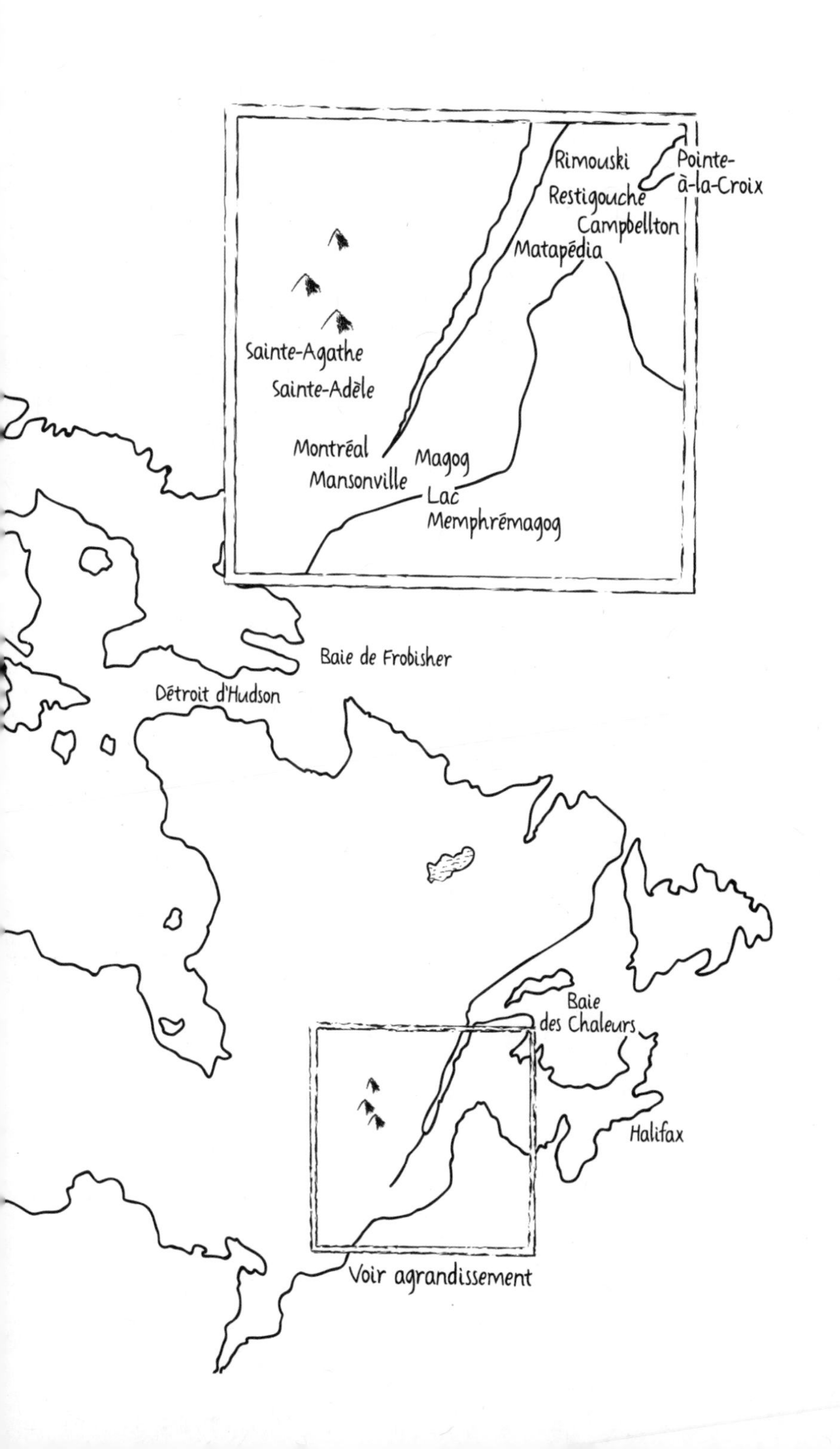
Rimouski
Pointe-à-la-Croix
Restigouche
Campbellton
Matapédia
Sainte-Agathe
Sainte-Adèle
Montréal
Magog
Mansonville
Lac Memphrémagog
Baie de Frobisher
Détroit d'Hudson
Baie des Chaleurs
Halifax
Voir agrandissement

Arbre généalogique de la famille Gursky

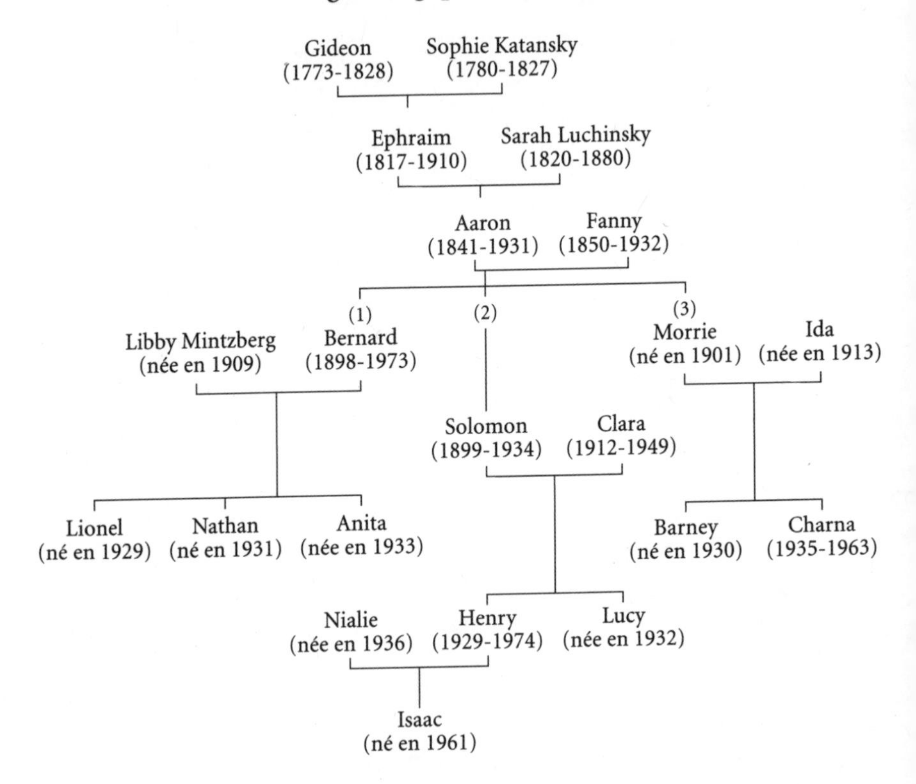

Gideon engendra Ephraim
Ephraim engendra Aaron
Aaron engendra Bernard, Solomon et Morrie
Bernard engendra Lionel, Anita et Nathan
Solomon engendra Henry et Lucy
Morrie engendra Barney et Charna
Henry engendra Isaac

« Gerald Murphy s'est trompé. La meilleure revanche est de vivre deux, peut-être trois fois. »

Solomon Gursky dans une conversation
avec Tim Callaghan

« Cyril a un jour fait remarquer que produire un chef-d'œuvre est la seule raison d'écrire. Mais si on ne porte pas en soi une grande œuvre d'art, on a la possibilité d'en devenir une. »

Sir Hyman Kaplansky, cité dans les
Journaux intimes de Lady Dorothy Ogilvie-Hunt

UN

Un

Un beau matin – c'était durant la vague de froid sans précédent de 1851 –, un gros oiseau noir et menaçant, tel qu'on n'en avait encore jamais vu de pareil, apparut au-dessus du pauvre village industriel de Magog, multipliant les descentes en piqué. Luther Hollis l'abattit d'un coup de Springfield. Puis les hommes virent une meute de douze chiens surgir en jappant du vent et des neiges tourbillonnantes du lac Memphrémagog, gelé en cette saison. Les bêtes tiraient un long traîneau, lourdement chargé, à l'avant duquel se tenait Ephraim Gursky, petit homme féroce et encapuchonné dont le fouet retentissait sans cesse. Ephraim s'approcha de la rive, où il se mit à faire les cent pas en interrogeant les cieux ; du fond de sa gorge émanait un cri inhumain, une sorte d'appel triste à la fois navré et rempli d'espoir.

Bravant le froid qui faisait craquer les arbres, des curieux se réunirent sur la rive. Ils étaient venus moins pour accueillir Ephraim que pour établir s'il s'agissait ou non d'une apparition. Ephraim portait des peaux de phoque, selon toute apparence, et aussi, à y regarder de plus près, un col d'ecclésiastique. Quatre franges, chacune composée de douze brins de soie, dépassaient de la fourrure. Le givre pendait de ses paupières et de ses narines. L'une de ses joues, mordue par le vent, avait viré au noir. Sa barbe couleur d'encre était hérissée de glaçons. « On aurait dit qu'elle grouillait de serpents blancs », dirait l'un d'eux, trop tard, au souvenir de cette journée. Les yeux de l'homme, en revanche, étaient brûlants, brûlants et perçants.

« Voulez-vous bien me dire, fit-il, ce qui est arrivé à mon corbeau ?

— Hollis l'a abattu. »

Ebenezer Watson tapa du pied contre les patins du long traîneau.

« Hé, c'est fait en quoi, ces foutus machins ? »

Rien à voir avec les matériaux habituels, en tout cas.

« C'est de l'omble.

— De l'omble ?

— Du poisson. »

Ephraim se pencha pour libérer les chiens de leurs traits.

« D'où venez-vous ?

— Du nord, mon brave.

— Où ça… au nord ?

— De loin », répondit-il.

Sur le lac, il faisait moins quarante et le vent soufflait sans répit. Les hommes, frappant leurs pieds endoloris l'un contre l'autre, les joues écarlates, tournèrent le dos aux rafales. Ils se retirèrent dans la chaleur de l'hôtel de Crosby, auquel était jouxtée une excellente pension pour chevaux. Dans la fenêtre, un écriteau proclamait :

HÔTEL DE WM. CROSBY
Le soussigné,
reconnaissant des faveurs
accordées à cet
ÉTABLISSEMENT DE LONGUE DATE,
est déterminé à administrer ledit établissement
de manière à mériter l'approbation générale
et implore donc son aimable clientèle de lui rester fidèle.
RAFRAÎCHISSEMENTS SERVIS À TOUTE HEURE
DU JOUR ET DE LA NUIT.
Le propriétaire,
Wm. Crosby

Ebenezer Watson approcha une lampe au kérosène de la fenêtre et en dégivra une partie, puis se mit à faire le guet.

« *Son* corbeau ? Qu'est-ce qu'il voulait dire ? »

Ephraim jeta des morceaux de viande d'ours à ses chiens qui bondissaient autour de lui et qui se calmèrent aussitôt. Puis, à l'aide d'une planche, il entreprit de déneiger un cercle, qu'il aplanit à sa satisfaction. Sur la glace ainsi dégagée, il empila divers articles tirés de son traîneau. Des peaux. Des poêlons et des casseroles. Un réchaud Primus. Un bol en pierre de savon ou *koodlik*. Un harpon. Des livres.

« Vous avez vu ?

— Quoi ?

— Cette espèce de fêlé a apporté des livres de lecture. »

Ils le virent alors détacher des cordages du traîneau une baguette et une sorte de glaive. Il chaussa ses raquettes et se hissa sur la berge, où il se mit à sauter sur place avant de plonger sa baguette dans la neige, comme le faisaient leurs femmes avec un brin de paille tiré d'un balai pour savoir si leur gâteau était prêt. Ayant enfin trouvé la texture de neige qu'il désirait, Ephraim commença à en tailler de gros blocs à l'aide de son épée et à les transporter jusqu'au cercle aplani. Il se construisit un igloo muni d'un tunnel d'accès faisant face au sud. Il tapissa les murs de neige, scella les joints et tailla de nouveaux blocs pour créer un coupe-vent. Puis, juste avant de se mettre à quatre pattes et d'entrer, il planta dans la glace et la neige un écriteau en bois.

ÉGLISE DES MILLÉNARISTES
Le fondateur,
frère Ephraim

Le lendemain matin, les hommes arrivèrent de bonne heure, certains de trouver Ephraim mort. Gelé dur. En fait, il était accroupi devant un trou dans la glace : il attrapait une perchaude, lui enfonçait l'hameçon dans l'œil, en prenait une autre, et ainsi de suite. Il en jeta quelques-unes à ses chiens, en empila d'autres à côté de lui. De temps en temps, il en écorchait une avec adresse, la filetait et l'avalait toute crue. Il harponna aussi deux ouananiches et un esturgeon. Mais le trouble des hommes s'expliquait autrement. De toute évidence, Ephraim avait déjà découvert la clairière où hivernaient les chevreuils, entourés de murs de neige hauts d'environ sept pieds, dans un piège qu'ils avaient eux-mêmes créé. Un mâle pendait à un piquet en pin enfoncé dans la glace. Manifestement, il venait d'être étripé. Les chiens, le museau maculé de sang, dévoraient les entrailles et les poumons encore fumants qu'on leur avait jetés.

« Z'auriez pas dû lui dire que j'ai tiré son oiseau, fit Luther Hollis.

— T'as peur ?

— Pantoute, monsieur Chose ! Je m'dis qu'il fait que passer.

— Demandes-y.

— Demandes-y donc, toi. »

Le temps resta couvert, le soleil fugitif, à peine plus qu'une tache laiteuse sur un lavis de ciel gris. Les hommes cessèrent de compter les arbres qui se fendaient ou les tuyaux qui éclataient ou les bouteilles qui explosaient. La température descendit au-dessous des moins cinquante. Le lendemain matin, les hommes trouvèrent Ephraim au même endroit, et le surlendemain aussi. Le quatrième matin, ils eurent d'autres soucis. On avait découvert Luther Hollis pendu à un chevron de sa scierie. Tout indiquait qu'il s'était lui-même enlevé la vie et rien n'avait été volé, mais il n'avait pas laissé de mot. C'était à n'y rien comprendre. Puis, tandis que les hommes délibéraient, le fils Crosby arriva en courant.

« Je lui ai parlé, dit-il.

— Mouche-toi le nez. »

Mais ils étaient impressionnés.

« Il m'a dit qu'il était un "quatre par deux". C'est quoi ?

Personne ne le savait.

« Il m'a fait entrer. C'est très confortable. Pis il m'a montré quelques-unes de ses affaires.

— Comme quoi ?

— Comme un livre de Shakespeare et des couverts en argent fin avec des armoiries dessus et une couverture faite de peaux de loup blanc et un dessin d'un trois-mâts appelé l'*Erebus* dans un cadre en chêne. »

Le révérend Columbus Green connaissait le grec.

« L'Érèbe, expliqua-t-il, est le nom d'un lieu de ténèbres, entre la Terre et l'Enfer. »

Le froid céda, le vent souffla et il se mit à neiger si dru que, même en plissant les yeux, un homme, face au vent, ne voyait pas à deux pieds devant lui. En une seule nuit, la neige ensevelit les routes et la voie ferrée. La tempête dura trois jours et ensuite le soleil se leva dans un ciel bleu si dur qu'il semblait vissé à sa place. Le vendredi, les hommes qui avaient attendu à l'hôtel de Crosby que les choses se tassent durent sortir par une fenêtre à l'étage.

Ephraim n'avait pas bougé. Seulement, il y avait désormais trois nouveaux igloos sur le lac, bien plus de chiens hurlants et, selon la description qu'en fit Ebenezer Watson, des femmes et des hommes petits et noirauds, aux yeux bridés, qui, un peu partout, déchargeaient du matériel. Ebenezer et quelques autres faisaient le guet à la fenêtre de l'hôtel de Crosby. À l'apparition de la première étoile, ils virent les petits hommes à la peau foncée, qui tapaient sur des peaux de tambour, faire défiler les femmes devant eux jusqu'au tunnel donnant accès à l'igloo d'Ephraim. Celui-ci parut, portant un haut-de-forme en soie noire et un châle à franges blanc aux rayures verticales noires. Puis les petits hommes s'avancèrent un à un, poussant leurs femmes devant eux, vantant leurs mérites avec animation. Oubliant le froid, une jeune femme souleva son parka en peau de phoque et agita ses seins nus.

« Eh ben, ça parle au diable.

— Je sais pas ce qu'ils font, ces millénaristes, mais c'est pas mal plus divertissant que chez nous. »

Finalement, Ephraim en montra une du doigt, fit signe à

une autre et tout ce beau monde s'engouffra dans l'igloo. Les hommes, tapant sur leurs tambours, reconduisirent les autres femmes jusqu'à leurs igloos en les rouant de coups de poing et de pied. Une heure plus tard, ils étaient de retour, tous, et ils se glissèrent dans l'igloo d'Ephraim, à la queue leu leu. On se mit à hurler et à chanter et à battre des mains et aussi, à en juger par le bruit, à danser. Le révérend Columbus Green, convoqué d'urgence, s'emmitoufla et, sur la berge, tendit l'oreille, sans trop s'approcher ni trop s'attarder, une bible serrée sur la poitrine. Il fit rapport aux hommes qui l'attendaient dans l'hôtel de Crosby.

« Je crois qu'ils chantent dans la langue du Seigneur, là-dedans.

— Ça sonne pas comme de l'anglais, pourtant.

— C'est de l'hébreu.

— Foutaise ! » s'écria Ebenezer Watson, offusqué.

Pressé de toutes parts, le révérend admit qu'il ne pouvait jurer de rien. Le vent déformait tout et les cours d'hébreu qu'il avait suivis au séminaire ne dataient pas exactement de la veille.

« C'est quoi, l'Église des millénaristes ?

— J'ai bien peur de ne jamais en avoir entendu parler.

— Me semblait, aussi. »

Le lendemain soir, les hommes et les femmes de petite taille avaient disparu, mais, avant leur départ, ils avaient dressé sur la glace une tente aux dimensions considérables. Et ce n'était pas tout. Sur des cordes tenues par des piquets de pin, ils avaient étendu des robes blanches, une trentaine au total, peut-être, qui explosaient comme des pétards quand le vent les giflait. Après quelques tournées, les hommes réunis dans l'hôtel de Crosby firent corps et descendirent jusqu'à l'igloo d'Ephraim, sur le lac gelé.

« À quoi ils servent, ces draps ?

— Ce ne sont pas des draps, mon brave. Ce sont des robes d'ascension, des habits qu'on revêt pour monter au ciel. Que ceux d'entre vous qui savent lire lèvent la main. »

Six d'entre eux s'exécutèrent, mais, dans le cas de Dunlap, c'était de la frime.

« Ne bougez pas. »

Ephraim fut avalé par son tunnel et il en ressortit quelques instants plus tard pour distribuer un document intitulé *Preuves tirées des Écritures d'un second avènement du Christ dans les Cantons-de-l'Est vers l'an 1850.*

« Pour un riche enfant de chienne, leur dit Ephraim, les yeux embrasés, il est plus difficile d'entrer dans le royaume des cieux que de pisser dans le chas d'une aiguille. Certains se réconfortent à l'idée que l'enfer est une abstraction. Ne vous y trompez surtout pas, mes braves. L'enfer est un lieu bien réel qui attend les pécheurs comme vous. Vous avez déjà vu un cochon tourner sur la braise, vous avez vu sa chair crépiter et grésiller, sa graisse gicler de tous les côtés ? Telle est la chaleur qui règne dans les régions les plus froides de l'enfer. La première assemblée aura lieu demain soir à sept heures, dans la tente. Emmenez femmes et enfants. Je suis venu vous sauver. »

Deux

C'était en 1983. En automne. La saison des perdrix hébétées, soûles d'avoir picoré les pommettes fermentées qui jonchaient le sol. L'une d'elles, en heurtant la fenêtre de sa chambre avant de retomber dans l'herbe, réveilla Moses Berger en sursaut. Répondant à l'appel fraternel d'un autre ivrogne en détresse, Moses enfila son pantalon et sortit à la hâte. Bien qu'ayant célébré son cinquante-deuxième anniversaire quelques mois plus tôt, il n'était pas encore affligé d'une bedaine. Moins parce qu'il faisait de l'exercice que parce qu'il mangeait avec frugalité. Il n'avait même pas la beauté atypique qu'il avait espérée autrefois. C'était un homme taciturne, de taille moyenne, avec des cheveux châtains de plus en plus clairsemés qui viraient au gris, et de grands yeux bruns, légèrement protubérants, aux poches violacées. Il avait le nez bulbeux, les lèvres épaisses. Cependant, sa laideur physique, qu'il assumait avec tristesse, semblait encore exercer une étrange fascination sur certaines femmes. À défaut d'être attirant, c'était un cas.

La perdrix ne s'était pas cassé le cou. Elle était seulement assommée. Elle s'envola à tire-d'aile, évitant de justesse le tas de bois. Elle se jura sans doute de ne plus toucher à une pommette fermentée de sa vie.

Promesse d'ivrogne.

Moses, qui n'avait pas non plus les idées claires, regagna sa cabane perchée dans les bois surplombant le lac Memphrémagog. Il réchauffa le fond de café de la veille et l'arrosa de cognac Greysac, encore un fleuron de la couronne Gursky.

Les Gursky.

Ephraim engendra Aaron.

Aaron engendra Bernard, Solomon et Morrie, qui, à leur tour, engendrèrent d'autres enfants.

Rituels matinaux. Moses concéda une fois de plus que la vie étriquée qu'il menait s'était vidée de son potentiel des années plus tôt, à cause de sa fascination pour les Gursky. Malgré tout, elle pouvait encore être sauvée de l'insignifiance s'il parvenait, entre deux excès de pommettes fermentées, à achever sa biographie de Solomon Gursky. Oui, mais même dans l'hypothèse peu probable où il réussirait à mettre le point final à cet interminable récit, le livre ne pourrait voir le jour que s'il acceptait d'être emmené en camisole de force comme un aliéné.

Chaussant ses lunettes de lecture pour examiner les cartes et les tableaux décolorés punaisés au mur, Moses dut avouer que, en qualité d'observateur objectif, il aurait été le premier à souscrire à ce jugement. Le seul mur du salon à ne pas être tapissé de bibliothèques était dominé par une énorme carte du Canada tel qu'il était dix mille ans avant notre ère, à l'époque où la plus grande partie du pays était encore ensevelie sous les glaciers de la Cordillère et des Laurentides. À côté se trouvait une carte topographique des Territoires du Nord-Ouest publiée par le gouvernement en 1970, sur laquelle l'itinéraire d'Ephraim Gursky était tracé à l'encre rouge. Les livres de Moses sur l'Arctique, pour la plupart annotés à de multiples endroits, étaient empilés un peu partout : Franklin, M'Clure, Richardson, Back, Mackenzie, M'Clintock et les autres. Mais Moses avait la tête ailleurs.

Dans l'immédiat, il était résolu à retrouver sa mouche à saumon, une Silver Doctor, qu'il avait dû égarer quelque part. Il savait qu'il valait mieux ne pas perdre sa matinée à la chercher. Il n'en aurait pas besoin avant l'été. Malgré tout, il se tourna vers sa table de travail : peut-être était-elle ensevelie sous les papiers qui s'y accumulaient. Sa table, composée d'une porte en chêne posée sur deux classeurs en métal, était jonchée de pages des journaux intimes de Solomon Gursky, d'enregistrements faits par son frère Bernard, de coupures de presse, de fiches et de notes. Dans le tas, il récupéra son exemplaire de l'édition augmentée du calendrier de Newgate, ouvrage constitué des « INTÉRESSANTS MÉMOIRES de PERSONNAGES CÉLÈBRES reconnus coupables d'infractions AUX LOIS DE L'ANGLETERRE ». Il l'ouvrit en feignant d'ignorer que, à partir de la page 78, il découvrirait un compte rendu des années de jeunesse du grand-père de Solomon Gursky.

EPHRAIM GURSKY

Reconnu coupable à maintes reprises, emprisonné une fois à Coldbath Fields et une fois à Newgate, et, enfin, le 19 octobre 1835, déporté jusqu'en terre de Van Diemen.

Moses, qui aurait pu réciter le reste de l'entrée par cœur, se versa un autre café, enrichi d'un trait de cognac.

Le cognac Greysac, le cognac Gursky.

Revenant dans sa chambre sans but précis, il porta un toast au portrait de son père, accroché au mur. L. B. Berger, de profil, supportant courageusement le poids du cosmos, contemplant ses mystères. Moses se détourna, mais vit en imagination L. B., assis à la table de la cuisine, s'en prendre encore une fois à lui. « Laisse-moi te dire une chose, fit-il. Ce n'est pas de ma faute si tu es un ivrogne. Je méritais mieux. »

Si son père ne l'avait pas emmené à la fête d'anniversaire organisée par les Gursky quand il n'avait que onze ans, peut-être que Moses ne serait pas tombé sous le charme de Solomon. Le légendaire Solomon. Son fléau, son aiguillon personnel. Il aurait peut-être pu avoir une vie bien à lui. Une femme. Des enfants. Une carrière honorable. Non, la bouteille l'aurait rattrapé de toute manière.

Une fois, pendant l'un de ses nombreux internements à la

clinique de désintoxication du New Hampshire, Moses avait eu l'idiotie de se soumettre à des questions indiscrètes.

« Vous parlez de votre père avec rage, voire avec...

— Mépris ?

— ... mais votre enfance, quand vous la décrivez, semble plutôt enviable. Comment vous sentiez-vous, à cette époque ?

— Choyé.

— Hier, vous avez fait référence à des querelles.

— Oui, bien sûr, au sujet de la validité de la "Réplique au Grand Inquisiteur" de Nachum Schneiderman. Ou du pacte entre Staline et Hitler. Ou de la question posée par Malraux au Congrès des écrivains communistes sur l'homme qui s'est fait écraser par un tram.

— Et alors ?

— Dans un réseau de transport socialiste parfait, lui a-t-on répondu, il n'y aura pas d'accidents. »

Jours heureux, jours bénis avant que Bernard Gursky ne convoque le père de Moses – L. B. Berger, célèbre poète et nouvelliste montréalais – d'une main puissante et d'un bras tendu. Les Berger n'avaient pas encore été transplantés dans Outremont, avec ses rues bordées d'arbres, et habitaient toujours dans leur appartement sans eau chaude de la rue Jeanne-Mance. Un appartement qu'ébranlaient jour et nuit les allées et venues imprévisibles de Juifs russes cinglés et loquaces. Des poètes, des essayistes, des dramaturges, des journalistes, des acteurs et des actrices yiddish. Des artistes, tous autant qu'ils étaient. Échoués sur les rives d'un pays froid qui leur rendait bien leur indifférence. Sauf, évidemment, L. B., soutenu par des ambitions plus grandes et dont les poèmes avaient été publiés en anglais dans des revues littéraires confidentielles de Montréal et de Toronto et aussi, une fois, dans *Poetry Chicago*. L. B. était le soleil autour duquel les autres gravitaient à une vitesse par moments étourdissante. Traversant les jours en somnambules, ils rendaient à contrecœur au Canada ce qui appartenait au Canada, gagnaient leur pitance comme modestes fonctionnaires sionistes, comptables dans la confection, percepteurs de primes d'assurance pour la Pru, secrétaires de synagogue, représentants de la société de prêts à la consommation ou, dans le cas de L. B., instituteur à l'école juive du quartier, harcelé par des parents trop ambitieux. Le soir, cependant, ils sortaient de leur torpeur, renaissaient à la vraie vie de leur âme. Ils jouaient du coude pour se tailler une place à la table du grand L. B. à la Horn Cafeteria, avenue des Pins, ou, le plus souvent, à la table de sa salle à manger, recouverte d'une nappe au crochet, dans l'appartement sans eau chaude de la rue Jeanne-Mance. Ils consommaient des gallons de café ou de thé au citron avec une succession de plateaux de brioches à la cannelle, de gâteaux au miel ou de *kichelach*, le tout préparé par la femme de L. B.

À l'exception de sa mère, les femmes, se souvenait Moses, étaient d'un glamour incomparable. Elles portaient de grands chapeaux mous piqués de plumes de paon et d'amples capes noires, rapiécées, mais soit. Elles avaient une prédilection pour les fume-cigarettes en ivoire. Zipora Schneiderman, Shayndel Kronitz et, par-dessus tout, Gitel Kugelmass, la première à éconduire Moses. La voluptueuse Gitel, généralement affublée d'un boa en plumes d'autruche ou d'un renard se mordant la queue, où il manquait toujours une touffe de poils. Des mousselines. Des soies. La célèbre *Roite Gitel* qui avait dirigé la grève des chapelières contre Fancy Finery. Parfumée et poudrée, la Gitel, les yeux noircis au khôl, les lèvres écarlates, les mains chargées de bagues antiques. L'hiver, il lui arrivait de siroter du brandy à l'abricot dans un verre à liqueur collant pour se réchauffer les *kishkas*. Moses, qui devançait ses moindres désirs (vider son cendrier, lui apporter du café), était parfois récompensé par un câlin parfumé ou un pincement de joue.

À l'exception de sa mère, les femmes, qui n'avaient jamais entendu parler de l'inégalité des sexes, jetaient de l'huile sur le feu de toutes les disputes allumées par les hommes, débattaient jusque tard dans la nuit des procès pour l'exemple tenus dans une lointaine ville aussi froide que la leur, se querellaient à propos des mérites d'Ossip Mandelstam, de Dalí, de Malraux, d'Eisenstein, de Soutine, de Mendele-Mokher-Sefarim, de Joyce, de Trotski, de Buñuel, de Chagall et d'Abraham Reisen, qui avait écrit :

> Ô générations futures,
> Frères encore à naître,
> N'ayez point l'audace
> De mépriser nos chants,
> Chants en l'honneur des faibles,
> Chants des épuisés
> Fils d'une génération pauvre,
> Avant le déclin du monde.

Shloime Bishinsky, dernier arrivé au sein du groupe, constituait un cas intéressant. Petit, voûté, le plus doux des hommes en apparence, teinturier en fourrure de son état, il était affligé d'un rhume chronique, véritable fléau de sa profession. Juste avant la partition de la Pologne, il fut coincé à Białystok, en zone russe. Des tantes et des cousins mieux renseignés sur la politique fuirent vers l'autre zone. Ils savaient que les Allemands, quoi qu'on en dise, étaient un peuple civilisé. Mais la famille de Shloime, en retard pour le dernier train, ne put trouver refuge à Auschwitz. On la transporta plutôt en Sibérie, une balade de deux semaines. De là, Shloime gagna l'empire du Milieu, puis Harbin, dans l'État fantoche du Mandchoukouo, où de grandes dames déchues de la noblesse russe faisaient du strip-tease dans des cabarets. Après avoir, enfin, atteint le Japon, il fit la traversée entre Yokohama et Vancouver en qualité de chauffeur.

« C'est comment, la Sibérie ? lui demanda un jour Moses.

— Comme le Canada, répondit Shloime en haussant les épaules. Qu'est-ce que tu crois ? »

Pour eux, le Canada n'était pas encore un pays ; il s'agissait plutôt d'une sorte d'annexe. Ils étaient toujours du mauvais côté du Jourdain, en terre de Moab : les publications politiques trimestrielles et les journaux en yiddish qu'ils dévoraient venaient tous de New York.

Le vendredi soir, les hommes lisaient leurs poèmes et leurs nouvelles d'une voix tonitruante, suscitant des concerts d'approbation ou des huées de mépris. Des querelles éclataient. Eux qui s'inclinaient devant des caissiers de banque *goyim* en leur donnant du « monsieur » et baissaient la tête devant l'inspecteur de la santé publique bouillaient à l'écoute d'une rime maladroite, d'un raisonnement bancal ou d'une expression pareille à une écharde sous un ongle ; ils tapaient du poing sur la table, faisant tinter les soucoupes. Choquées, des dames s'enfuyaient vers les toilettes en semant des larmes derrière elles. Le matin venu, c'était comme un lendemain de cuite : les poèmes, nouvelles et essais donnaient inévitablement lieu à des lettres livrées par messager, qui suscitaient à leur tour des missives plus épaisses, bourrées de réfutations.

En principe, le groupe appuyait la fraternité raciale, l'excès en tout, la fin de la propriété privée et des superstitions religieuses, l'amour libre, etc. En pratique, ils craignaient ou méprisaient les gentils, ne buvaient que du brandy à l'abricot, rêvaient de posséder un duplex, versaient à Kronitz cinquante cents par semaine pour une police d'assurance de la Pru, étaient des maris constants et des parents aimants. Remarquez, Moses, qui, derrière la porte de sa chambre, écoutait, captivé, les conversations privées, comprit que le batifolage n'était pas exclu. Prenez, par exemple, le célèbre scandale Kronitz-Kugelmass. Un matin, Myer Kugelmass, en cherchant un ticket de tramway dans le sac à main de sa femme, tomba sur un billet doux enflammé de Simcha Kronitz, émaillé d'expressions françaises, donc salaces, et de références à des amants légendaires, d'Héloïse et Abélard à Emma Goldman et Alexander Berkman. Son affaire de cœur révélée au grand jour, c'est une Gitel Kugelmass triomphante qui emballa sa balalaïka et ses compositions musicales et alla se réfugier dans une pension de Sainte-Agathe en traînant dans son sillage Simcha Kronitz, terrifié. Myer Kugelmass, abandonné par sa femme, trahi par son meilleur ami, pleura à la table de L. B. : « Avec qui vais-je jouer aux échecs maintenant que Simcha m'a déshonoré ? »

On dépêcha à Sainte-Agathe un messager porteur d'une lettre cinglante adressée à *die Roite Gitel*, dans laquelle L. B. citait Milton, Lénine, Rilke et, bien sûr, son œuvre personnelle, et bientôt les couples se réconcilièrent, ne fût-ce que pour le bien des enfants.

Ah, les enfants, les enfants.

Les enfants étaient toute leur vie. Le vendredi soir, on les emmenait chez L. B., où ils pouvaient jouer à cache-cache dans la ruelle, s'empiffrer dans la cuisine et, au besoin, se coucher à quatre dans le même lit. On les dorlotait et on les embrassait et on les pinçait et on les serrait fort, et eux, en contrepartie, n'avaient qu'à montrer, devant des oh ! et des ah ! d'étonnement, comment ils étaient destinés à éblouir le monde. Le grassouillet Misha Bloomgarten, qui ferait carrière dans la fenêtre panoramique, n'avait qu'à gratter son violon le temps d'un simple exercice pour que soient évoqués les noms de Stern et de Menuhin. Il suffisait que la ricaneuse Rifka Schneiderman, qui épouserait un Kaplan des tricots Knit-to-Fit, se lève et entonne *The Cloakmakers' Union Is a No-Good Union* de sa voix perçante pour que la salle à manger croule sous les applaudissements. Sammy Birenbaum, futur oracle de la télévision, n'avait qu'à réciter le discours de Sacco devant le tribunal pour qu'on se souvienne que Leslie Howard, cet Anglais par excellence, était en réalité un bon garçon juif, quoique hongrois. Mais c'était Moses (la pomme, après tout, ne tombe jamais loin de l'arbre) qui passait pour un véritable prodige. Devant L. B. rouge de plaisir et sa mère sommée de quitter un instant sa cuisine, on l'invitait à présenter une critique socialiste du *Comte de Monte-Cristo* ou de *L'Île au trésor* ou du livre qu'il avait lu cette semaine-là, ou à réciter un de ses poèmes en prenant soin de souligner sa dette envers Tristan Tzara :

Les plumes ont de l'encre,
Les bateaux sont à l'ancre.

Moses se cramponnait à son père, cherchant sans cesse de nouvelles façons de mériter son amour. Il avait remarqué qu'il arrivait souvent à L. B. de retarder son départ matinal redouté vers l'école juive ; debout devant la fenêtre du salon, il soufflait sur son pince-nez et essuyait les verres avec son mouchoir en attendant le passage du facteur. Quand il n'y avait rien pour lui, L. B. grommelait, une partie de lui accueillant cette injustice avec satisfaction, et il se hâtait d'enfiler son manteau.

« Peut-être demain, lui disait sa femme.

— Peut-être, peut-être. »

Puis il jetait un coup d'œil dans son sac et disait :

« Tu sais, Bessie, je commence à en avoir assez des œufs hachés. Du thon. Des sardines. Ça me sort par les yeux. »

Un autre jour, après que le facteur fut une fois de plus passé devant l'appartement sans s'arrêter, elle dit : « C'est bon signe. C'est la preuve qu'ils prennent le temps d'y réfléchir. »

Un matin où il faisait moins dix, Moses, dans l'espoir d'éviter à son père dix minutes d'angoisse, quitta la maison de bonne heure et se posta au coin de la rue pour attendre le facteur.

« Il y a du courrier pour mon père, monsieur ? »

Une grande enveloppe en papier kraft. Euphorique, Moses courut jusque chez lui en agitant l'enveloppe devant son père, qui faisait le guet à la fenêtre. « Du courrier pour toi ! Du courrier pour toi ! »

L. B., les yeux exorbités sous l'effet de la rage, lui arracha l'enveloppe des mains, l'examina un moment et la déchira de part en part, éparpillant les morceaux aux quatre coins de la pièce. « Ne fourre plus jamais le nez dans mes affaires, petit imbécile ! » hurla-t-il avant de quitter précipitamment l'appartement.

« Qu'est-ce que j'ai fait, maman ? »

À quatre pattes, elle s'affairait déjà à rassembler les morceaux. Bessie savait que L. B. conservait des copies carbone, mais, *Gottenyu*, c'était là l'original.

Ce soir-là, L. B. vint trouver Moses, enleva son binocle et se frotta le nez, un mauvais signe. « Je ne sais pas ce qui m'a pris, ce matin », dit-il en se penchant pour laisser Moses lui embrasser la joue. Puis L. B., déclinant le repas qu'on lui proposait, se retira dans sa chambre et baissa les stores.

Déconcerté, Moses en appela à sa mère.

« Cette enveloppe lui était adressée de sa propre main. Je ne comprends pas.

— Chut, Moishe, fit-elle. L. B. essaie de dormir. »

Tout débutait par une légère raideur dans la nuque, un brin de nausée ; moins d'une heure plus tard, son pouls devenait fébrile, le sang battait follement dans toutes les veines de son crâne. Allongé sur le dos dans l'obscurité, une serviette remplie de glace pilée sur le front, L. B. fixait le plafond en gémissant. *Un de ces jours, une marée de sang inondera mon crâne et, en cherchant une issue, fera sauter le couvercle. Je mourrai noyé dans mon sang.* Puis, le troisième jour, ballonné, les entrailles bouchées, il se traînait jusqu'aux toilettes, où il restait assis pendant une heure, parfois davantage. Après, il regagnait le lit en titubant, sombrait dans un profond sommeil et, le lendemain matin, se réveillait guéri, voire de bonne humeur, et réclamait son petit déjeuner favori : des œufs brouillés avec du saumon fumé, des pommes de terre rissolées avec des oignons, des bagels généreusement tartinés de fromage à la crème.

Moses adorait accompagner L. B. dans ses tournées. Une fois les fonds nécessaires réunis par le groupe, il alla avec lui à l'imprimerie de Schneiderman, Spartacus Press, rue Saint-Paul, où il assista à la création. Au tri des pages du premier recueil de poèmes de L. B., *Le Buisson ardent*. Elles sortaient toutes chaudes d'une presse à plat qui – au grand embarras de Nachum Schneiderman – avait plutôt l'habitude de ne rien produire de plus important pour la société que du papier à en-tête, des cartes de visite, des faire-part de mariage et des circulaires. De la *chazerai* commerciale. Offrant à Moses un soda au gingembre Gurd et un May West, Schneiderman dit : « Quand il gagnera le prix Nobel, je pourrai me vanter de l'avoir connu… »

Mme Schneiderman arriva alors avec un thermos de café et un plateau de strudels aux pommes maison, recouverts d'une serviette en lin. « À Paris, à Londres, ou même à Varsovie dans le temps, ton père serait couvert d'honneurs au lieu de tirer le diable par la queue. »

Si L. B. ne roulait pas sur l'or, du moins pas encore, il n'avait plus vraiment à se démener pour gagner sa vie. Ayant décrété que le métier d'instituteur lui rongeait l'âme, sa femme l'avait forcé à démissionner et était retournée travailler, penchée sur une machine à coudre chez Teen Togs. Enfin libre, L. B. faisait la grasse matinée presque tous les jours et passait ses après-midi à déambuler dans les rues. En général, il s'arrêtait prendre un café et une pâtisserie chez Horn, où personne ne l'approchait s'il avait son carnet ouvert devant lui, armé de son stylo Parker 51. De retour chez lui, il écrivait jusque tard dans la nuit.

« Chut, Moishe, L. B. travaille. »

Des poèmes, des nouvelles et, pour le *Canadian Jewish Herald*, des éditoriaux enflammés consacrés aux souffrances des Juifs d'Europe. Certains soirs, quelque synagogue moderne d'Outremont l'invitait à venir lire ses œuvres ; Moses le suivait dans la neige en traînant derrière lui une sacoche remplie d'exemplaires autographiés du *Buisson ardent*. Quand son père montait sur l'estrade, Moses s'assoyait au fond de la salle et applaudissait à tout rompre, tiraillé entre une colère et une inquiétude grandissantes, car, une fois de plus, seulement dix-huit ou vingt-trois fervents de poésie avaient répondu à l'appel, alors qu'on avait prévu des chaises pliantes pour une centaine. La plupart du temps, Moses avait du mal à écouler quatre ou cinq recueils, mais, un soir, il réussit à en vendre douze à trois dollars chacun. Peu importait la minceur de la récolte d'ailleurs, il était toujours en mesure de gonfler de trois exemplaires le chiffre de ses ventes, sa mère lui ayant refilé neuf dollars avant leur départ pour la synagogue. Sur le chemin du retour, L. B. plaisantait parfois sur un ton aigre : « La prochaine fois, il faudrait remplir la sacoche de cravates ou de babioles. » Le plus souvent, inconsolable, il maudissait les philistins : « C'est un pays inculte, un désert, et ton pauvre père y est une âme en exil. L'*auctor ignotus*, c'est moi. »

Pour L. B., la percée vint en 1941. Ryerson Press, maison d'édition de Toronto, publia *Le Buisson ardent* dans sa collection consacrée aux « poètes ethniques du Canada », avec une introduction du Pr Oliver Carson intitulée « L'éloquent israélite de Montréal ». Le rabbin Melvin Steinmetz, B. A., fit paraître un compte rendu dithyrambique dans *Alumni News*, la revue des diplômés de l'Université de l'Alberta, lequel fut aussitôt collé dans l'un des albums tenus à jour par Bessie.

Peu après, L. B. accéda à la célébrité, à une sorte de célébrité, en tout cas, même si ce n'était pas celle à laquelle il aspirait. En raison de ces fameux éditoriaux enflammés consacrés aux souffrances des Juifs d'Europe et publiés dans le *Canadian Jewish Herald*, il fut invité à donner des conférences, non seulement à Montréal, mais aussi à Toronto et à Winnipeg. Il était incontestablement un orateur inspiré. Cette colère accumulée et longuement retenue, les braises ardentes de la rancœur, attisées par le sentiment qu'il avait depuis longtemps d'être injustement traité, lui valurent la gloire tant rêvée : il suffisait de diriger les flammes de son courroux vers les ennemis des Juifs. L. B., la taille épaisse désormais, ses cheveux grisonnants encore plus longs qu'avant, les pouces rentrés dans les poches de son gilet, se balançant sur ses talons, le visage empourpré, tonnait contre la perfidie des gentils, et ses mots, touchant une corde sensible, suscitaient des cris d'enthousiasme chez les spectateurs. D'ailleurs, ils n'étaient plus dix-huit ni vingt-trois, mais des centaines à se disputer les chaises pliantes, à s'asseoir par terre, à s'entasser debout au fond sur trois rangées. L. B. recueillait leur indignation, l'orchestrait puis la laissait éclater. Naturellement, il fut tenté de se pavaner un peu. Il s'acheta un feutre à larges bords, une cape, un foulard. Sur la route, il refusait désormais de dormir sur un matelas qui puait la pisse dans la chambre d'amis du rabbin : il exigeait de descendre à l'hôtel le plus chic de la ville. De retour à Montréal, où des invitations à souper avec les bien nantis commencèrent à affluer, il expliqua à Bessie qu'elle ne prendrait pas plaisir à manger en compagnie de matérialistes comme les Bernstein, où on commençait le repas avec la fourchette la plus éloignée de l'assiette. Il se soumettrait seul à ces épreuves.

L. B. continua d'écrire. L'édition du *Buisson ardent* publiée par Ryerson fut suivie par des poèmes, des nouvelles et des pensées dans *Canadian Forum, Northern Review, Fiddlehead* et d'autres revues littéraires. Ryerson publia un deuxième volume de ses poèmes, *Psaumes de la toundra,* puis un premier recueil de nouvelles, *Contes de la diaspora.* Il fut interviewé par la *Gazette* de Montréal. Herman Yalofsky l'invita à poser pour un portrait : L. B., de profil, supportant courageusement le poids du cosmos, contemplant ses mystères. Les doigts d'une de ses mains grêles soutenant son front plissé, l'autre tenant son Parker 51.

L. B. commença à s'aventurer un peu plus loin, fit des incursions parmi la bohème, chez les gentils, d'abord sur la pointe des pieds, mais bientôt *con brio,* puisque, à son grand étonnement, il fut accueilli comme une sorte de pirate exotique parfumé à l'ail, la preuve vivante des vastes richesses ethniques qui formaient la trame culturelle canadienne. Il fut rapidement à l'aise dans leurs soirées, où il recueillait les compliments de jeunes dames qui, bien qu'ayant fait leurs études en Suisse, portaient désormais des blouses de paysannes russes, buvaient de la bière au goulot et disaient des mots cochons. Il apprit à manier le calembour avec adresse. Il se découvrit un talent pour flirter avec les femmes, surtout avec Marion Peterson (une taille si fine, des seins si fermes), qui laissait dans son sillage un doux parfum de rose. Un soupçon seulement, remarquez, suivant le bon goût *goy*; rien à voir avec les relents capiteux qui accompagnaient Gitel Kugelmass. Marion faisait de la sculpture.

« Ta tête, dit-elle en la saisissant entre ses mains, en promenant ses doigts frais dans les cheveux de L. B.

— Quoi, qu'est-ce qu'elle a, ma tête ? s'inquiéta-t-il.

— Tu as une tête d'Ancien Testament. »

Il rentra d'un pas traînant, dans la neige, des fourmillements partout sur le crâne. Bessie, fidèle à son habitude, avait laissé la lumière du couloir allumée. Il la trouva assise à la table de la cuisine, vêtue d'une robe de chambre élimée, en train de tailler ses cors à l'aide d'un couteau.

Le lendemain soir, L. B. refusa de manger les tripes farcies qu'elle lui avait préparées. C'était un de ses plats préférés.

« Mais je croyais que tu étais allé à la selle, ce matin.

— Ça fait grossir. »

L. B. devint un habitué des soirées données par de fervents professeurs de McGill qui écrivaient de la poésie, eux aussi, ne juraient que par le *New Statesman* et réfléchissaient pendant de longues heures au moyen de sauver le Canada grâce au socialisme. Qu'ils étaient bizarres, ces gentils, cette intelligentsia ! Ils ne s'étaient pas nourris de Dostoïevski, de Tolstoï, du Zohar, de Balzac, de Pouchkine, de Gontcharov et du Baal Shem Tov. Dans leurs rangs, c'était plutôt George Bernard Shaw, les Webb, H. G. Wells, des bibliothèques faites de briques et de planches où dominait le rouge des publications du Left Book Club de Gollancz, les dessins humoristiques du *New Yorker* collés aux murs de ce qu'ils appelaient les W.-C. et, par-dessus tout, le groupe de Bloomsbury. Des types vaches, brillants, se disait L. B. Des écrivains rentiers qui connaissaient les meilleurs millésimes des bordeaux. Mais quand, le vendredi soir, il rapportait des nouvelles des *goyim* à ses acolytes réunis comme d'habitude autour de la table de la salle à manger recouverte d'une nappe au crochet, il en parlait comme d'un monde de merveilles. Dorénavant, L. B. évitait le foie haché servi sur du pain de seigle et le thé au citron ; il était passé au camembert et au Tio Pepe.

Puis vint la sommation du Sinaï. L. B. était invité à une

audience dans l'opulente redoute de M. Bernard, découpée dans les hauteurs du mont Royal; quand il en redescendit, la tête lui tournait, grosse de la promesse d'une abondance sans précédent : il avait en poche un contrat d'une valeur de dix mille dollars par année pour agir comme rédacteur de discours et conseiller culturel du légendaire baron des spiritueux.

« Et ici, ce sera ma bibliothèque, dit M. Bernard en faisant entrer L. B. dans une longue pièce tapissée d'étagères en chêne vides. Garnis-la de ce qui se fait de mieux. Je veux des éditions originales. Des reliures en maroquin le plus fin. Tu as carte blanche, L. B. »

La voix de Libby se fit alors entendre.

« Mais pas de livres d'occasion.

— Pardon, madame Gursky?

— Les microbes... C'est la dernière chose dont j'ai besoin. Nous avons trois enfants, que Dieu les bénisse. »

L. B., après avoir signifié son accord, comprit qu'il devrait marcher sur des œufs. Du point de vue de ses acolytes, en effet, le *bootlegger* repenti, connu pour sa ruse et son exubérance, dont la fortune s'élevait à nul ne savait combien de millions, n'était qu'un *grobber,* un voyou qui faisait la honte des Juifs d'une meilleure étoffe. Attristés par le dévoiement de leur mentor, ils n'osaient pourtant pas encore faire de reproches à leur cher L. B. Sauf Schneiderman qui, en tapant sur la table, cria :

« Demande-lui pourquoi il a trahi son frère !

— Quoi?

— Solomon. »

Moses, qui débarrassait la table, entendit ainsi pour la première fois le nom qui deviendrait pour lui une quête et une malédiction.

Solomon. Solomon Gursky.

« Il y a plusieurs versions de cette histoire, protesta L. B.

— Son propre frère, je te dis.

— Jacob a bien roulé Ésaü. N'est-il pas encore un des nôtres?

— Tu ferais un jésuite de premier plan, L. B.

— Depuis toujours, les artistes font les quatre volontés de leurs mécènes. Mozart, Rousseau. Mahler, ce salaud, est allé jusqu'à se convertir. Moi, j'ai seulement accepté d'écrire pour M. Bernard des discours sur la situation épouvantable de nos frères en Europe. Dans ma bouche, ces mots ne sont que du vent. S'ils viennent de M. Bernard, les gens qui comptent tendront l'oreille. Des portes s'ouvriront, au moins un peu. Dans ce pays, l'argent parle.

— À toi, peut-être, répliqua Schneiderman, mais pas à moi.

— Alors, *chaverim*, y en a-t-il d'autres qui veulent mettre leur grain de sel ? »

Personne.

« Moi, ça me fend le cœur de voir ma douce Bessie partir chez Teen Togs tous les matins. Je dois songer à l'éducation de mon fils. N'ai-je pas le droit, moi qui suis depuis des années au service de ma muse, de mettre du pain sur la table ? »

Peu sûrs d'eux-mêmes, ayant beaucoup à perdre, les membres du groupe semblaient enclins à pardonner et à faire amende honorable. L. B. le sentait bien. Puis Shloime Bishinsky, qui ouvrait rarement la bouche, surprit tout le monde en prenant la parole.

« Que M. Bernard soit riche au-delà de ce qu'on peut rêver et qu'il soit puissant… c'est indéniable. La contrebande d'alcool, c'était une bonne idée – un péché somme toute excusable –, et bon nombre de ceux qui le condamnent ne sont que des envieux. Jay Gould, J. P. Morgan ou Rockefeller sont de bien plus grands bandits. Ce que j'essaie de dire, avec votre permission, c'est que les princes de l'Amérique ont droit à leurs grandes demeures, à leurs Rolls-Royce, à leurs manteaux de chinchilla, à leurs yachts, à leurs jolies filles tout droit sorties des cabarets. Mais ils ne devraient jamais pouvoir s'acheter un poète. Pourquoi ? C'est une question de dignité humaine. Les morts. Le caractère sacré de la parole. Je m'explique mal. Mais tu n'es pas l'homme que je croyais, L. B. Excuse-moi, Bessie, mais je ne peux plus venir ici. Adieu. »

Le vendredi suivant, seuls quelques habitués se présentèrent pour lire leurs nouvelles et leurs poèmes et, au bout d'un mois, il n'y eut plus personne.

« Si ces rêveurs arrêtent de venir ici pour s'en mettre plein la panse et me lire leur *dreck* une fois par semaine, je ne vais quand même pas me plaindre. J'ai besoin de solitude pour mon travail. »

Une légère raideur dans la nuque, un brin de nausée, et L. B., le pouls fébrile, passa trois jours au lit.

« Chut, Moishe, L. B. ne se sent pas bien. »

Pendant ses incursions chez les gentils, où il escomptait une désapprobation d'un autre genre (ils sont solidaires, même s'ils parlent de la lutte des classes), il eut la surprise de constater qu'ils étaient impressionnés. L'une des filles, une Morgan, affirma que sa tante avait eu une aventure avec Solomon Gursky. « Il lui a fabriqué une table en cerisier. Elle l'a encore. »

Du fond de la salle, L. B. voyait M. Bernard s'attirer des concerts d'éloges en s'appropriant l'éloquence d'un poète laissé dans l'ombre. Comme Edgar Bergen et Charlie McCarthy, songeait L. B., piqué au vif. Mais il y avait des compensations. Les Berger quittèrent leur appartement sans eau chaude de la rue Jeanne-Mance et prirent possession d'une maison individuelle avec un jardin et des arbustes ornementaux dans une rue bordée d'arbres d'Outremont. M. Bernard s'était porté garant de l'hypothèque. L. B. y disposait d'une salle de travail digne de ce nom avec un bureau en chêne et un fauteuil en cuir et un samovar et le portrait réalisé par Herman Yalofsky monté sur un chevalet. L. B., de profil, supportant courageusement le poids du cosmos, contemplant ses mystères.

Trois

Un après-midi de 1942, L. B. dit à Moses qu'ils étaient invités au manoir de Bernard Gursky. On obligea Moses à se faire couper les cheveux et on lui fit enfiler des chaussures et un costume neufs. L. B. expliqua :

« C'est le treizième anniversaire de l'aîné, Lionel, et M. Bernard a dit que tu étais le bienvenu. Tu es censé jouer avec les deux plus jeunes, Anita et Nathan. Répète.

— Anita et Nathan.

— Quand elle te sera présentée, remercie Mme Gursky de t'avoir invité. Elle a la phobie des microbes. Polio, typhoïde, scarlatine… Si tu es pris d'une envie pressante, viens me prévenir et je t'indiquerai les toilettes destinées aux visiteurs.

— *Tu veux dire que même toi, tu n'es pas autorisé à utiliser leurs toilettes ?* s'écria Moses, les joues enflammées.

— Tu es tellement colérique… Je me demande d'où tu tiens ça. »

Les trois frères Gursky s'étaient chacun fait construire un manoir en pierre des champs, côte à côte, sur les flancs du mont Royal. M. Bernard avait trois enfants ; M. Morrie, deux, Barney et Charna. Et, à la suite du décès de Solomon, sa veuve continua d'habiter la demeure de son mari avec ses deux enfants, Henry et Lucy. Tous les enfants Gursky, à l'abri des hauts murs de pierre de leur domaine, vivaient dans l'opulence. Au-delà des portes en fer forgé, Moses, que son père n'avait absolument pas préparé, resta bouche bée devant une splendeur qui dépassait son entendement.

Il y avait une énorme piscine. Dans un arbre, une maison à étages conçue par un architecte, meublée par une décoratrice et pourvue d'un système de chauffage. Un chemin de fer miniature. Une patinoire aux bandes rembourrées. Un magasin de bonbons muni d'une véritable fontaine à soda dont s'occupait un Noir qui riait à tout propos. Il y avait aussi un carrousel (loué pour la fête, celui-là) et, tout autour de la propriété, une piste de course pour les vélos. On avait fait construire le chemin de fer, le magasin de bonbons, la patinoire et la piste de course peu après l'enlèvement du bébé des Lindbergh. Depuis lors, les chauffeurs qui conduisaient les petits Gursky (sauf Henry et Lucy) à leurs écoles privées portaient une arme.

Pour l'anniversaire de Lionel, on avait invité une vingtaine d'enfants, presque tous aussi pétrifiés que Moses. Ils firent la queue pour le féliciter.

« Comment tu t'appelles ?

— Moses Berger.

— Ouais, ton père travaille pour nous. »

La fête était égayée par des clowns qui parcouraient le parc à bord d'une petite guimbarde de cirque. Cette dernière, pétaradant avec fracas, était équipée d'un klaxon surdimensionné qui jouait les premières mesures de la cinquième symphonie de Beethoven (qui signifiaient aussi le « V de la victoire » en code morse). On croisait également des accordéonistes et d'impertinents violoneux canadiens-français déguisés en coureurs des bois. Des jongleurs, aussi. Et une chanteuse réaliste, en vedette au Tic-Toc, qui apparut le temps d'interpréter *Somewhere Over the Rainbow.* Quatre nains d'âge mûr, habillés comme des enfants de six ans, chantèrent *The Lollipop Guild.* Un magicien, qu'on avait spécialement fait venir en avion de New York, se produisit. Un Indien de la réserve de Caughnawaga exécuta une danse de guerre en costume traditionnel, présenta à Lionel une coiffe tribale et le sacra chef.

Aussitôt, Mme Gursky retira la coiffe et prévint Lionel qu'il devrait se laver les cheveux avant de se mettre au lit. Ensuite, on mangea le gâteau, de la taille d'un pneu de camion, dont le glaçage en pâte d'amandes imitait habilement la couverture du magazine *Time* et proclamait Lionel Gursky « Garçon de l'année ».

Moses suivit les flèches qui conduisaient aux TOILETTES DES INVITÉS juste à temps pour entrer en collision avec Barney Gursky, qui en émergeait dans tous ses états.

Ensuite, Moses contourna la piscine pour se diriger jusqu'aux limites du domaine, où il tomba sur deux enfants assis sur une balançoire. Le garçon semblait avoir le même âge que lui. La fille, de quelques années sa cadette, peut-être, suçait son pouce. Puis, le sortant de sa bouche, elle dit :

« Pourquoi ne retournes-tu pas à la fête, d'où tu viens ? »

Henry se présenta et fit de même pour sa sœur, Lucy.

« Je m'appelle Moses Berger. »

Lucy haussa les épaules, l'air de dire « Et alors ? », se laissa descendre de la balançoire et, nonchalamment, retourna vers la grande demeure en pierre des champs.

« Tu vas à quelle école ? demanda Moses.

— J-j-je n'y vais pas, répondit Henry. On me l'interdit.

— Tout le monde est obligé d'aller à l'école.

— Je suis des c-c-cours particuliers avec Mlle Bradshaw. Elle v-v-vient d'Angleterre. »

Moses, pour ne pas être en reste, dit :

« Je suis le fils de L. B. Berger. Le poète, tu sais ? Et toi, que fait ton père ?

— Mon p-p-père est mort. Tu veux voir ma chambre ?

— D'accord. »

Au moment où Henry sauta de la balançoire, une dame aux cheveux poivre et sel tout emmêlés sortit d'un pas traînant par la porte à deux battants de la demeure en pierre. Pieds nus, elle ne portait qu'une chemise de nuit bleu layette. Elle était soutenue, d'un côté, par une dame corpulente arborant un uniforme blanc amidonné et, de l'autre, par un jeune homme vêtu d'une veste blanche.

« Qui est-ce ? demanda Moses.

— Ma m-m-mère est souffrante. »

Puis, à la surprise de Moses, Henry lui prit la main et, en la serrant fort, le fit entrer dans la maison.

Le salon, le plus grand que Moses ait jamais vu, regorgeait de tableaux éclairés par le haut, dont plusieurs ceints d'un lourd cadre doré. Moses y reconnut un Braque et un Matisse : son institutrice à la *Folkshule*, Mlle Levy, se servait des bulletins du Book-of-the-Month Club comme aides pédagogiques et, à l'époque, des œuvres de peintres célèbres figuraient souvent sur les jaquettes. Mais ce fut surtout un espace vide, clairement délimité sur le papier peint, qui retint son attention. De toute évidence, un tableau de grande dimension y avait autrefois été accroché. D'ailleurs, on voyait encore les fils électriques d'un dispositif d'éclairage pendiller au mur.

Des mois plus tard, Henry lui apprit que l'espace vide avait été occupé par le portrait d'une magnifique jeune femme. En regardant de près, on s'apercevait qu'elle avait un œil bleu et l'autre brun. Soit le peintre était soûl au moment où il avait effectué le travail, soit il était complètement fou. Lucy avait sa propre théorie : « Je pense que la femme n'a pas voulu le payer. Alors il s'est vengé en lui peignant les yeux de deux couleurs différentes. »

Quoi qu'il en soit, le tableau avait été volé peu après la mort de leur père. On avait bien ri de la bêtise des malfaiteurs, qui avaient dédaigné un Braque, un Matisse et un Léger, entre autres, pour n'emporter qu'une œuvre sans valeur, réalisée par un artiste local.

D'énormes oursons en peluche encombraient les moindres recoins de la chambre monumentale d'Henry. Le lit était défait et Moses reconnut, sous le drap de lin, le contour d'un drap en caoutchouc. Puis il découvrit des soldats de plomb de collection, disposés en rangées sur le sol. Des grenadiers britanniques d'un côté, des dragons français de l'autre.

« Tu as quel âge ? demanda Moses.

— T-t-treize ans.

— Et tu joues encore aux petits soldats ?

— Tu n'as qu'à ne pas jouer, si tu n'en as pas envie. »

Moses en avait envie, en fait. Ils s'installèrent par terre, Moses prenant position derrière les militaires français.

« Ils ont perdu, dit Henry en lui offrant plutôt les grenadiers.

— Quoi ?

— W-W-Waterloo. »

Au fur et à mesure que la bataille avançait, des pièces d'artillerie incroyablement détaillées entrèrent en jeu, et Moses commença à bien s'amuser. Puis, soudain, il bondit sur ses pieds.

« Il faut que j'y retourne. Mon père va se faire du souci.

— Tu es mon prisonnier, s'écria Henry en se précipitant vers la porte, qu'il bloqua de ses bras écartés.

— Allez, ne fais pas l'imbécile », dit Moses.

Henry, ravalant ses larmes, baissa les bras.

« Tu reviendras j-j-jouer avec moi ?

— Tu n'as qu'à le payer », dit Lucy dans l'embrasure de la porte.

Elle sourit. Le poing devant la bouche, elle avait les joues creuses à force de sucer.

« Je vais revenir. »

Moses regagna la fête juste à temps pour assister à la cérémonie de clôture. Les enfants formaient un cercle près du portail, où leurs parents, radieux, les attendaient pour les ramener en voiture. L'un d'eux, un rouquin potelé appelé Harvey Schwartz, affublé d'une chemise à jabot et d'un pantalon de velours magenta, s'avança et tendit un bouquet de roses rouges à Mme Gursky.

« Nous offrons ces fleurs à notre bienveillante hôtesse, elle qui a eu la gentillesse de nous inviter à cette journée que nous n'oublierons jamais, au grand jamais, dit-il en embrassant sur la joue Mme Gursky, penchée vers lui.

— Tu es un ange, dit Mme Gursky en s'essuyant la joue avec un papier mouchoir.

— Nous souhaitons à Lionel, dont c'est aujourd'hui l'anniversaire, santé et réussite dans toutes ses entreprises, poursuivit Harvey. Pour Lionel Gursky, hip, hip, hip, hourra ! »

Pendant que tous, sauf Barney Gursky, poussaient quatre acclamations enthousiastes, la mère d'Harvey Schwartz fondit sur Mme Gursky.

« Harvey est le premier de sa classe à l'école de Talmud Torah. Il a déjà sauté une année. J'espère qu'il pourra revenir. »

Moses aperçut L. B. qui faisait les cent pas, manifestement furieux.

« Où diable étais-tu passé ? demanda-t-il au moment où M. Bernard, tout sourire, s'approchait.

— Là-bas, avec Henry et Lucy. »

Consterné, L. B. adressa à M. Bernard un regard implorant.

« Désolé, fit-il.

— Ce n'est rien. Il ne pouvait pas savoir.

— Qu'est-ce qu'elle a, leur mère ?

— Bon sang ! » dit L. B.

M. Bernard, lui, gloussait. Il porta un index boudiné à son front et le fit tourner à la façon d'un tournevis.

« Elle est folle à lier. »

Mme Gursky, agitée, vint se joindre à eux en poussant le petit Harvey Schwartz devant elle.

« Dis-lui, ordonna-t-elle.

— Excusez-moi, monsieur Bernard, mais quelqu'un a écrit des mots méchants sur Lionel dans les toilettes des invités.

— Qu'est-ce que tu me chantes là ? »

En redescendant à pied des hauteurs, Moses dit à L. B. qu'Henry l'avait invité à jouer de nouveau avec lui.

« Il n'en est pas question. C'est le fils de Solomon.

— Et alors ?

— C'est très compliqué. Des histoires de famille. De vieilles querelles. Il ne faut surtout pas nous en mêler.

— Pourquoi ?

— Je t'expliquerai quand tu seras assez grand.

— Assez grand comment ?

— Ça suffit, maintenant. J'ai eu ma dose pour aujourd'hui. »

Ils poursuivirent en silence sur la route sinueuse à flanc de montagne.

« Solomon était un *bulvon,* dit L. B. Un homme affreux. Un jour, il a assisté à une de mes lectures de poèmes. Il a été le premier à lever la main pendant la période de questions. "Le poète peut-il nous dire, a-t-il demandé, s'il utilise un dictionnaire de rimes ?" J'aurais dû lui coller une paire de claques.

— Ouais », fit Moses en tentant de s'imaginer la scène.

Il rit et agrippa la main de son père.

« Allons prendre un café chez Horn.

— Pas aujourd'hui. En fait, il faut que je te laisse ici.

— Où vas-tu ? »

Exaspéré, L. B. soupira.

« Puisque tu dois tout savoir, un sculpteur m'attend pour une séance de pose et je suis en retard.

— Hé, mais c'est génial. Comment s'appelle-t-il ? »

L. B. s'empourpra.

« Des questions, toujours des questions. Tu ne t'arrêtes donc jamais ? C'est quelqu'un que j'ai rencontré dans une soirée. Ça te va, comme ça ? »

Quatre

La publication dans *Jewish Outlook* du poème de L. B. Berger célébrant le vingtième anniversaire de mariage de M. Bernard, en 1950, plongea Moses dans une grande colère. Socialiste engagé, désormais, il reprocha à son père d'avoir trahi les vieux camarades qui le vénéraient pour se faire l'apologiste des Gursky, l'un des toutous de M. Bernard.

« Calme-toi et baisse le ton, je te prie. Il se trouve, protesta L. B., que M. Bernard a fait beaucoup plus pour nos réfugiés et l'État d'Israël que tous ces *nebbishes.* »

Moses, cependant, ne voulait rien entendre. Il accusa son père d'être devenu un *nimmukwallah,* celui qui a mangé le sel du roi. Ils se querellèrent et Moses qualifia son père, qui avait l'habitude de garder des copies carbone de toute sa correspondance, de prétentieux.

« Sache, répliqua L. B., que l'édition originale du *Buisson ardent* publiée par Spartacus Press se vend à présent dix dollars pièce, à supposer que tu puisses mettre la main sur un exemplaire. L'ouvrage appartient désormais au "patrimoine du judaïsme canadien". Un véritable article de collectionneur. »

Bouillant de rage, Moses quitta la maison de la rue bordée d'arbres d'Outremont et, en quête de réconfort, se tourna vers Sam Birenbaum.

« Viens prendre un verre avec moi.

— Eh bien…

— Arrête un peu, Molly sera heureuse d'avoir l'appartement à elle toute seule, pour une fois. »

Sam, qui avait autrefois fait les délices du groupe de L. B. en récitant le discours prononcé par Sacco devant le tribunal, fut le premier enfant à décevoir. Ironie du sort dans la mesure où Sam, dès l'adolescence, s'était rendu indispensable aux membres du groupe pour régler toutes sortes de situations. Mon Dieu, sanglotait une femme qui avait composé le numéro de Best Fruit, le magasin des Birenbaum, envoyez-moi Sam au plus vite, toutes les lumières se sont éteintes. Ou les toilettes sont bouchées. Ou l'évier de la cuisine a fait floc, floc, floc toute la nuit. Ou les radiateurs ne dégagent aucune chaleur. Ou la voiture de ma belle-sœur refuse de démarrer.

Sam courait donc remplacer les fusibles qui avaient sauté, extraire des choses innommables des toilettes, changer une rondelle de caoutchouc, saigner les radiateurs, mettre de l'eau distillée dans des éléments de batterie sèche ou autre chose encore. Et certes, on le remerciait, parfois avec effusion, mais Sam sentait qu'il déméritait aux yeux de ces gens à cause de ses compétences dans des domaines aussi terre à terre.

Lorsque, à l'école secondaire, Moses et Sam étaient devenus inséparables, L. B., qui ne faisait pas mystère de sa désapprobation, s'en prenait au garçon à chacune de ses visites.

« Serait-ce un livre que je vois entre tes mains, Sam, ou suis-je victime d'une illusion d'optique ?

— C'est un magazine. *Black Mask.*

— N'importe quoi. »

Puis Sam et Moses se retrouvèrent à McGill. Sam, qui avait environ trois ans de plus que Moses, fut le rédacteur en chef du *McGill Daily.* Il abandonna ses études au milieu de la dernière année et entra à la *Gazette* parce que sa petite amie était enceinte. Molly, qui avait insisté pour qu'il poursuive ses études afin qu'il puisse un jour se mettre à écrire sérieusement tout en bénéficiant d'un poste dans l'enseignement, avait proposé de se faire avorter. Mais Sam n'avait rien voulu entendre. Depuis que Molly et lui avaient commencé à se fréquenter à l'école secondaire, Sam craignait qu'elle ne trouve quelqu'un de plus intelligent et de moins grassouillet que lui. À présent, cependant, elle n'avait d'autre choix que de l'épouser. Moses se souvenait du jour où Sam, exubérant, lui avait appris la nouvelle.

« Molly Sirkin, ma femme. Tu te rends compte ? »

Pour célébrer, ils allèrent dîner à la Chicken Coop.

« Ne te retourne pas, dit Sam, mais Harvey Schwartz est là, celui qui n'a jamais rencontré un homme riche qui ne lui plaisait pas. »

Harvey vint leur présenter sa fiancée, Mlle Rebecca Rosen, qui portait un gardénia au corsage.

« Nous sortons tout juste de chez M. Bernard, annonça Harvey en ajoutant qu'il grossirait les rangs de McTavish Distillers dès qu'il aurait terminé ses études. C'est pour moi un grand défi.

— J'ai une question très personnelle à te poser, fit Moses. Lorsque tu es chez M. Bernard et que tu as envie de pisser, quelles toilettes utilises-tu ?

— Allez, viens, mon gros nounours, dit Becky. Ils disent n'importe quoi. »

À présent, Sam, qui n'avait pas encore vingt-trois ans, était le père d'un garçon de deux ans sujet aux otites, à la rougeole, à l'érythème fessier, vulnérable aux kidnappeurs, aux agresseurs d'enfants, au syndrome de la mort au berceau et à toutes sortes d'autres dangers que Sam avait peine à imaginer.

Les deux amis se retrouvèrent au Café André. Moses relata sa querelle avec L. B. et fulmina contre les Gursky, la nouvelle royauté juive d'Amérique.

« Du Rambam au rhum de contrebande. Nous en avons fait du chemin, pas vrai ?

— Je te croyais en bons termes avec les Gursky.

— Seulement avec Henry. »

Ils atterrirent au Rockhead's Paradise, d'où Sam téléphona immédiatement chez lui.

« Ne me regarde pas comme ça. Je tiens à ce qu'elle sache toujours où je suis, au cas où...

— Au cas où quoi ?

— OK, c'est bon. Maintenant, j'ai quelque chose à te dire, mais ça doit rester entre nous. J'ai soumis quelques textes au *New York Times*. On m'a invité à venir pour une interview, mais je n'ai pas l'intention d'accepter un poste, à supposer qu'on m'en offre un.

— Ah non ? Pourquoi ?

— Molly veut recommencer à travailler, l'année prochaine. Sa mère s'occuperait de Philip pendant la journée et moi je quitterais la *Gazette* pour essayer de me mettre sérieusement à l'écriture. »

Quelques heures plus tard, Sam, au volant de la voiture de son père, réussit à atteindre sans encombre la maison des Berger, à Outremont. Moses, pour sa part, eut du mal à déverrouiller la porte. S'agenouillant pour mieux se concentrer sur l'opération délicate qui consistait à introduire la clé dans la serrure, il se mit à rire sottement.

« Chut ! fit-il pour lui-même, L. B. dort.

— Il rêve de louanges sans réserve.

— D'un Pulitzer...

— D'un Nobel...

— De statues érigées en son honneur.

— Ses cheveux, pour l'amour du ciel. Il se prend pour Beethoven.

— Arrête. »

Ils s'assirent sur les marches et Moses revint sur le cas des Gursky.

« Il paraît que le vrai salopard de la bande, c'était Solomon, celui qui est mort dans les années 1930.

— Molly m'attend.

— Tu pourrais me donner accès au dossier que possède la *Gazette* sur Solomon Gursky ?

— D'où te vient cette fascination ?

— Tu te souviens de Shloime Bishinsky ?

— Évidemment. Quel rapport avec lui ?

Pas de réponse.

— Tu veux en remontrer à L. B., pas vrai, camarade ?

— Tu me donnes accès au dossier sur Solomon Gursky ou pas ?

— Ouais, bien sûr. »

Le dossier, cependant, avait été volé. Dans la bibliothèque, la grande enveloppe en papier kraft était vide. Et lorsqu'il sortit les vieux journaux où il était question du procès, Moses se rendit compte que tous les articles pertinents avaient été découpés à l'aide d'une lame de rasoir.

Il venait de mordre à l'hameçon.

Cinq

Vers la fin d'un après-midi d'hiver, en 1908, Solomon Gursky, déboulant de son école sous la neige qui tombait dru à Fort McEwen, en Saskatchewan, trouva son grand-père Ephraim qui l'attendait, juché en poupe de son long traîneau. À l'époque, Solomon avait à peine neuf ans. Ephraim, que les Indiens surnommaient « le Rebouteux », avait quatre-vingt-onze ans et arrivait au bout de son règne. Habitant la réserve dans une cabane recouverte de papier goudronné, il vivait avec une jeune femme appelée Lena. Dix chiens jappeurs étaient attelés au traîneau. Ephraim, les yeux embrasés, empestait le rhum. Il avait la joue meurtrie, la lèvre inférieure enflée.

« Qu'est-ce que tu as ?

— Ne t'en fais pas. J'ai glissé et je suis tombé sur la glace. »

Ephraim emmitoufla son petit-fils sous les peaux de bison, posa sa carabine à portée de main et fit claquer son fouet bien haut pour donner le signal aux chiens.

« Et Bernie et Morrie ? demanda Solomon.

— Ils ne viennent pas avec nous. »

Dans la lumière déclinante, à l'arrière de son magasin général, George Deux-Haches les attendait en faisant les cent pas. Il se hâta de charger le traîneau de vastes quantités de pemmican, de sucre, de bacon, de thé et de rhum.

« Partez vite », les supplia-t-il.

Ephraim, cependant, ne se laissa pas bousculer.

« George, je veux que tu envoies quelqu'un prévenir mon fils que le petit passe la nuit chez les Davidson.

— *Tu ne peux pas l'emmener avec toi.*

— Tout doux, George.

— S'il t'arrive quelque chose, là-bas, il n'aura aucune chance de s'en sortir.

— Je t'écrirai du Montana.

— Je ne veux pas savoir où tu vas.

— Je te fais confiance », dit Ephraim.

Les yeux brillants de menace, il tendit une liasse de billets à George Deux-Haches.

« Fais-lui un bon cercueil en pin et donne le reste à la famille.

— Tu n'as plus toute ta tête, vieil homme. »

Au lieu de prendre à droite aux rails de chemin de fer, Ephraim tourna à gauche et s'engagea sur le sentier qui menait vers les grandes plaines.

« Je croyais que nous allions au Montana.

— Nous allons au nord.

— Où ça ?

— Loin.

— Tu es encore soûl, *zeyda* ? »

Ephraim rit et entonna une de ses chansons de marins :

Sur les quais de la cité,
Les garces tout excitées
Se diront, le nez en l'air :
« Jack et trois ans de salaire !
Car il rentre à la maison,
Car il rentre à la maison ! »

Ils voyagèrent toute la nuit, Solomon bien au chaud sous les peaux de bison. Ephraim ne réveilla son petit-fils qu'après avoir construit leur premier igloo, chauffé par une lampe de pierre. Il demanda à Solomon de l'aider à mettre de l'ordre dans leurs affaires. « Mais attention à ce que tu fais. »

Parmi les objets qu'il dut décharger, Solomon eut la surprise de trouver un certain nombre de livres, y compris une grammaire latine.

« Après le petit déjeuner, dit Ephraim, nous allons commencer à étudier quelques verbes.

— Mlle Kindrachuk dit que le latin est une langue morte.

— Elle ne vaut pas un clou, ta satanée école.

— Rien ne m'oblige à rester ici avec toi. Je rentre. »

Ephraim lui lança des raquettes et sa boussole.

« Dans ce cas, prends ça, mon brave. Tu en auras besoin. Ah oui. Surtout, ne t'allonge pas, même si tu es à bout de forces : tu mourrais de froid. »

Dehors, Solomon, indigné, erra dans une mer de neige tourbillonnante. Moins d'une heure plus tard, il était de retour. Il claquait des dents.

« Hier, des hommes de la police montée sont venus à l'école, dit-il, sondant le terrain.

— Sers-toi une tasse de thé. Je prépare le bacon.

— Ils ont emmené André Ciel-Clair. Il y a eu une grosse bagarre dans la réserve. »

Ephraim dénoua un sac en toile et sortit des habits propres pour Solomon. « Ça, dit-il en indiquant un parka avec une capuche, c'est un *attigik*. Et ça, ajouta-t-il en brandissant un pantalon bouffant qui descendait jusqu'aux genoux, c'est un *qarliiq*. »

Les deux vêtements, expliqua-t-il, étaient en peau de caribou. Ils se portaient côté cuir contre le corps. Il y avait aussi deux paires de bas – celles du dessous se portaient avec le poil de l'animal à l'intérieur et inversement pour celles du dessus – et une paire de bottes en peau de caribou.

« Où on va ? demanda Solomon.

— Jusqu'à la mer Polaire. »

George Deux-Haches avait raison. Son grand-père n'avait plus toute sa tête.

« Mange ton bacon et après on piquera un petit roupillon.

— On sera partis pendant combien de temps ?

— Si tu es là pour faire ton bébé et que tu tiens tellement à rentrer, prends les chiens pendant que je dors et fous le camp. »

Ephraim posa sa carabine à côté de la plate-forme de couchage et s'assoupit, la bouche grande ouverte. Bientôt, ses ronflements résonnèrent dans l'igloo. Solomon songea à l'assommer d'un coup de crosse et à s'enfuir, mais il doutait de pouvoir maîtriser les chiens et il n'avait aucune envie de ressortir dans le froid. Peut-être demain.

« Tu es encore là ? fit Ephraim en se réveillant, l'air plutôt contrarié.

— Et alors ?

— Tu as peut-être eu peur que je ne m'en sorte pas sans les chiens.

— Je n'ai jamais vu la mer Polaire. »

Ephraim s'égaya. Il alla même jusqu'à sourire. Une fois de plus, ils voyagèrent toute la nuit, en conjuguant des verbes latins. Ephraim taquinait son petit-fils : « Je t'ai sur les bras et je ne suis pas du tout certain d'avoir pris assez de provisions pour nous deux. »

Sur la piste, le lendemain soir, Ephraim dit :

« Pourquoi je ne me prélasserais pas au chaud sous les peaux pendant que tu tiens les guides, pour changer ?

— Et si je me trompe de direction ?

— Tu vois ce gros diamant, bas dans le ciel ? Eh bien, tu fonces tout droit vers lui. »

Au bout d'une semaine, ils cessèrent de voyager de nuit. Au moment de lever le camp, Ephraim ne se donnait plus la peine d'effacer jusqu'aux derniers vestiges de leur igloo. Il montra à Solomon comment harnacher les chiens, en faisant passer les traits les plus courts dans ceux des plus paresseux, attachés à portée du fouet. Avant de débiter leur nourriture à coups de hache, Ephraim n'oubliait jamais de retourner le traîneau et de le fixer le plus solidement possible aux chiens affamés pour éviter que, dans leur excitation, ils ne l'emportent avec eux. Puis il jetait la viande à la meute et riait en voyant les plus forts, dont deux ou trois avaient déjà les oreilles déchirées, se ruer sur les plus gros morceaux. « À partir d'aujourd'hui, dit-il à Solomon, c'est ton boulot. »

Ephraim comprit que le garçon aimait s'occuper des chiens, mais, irrité par sa grossièreté ainsi que par la mauvaise grâce avec laquelle il exécutait ses autres tâches et étudiait le latin, il continua de le surveiller de près. Il se demanda s'il ne s'était pas trompé sur son petit-fils, de la même façon qu'il s'était trompé sur tant de gens depuis que ses forces avaient commencé à décliner. Puis il se rendit compte que Solomon noircissait en cachette des pages de son cahier d'exercices, y traçait une carte rendant compte de leur progression, les points de repère dessinés avec soin. Avec encore plus de satisfaction, il observa que, chaque fois qu'il croyait son grand-père assoupi, Solomon sortait de l'igloo à pas feutrés, une hachette à la main, et faisait une profonde entaille dans un arbre près de leur campement.

Leur première grosse querelle survint après une leçon de latin.

« Tu manges quand je dors, dit Solomon. Je m'en rends compte quand je range les provisions.

— Tu ne manques pas de culot.

— Je pense que nous devrions séparer nos réserves en deux, là, maintenant, et si tu manques de nourriture avant d'arriver à destination, eh bien…

— Tu ne sais même pas encore chasser. Moi, à ton âge, je lisais Virgile. Maintenant, va harnacher les chiens.

— Pour que tu puisses te plaindre que je fais tout de travers, comme d'habitude ?

— Allez, grouille-toi.

— Fais-le, toi.

— Moi, je me rendors. »

Pendant trois jours, ils restèrent à ce campement sans s'adresser la parole, jusqu'à ce que Solomon finisse par sortir harnacher les chiens. Ephraim lui emboîta le pas. Solomon avait fait du beau travail et Ephraim faillit le complimenter, histoire de se réconcilier avec lui, mais les vieilles habitudes ont la vie dure et il résista à la tentation. Il lui dit seulement : « Tu as réussi à ne pas trop rater ton coup, pour une fois. »

Il leur fallut voyager sans répit pendant des jours et des jours pour atteindre les rives du Grand lac des Esclaves.

Ailleurs dans le monde, l'impératrice douairière Cixi était morte ; Geronimo, vieil ami d'Ephraim, était souffrant et ne tarderait pas à quitter ce monde à son tour ; Einstein accouchait de la théorie quantique de la lumière ; la première Model-T sortait d'une chaîne de montage à Detroit. Mais, sur les rives du lac glaciaire, Ephraim, moins ratatiné que réduit à son essence par un effet de distillation, était assis sur ses talons avec le petit-fils qu'il avait choisi, l'homme et l'enfant se réchauffant au bord de leur feu de camp sous l'arc mouvant d'une aurore boréale. Sur l'épaule d'Ephraim, un corbeau était perché.

« Un des dieux des Cris, dit-il, sait converser avec toutes sortes d'animaux dans leur propre langue ; quant à moi, je n'arrive à me faire comprendre que de l'oiseau qui a manqué à ses devoirs envers Noé. »

Ephraim se leva, pissa et jeta quelques brochets aux chiens.

« Tu entends ce bruit dans les collines ?

— Un loup ?

— Les Chipewyans qui, par rancune, tuent tout ce qui bouge, même les oisillons dans leurs nids, ne touchent jamais au loup, qu'ils considèrent comme un animal d'exception. Mais, moi, je ne suis pas chipewyan. Viens, suis-moi », fit-il en tendant la main.

Solomon, se dérobant, refusa de la prendre. Il en avait très envie, mais il s'en sentait incapable.

« Je vais te montrer quelque chose », dit Ephraim.

Il sortit un long couteau de leur traîneau et planta le manche dans la neige. Il fit fondre du miel sur le feu et en enduisit la lame. Aussitôt, le miel gela.

« Plus tard, le loup va venir lécher le miel et il va se taillader la langue. Puis cet imbécile, par gourmandise, va lécher son sang sur la lame jusqu'à ce qu'il meure exsangue. Tu comprends ?

— Certainement.

— Non, tu ne comprends pas. J'essaie de te mettre en garde contre Bernard, dit Ephraim en le foudroyant du regard. Le moment venu, n'oublie pas : badigeonne ton couteau de miel. »

En marmonnant dans sa barbe, il mit de la neige à fondre pour le thé. « Il y a de l'or ici, dit-il. Nous sommes assis dessus ! » Puis il se remémora son enfance dans les mines de charbon en faisant comme si Solomon avait été au fond du puits, enchaîné comme lui au traîneau, à quatre pattes, attentif aux rats grouillants, tirant sa charge vers l'arrière-taille. Il se souvint des filles qui fréquentaient l'entrée des mines, de Sally du comté de Clare. Il maudit d'anciens ennemis dont Solomon n'avait jamais entendu parler, et s'énerva franchement devant le peu d'empressement du garçon à pimenter la sauce de ses propres invectives. Solomon semblait plutôt décontenancé et un rien effrayé. « Ton arrière-grand-père était chantre à Minsk, puis à Liverpool, dit Ephraim, et quand il interprétait le *Kol Nidre,* aucune synagogue n'était assez grande pour accueillir tous ses admirateurs. »

Bien avant d'arriver à destination, ils essuyèrent leurs premiers grands vents. Ephraim s'assit dans le traîneau, s'enveloppa de peaux et dit :

« Construis-nous un igloo.

— Mais je ne sais pas comment faire.

— Au travail, fit Ephraim en lui lançant un long couteau.

— Fais-le, toi, répondit Solomon en repoussant le couteau d'un coup de pied.

— Moi, je dors. »

Espèce de vieux salopard, songea Solomon. Mais il alla récupérer le couteau. Des larmes se figeaient sur ses joues pendant qu'il découpait des blocs de neige. Quand il eut terminé, il secoua son grand-père, aussi fort qu'il en eut le courage, pour le réveiller. Dans l'igloo, Ephraim alluma le *koodlik.* Il prit Solomon sur ses genoux et réchauffa ses joues vives et brûlantes de ses paumes, puis, sur la plate-forme de neige, il le borda sous les peaux et, pour l'endormir, lui chanta une de ses chansons, pas une chanson impie, mais bien un chant de synagogue qu'il avait appris à la table de son père.

> Fort et infaillible,
> De nos chants la digne cible,
> Jamais défaillant,
> Toujours triomphant.

Une fois le garçon profondément endormi, Ephraim l'examina avec affection. Après avoir réchauffé le dos de ses mains sur les joues du petit-fils élu, il se retira dans un coin pour se soûler tranquillement. *J'ai quatre-vingt-onze ans, mais je ne mourrai qu'après l'avoir vu en face, celui-là.*

Debout dans l'igloo, au-dessus de son petit-fils, Ephraim, portant son haut-de-forme en soie noire et son talit, imbibé de rhum, étendit ses mains raidies par l'âge et, pareil à son père jadis, bénit l'enfant : « *Yeshimecha Elohim keEfrayim vechiMenasheh.* »

Du point de vue de Solomon, Ephraim était imprévisible, grincheux. Un compagnon excentrique. Rarement doux, le plus souvent impatient, débordant de colère et de contradictions. Un jour, il n'avait que des éloges pour les Esquimaux, peuple ingénieux qui avait appris à vivre dans un désert gelé, tirant sa subsistance de la terre et utilisant des os et des tendons d'animaux pour fabriquer des outils et des armes. Le lendemain, il les dénonçait d'une voix ivre : « Tout ce qu'ils ont trouvé pour guérir un enfant malade, c'est de faire danser les femmes autour de lui en criant *aya, aya, aya.* Ils n'ont pas de langue écrite et leur vocabulaire est d'une désolante pauvreté. »

Avant de trancher de la viande gelée pour le petit déjeuner,

Ephraim posait sa langue sur le couteau. Aussitôt, elle y adhérait et il attendait que la chaleur de son corps réchauffe la lame, assez pour que sa langue s'en détache. Sinon, expliqua-t-il, la lame d'un couteau froid risquait de rebondir, voire de se casser.

Chaque fois qu'ils levaient le camp, Solomon, exaspéré, notait la disparition d'une quantité de nourriture plus grande que ce qu'ils avaient pu manger ensemble. De toute évidence, le vieil égoïste s'empiffrait en cachette. C'est quand il essayait de se rappeler le nom d'anciens compagnons qu'Ephraim se montrait le plus irascible. Il avait tendance à répéter les histoires issues du fouillis de ses souvenirs. Même avec ses lunettes de lecture, une malédiction pour lui, il avait du mal à tailler une aiguille à coudre dans un os de lagopède et finissait par tout balancer. Cinq heures de sommeil lui suffisaient et il lui arrivait de réveiller Solomon en pleine nuit sous prétexte qu'il avait quelque chose d'urgent à lui dire. « Ne mange jamais le foie d'un ours polaire : ça rend fou. »

Ephraim, le premier vieillard que Solomon vit nu, offrait un spectacle saisissant. Une épave, une loque. Les rares dents qui lui restaient, longues et branlantes, avaient pris la couleur de la moutarde. Sa mâchoire fuyait de plus en plus. Ses bras, quoique grêles, leurs muscles fondus, possédaient une force surprenante. Sur sa poitrine étroite, au-dessus de son ventre creux et flasque, s'étalait un tapis de poils gris glacé. Sur une hanche, une bosse de la taille d'une pomme tendait sa peau. « Mon pingo personnel », disait-il. Un réseau de veines rubis défigurait une de ses jambes. Ses testicules, d'une taille déconcertante, pendouillaient dans une bourse plissée ; son pénis inerte dépassait d'un nid couvert de neige. Des cicatrices et des blessures anciennes, des taches violacées, là où on l'avait maladroitement recousu. Son dos parcouru de zébrures, de nœuds et de stries.

« Qu'est-ce qui t'est arrivé ? lui demanda Solomon.

— J'étais un sale garnement. »

Il arrivait qu'Ephraim se réveille le matin d'humeur guillerette, impatient de s'enfoncer plus avant dans la toundra.

D'autres jours, il se plaignait d'avoir mal aux os et s'attardait sur la plate-forme de couchage, où il se consolait avec du rhum. Ivre, il se moquait parfois de Solomon et dressait la liste de ses incompétences ou il faisait les cent pas dans l'igloo, sans se soucier de son petit-fils, en se chamaillant avec lui-même et avec les morts.

« Comment pouvais-je savoir qu'elle allait se pendre ?

— Qui ?

— Ne fourre pas ton nez dans mes affaires. »

Avant de se coucher, il remontait théâtralement sa précieuse montre de gousset en or, qui portait l'inscription suivante :

De W. N. à E. G.
de bono et malo.

Une nuit, furieux, il secoua Solomon pour le tirer du sommeil : « J'aimerais le voir une fois nez à nez, comme Moïse sur le Sinaï. Pourquoi pas ? Pourquoi pas, hein, dis-moi ? »

Ils mangeaient du lièvre arctique et du lagopède. Ephraim apprit à Solomon à manier la carabine et à chasser le caribou, secouant la tête quand il gaspillait trop de balles. Mais lorsque Solomon eut abattu son premier mâle en le touchant en plein cœur, Ephraim sidéra son petit-fils en le serrant dans ses bras et en le chatouillant, et ils roulèrent dans la neige, tous les deux, encore et encore. Puis Ephraim éventra le caribou en ayant soin de ne pas crever le premier estomac. Il remplit ses mains de sang chaud, le but et fit signe à Solomon de l'imiter. De retour dans l'igloo, il cassa quelques os et montra à Solomon comment en sucer la moelle, puis il tailla des bouts de graisse dans la croupe afin qu'ils aient tous deux de quoi grignoter. Pris de nausée, Solomon sortit en vitesse.

Une semaine plus tard, ils campèrent sur les rives du lac Point et de la rivière Coppermine. Ephraim lui dit alors que seuls cinq chefs d'Israël avaient vécu plus de cent vingt ans : Moïse, Hillel, Rabbi Yoḥanan ben Zakkaï, Rabbi Yehouda Hannassi et Rabbi Akiva. « J'ai déjà quatre-vingt-onze ans, mais si tu penses que je suis prêt à mourir, tu délires. »

À mesure qu'ils longeaient la rivière Coppermine, Ephraim sembla se radoucir. Certains soirs, le vieil homme, couché sous les peaux avec son petit-fils dans la lumière dansante de l'igloo, régalait ce dernier d'histoires ; d'autres soirs, cependant, il abusait du rhum.

« Comment retrouverais-tu ton chemin si je mourais dans mon sommeil ?

— Ne t'inquiète pas pour moi.

— Tu as peut-être fait une folie en venant jusqu'ici avec moi. Je ne serais même pas bon à manger. Je ne suis plus qu'un paquet d'os. »

Sous les peaux, Solomon se dégagea de lui.

« Arrête de me taquiner, *zeyda*.

— Je me suis peut-être trompé sur ton compte. J'aurais peut-être dû emmener Bernard. Ou Morrie. »

Il empoigna Solomon et le secoua.

« C'est peut-être de Morrie que tu dois te méfier, tu sais. Bon sang. Tu ne comprends rien à rien.

— Qu'est-ce que je fais ici si tu me détestes ? »

Piqué au vif, Ephraim voulut se récrier, dire à Solomon combien il l'aimait, au contraire. Mais il butait sur les mots. Quelque chose en lui l'empêchait de les prononcer. « Pourquoi Saül a-t-il lancé ce javelot sur David ? »

Une fois à destination, au bord de la mer Polaire, le vieillard et l'enfant érigèrent un igloo et mirent leurs vêtements à sécher sur une corde placée au-dessus de leur *koodlik* ; puis Ephraim borda son petit-fils sous les peaux étendues sur la plate-forme. « C'est l'Orcadien mourant, expliqua-t-il, le marin que j'ai rencontré à la prison de Newgate, qui nous a conduits, moi d'abord et toi à présent, sur ce rivage. »

Ephraim célébra leur arrivée en buvant une bouteille de rhum et en chantant pour Solomon. Des chants de synagogue. Puis il lui raconta une histoire.

« Il y a très, très longtemps, presque toutes les terres, et pas seulement le Nord, étaient recouvertes d'une couche de glace qui faisait peut-être un mille d'épaisseur. Quand la glace a fondu, un déluge a balayé les terres des Esquimaux, des Loucheux, des Assiniboines et des Stoneys. Ils ont été nombreux à mourir avant qu'Iktomi, pris de pitié, ne décide d'en épargner quelques-uns. Il a sauvé un homme et une femme ainsi qu'un mâle et une femelle de toutes les espèces animales. Il a construit un grand radeau pour qu'ils flottent sur les eaux de crue.

« Le septième jour, Iktomi a dit au castor de plonger jusqu'au fond de l'eau pour rapporter une motte de terre. Oh, pauvre castor ! Il a plongé, plongé encore, sans jamais parvenir à toucher le fond. Le lendemain, Iktomi a chargé un rat musqué de rapporter un peu de limon. Le brave rat musqué est descendu très profondément et les autres l'ont longtemps attendu. Le soir, le corps du rat musqué a fait surface près du radeau. Le repêchant, Iktomi a découvert un peu de vase dans sa patte. Il a ramené l'animal à la vie, a pris la vase et l'a roulée entre ses doigts. La vase s'est alors mise à grandir, grandir. Puis, il l'a déposée d'un côté du radeau et elle s'est transformée en terre solide. Bientôt, Iktomi a pu amarrer le radeau et débarquer tous les animaux. Et la terre qu'il avait moulée entre ses doigts a continué de croître.

« Une fois tous les animaux débarqués, la terre a continué de grandir et Iktomi a attendu qu'elle s'étende à perte de vue, puis il s'est adressé au loup et lui a dit de la parcourir et de ne revenir que quand elle serait assez grande pour accueillir tout le monde. Le loup a eu beau voyager pendant sept ans, il n'a pas réussi à faire le tour du monde. Il est rentré en rampant et, épuisé, s'est laissé tomber aux pieds d'Iktomi. Iktomi a alors chargé le corbeau de survoler les coins de la terre que le loup n'avait pas vus. À cette époque, le corbeau était tout à fait blanc, c'était comme ça, et il s'est envolé ainsi qu'Iktomi le lui avait ordonné. En apparence, du moins. Au lieu de remplir sa mission, le corbeau, affamé, a vu un cadavre qui flottait sur les eaux, a fondu dessus et a commencé à le becqueter. Puis il est rentré et Iktomi, en le voyant, a su qu'il avait mangé un mort à cause du sang qui couvrait son bec. Alors Iktomi a saisi le corbeau et lui a dit : "Puisque tu as une vilaine nature, je vais te donner une vilaine couleur." Aussitôt, le corbeau est passé du blanc au noir, et c'est la couleur qu'il possède encore aujourd'hui. »

Ephraim se glissa de nouveau sous les peaux avec Solomon et ils se serrèrent l'un contre l'autre pour se garder au chaud. Au matin, Ephraim dit :

« Nous allons attendre que les miens nous retrouvent et plus rien ne t'obligera à te réchauffer contre un paquet d'os.

— Comment les tiens vont-ils savoir que nous sommes là ?

— Le premier homme créé par l'Être suprême a été un échec, expliqua Ephraim. Il était imparfait. Il a donc été mis de côté et appelé *kub-la-na* ou *kod-lu-na,* ce qui veut dire "homme blanc". Puis l'Être suprême a fait une seconde tentative et il en est résulté l'homme parfait, ou *Inuit,* ainsi qu'il s'appelle lui-même. Les miens vont nous trouver et ils vont me cacher ici jusqu'à ma mort.

— Tu veux dire que tu ne vas pas me ramener à la maison ?

— Tu peux prendre les chiens, le traîneau, une des carabines et la moitié des munitions. Les miens te donneront de la viande de phoque.

— Comment je vais retrouver mon chemin ?

— Je t'ai appris tout ce que je sais. Lire les étoiles, chasser. Un garçon esquimau y parviendrait.

— Je ne suis pas esquimau.

— Je peux demander à deux des miens de t'accompagner jusqu'à la limite des arbres.

— J'aurais dû te tuer quand j'en avais la chance. »

Ephraim détacha une sacoche en cuir du traîneau, fouilla dedans et en sortit un pistolet ancien.

« Tiens, dit-il en le lançant à Solomon. Vas-y. »

Sur la crosse de l'arme était gravé *HMS Erebus.*

Six

Moses, toujours à la recherche de sa mouche à saumon, dut admettre qu'il n'en avait pas besoin. Il n'aurait qu'à acheter une autre Silver Doctor la prochaine fois qu'il irait pêcher sur la rivière Restigouche. Si, cependant, il continuait de la chercher pendant encore une heure – jusqu'à onze heures, disons –, il serait trop tard pour se mettre au travail. La journée foutue, il n'aurait qu'à se rendre au Caboose pour relever son courrier et peut-être s'y attarder le temps de prendre un verre. Un seul, évidemment. Alors il sortit une grande boîte en carton du placard du couloir et la vida sur le plancher du salon. En tombèrent un moulinet Hardy, le coupe-cigare qu'il avait égaré, un étau Regal pour le montage de mouches, des années d'échanges épistolaires avec la Société de l'Arctique et sa collection de cahiers de notes, de cartes et de documents relatifs à l'expédition Franklin.

Moses avait été membre de la Société de l'Arctique jusqu'en 1969, année où, en raison du comportement disgracieux qu'il avait affiché lors d'une assemblée, il avait été déclaré *persona non grata.*

La première chose qu'il récupéra dans ses papiers sur Franklin fut une interview, publiée dans le *Yellowknifer,* avec l'une des petites-filles de Jock Roberts. En 1857, Roberts avait navigué dans l'Arctique en compagnie du capitaine Francis Leopold M'Clintock, qui tentait de retrouver des survivants de l'expédition de Sir John Franklin. Ces recherches avaient suscité l'intérêt de l'Amirauté britannique, du président des États-Unis, du tsar de Russie et, par-dessus tout, de Lady Jane Franklin. Une ballade, populaire à l'époque à Londres, allait comme suit :

> Parmi les baleines de la mer de Baffin,
> De Franklin nul ne connaît la fin,
> De Franklin nulle langue ne dit le destin,
> Là où gisent Lord Franklin et ses marins.

Pauvre Franklin.

En 1845, quelques jours à peine avant de partir pour la mer Polaire en quête du passage du Nord-Ouest, l'ancien officier de la bataille de Trafalgar, âgé de cinquante-neuf ans, eut la prémonition du tombeau de glace qui l'attendait. Pendant qu'il faisait la sieste sur un canapé, Lady Franklin, dans l'intention de le garder au chaud, drapa ses jambes de l'enseigne britannique qu'elle brodait. Franklin bondit sur ses pieds. « Vous m'avez couvert d'un drapeau ! Ignorez-vous que ce sont les cadavres qu'on enveloppe de l'Union Jack ? »

On mit à la disposition de Franklin un équipage de cent trente-quatre officiers et hommes de bord ainsi que deux robustes bombardes à trois mâts. En prévision de leur dur périple dans l'Arctique, les deux bâtiments, gréés en barques, furent renforcés, leurs bordages doublés, leurs proues et leurs poupes consolidées pour atteindre une épaisseur de huit pieds. Une foule immense s'assembla sur le quai pour voir l'*Erebus* et le *Terror* s'élancer sur la Tamise. Les officiers, élégants, avaient revêtu pour l'occasion des queues-de-pie, des vestes rondes, des vestes courtes et des capotes. Pour faire le tour du globe en empruntant le passage du Nord-Ouest, ils avaient aussi pris des gilets croisés, des cols montants, des foulards de soie noire et autres articles à la mode, ainsi que le commandait la bienséance aux gentlemen de la mer. Franklin, homme corpulent aux joues flasques, lut à son équipage un sermon inspiré du chapitre dix-sept du premier livre des Rois, dans lequel Élie, le Thischbite, raconte qu'il s'est caché près du torrent de Kerith, en face du Jourdain, et que les corbeaux ont reçu l'ordre de le nourrir en ce lieu en lui apportant du pain et de la viande, matin et soir.

Parmi les vivres chargés sur les bateaux se trouvaient des milliers de boîtes de conserve contenant de la viande, des soupes, des légumes, de la farine, du chocolat, du thé, du tabac et, en guise de protection contre le scorbut, du jus de citron. Malgré tout, quelques-uns des membres les plus exigeants de la compagnie avaient jugé bon de pourvoir à leurs propres besoins. Un officier, par exemple, prit à bord des bonbons assortis commandés pour l'occasion chez Fortnum & Mason. Puis, en pleine nuit, au moment où les navires allaient quitter le port de Stromness dans les Orcades, dernière halte avant la haute mer, on fut témoin d'un événement singulier : l'arrivée d'un aide-chirurgien qui monta à bord de l'*Erebus* en compagnie d'un mousse coiffé d'un haut-de-forme en soie, les deux hommes lestés de sacs de provisions. Six rouleaux de tripes farcies, quatre douzaines de saucissons casher, un tonnelet de harengs gras et un nombre incalculable de pots de graisse de poulet. Leurs poches étaient bourrées de gousses d'ail. L'aide-chirurgien et le mousse bavardaient dans une langue gutturale que le troisième lieutenant, de faction à ce moment-là, prit pour un dialecte allemand. Interrogé à ce sujet, cependant, le mousse soutint avec insistance qu'il s'agissait d'un patois que l'aide-chirurgien et lui avaient appris à l'occasion d'un voyage dans les mers du Sud.

On ne commença à s'inquiéter du sort de Franklin qu'en 1847. L'Amirauté organisa trois expéditions de secours, en vain. À partir de 1850, des flottes de navires entreprirent de fouiller l'Arctique. L'un d'eux découvrit trois tombes que marquaient des stèles. C'étaient celles de deux marins de l'*Erebus* et d'un du *Terror*. Les trois hommes avaient été inhumés en 1846.

La quête pour retrouver Franklin se poursuivit. En 1854,

John Rae, qui faisait le levé de la presqu'île de Boothia, tomba sur une bande d'Esquimaux qui lui dirent que Franklin et les membres de son équipage étaient morts de faim après avoir subi la perte de leurs navires : laissant comme témoignage de leurs souffrances les corps mutilés d'hommes qui, de toute évidence, avaient nourri leurs compagnons d'infortune. Le récit de Rae fut publié dans le *Globe* de Toronto.

Qu'un chrétien accepte la parole d'autochtones dans un dossier aussi délicat souleva l'ire de Lady Franklin, mais aussi d'autres Britanniques, dont Charles Dickens. La source de ces récits, écrivit Dickens, était un peuple avide, perfide et cruel, assoiffé de sang et friand de blanc de baleine. Les membres de l'expédition Franklin, eux, représentaient « la fine fleur de la marine britannique » et, par conséquent, « il était hautement improbable que de tels hommes eussent pu, malgré les affres de la faim, atténuer par d'aussi vils moyens les tourments de la famine ».

Trois ans plus tard, Jock Roberts se joignit aux recherches en voguant avec M'Clintock à bord du *Fox*. En 1850, M'Clintock atteignit l'île du Roi-Guillaume et découvrit sur le rivage occidental un canot de sauvetage de l'*Erebus*, à quelque soixante-cinq milles de la dernière position des bateaux de Franklin. Le canot, légèrement en porte-à-faux sur le traîneau qui le transportait, n'avait ni rames ni pagaies. Selon les calculs de M'Clintock, le traîneau pesait environ mille quatre cents livres au total, un poids absurde pour des marins accablés par le scorbut et pratiquement morts de faim. Les seules provisions retrouvées étaient quarante livres de thé, une bonne quantité de chocolat et un petit pot contenant de la graisse animale, sans doute du morse, qui, étonnamment, avait un goût de poulet et d'oignons frits. Pour le reste, l'embarcation était lestée d'un nombre invraisemblable d'objets inutiles. Des serviettes, des pains de savon parfumés, des éponges, des cuillères et des fourchettes en argent, vingt-six assiettes portant les armoiries de Sir John Franklin et six livres, des ouvrages bibliques ou pieux. Deux squelettes gisaient à bord, privés de leur crâne. Les squelettes retrouvés à la proue, écrivit M'Clintock, sans doute par égard pour la sensibilité de Lady Franklin, « avaient été dérangés par de gros animaux fort puissants, probablement des loups ».

Pie invétérée, Jock Roberts avait rapporté des souvenirs de son voyage long et éprouvant avec M'Clintock. Un mouchoir en soie, deux boutons provenant de la capote d'un officier, un peigne et, plus déconcertant encore, une calotte en satin noir à l'intérieur et à l'extérieur de laquelle étaient brodés d'étranges symboles. De toute évidence, cette calotte ne faisait pas partie de l'équipement fourni par la Marine royale et il était peu probable qu'elle ait fait partie de l'attirail de l'un des membres de l'expédition. On en vint aussitôt à la conclusion que le couvre-chef avait été laissé là par des pillards autochtones et qu'il avait sans doute appartenu à un chaman. D'où, cependant, une intrigante conjecture : contrairement à la croyance populaire, il y avait au moins une bande d'Esquimaux nomades suffisamment avancée pour disposer d'une forme rudimentaire de langue écrite. Puis, un beau jour, Jock Roberts, en manque d'alcool et à court d'argent, apporta la calotte en satin au conservateur du musée nordique d'Edmonton et, après avoir relaté en long et en large les circonstances de sa découverte, insinua qu'un artefact esquimau aussi rare valait bien son pesant d'or. Le conservateur, qui se trouvait être aussi docteur en théologie, qualifia Roberts de menteur et d'ivrogne. « Ne nous prenez pas pour des imbéciles, dit-il. Ces prétendus symboles brodés dans le tissu ne sont pas de l'esquimau. C'est de l'hébreu. À titre d'information, je précise que les mots qui figurent à l'extérieur signifient : "Observe le sabbat pour le sanctifier." À l'intérieur, nous avons ce que je crois être le nom du propriétaire légitime de cette calotte : "Yitzchak ben Eliezer." Je vous suggère de la lui rendre sans tarder. Bien le bonjour, monsieur. »

L'affaire n'en resta toutefois pas là. Car la calotte, bientôt connue sous le nom de « kippa de Jock Roberts », ne fut pas le seul artefact hébraïque découvert dans l'Arctique. Waldo Logan de Boston, capitaine du *Determination*, baleinier qui accosta à Pelly Bay en 1869, en exhuma un autre. Une bande d'Esquimaux Netsilik, animés de sentiments amicaux, se porta à la rencontre de Logan. L'un d'eux, un dénommé In-nook-poo-zhee-jook, soutint avoir trouvé sur l'île du Roi-Guillaume un autre canot de sauvetage jonché de squelettes. On avait coupé certains os à la scie et troué bon nombre de crânes pour mieux en sucer la cervelle. Sur les lieux, il avait découvert un livre qu'il avait pris comme jouet pour ses enfants et c'étaient les vestiges de ce livre – en réalité, un *siddour*, un recueil de prières hébraïque, avait-on appris par la suite – que Logan avait rapportés de l'Arctique.

Logan, fin observateur, remarqua que les parkas portés par cette bande de Netsilik avaient quelque chose d'inusité : quatre franges, chacune composée de douze brins de soie, en dépassaient. L'un d'eux, Ugjuugalaaq, lui dit :

« Nous chassions le phoque sur l'île du Roi-Guillaume quand nous avons croisé un petit groupe d'hommes blancs tirant un canot monté sur un traîneau. Ils avaient l'air affamés et morts de froid. À part le jeune homme appelé Tulugaq et son ami plus âgé, Doktuk, aucun d'eux ne portait de fourrures. »

Dans *La Vie avec les Esquimaux, récit de la recherche de survivants de l'expédition de Sir John Franklin dans l'Arctique*, Logan nota entre parenthèses que *tulugaq* signifie « corbeau » en inuktitut.

« Nous campâmes pendant quatre jours et partageâmes un phoque avec les hommes blancs. Tulugaq, petit et de forte constitution, avec une barbe noire, se faisait du souci pour Doktuk, qui semblait très malade. »

Ugjuugalaaq prit soin de passer sous silence le combat à mort qui opposa Tulugaq à l'officier qui s'habillait en femme ou les miracles dont il était capable. Il ne parla pas non plus de la mort de Doktuk, dont la sépulture était marquée par une planche de bois sur laquelle était écrit :

À la mémoire sacrée
d'Isaac Grant, M. D.,
aide-chirurgien
HMS Erebus
décédé le 12 novembre 1847
Mon Dieu ! mon Dieu !
pourquoi m'as-tu abandonné,
et t'éloignes-tu sans me secourir,
sans écouter mes plaintes ?
Psaume 22

Cent ans plus tard, des universitaires se chamaillaient toujours au sujet de la signification des artefacts hébraïques et exposaient leurs théories dans des articles savants publiés par le *Beaver*, *Canadian Heritage* et le *Journal of Arctic Studies*.

Au printemps 1969, le Pr Knowlton Hardy, président de la Société de l'Arctique, présenta son hypothèse au cours de l'assemblée qui donna lieu à l'expulsion de Moses. Ce qu'on appelait la « kippa de Jock Roberts », déclara-t-il, n'avait rien d'un authentique indice concernant Franklin : toute cette histoire n'était qu'un écran de fumée. Ou plutôt, ajouta-t-il en regardant Moses droit dans les yeux, un écran de viande fumée. Il était inconcevable que l'objet ait pu appartenir à un membre de l'expédition Franklin ou même à un autochtone. C'était sans doute le couvre-chef d'un Juif ayant fait partie de l'équipage d'un baleinier américain.

« Peut-être, concéda Moses, était-ce celui du teneur de livres du navire. »

Puis, mû par tout le scotch qu'il avait ingurgité à jeun, il se mit à improviser et avança une hypothèse de son cru : au moins un des membres de l'expédition était d'origine juive et les artefacts faisaient partie de ses effets personnels.

« Balivernes ! » s'écria Hardy.

Moses, gratifiant Hardy d'un sourire en coin, fit valoir que des objets plus bizarres encore qu'une kippa ou un *siddour* avaient fait partie des bagages des officiers ou des hommes de bord. On en trouvait des preuves irréfutables dans les comptes rendus détaillés et, bien entendu, jamais publiés (que tout chercheur digne de ce nom pouvait consulter à la Maison de l'Amirauté) des articles retrouvés sur l'île Beechey et sur l'île du Roi-Guillaume, notamment un porte-jarretelles noir filigrané, des jarretières froufroutantes, des culottes de soie, trois corsets, deux perruques pour femmes et quatre jupons diaphanes.

« Je ne supporte plus d'entendre de telles imbécillités ! » hurla Hardy en tapant du poing sur la table.

Les articles que Berger venait d'énumérer avec l'insolence caractéristique d'un ivrogne, dans l'intention de jeter un doute sur les penchants sexuels d'officiers et de matelots courageux et de porter atteinte à l'honneur des morts, étaient en fait parfaitement innocents, protesta Hardy. Ils appartenaient sans doute au lieutenant Philip Norton ou au commissaire de la marine John Hoare. Ils avaient tous deux accompagné Parry dans l'Arctique à bord du *HMS Hecla* et s'étaient distingués sur les planches du Théâtre royal de l'Arctique, créé en 1819 à Winter Harbour. Norton avait joué les soubrettes aguichantes dans un certain nombre de farces et d'arlequinades, tandis que l'interprétation de Viola avait valu à Hoare cinq rappels et le sobriquet de Dolly.

« Quant à l'idée que des Juifs se seraient engagés avec Franklin, accusa Hardy, elle est absurde !

— Et pourquoi, je vous prie ? demanda Moses.

— Je ne vais pas mettre de gants, Berger. Il est bien connu que les Juifs qui ont immigré dans notre grand pays au XIXe siècle n'ont pas pris le risque de passer par le cercle arctique. Ils ont eu tendance à s'établir dans les villes, où il leur était plus facile de commercer et de s'élever dans la société. »

Moses se leva et se dirigea d'un pas chancelant vers Hardy,

qui trônait derrière la table en forme de U, s'empara d'une carafe d'eau et tenta de la vider sur la tête du conférencier. Ce dernier s'esquiva et d'une tape la lui fit tomber des mains.

Au cours de l'été 1969, on envoya une expédition scientifique, dirigée par le Pr Hardy, sur les lieux du dernier repos d'Isaac Grant, dans l'île du Roi-Guillaume. Faisaient partie de la mission un médecin légiste, un anthropologue et un groupe de techniciens munis du matériel de radiographie mobile le plus perfectionné. On déterra le corps d'Isaac Grant, intouché depuis plus d'un siècle, et on le fit dégeler. Grant avait été enterré dans un étroit cercueil en planches. Mais son cadavre, contrairement aux trois qu'on avait déjà exhumés, était enveloppé dans un singulier linceul. L'anthropologue déclara que le linceul présentait une similitude troublante avec les châles que les anciens nomades et agriculteurs du Proche-Orient portaient par-dessus leurs vêtements. Le linceul ou le châle était fait d'un tissage de laine fine traversé, çà et là, de bandes noires ; ses coins, troués, étaient renforcés pour accueillir des houppes ou des franges. Lorsque des photographies du châle, prises sous tous les angles possibles et imaginables, circulèrent parmi les passionnés de l'Arctique, Moses bondit. Dans une lettre adressée à la Société de l'Arctique, il identifia l'objet : c'était un talit, le châle de prière traditionnel commun aux Juifs ashkénazes du nord de l'Europe.

Le Pr Hardy s'indigna. La lettre de Moses tendait à accréditer sa théorie saugrenue selon laquelle un ou même plusieurs membres de l'expédition Franklin étaient juifs. Toutefois, un examen des surprenants documents enterrés avec Grant permit de réfuter cette hypothèse. Il y avait, par exemple, une lettre adressée par un vicaire au révérend Isaac Grant ; son auteur louait le zèle dont Grant avait fait preuve dans le cadre d'une mission auprès des sauvages de la Côte d'Or, en Australie, et exhortait tout bon chrétien à se montrer généreux. D'autres lettres et documents, attachés avec un ruban, étaient encore plus impressionnants. Il y avait une lettre d'un enthousiasme inhabituel signée par M. Gladstone, qui félicitait Grant pour son flair médical. Dans une autre, Sir Charles Napier soulignait ses qualités exceptionnelles de rebouteux et le remerciait d'avoir réparé sa jambe, brisée par une balle de mousquet français. D'autres dignitaires encore recommandaient Grant, présenté comme un chrétien pieux et un chirurgien doté de talents incomparables. Confirmant ces panégyriques, le diplôme de Grant, également enterré avec lui, indiquait qu'il avait été promu *summa cum laude* de l'École de médecine d'Édimbourg, en 1838. Plié entre deux lettres se trouvait un vieux billet d'un théâtre de Manchester annonçant :

DES INDIENS
NOUVELLEMENT ARRIVÉS
du Canada en Amérique du Nord
avec deux de leurs chefs !

Près du corps de Grant, fixé à sa ceinture, se trouvait ce qui avait toutes les apparences d'une hachette traditionnelle indienne, aussi appelée *tomahawk*. Un examen plus approfondi avait révélé, sur la lame, le poinçon d'un fabricant de Birmingham.

Les profondes cicatrices découvertes sur le dos de Grant prouvaient qu'il avait été flagellé à plusieurs reprises, mais il était de notoriété publique que Franklin réprouvait cette pratique. De plus, ces punitions semblaient incompatibles avec l'excellente réputation de l'aide-chirurgien telle que décrite dans les lettres ensevelies avec lui.

Puis, ce fut la consternation.

Un chercheur qui avait eu la présence d'esprit d'écrire à l'École de médecine d'Édimbourg découvrit que l'établissement ne possédait aucune trace d'un étudiant dénommé Isaac

Grant, encore moins d'un *summa cum laude.* Les archives du Registre médical britannique ne contenaient aucune information sur un chirurgien de ce nom et des recherches menées à Somerset House révélèrent qu'aucun Grant n'était né le 5 octobre 1807.

En somme, n'eût été le cadavre qu'il laissait derrière lui, on aurait dit qu'Isaac Grant, M. D., n'avait jamais existé.

Sept

Sean Riley était la première personne à laquelle Moses Berger rendait visite quand ses recherches l'obligeaient à passer par Yellowknife, la capitale des Territoires du Nord-Ouest. Après avoir piloté des Spitfire au-dessus de Malte pendant la Seconde Guerre mondiale, Riley fit de l'épandage aérien au Kenya pendant trois ans. De retour au pays, il s'inscrivit dans une école de la Trans-Canada Airlines, d'où il sortit pilote de Viscount, en 1951. Sa période de service s'acheva d'abjecte façon. Un jour, avant d'entreprendre un vol entre Montréal et Halifax, Riley lut à voix haute une directive du siège social énumérant les divers rôles que jouaient les capitaines de paquebots de la Cunard et enjoignant aux pilotes de la TCA d'être non seulement des aviateurs hors pair mais aussi des hôtes divertissants. « Et maintenant, dit-il en sortant son harmonica de sa poche, je vais vous interpréter *Kisses Sweeter Than Wine.* Ensuite, j'accepterai de jouer deux autres chansons de votre choix avant de vous emmener tout là-haut, dans le bleu des cieux. »

Inévitablement, Riley – comme nombre d'esprits libres, de fauchés endettés, de maris en fuite, d'ivrognes impénitents et autres galvaudeux – se réfugia au nord du soixantième parallèle, où il pilota des DC-3, des Cessna et des Otter, avec Yellowknife comme point d'attache. Il devint le pilote favori du juge de la Cour supérieure des T. N.-O., qu'il transportait régulièrement au-dessus de la toundra. Tard un soir de 1969, alors que les deux hommes buvaient au Trapline, Riley apprit à Moses que, dès le lendemain matin, il emmenait en tournée le magistrat et un tribunal itinérant, de même que quelques journalistes. Moses, qui se rendait à Tulugaqtitut, village sur la côte de la mer de Beaufort où Henry Gursky vivait depuis des années, n'avait qu'à monter avec eux.

Le tribunal se composait du juge, d'un procureur de la Couronne, de deux avocats de la défense et d'un greffier. Trois journalistes, dont deux « de l'extérieur », se joignirent à eux. Ces deux-là représentaient le *Globe and Mail*, de Toronto, et le *Vancouver Sun*. Le troisième reporter était une certaine Beatrice Wade, originaire de Yellowknife qui travaillait au *Edmonton Journal* à l'époque. Une beauté aux cheveux couleur corbeau, à la poitrine trop insolente pour sa fine silhouette et aux yeux noirs comme du charbon qui brillaient d'un éclat trop avide.

Riley, réunissant les passagers sur la piste de décollage, ne put s'empêcher de se donner en spectacle devant les journalistes « de l'extérieur ».

« Ce vieux coucou, qui tient seulement avec de la colle et des pinces à cheveux, est un DC-3, que certains surnomment "la Bête de somme du Nord", notre Model-T bien à nous, en quelque sorte, bien que la plupart des habitués du Nord l'appellent "l'usine à veuves". Avant le décollage, l'un de vous souhaite-t-il prendre en photo l'intrépide aviateur que je suis ? »

L'un des journalistes s'exécuta.

« Mais attention, on a beau ne pas être à O'Hare ou à Kennedy, la sécurité reste notre priorité. Il faut d'abord dégivrer cet engin. »

Riley donna le signal à Beatrice, qui glissa deux doigts dans sa bouche et siffla. Un jeune Esquimau arriva à toute allure et, à l'aide d'un balai de cuisine, déneigea les ailes.

Moses, qui s'était précipité dans l'espoir de prendre place aux côtés de Beatrice, se fit damer le pion par Roy Burwash, le grand Anglais au teint cireux du *Vancouver Sun*. Il dut donc se contenter d'un siège de l'autre côté de l'allée.

« Vancouver, c'est pas mal, concéda Burwash, mais, côté culture, c'est un peu le désert. En plus, les normes journalistiques sont à des lieues de celles dont j'avais l'habitude à Londres.

— Pour quel journal travailliez-vous ? demanda Moses.

— J'ai été publié dans *Lilliput* et dans *Woman's Own.*

— Je vous ai demandé pour qui vous travailliez.

— Le *Daily Sketch.*

— Et qu'est-ce qui vous manque le plus, à Vancouver ? Le chauffage au gaz dans votre petit studio meublé de Kentish Town, les tickets-repas ou la beuverie hebdomadaire avec les copains au Raymond's Revue Bar ? »

Beatrice, assise à côté du hublot, se pencha pour mieux voir Moses.

« Vous êtes un bien vilain garçon », dit-elle.

Au moment où le DC-3 amorçait sa descente vers la première étape de la tournée, une neige légère se mit à tomber. Moses, profitant de l'arrêt, partit à la recherche de vieux Esquimaux dont les grands-parents leur auraient raconté l'histoire de l'homme aux yeux de braise venu à bord du bateau avec trois mâts. Il était également en quête d'Esquimaux dont le parka s'ornait de quatre franges, chacune composée de douze brins de soie.

Après le déjeuner, Riley décolla malgré une visibilité partielle et s'éleva rapidement au-dessus du mauvais temps. Deux ou trois heures plus tard, il trouva un trou dans les nuages, y plongea et, après avoir rebondi sur le sol à quelques reprises, immobilisa son appareil juste devant un panneau enfoncé dans la glace.

BIENVENUE À AKLAVIK
Population 729 – Altitude 30 pieds
Les braves ne meurent jamais !

Une bande d'Esquimaux perplexes accueillit le DC-3.

« Vous nous apportez le courrier ? demanda l'un d'eux.

— On les a pas, vos foutus chèques du bien-être social, répondit Riley. Nous sommes les représentants de la justice, venus remplir votre prison. Debout, là-bas, voici venir le juge impitoyable. »

Le drapeau du Canada fut planté dans la neige devant la salle communautaire, tandis que le juge se hâtait d'enfiler sa robe de magistrat. Le premier inculpé était un Flanc-de-Chien revêche et boutonneux, arborant une moustache à la Fu Manchu, avec les lettres « FUCK » tatouées au-dessus des jointures d'une main et « YOU » de l'autre côté. Accusé d'introduction par effraction, il se tenait devant le juge en se balançant sur ses pieds.

« Avez-vous lancé une pierre dans la fenêtre du Mad Trapper's Café afin d'y entrer ? demanda le juge.

— C'était fermé et j'avais faim. »

Pendant le vol jusqu'à Inuvik, Moses s'assit à côté de Beatrice. Le soir même, ils devinrent amants et Moses s'excusa de sa piètre performance.

« Désolé. J'ai bien peur d'avoir trop bu.

— Depuis combien de temps connais-tu Henry Gursky ?

— Depuis l'enfance. Pourquoi ?

— Tu es plein aux as, comme lui ? »

Peu disposé à parler de son héritage, Moses répondit :

« Je suis un simple bouche-trou qui fait de la suppléance dans les écoles en attendant qu'on découvre la vérité à mon sujet.

— Quelle vérité ?

— Que je suis un ivrogne.

— Pourquoi ?

— Ne sois pas ridicule.

— Il doit bien y avoir une raison.

— Pourquoi es-tu gauchère ?
— Ton analogie ne tient pas la route.
— Ah bon ?
— Tu as déjà essayé d'arrêter de boire ?
— Et merde.
— Oui ou non ?
— Souvent.
— Qu'est-ce qui te pousse à recommencer ?
— Le contact avec mes semblables, surtout.
— Des fouineurs, comme moi ?
— Comme ce satané Burwash.

— Pourtant, il n'est pas si différent de toi. Toi aussi, tu as voulu me mettre dans ton plumard dès que tu m'as vue dans l'avion, pas vrai ?

— C'est injuste.

— Je n'ai pas la prétention d'être une femme exceptionnelle. J'étais là, c'est tout, et pour la plupart d'entre vous, c'est suffisant.

— Dormons.

— Il est encore trop tôt. Nous n'en sommes pas encore au clou de la soirée, le moment où tu me montres une photo de ta légitime en me disant que c'est une femme du tonnerre, que tu ne sais pas ce qui t'a pris, les aurores boréales, peut-être, ou encore l'alcool, mais qu'il ne faut jamais que je t'écrive ou que je téléphone chez toi, merci ma jolie.

— Je ne suis pas marié.

— C'est difficile à comprendre. Un boute-en-train comme toi, dit-elle, le faisant rire pour la première fois.

— Tu es gentille, dit-il.

— Retiens-toi, je te prie. Je risque de prendre la grosse tête.

— Belle ?

— J'ai trente ans, quand même.

— Je ne suis pas marié, moi, mais je suis sûr qu'une fille comme toi…

— … aussi intelligente et talentueuse que toi…

— … a un petit ami.

— Par ici, les hommes ont peur des femmes, surtout de celles qui parlent beaucoup. Ils aiment chasser, pêcher, regarder le hockey à la télévision et dire des cochonneries sur nous au Trapline, dit-elle en l'attirant vers elle.

— J'ai bien peur d'avoir trop bu pour t'être utile ce soir.

— Je ne te fais pas passer un examen, Moses. Détends-toi. Laisse-toi aller. »

À son réveil, il la trouva qui lisait au lit. *Cent Ans de solitude* en édition de poche. « Surprise, surprise, dit-elle. Je ne suis pas seulement le coup du siècle. »

Le printemps suivant, l'exubérant commissaire des Territoires du Nord-Ouest convoqua son conseil, décréta 1970 l'année du Centenaire et invita la reine Élisabeth, le prince Philip, le prince Charles et la princesse Anne à assister aux festivités.

Un après-midi, Beatrice, chargée depuis peu des relations publiques du commissaire, entra subrepticement dans le bureau de celui-ci et ajouta le nom de Moses à la liste des invités au banquet royal.

« Qui c'est, ce Berger ? demanda le commissaire en passant la liste en revue, le lendemain matin.

— L'éminent spécialiste des questions arctiques, bien entendu », répondit Beatrice en feignant la surprise.

Moses, qui, à l'époque, était chargé de cours à la NYU, son avenir incertain, prit l'avion de New York avec quelques jours d'avance et rapporta à Beatrice tous les articles qu'elle avait oubliés chez lui lors de sa dernière visite. Il lui avait aussi acheté un déshabillé en soie noire. Beatrice passa le prendre à l'aéroport et ils filèrent tout droit chez elle. Ils étaient encore au lit quand elle lui fit promettre d'arriver au banquet sans avoir bu. Pendant ses visites, ce matin-là, Moses ne but donc que du café.

Lorsqu'il retrouva Sean Riley au Gold Range, à midi, cependant, Moses ne vit pas de mal à prendre deux pintes et un jus de tomate, à condition de siroter les bières.

« En ce moment, dit Riley, je suis harcelé par un éditeur venu assister à un banquet, un de tes confrères qui vit à Edmonton. Le sourire facile, terriblement raffiné, il s'assoit à ta table et tu es cerné. Il veut que j'écrive un livre sur mes aventures captivantes au pays du soleil de minuit. »

Fidèle à sa promesse, Moses n'était pas soûl quand il arriva, en smoking, au banquet royal, tenu à Elks Hall. Puis il aperçut le Pr Knowlton Hardy, entouré d'admirateurs, et fonça vers le bar, où il s'enfila un verre, rien qu'un seul, un double.

Avant le repas, le couple royal eut droit à un remarquable aréopage d'artistes inuits originaires de villages reculés et venus en avion pour l'occasion. Le Pr Hardy se leva pour présenter le premier poète. Il expliqua que la vie quotidienne des Inuits se caractérisait par d'inimaginables privations, mais que, s'inspirant de la trame de leur existence, ils faisaient de l'extase le leitmotiv de leur salut anacréontique au monde. Ce peuple remarquable tirait des hymnes à la joie, n'en déplaise à Beethoven, des bonheurs les plus simples et les enchâssait dans une forme de haïku qui lui était propre. Puis Oliver Girskee se leva et récita :

> Le froid et les moustiques,
> Ces deux fléaux,
> Ne viennent jamais ensemble…
> *Ayi, yai, ya.*

Après la danse du tambour traditionnelle, on eut droit à une démonstration, aussi rare qu'animée, de tire-bouche, concours mettant aux prises les champions du Keewatin et du Haut-Arctique : chaque adversaire met ses doigts dans la bouche de l'autre et tire jusqu'à ce que l'un d'eux perde connaissance ou s'avoue vaincu. Puis on entendit Minni Altakarilatok et Timangiak Gor-ski, chanteuses de gorge de Cape Dorset, à juste titre célèbres.

« Les sons distinctifs des chants de gorge, expliqua le Pr Hardy à l'intention de la famille royale et de son entourage, fruit d'une vénérable tradition autochtone, résultent de bruits de respiration, nasaux et gutturaux, qui ne sont pas sans rappeler ceux d'une personne qui se gargariserait à sec. Cet art résiste à toute description, mais on peut le comparer à la rumeur des grandes rivières... au doux planement de la mouette... à l'effritement de la neige immaculée que soulèvent les rafales de l'Arctique. »

Après le spectacle, le professeur se leva pour annoncer que le volet artistique de la soirée, où les multiples facettes de la culture inuite avaient été si avantageusement mises en valeur, était à présent terminé. Tout sourire, Moses se leva – initiative qui plongea Beatrice dans les affres de la terreur – et improvisa un petit discours. Il dit espérer que cette facette si précieuse de la mosaïque culturelle canadienne ne serait jamais contaminée par l'introduction, dans le Nord virginal, de la télévision américaine et de ses idioties. Il se rassit en souriant d'un air béat en réponse à une salve d'applaudissements et réclama aussitôt un autre verre.

Puis ce fut l'heure du repas. Omble chevalier fumé et crème de tomates, suivis d'un steak de caribou. Vanessa Hotdog, qui servait le prince Philip, hésita à lui prendre son assiette. « Voyons donc, m'sieur l'duc, gardez votre couteau pis votre fourchette, l'dessert est pas encore servi. »

Pendant des années, Ottawa ne connaissait les Inuits du Keewatin, de l'Arctique central, du Haut-Arctique et de l'île de Baffin que par le numéro inscrit sur le disque qu'ils portaient autour du cou. Puis, en 1969, on leur accorda des noms de famille. Plusieurs choisirent des noms traditionnels en inuktitut, par exemple Angulalik ou Pekoyak. Certains esprits plus exubérants se dotèrent de noms inventés de toutes pièces, comme Hotdog, Coozycreamer ou Turf'n'Surf. L'un des noms récurrents au sein d'une bande d'autochtones qui écumaient l'île du Roi-Guillaume était Gursky ou des variations, notamment Gor-ski, Girskee, Gur-ski ou Goorsky.

Moses avait découvert ce qu'il croyait être la première mention du nom Gursky, épelé Gor-ski dans ce cas particulier, dans les journaux intimes d'Angus McGibbon, intendant de la Compagnie de la Baie d'Hudson au fort Prince-de-Galles. L'entrée datait du 29 mai 1849.

> Le froid extrême perdure. Forte gelée encore la nuit dernière. Jos. Arnold est tombé malade : de graves douleurs le traversent du dos à la poitrine. Les sauvages ignorants qui passent l'hiver avec nous ont proposé toutes sortes d'herbes et de potions pour le guérir, mais je ne veux pas en entendre parler. J'ai ordonné qu'Arnold soit saigné. Il dit avoir moins mal, désormais.
> Avant souper, McNair et ses hommes sont rentrés de Pelly Bay via Chesterfield Inlet avec le récit le plus extraordinaire, si tant est qu'il puisse être confirmé.
>
> Voici le récit de McNair :
>
> Un jeune Blanc, inconnu de la Compagnie ou de la concurrence, vit à Pelly Bay parmi une bande d'Esquimaux nomades qui semblent l'adorer à la façon d'un guérisseur ou d'un chaman. Il s'appelle Ephrim Gor-ski, mais, peut-être en raison de sa peau foncée et de ses yeux perçants, les Esquimaux l'appellent Tulugaq, qui signifie « corbeau » dans leur jargon. McNair, qui ne répugnerait pas à empocher la récompense promise, a osé laisser entendre que le jeune homme en question était peut-être un survivant de l'expédition Franklin, mais ce vain espoir a vite été tué dans l'œuf. Gor-ski ne sait rien de l'*Erebus* ou du *Terror*. Il dit avoir déserté un baleinier de Sag Harbour, mais il n'a nul besoin d'être secouru. De toute évidence, Gor-ski se sentait à l'aise de vivre parmi les Esquimaux dans une maison de neige et, quand l'un d'eux est arrivé avec un phoque fraîche-

ment tué, il a bu la soupe de sang chaud et invité McNair et ses hommes à se servir de l'ignoble bouillon.

McNair a passé deux jours dans le campement, sa curiosité piquée par cet homme qui, bien qu'il se dise Américain, a un accent cockney, et vit comme un sauvage, mais parle couramment le latin et possède une bible. Dans la soirée du deuxième jour, McNair fut témoin d'une cérémonie singulière. Gor-ski sortit du tunnel de sa maison de neige, coiffé d'un haut-de-forme en soie noire et couvert d'un châle blanc frangé à rayures noires. Puis les femmes des sauvages se mirent à folâtrer devant lui.

McNair : « Huit d'entre elles ont exécuté d'étranges danses et contorsions et, bientôt, leurs gestes sont devenus indécents et licencieux à l'extrême. Nous avons alors détourné les yeux. »

Évidemment, McNair est une créature vile et superficielle ; il ment plus souvent qu'il ne dit la vérité et il ne refuse jamais un grog. Son intempérance date de sa disgrâce : il a ordonné à un des serviteurs de la compagnie de couper les oreilles d'un Indien qui avait eu une intrigue avec sa maîtresse. On n'en aurait pas fait grand cas s'en fût-il occupé lui-même dans le feu de la passion ou pour punir un voleur de chevaux. Il est fort probable que le récit de McNair ne soit qu'un ramassis de chimères inspirées par l'alcool.

Jos. Arnold saigné de nouveau ce soir, mais il continue de se plaindre d'étourdissements et de faiblesse généralisée. C'est un tire-au-flanc de naissance.

McGibbon fut sans doute troublé par les dires de McNair et l'existence possible d'un lien avec le sort de l'expédition Franklin – sans parler de la récompense et de la gloire qui attendaient l'homme capable d'élucider l'énigme –, puisque, six semaines plus tard, il envoya à Pelly Bay un détachement chargé de faire enquête. Les hommes constatèrent que les Esquimaux étaient partis depuis longtemps, l'homme blanc avec eux, à supposer qu'il ait existé. Les seules traces de leur campement étaient des os de phoques et d'autres restes d'animaux, un *ulu* abandonné, un cercle de tente et la célèbre sculpture en pierre de savon désormais exposée à la Hudson's Bay House de Winnipeg. Encore une énigme nordique. Car si les petites sculptures en pierre de savon représentant des phoques, des morses, des baleines et d'autres mammifères indigènes n'ont rien d'inhabituel, l'« artefact de McGibbon », ainsi qu'on le surnomme, demeure à ce jour l'unique représentation esquimaude de ce qui est manifestement un kangourou.

Huit

Beatrice n'avait jamais aimé la cabane dans les bois que possédait Moses. Son mausolée gurskyen. La première fois qu'il l'y avait conduite, elle avait dit : « Je viens de la cambrousse, Moses, et je n'avais qu'une envie : en sortir. Pourquoi m'emmener ici ? »

C'était en 1971, peu après que la NYU eut congédié Moses pour cause de « turpitude morale ». Ils vivaient ensemble à Montréal, Moses désœuvré, Beatrice au service d'une boîte de publicité où chaque instant lui pesait. Après le travail, elle le rejoignait dans un bar du centre-ville, où elle le trouvait en général éméché, un sourire idiot sur les lèvres.

« Les week-ends, dit-il en se servant un verre. Ce n'est quand même pas au bout du monde.

— Je suppose. »

Ils se séparèrent pour la première fois l'été suivant et, quelques jours plus tard, Moses était de retour à la clinique du New Hampshire. À l'automne, on signa son congé et il se soumit, en guise de dernière formalité, à la traditionnelle consultation d'adieu.

« Alors, dites-moi, fit le médecin en jetant un regard sur le volumineux dossier posé sur sa table de travail. Il est trois heures et demie du matin, le 5 août 1962. On défonce la porte et on trouve Marilyn Monroe à plat ventre sur le lit, les épaules dénudées, le combiné du téléphone dans la main droite. Juste avant sa mort, qui essayait de la joindre ?

— Comment voulez-vous que je le sache ?

— Pas bête, pas bête. À présent, ouvrez vos mains et laissez le bon docteur jeter un coup d'œil. »

Les ongles de Moses avaient laissé de profondes entailles dans ses paumes.

« Portez-vous bien, mon bon ami. Cette fois-ci, faites que ça dure. »

Moses mit aussitôt le cap sur l'autoroute 91. Il traversa le New Hampshire et le Vermont pour gagner les Cantons-de-l'Est, franchissant la frontière à Highwater. Du côté québécois, des feuilles mouillées et glissantes recouvraient le sol, les arbres nus déjà noirs et cassants. BIENVENUE. Même si la frontière n'avait pas été indiquée, Moses aurait su qu'il était arrivé dans les Cantons-de-l'Est. Les signes de pénurie abondaient. Soudain, la route se bosselait et se fissurait, et il fallait slalomer entre les nids-de-poule. Çà et là, des camionnettes à l'abandon, toutes rouillées et cabossées, cannibalisées des années auparavant, gisaient dans les hautes herbes et les verges d'or. Des granges affaissées pourrissaient dans les champs. De petites usines, où on avait autrefois fabriqué des bobines – et où avaient travaillé huit villageois, qui y avaient laissé leurs doigts –, étaient à présent désaffectées. Au lieu d'élégants petits panneaux vous orientant vers l'Inn at Crotched Mountain, auberge couverte de lierre, ou le Horse and Hound, ancienne maison de ferme érigée en 1880, il y avait, au bord de la route, des CANTINES au toit en papier goudronné, qu'un poteau enfoncé dans la boue proclamait OPEN/OUVERT, et où on vendait des hot-dogs à la saucisse Hygrade et des frites molles et huileuses faites avec des pommes de terre congelées. Pas de débits de boissons à la décoration soignée où un barman vieillissant, ancien « Clean for Gene », vous apporte un numéro de *Mother Jones* avec votre verre. En revanche, vous pouviez vous arrêter chez « Mad Dog » Vachon pour descendre une Mol et feuilleter, avec un peu de chance, un exemplaire vieux de trois semaines d'*Allô Police*. Ou encore à la Vénus di Milo, où des serveuses de Chicoutimi ou de

Sept-Îles, plantureuses et sommairement vêtues, finissaient de se déshabiller, puis se laissaient tomber par terre et faisaient semblant de se masturber, protégées des échardes de la scène par une couverture en flanelle crasseuse.

Avant d'emprunter le vieux chemin forestier qui conduisait à sa cabane dans les bois de l'autre côté de Mansonville, Moses s'arrêta au Caboose, où il trouva Strawberry à l'endroit précis où il l'avait laissé un mois plus tôt, broyant du noir au-dessus d'une chope de bière.

« Ça me fait plaisir de te voir, Straw.

— C'est pas ce qu'a dit ma femme la dernière fois que je l'ai vue. Elle m'a demandé si j'en voudrais encore à quatre-vingts ans. Pas si c'est toi qui m'en donnes, que je lui ai répondu. D'ailleurs, j'ai envie de demander le divorce parce qu'elle est une vraie souillonne. Chaque fois que je veux pisser dans l'évier, il est plein de vaisselle sale. »

Il s'esclaffa en se tapant sur le genou.

« T'as l'air aussi moche que je me sens.

— Tu t'es occupé de ma cabane ?

— T'es pas là depuis cinq minutes, monsieur Chose, que tu me mets déjà de la pression. Personne va cambrioler ta cabane parce que tout le monde sait que les seules choses qu'on trouve là-dedans, c'est tes maudits livres, tes cartes, tes bouteilles vides et tes mouches à saumon qui servent à rien par ici. Je vais prendre la même chose que toi, merci d'avance.

— Je ne prends rien.

— C'est reparti ? » fit Strawberry, amusé.

Si le Canada avait une âme (ce dont on pouvait douter, pensait Moses), on la trouverait non pas à Batoche, sur les plaines d'Abraham, à Fort Walsh, à Charlottetown ni sur la colline du Parlement, mais bien plutôt au Caboose et dans les milliers de bars qui, de Peggy's Cove, en Nouvelle-Écosse, à l'extrémité de l'île de Vancouver, soudaient le pays. Au-dessus de la vieille caisse enregistreuse, des pancartes proclamant PAS DE CRÉDIT et SI VOUS BUVEZ POUR OUBLIER, PAYEZ

D'AVANCE. Un pot d'œufs caoutchouteux flottant dans une solution vinaigrée et trouble, des sacs de chips Humpty Dumpty accrochés à des pointes en métal. Montés sur le mur, une tête d'orignal ou des bois de cerf où sont pendues des casquettes aux logos de tracteurs GULF, de JOHN DEERE ou d'O'KEEFE. Un accroc dans le feutre de la table de billard réparé avec du ruban adhésif noir. Sur les portes des toilettes, les mots GUERRIERS et SQUAWS ou TARZAN et JANE. Dans un coin, un vidéopoker et, dans un autre, un juke-box. Au-dessus de la porte de la cuisine, derrière le bar, un écriteau crasseux précisant EMPLOYÉS SEULEMENT.

Dans le Caboose, il y avait un babillard.

CONCOUR DE FLÉCHETTES SURPRISE
VENDREDI SOIR
TROFÉS À GAGNÉ

On pouvait également y lire l'annonce d'un chalet à vendre au bord du lac Trouser, le calendrier de la ligue de balle lente du mois précédent et ON VENT UNE MOTO HONDA PRESQUE NEUVE.

Le Caboose était une boîte en bardeaux montée sur des briques de mâchefer, avec plus de mouches dedans que dehors. Vers cinq heures de l'après-midi, des tracteurs, des camions-bennes et des camionnettes commençaient à entrer en cahotant dans le stationnement, tous uniformément rongés par la rouille, salement cabossés, rafistolés avec du ruban adhésif. Souvent, un vieux cintre tout tordu maintenait en place un silencieux bruyant ou troué. Une fois à leur aise, les hommes se mettaient à commenter les événements de la journée. Qui s'était fait pincer par le bureau du bien-être social ? Qui, cette fois, s'était fait pincer en train de s'envoyer Suzy, la femme de Sneaker ? Hi-Test s'était-il remis à voler des gros hors-bord sur le lac ? La nouvelle serveuse de Chez Bobby valait-elle qu'on lui paie à dîner d'abord ou avait-elle tant de succès parce qu'elle avait supposément terminé ses études secondaires en Ontario ? Où, de l'autre côté de la frontière, trouvait-on, d'occasion, les pneus de niveleuse les moins chers ? Au bas de quelle colline ces chiens de policiers provinciaux se cachaient-ils en ce moment ?

Le stationnement du Caboose, crevé de nids-de-poule, surplombait un pré luxuriant bordé de cèdres. Il y avait des tables de pique-nique et un énorme barbecue actionné par un vieux moteur de tondeuse à quatre temps. Les dimanches d'été, Rabbit, d'humeur bourrue et en proie à la gueule de bois, se levait à sept heures pour faire rôtir un cochon entier et deux ou trois épaules de bœuf pour le souper communautaire, un buffet à volonté pour cinq dollars par personne, les profits étant versés au foyer pour personnes âgées de Rock Island. Rabbit fut un jour remercié de ses services pour avoir pissé dans le feu. « Y a des gens qu'ont vu, pis ça leur a coupé l'appétit. » Il fut congédié de nouveau pour s'être endormi dans l'herbe après avoir descendu une énième bouteille de Molson sans remarquer que la broche ne tournait plus depuis une heure. Puis il avait passé à tabac un inspecteur de la Commission de la langue française devant The Thirsty Boot sur la route 243. Selon les rapports, l'inspecteur avait ordonné à l'établissement de remplacer son enseigne en anglais par une enseigne en français. « Pas de problème, avait dit Rabbit en donnant à l'homme un coup de genou dans les parties intimes afin de le ramener à sa hauteur et de lui refaire le portrait. On va en mettre une, d'enseigne comme il faut. Ça va dire : "De Tirsty Boot". » Après, il eut la paix.

Derrière le Caboose, il y avait une carrière de gravier, un étang dont tous les poissons avaient été pêchés et, plus loin encore, des montagnes dont les arbres avaient été coupés deux fois trop souvent, les cerisiers et les frênes et les noyers cendrés disparus depuis longtemps. Bunk, qui trappait durant l'hiver, avait sa cabane là-haut quelque part. Il prenait à l'occasion un pékan, des renards, des ratons laveurs et des castors. Il y avait des cerfs partout.

Moses avait découvert le Caboose par hasard. Une fin d'après-midi, six ans plus tôt, après avoir épluché pendant deux jours les archives de la Société d'histoire de Sherbrooke, à la recherche de mentions de frère Ephraim, Moses, parti faire une balade en voiture, s'était égaré dans les petites routes. Prêt à tout pour un verre, il s'était arrêté devant le Caboose, mais il avait hésité à sortir de sa Toyota parce que deux hommes, Strawberry et Bunk, se battaient dans le stationnement. Puis il s'était rendu compte que les adversaires étaient si soûls qu'aucun coup n'atteignait la cible. Finalement, Strawberry tendit le bras derrière lui et, mettant toutes ses forces dans une tentative de crochet, glissa, s'effondra dans une flaque de boue et y resta étendu. Ravi, Bunk se dirigea en titubant vers sa camionnette et s'installa derrière le volant. Lorsqu'il fit ronfler le moteur, les porcelets qu'il transportait couinèrent. Puis Bunk se prépara à foncer sur Strawberry, couché face contre terre.

« Hé ! cria Moses en se hâtant de sortir de sa voiture. À quoi tu joues, là ?

— Je vais l'écraser, cet enfant de chienne.

— Il risque de faire des trous dans tes pneus avec ses dents. »

Bunk réfléchit. Il se gratta la mâchoire.

« C'est vrai », dit-il en reculant dans un cèdre, au grand déplaisir des porcelets. Puis il passa la marche avant et s'engagea brusquement sur la 243.

Moses aida Strawberry à se relever et à rentrer dans le Caboose.

« J'vas prendre la même chose que toi, monsieur Chose. »

Strawberry, les yeux bleus, filiforme, les os saillants, avait deux doigts en moins, souvenir de ses années à la fabrique de bobines, et il avait perdu ses dents du haut. Moses but avec lui et les autres jusqu'à deux heures du matin. Puis Strawberry, soutenant que Moses était trop ivre pour conduire, l'installa dans sa camionnette Ford et l'emmena chez lui sur la colline pour qu'il passe la nuit sur le canapé. Aussitôt qu'ils furent entrés en chancelant, Strawberry prit sa carabine, ressortit sur le perron pourrissant et tira deux coups de feu en l'air.

« Sur quoi tu tires ? demanda Moses, saisi.

— Si je vivais en ville dans un appartement de vieux riche comme le tien, monsieur Chose, j'aurais qu'à laisser tomber mes bottes par terre pour que les voisins sachent que je suis bien rentré. Ici, je tire du fusil pour qu'ils arrêtent de s'inquiéter. J'ai beau être stupide, je suis pas fou. »

Le lendemain matin, la femme de Strawberry leur fit des œufs au bacon, puis ils se rendirent au bar Chez Bobby. Ils avaient convenu de s'en jeter un petit dernier pour la route avant que Moses rentre à Montréal. Au bout de trois heures, Strawberry bondit sur ses pieds. « Merde ! s'écria-t-il. Faut qu'on aille à Cowansville. »

Strawberry, inculpé un mois plus tôt pour conduite en état d'ébriété, devait comparaître devant le tribunal dans l'après-midi. D'abord, cependant, il emmena Moses au Snakepit, un bar voisin du palais de justice, où attendaient déjà Bunk, Sneaker, Rabbit, Legion Hall et quelques autres. Lorsque les partisans de Strawberry, Moses y compris, s'engouffrèrent dans la salle d'audience, ils formaient une bande d'ivrognes querelleurs. En apercevant Strawberry à l'avant, tout sourire, ils agitèrent la main et sifflèrent et lancèrent des invectives.

« Silence ! tonna le juge. Silence !

— Ouais, je piquerais bien un petit roupillon, moi.

— Encore une remarque comme celle-là et je vous mets en prison pendant trois mois.

— Pff. C'est rien.

— Que diriez-vous de quatre mois ? »

Heureusement, l'avocat de Strawberry s'interposa. Neveu du juge, il était l'argentier du Parti libéral dans la région. Strawberry s'en tira avec un sursis et tout ce beau monde se retrouva au Gilmore's Corner pour célébrer. Ils firent trois autres escales avant d'aboutir au Beaver Lodge, à Magog. « Mon arrière-grand-père Ebenezer venait boire ici », expliqua

Strawberry en montrant du doigt un écriteau, vestige de l'ancien établissement, détruit par un incendie en 1912.

HÔTEL DE WM. CROSBY
Le soussigné,
reconnaissant des faveurs
accordées à cet
ÉTABLISSEMENT DE LONGUE DATE,
est déterminé à administrer ledit établissement
de manière à mériter l'approbation générale
et implore donc son aimable clientèle de lui rester fidèle.
RAFRAÎCHISSEMENTS SERVIS À TOUTE HEURE
DU JOUR ET DE LA NUIT.
Le propriétaire,
Wm. Crosby

L'après-midi suivant, Moses téléphona à Henry Gursky, dans l'Arctique, et lui emprunta de quoi acheter la cabane dans les bois dominant le lac Memphrémagog.

Entre deux verres, comprit Moses, Strawberry peignait des maisons. Il se laissait parfois persuader de couper du bois ou de déneiger. Mais, en général, il préférait hiverner en vivant grassement de ses chèques de bien-être social. « Hé ! dit-il un jour, sans mon débile d'arrière-grand-père, je serais riche à craquer, je serais un grand propriétaire terrien. Le vieil Ebenezer Watson a commis une grosse erreur en renonçant à la bouteille pour se tourner vers Dieu. Il s'est mis à frayer avec une bande de fanatiques appelés les millénaristes. Eb a tout perdu, y compris la vie. À sa mort, il restait seulement quatre-vingt-dix acres de la vieille terre familiale. C'est mon grand-père Abner qu'en a hérité. »

Le lendemain après-midi, Strawberry ne donna pas signe de vie. Moses était assis seul au Caboose lorsque l'un des riches estivants, visiblement accablé, entra d'un pas hésitant en brandissant un bout de papier devant lui, à la façon d'un bouclier, comme pour se protéger contre les maladies contagieuses.

« Pardonnez-moi, dit-il, mais je cherche…
— On parle anglais, ici, dit Bunk.
— Je cherche M. Strawberry Watson, peintre en bâtiment. On m'a dit qu'il vivait sur la colline, passé l'étang de Maltby, mais la maison que j'ai trouvée est manifestement abandonnée. Les murs ne sont pas peints, la pelouse n'est pas coupée et il y a des pièces de voiture partout.
— C'est bien là qu'il vit, monsieur. »

Le jour où Moses arriva directement de la clinique du New Hampshire, Gord, propriétaire du Caboose, tenait le bar. Il portait un t-shirt noir sur lequel figurait un rocher percé entouré d'une mer d'huile. La légende disait :

JE SUIS TELLEMENT EN MANQUE
que n'importe quel trou me fait de l'effet

Au terme d'un long samedi soir, Madge, la première femme de Gord, était morte des suites d'une collision frontale sur la route 105 et avait, par la même occasion, bousillé leur camionnette Dodge flambant neuve. Depuis, Gord refusait obstinément d'en acheter une neuve. « Non, mais c'est vrai, quoi ! Tu sors de chez le concessionnaire avec ton auto neuve et, au bout de cinq minutes, c'est un véhicule d'occasion. Même chose pour ma nouvelle femme. »

Sa nouvelle femme était la veuve Hawkins. Il ne lui avait pas fait longtemps la cour. Un après-midi, seulement deux ou trois mois après avoir enterré Madge, Gord se bagarra violemment avec Sneaker, au Thirsty Boot, à propos de sa femme, Suzy. En fait, à l'époque, Sneaker ne vivait plus avec elle. Il était en ménage avec une pute du Vénus di Milo dans une roulotte cachée dans les arbres, en marge de la route 112. Il n'aimait pas pour autant que d'autres tondent son gazon à sa place, en quelque sorte. Gord commit l'erreur de lui dire : « Je me demande pourquoi tu l'as laissée. En ce qui me concerne, elle est encore bien bonne à fourrer. »

Gord, avec la mâchoire endolorie et deux ou trois dents branlantes, fit la tournée des bars : le Snakepit, le Crystal Lake Inn, Chez Bobby, le Brome Lake Hotel. En cours de route, il s'arrêta dans un dépanneur. Il acheta des boîtes de soupe et des fèves au lard, des frites et quelques repas surgelés ainsi qu'un gros sac de Fritos. Il prit aussi un poulet, fila chez la veuve Hawkins, à South Bolton, et défonça sa porte à coups de pied, à deux heures du matin. « J'en peux plus de manger de la merde. Tiens, v'là un poulet. Il vient d'un dépanneur. Prépare-le pour le souper de demain. Si c'est bon, je te marie ; si c'est sec, oublie ça, OK ? »

Gord aimait bien afficher des articles de la *Gazette* sur le babillard de son établissement. Dans l'un d'eux, on affirmait que les policiers du Vermont avaient arrêté un homme recherché pour les meurtres en série de trente-deux femmes en cinq ans. « Il aurait pas dû faire ça, déclara Strawberry. Déjà que les femmes, ça court pas les rues… »

L'un des habitués du Caboose exploitait une carrière de gravier, un autre possédait une ferme laitière. D'autres encore travaillaient comme menuisiers, ici et là, et un plus grand nombre d'entre eux encore étaient employés comme gardiens ou hommes à tout faire par les riches estivants du bord du lac. Pour la plupart, il s'agissait surtout d'accumuler vingt semaines de travail pendant l'été afin d'avoir droit à l'assurance-chômage tout l'hiver. Sinon, ils se rabattaient sur le bien-être social, bonifié par le système de troc qu'ils avaient mis en place. Sneaker, s'il repeignait la grange de Gord, repartait avec un quartier de bœuf. Legion Hall, s'il refaisait la toiture de Mike, était autorisé à couper le foin du champ de l'autre côté de la route et à le revendre au Vermont pour 2,50 $ la botte. Les hommes possédaient leur cabane, coupaient leur bois pour l'hiver et espéraient tuer un chevreuil en novembre. Leurs femmes travaillaient sur la chaîne de montage à l'usine de Clairol à Knowlton ou faisaient le ménage dans les chalets du bord du lac. Les femmes, qui avaient tendance à occuper leur propre table au Caboose, étaient portées à l'embonpoint; leurs bourrelets dépassaient de leurs débardeurs et de leurs pantalons extensibles en polyester rose.

En général, Moses évitait le Caboose lors des soirées-concerts du vendredi, qui attiraient des clients plus jeunes et plus bruyants qu'on se dépêchait de faire descendre au sous-sol, où, selon Strawberry, ils fumaient du Hi-Test. « Du tabac qui fait rire, tu sais. » En revanche, il ne ratait à peu près jamais le festival du steak du dimanche soir parce que le père de Gord, le vieux Albert Crawley, était toujours là. Albert se souvenait de Solomon Gursky du temps de la prohibition, à l'époque où celui-ci faisait passer des convois d'alcool au Vermont par le vieux chemin de Leadville. Plus d'une fois, disait Albert, la nouvelle du passage d'un convoi avait été éventée, et le chemin grouillait de douaniers et de pillards. On cachait alors la marchandise dans la vieille mine de talc, qui appartenait à la famille Gursky depuis 1852. En d'autres occasions, on avait déchargé le matériel à la ferme d'Hector Gagnon, à cheval sur la frontière, et mis les articles dans des sacs qu'on avait attachés au dos des vaches avant de faire entrer le troupeau au Vermont à trois heures du matin.

Après qu'Albert eut été gravement blessé, un soir, d'une balle à l'abdomen, Solomon lui confia l'administration d'un hôtel à Abercorn, où, les week-ends, des gens venaient d'aussi loin que de Boston et de New York. W. C. Fields y avait dormi. Fanny Brice aussi. Une fois, Dutch Schultz, accompagné de Charles « The Bug » Workman, était venu inspecter l'hôtel, mais Albert avait alerté Solomon, qui s'était hâté de venir de Montréal avec quelques filles du Normandy Roof Bar et avait tout arrangé. Puis la prohibition fut abrogée, rendant l'hôtel inutile, et il fallut y mettre le feu pour toucher les assurances.

Chaque fois que Moses revenait au Caboose après une

longue absence, Gord envoyait quelqu'un chercher son père. Comme il l'avait fait le jour où Moses était rentré du New Hampshire, il déverrouillait aussi une armoire derrière le bar et en sortait une bouteille de Glenlivet, qu'Albert et Moses, en vertu d'une plaisanterie dont ils ne se lassaient jamais, appelaient Glen Levitt. Souvenir de l'époque où M. Bernard, qui n'avait jamais eu la bosse de l'orthographe, avait commandé les mauvaises étiquettes pour une cargaison, ce qui, une fois n'est pas coutume, l'avait rendu sympathique aux yeux de Moses.

« Legion Hall a une pile de lettres pour toi, dit Strawberry.

— Laisse cet homme boire tranquille, dit Albert.

— Je vais t'en apprendre une bonne : il boit plus.

— C'est reparti ?

— Ouais. »

La tête d'Albert Crawley se dressa d'un coup. Haletant, il se mit à rire et à tousser en même temps, semant des larmes et des mucosités. « Rien qu'un dernier verre avec Solomon Gursky et je m'en irais heureux. » Puis sa tête s'affaissa de nouveau et, en esprit, Albert Crawley fut de retour avec Solomon Gursky, dans la ferme d'Hector Gagnon plongée dans le noir, de ce côté-ci de la frontière, attendant, de l'autre bord, le clignotement de phares qui tardait. Perplexe, Solomon sortit une fois de plus de sa poche sa précieuse montre en or, qui avait autrefois appartenu à son grand-père et portait l'inscription suivante :

De W. N. à E. G.
de bono et malo.

Albert avait approché son briquet de la montre de Solomon et, aussitôt la flamme apparue, les coups de feu avaient retenti. Solomon avait plongé dans les hautes herbes et entraîné Albert avec lui, mais trop tard.

« Sers-moi encore un Glen Levitt, tu veux bien, Moses ? »

Neuf

Le lendemain matin, Moses fut tiré du sommeil par un coup de fil de la fille de Gitel Kugelmass. Gitel s'était fait arrêter pour vol à l'étalage chez Holt Renfrew. D'autres dames, songea Moses, se faisaient pincer en train de chaparder chez Miracle Mart, voire Eaton, mais pour *die Roite Gitel,* il fallait que ce soit dans le grand magasin le plus classe de Montréal. Moses accepta de se rendre à Montréal et d'emmener Gitel déjeuner au Ritz afin de « remettre les pendules à l'heure », ce qu'il n'avait pas fait depuis des années.

À près de quatre-vingts ans, Gitel, bien que légèrement ratatinée, se tenait encore droite et portait toujours un grand chapeau à bords flottants, son col de renard plus mité que jamais et ses bagues anciennes. Mais elle appliquait désormais son saisissant maquillage, qui aurait mieux convenu à un arlequin, d'une main tremblante, avec un œil incertain. Elle traînait dans son sillage un nuage de poudre appliquée trop généreusement. Ses joues enflammées par le fard suggéraient une femme fiévreuse plutôt qu'une femme fatale.

« Je sais bien que vous aviez l'intention de payer pour le parfum et que vous avez oublié, mais, à l'avenir, il faudra faire attention, Gitel. Après tout, vous avez déjà été inculpée une fois… »

Elle jugea inopportun de le contredire.

« La propriété privée, c'est du vol, non ? fit-elle plutôt.

— Oui, sûrement, mais il y a encore des chiens de capitalistes qui risquent de voir les choses d'un autre œil. »

Ils se remémorèrent la table de la salle à manger recouverte d'une nappe au crochet, L. B. qui lisait une de ses nouvelles à haute voix.

« Es-tu trop jeune pour te souvenir du jour où Kronitz m'a emmenée dans les montagnes pour profiter de moi, Moishe ? »

Des particules de pâtes vertes s'accrochaient à sa moustache duveteuse et à son dentier.

« Trop jeune ? J'en ai eu le cœur brisé, Gitel. »

Kronitz avait depuis longtemps été emporté par le cancer. Kugelmass, complètement gâteux, dépérissait dans une résidence pour personnes âgées juives. Gitel essuya ses larmes avec un mouchoir de soie noire auquel était encore accrochée l'étiquette de chez Ogilvy. « Qui se soucie de nos histoires, à présent ? Qui chantera nos chansons, Moishe, qui se souviendra de l'époque où mon haleine était encore douce et fraîche ? » *Die Roite Gitel* fouilla dans son sac et en sortit un poudrier en argent fin.

« Birks, dit-elle. Alors maintenant, explique-moi pourquoi un beau garçon comme toi, un parti comme il y en a peu, n'est pas encore marié et père de famille.

— Eh bien, Gitel, si seulement j'avais été un peu plus vieux et vous un peu plus jeune…, fit-il en se penchant pour lui serrer le genou, aussi frêle qu'un os de poulet.

— Espèce de fripon… Pourquoi as-tu rompu avec la fille de Solomon Gursky ? Comment s'appelle-t-elle, déjà ? Rappelle-moi.

— Lucy.

— Lucy. Bien sûr. À Broadway, tout ce qu'elle touche se transforme en or. Elle est de tous les gros succès. Sa datcha, à Southampton, a fait le magazine *People.* C'est beau à mourir. Elle collectionne des peintures, tu sais bien lesquelles, on dirait des agrandissements d'images prises dans des bandes dessinées. *Oy,* dans quel monde vivons-nous… Savais-tu que les Chinois louent des cheminots et des ouvriers à des pays asiatiques plus fortunés ? Cinquante ans après la Longue Marche, ils sont de retour dans l'industrie des coolies.

— Et *die Roite Gitel* lit *People.*

— Tu aurais pu avoir une vie de pacha, Moishe.

— Tel père, tel fils.

— Tu devrais avoir honte ! Je n'ai jamais reproché à L. B. d'avoir écrit des discours pour M. Bernard. Quant aux autres, sauf Shloime Bishinsky et peut-être Schneiderman, ils étaient tout simplement envieux. Quelle époque ! Mon Dieu, mon Dieu. Avant même ta bar-mitsva, les Gursky, aux yeux des membres de notre groupe, étaient des truands. Le visage le plus répugnant du capitalisme, disions-nous. Puis j'ai dirigé le mouvement des filles contre Fancy Finery pendant cette terrible canicule. Il faisait si chaud qu'on aurait toutes pu y passer. Il était inutile d'espérer dormir et il ne restait rien, *bupkes,* dans notre misérable fonds de grève. Devine quoi ? On frappe à ma porte. Toc, toc. Qui est là ? Pas la GRC, cette fois-là. Ni la police provinciale. Non, c'est l'homme de confiance de Solomon Gursky, ton ami Tim Callaghan, avec une sacoche qui contient vingt-cinq mille dollars en argent sonnant, et ce n'est pas encore le plus beau. Le vendredi après-midi, des autobus vont passer prendre les grévistes et leurs enfants pour les emmener à la montagne pendant une semaine. Tout le monde est invité. Qu'est-ce que vous me chantez là ? je lui dis. Même Solomon Gursky n'a pas une maison assez grande pour recevoir tout ce monde. Le groupe ira à Sainte-Adèle, dit Callaghan, et il y aura amplement de place. Dites-leur d'apporter leur maillot de bain. Hé, hé, je lui dis. Sainte-Adèle est une zone interdite. Pas de Juifs ni de chiens sur la plage. Arrangez-vous seulement pour que tout le monde soit réuni ici avant quatre heures, dit Callaghan.

Alors quand on a fini par faire un procès à Solomon, naturellement j'ai voulu voir notre bienfaiteur de près. Pas évident du tout. Écoute, c'était comme si John Barrymore jouait au His Majesty's Theatre ou comme si, aujourd'hui, un de ces rockeurs habillés en filles passait au Forum. Il fallait faire la queue pendant des heures avant l'ouverture de la salle d'audience. Des Juifs, mais aussi des *mafiosi* venus des États-Unis. Et des avocats *goyim*, des gros calibres, au cas où le nom de leur patron serait invoqué en vain. Et toutes ces filles de riches qui tournaient autour de Solomon en soupirant. Je n'ai rien à redire, remarque. Si Solomon Gursky avait plié le petit doigt pour me faire signe, j'aurais abandonné le Parti. J'aurais fait n'importe quoi. Mais ce n'est pas moi qu'il cherchait des yeux. C'était une autre qui, de toute évidence, n'est jamais venue. »

Oui, songea Moses, un œil brun, un œil bleu.

« Chaque fois que la porte du tribunal s'ouvrait, il levait les yeux de la table, mais ce n'était jamais celle qu'il attendait.

— Avez-vous assisté au témoignage de l'inspecteur des douanes ? »

Ce pays, avait écrit Solomon Gursky dans son journal intime, *n'a pas de branche maîtresse. Il a Bert Smith. Son essence même.*

« Qui ?

— Bert Smith.

— Non. Mais j'étais là pour la journée du gros Chinois, celui qui était censé en savoir beaucoup, tu sais ? Eh bien, laisse-moi te dire qu'il est monté à la barre des témoins en se dandinant comme un canard, sans parvenir à boutonner son veston à cause de sa bedaine. Mais, en passant, il s'est arrêté devant Solomon, qui a souri et lui a dit quelque chose en chinois. Je n'ai jamais rien vu d'aussi étonnant de toute ma vie : quand le gros Chinois a pris sa place à la barre des témoins, son costume avait l'air trop grand pour lui, il flottait dedans et il ne se souvenait plus de rien.

— Je sais ce qu'il lui a dit : "*Tiu na xinq*", "Maudit soit ton nom". »

Puis Moses proposa à Gitel un digestif pour accompagner son café. Curieuse, elle demanda :

« Et toi ?

— Pas en ce moment.

— Dieu soit loué ! »

Elle commanda un B & B.

« Comment gagnes-tu ta vie, toi qui as les moyens de m'inviter au Ritz pour me conter fleurette ?

— Je bricole.

— Et qu'est-ce que tu fabriques dans cette cabane au fond des bois ? »

S'il lui disait la vérité, son attitude changerait, elle chercherait à lui faire plaisir, lui, le cinglé impénitent qui fantasmait sur Solomon Gursky. Moses alluma un cigare.

« Je participe aux réunions des AA. Je lis. Je regarde des matchs de hockey à la télé.

— *Oy*, Moishe, Moishe. Nous fondions tous de si grands espoirs sur toi. Tu crois que c'est une vie, ça ?

— Assez de questions indiscrètes pour aujourd'hui. »

Gitel refusa qu'il lui appelle un taxi.

« Reste ici et finis ton café, dit-elle. Moi, j'ai des courses à faire.

— Pour l'amour du ciel, Gitel ! »

Environ une demi-heure plus tard, Moses la trouva en train de déambuler rue Sherbrooke, l'air affligé. « Mon adresse, fit-elle en s'écroulant dans ses bras. Je sais que j'habite chez ma fille, mais parfois j'ai du mal à me souvenir de... »

Il la déposa chez elle, dans la banlieue stérile de Côte-Saint-Luc, puis il fonça vers l'autoroute des Cantons-de-l'Est, qu'il suivit jusqu'à la sortie 106. De retour dans sa cabane, il alluma la télé et le visage de Sam Birenbaum envahit l'écran. Sam, qui s'était brouillé avec le réseau des années auparavant, pontifiait désormais sur PBS.

Mon Dieu, songea Moses. Combien d'années s'étaient écoulées depuis que Sam l'avait emmené déjeuner chez Sardi's ? Vingt-cinq ans, au bas mot.

« J'ai quelque chose de complètement ridicule à te confier, avait dit Sam. CBS veut m'engager en doublant mon salaire et m'envoyer à Londres. Mais si je quitte le *Times*, je pourrai travailler comme pigiste. Molly pense qu'il est grand temps que je me mette à écrire pour de bon.

— Ah! ah!

— Tu ris? Je déteste la télé et tous ceux qui gravitent autour. Jamais de la vie. »

Moses éteignit le poste, se servit un verre de Perrier et prit une fois de plus la résolution de faire le ménage dans ses papiers. Dès le lendemain.

Une tablette de sa bibliothèque débordait d'informations sur Marilyn Monroe, y compris une photo prise à la maison de Peter Lawford au bord de la mer et le rapport d'autopsie du Dr Noguchi. Sur la photo, datant de juillet 1962, on voyait un groupe de personnes en train de siroter des cocktails autour de la piscine de Lawford : Marilyn Monroe, le président Kennedy et quelques personnages non identifiés, notamment un vieil homme assis dans un fauteuil, une canne en malacca entre les genoux, ses mains et son menton posés sur le pommeau. Dans ses notes d'autopsie, le Dr Noguchi décrit Marilyn Monroe comme « une femme blanche de trente-six ans, bien développée et bien nourrie, pesant 117 livres et mesurant 65 ½ pouces ». Il attribuait la cause du décès à un « empoisonnement massif aux barbituriques consécutif à une surdose ». À l'aide d'un trombone, Moses avait annexé une fiche et un télégramme à ce rapport. Sur la fiche, il était écrit que le FBI avait saisi les rubans sur lesquels figuraient les numéros de téléphone que Marilyn avait composés au cours de sa dernière journée. Le télégramme, envoyé à Moses de Madrid et vierge de toute signature naturellement, se lisait comme suit :

JE SAIS CE QUE VOUS PENSEZ, MAIS JE NE SUIS
PAS L'AUTEUR DE CE DERNIER COUP DE FIL.
J'ESPÈRE QUE VOTRE TRAVAIL AVANCE BIEN.

La table de Moses était jonchée d'extraits photocopiés du journal intime de Solomon Gursky, des fragments fascinants qui lui parvenaient par la poste de villes comme Moscou, Antibes, Saïgon, Santa Barbara, Yellowknife et Rio de Janeiro au moment où il s'y attendait le moins. Les pages envoyées de Rio de Janeiro débutaient par une description de la « chaise du dragon » :

> L'accusé était contraint de s'asseoir sur une chaise, semblable au fauteuil d'un coiffeur, à laquelle il était ligoté au moyen de bandes de caoutchouc mousse, tandis que d'autres bandes du même matériau couvraient son corps ; des fils électriques étaient fixés à ses doigts ainsi qu'à ses orteils, et on commençait à lui administrer des séries de décharges électriques ; pendant ce temps, un autre tortionnaire armé d'une matraque électrique lui administrait des décharges entre les jambes et sur le pénis.

En épigraphe d'un volume antérieur était cité un passage du *Samson agoniste* de Milton : « Entouré de gloire et d'éclat, insoucieux du danger, et tel qu'un petit dieu, je marchais admiré de tous sur le territoire de nos ennemis, sans que nul parmi eux songeât à me résister. »

Les marges de chacun des journaux intimes étaient couvertes d'annotations, de questions et de renvois où se reconnaissaient les pattes de mouche de Moses. Voir Otto Braun, *Un agent du Komintern en Chine, 1932-1939.* Consulter Li Chuang sur *Pics neigeux et prairies verdoyantes.* Ici, Smedley et Snow se contredisent. Consulter Liu Po-cheng, *Commémorer la Longue Marche, le récit de témoins.*

Les journaux intimes chinois de Solomon regorgeaient de minutieuses descriptions d'actes de barbarie. Un éclaireur de la 25e armée, capturé par le KMT, est victime de la mort des mille coupures. Un espion du KMT, en larmes, est enterré vivant dans le sable. À Hadapu, on tranche la tête d'un propriétaire terrien. Ses derniers mots : « *Tiu na xinq.* » Il y avait des portraits acides de Braun, l'homme à femmes, de Manfred Stern, qui connaîtrait la célébrité en Espagne sous le nom de général Kleber, de Steve Nelson et d'Earl Browder à Shanghai, de l'arrivée de Richard Sorge. On y trouvait aussi une esquisse peu flatteuse de Mao à quarante ans, longtemps avant son arrivée au pouvoir. Émacié, les yeux embrasés, atteint du paludisme.

D'autres pages rendaient compte de la traversée des grandes plaines herbeuses, ce plateau traître situé à onze mille pieds d'altitude, entre les bassins versants du fleuve Jaune et du Yang Tsé. C'était en 1935, à la fin août, et le voyage, qui dura six jours et prit de nombreuses vies, fut sans doute la plus rude épreuve de la Longue Marche. Pas de panneaux d'orientation, pas de sentiers, pas de nourriture, pas de yaks, pas de gardiens de troupeau. Solomon, qui prétendait avoir fait partie du 4e régiment du 1er corps d'armée, estimait qu'ils étaient les premiers êtres humains, depuis trois mille ans, à franchir ces herbes hautes, parfois vénéneuses.

Pluie, grésil, grêle, vent, brouillard et gel. Le plus souvent, les hommes mâchaient du blé brut, entier, qui déchirait leurs intestins, faisait saigner leurs entrailles. Certains moururent de la dysenterie, d'autres de la diarrhée. La boue tibétaine, écrivit Solomon, lui rappelait la crête de Vimy. Des hommes se faisaient aspirer par les marais, y disparaissaient. Hélas, on n'avait pas de cadavres de rats bien gras à faire rôtir. Quand ils parvenaient à réunir assez de brindilles pour allumer un feu, les hommes faisaient bouillir des ceintures et des harnais en cuir. Les soldats affamés et fiévreux de l'arrière-garde en furent réduits à fouiller les excréments des camarades morts, à la recherche de grains de blé ou de maïs non digérés. Puis, le cinquième jour, le groupe de Solomon s'égara dans le brouillard givrant. La piste qui, croyaient-ils, avait été tracée par l'avant-garde les conduisit au bord d'un fossé d'eau stagnante. Tard le lendemain matin, un vent violent chassa le brouillard. Alors un corbeau surgit de nulle part, multipliant les descentes en piqué, et les hommes le suivirent jusqu'au bord du fleuve Ou. De l'autre côté, ils trouvèrent un lieu sec et du bois. Ainsi, ils purent allumer un feu de camp et faire rôtir leurs derniers grains de blé.

Chang-feng Chen, avait griffonné Moses dans la marge, mentionnait le corbeau. Hi Hsin aussi. Juste avant l'apparition du gros oiseau noir, écrivit-il, Solomon avait fait les cent pas sur la rive. Il avait interrogé le ciel du regard, puis il avait lancé une sorte d'appel inhumain, venu du fond de sa gorge.

Dix

Bert Smith vivait à Montréal depuis dix ans, soit depuis 1963, et louait une chambre chez une certaine Mme Jenkins, qui l'autorisait à utiliser la cuisine. Il avait l'habitude des moqueries. En rentrant à grandes enjambées de la réunion tenue dans le sous-sol d'une église, vêtu de son uniforme de chef scout, Bert, âgé de soixante-dix ans, maigre, les dents mal alignées, endurait les Grecs graillonneux qui, assis sur le perron, se poussaient du coude et posaient leurs canettes de Molson pour roter. Il était contraint de supporter les sifflets des ouvrières canadiennes-françaises en bigoudis. On chargeait des garnements aux genoux éraflés de le tourmenter en le frôlant sur leur planche à roulettes. « Hé, m'sieur, pour être "toujours prêt", mettez donc une capote ! »

Loin de l'humilier, leurs railleries le fouettaient. Sa couronne d'épines. Rome avait été saccagée par les Vandales, et le Canada, si corrompu qu'il ne pourrait être sauvé, tomberait aux mains des bâtards. Cautionnés par un État Judas, la musique dégénérée, le sexe à tire-larigot et la paresse viendraient à bout des jeunes du pays, descendants des auteurs des « plus brillants exploits ».

En voici une illustration.

L'été précédent, deux hommes en parfaite santé avaient partagé la chambre voisine de la sienne dans la maison de Mme Jenkins. Blancs tous les deux, chrétiens tous les deux. Ils dormaient jusqu'à midi, puis allaient voir le plus récent film cochon au Pussycat. Vivant de l'aide sociale, ils avaient laissé des consignes pour qu'on leur fasse suivre leurs chèques à Fort Lauderdale pendant l'hiver. Un jour, Smith, indigné, les invita à entrer chez lui et leur fit voir une photo décolorée de ses parents, prise devant leur hutte de terre à Gloriana. Son père blême et épuisé, sa mère, qui ne devait pas avoir plus de vingt-cinq ans, l'air plus lessivé que sa robe de calicot.

« Leur esprit indomptable a eu raison de la nature sauvage, dit Smith. Regardez Saskatoon aujourd'hui. Ou Regina.

— J'suis allé là-bas, Smitty. Ces endroits-là sont tellement arriérés qu'on voit encore des chiures de dinosaure sur les trottoirs.

— Où en serait le pays si on avait dû compter sur des types comme vous pour coloniser l'Ouest ? »

L'un des hommes lui demanda s'il accepterait de lui prêter dix dollars jusqu'au lundi suivant.

« Jamais de la vie », répondit Smith.

Mme Jenkins, une brave dame, possédait un vif sens de l'humour.

Question : Quelle est la boisson préférée des Noirs ?

Réponse : Le vinaigre.

Il n'avait pas à craindre que des Juifs s'installent dans sa rue, tout en bas de Westmount, à deux pas de la voie ferrée. Les rangées de pensions à la peinture écaillée et aux porches pourris, de guingois, étaient bien trop minables pour ces gens-là. Malgré tout, ce n'était pas la racaille qui manquait. De bruyants immigrants grecs qui cultivaient des plants de tomates dans des cours au sol dur comme de la roche. Des Italiens basanés et péteurs. Des ouvrières canadiennes-françaises tristes et délaissées, avachies sur leurs chaises en plastique payées 4,99 $ chez Miracle Mart, qui jacassaient entre elles. Des Antillais à la démarche si arrogante qu'on avait envie de leur donner une bonne raclée. Des polaques, des Portugais. « Heureusement, dit-il un jour à Mme Jenkins, nous ne vivrons pas assez longtemps pour voir le Canada devenir un pays bâtard. »

L'inquiétude, profonde, était naturelle chez Smith, Anglo-Saxon né et élevé dans l'Ouest.

En 1907, John Dafoe, légendaire journaliste canadien, écrivit un article ayant pour but d'attirer des immigrants américains dans les prairies, une race ou une civilisation bâtarde, les assura-t-il, n'ayant aucune chance de prendre racine dans l'Ouest canadien. Oui, on avait été témoin d'un afflux d'étrangers avides de terres, mais ils étaient pour la plupart d'origine teutonne ou scandinave. Les Slaves, seule race étrangère comptant un grand nombre de représentants, s'anglicisaient rapidement. Remarquez, les habitants de l'Ouest les plus pointilleux trouvaient aussi à redire sur la qualité des immigrants britanniques. J. S. Woodsworth, l'un des fondateurs de la FCC, qui allait devenir un saint du panthéon socialiste canadien, s'inquiétait, dans *Strangers Within Our Gates or Coming Canadians*, publié en 1909, de l'immigration des petits garnements du Dr Barnardo, qui avaient hérité d'une tendance à faire le mal. Woodsworth se plaisait à raconter l'histoire du magistrat anglais qui avait réprimandé un jeune délinquant en ces termes : « Tu as brisé le cœur de ta mère et hâté la fin de ton père vieillissant. Tu déshonores notre pays. Pourquoi ne pars-tu pas au Canada ? »

Les Britanniques, protestait Woodsworth, déversaient sur les prairies la lie de leurs bas quartiers. Le père de Bert Smith, Archie, en était une illustration parfaite. Enfant de Coldharbour Lane dans Brixton, apprenti boucher à douze ans, il épousa, dix ans plus tard, Nancy, la fille un peu attardée d'un épicier du voisinage, puis, en 1901, il eut le malheur d'assister à une conférence gratuite du révérend Ishmael Horn. De toute évidence un notable, ce vieil homme de petite stature, aux yeux noirs de braise, en imposait. Avec éloquence, il chanta les louanges de Gloriana, la colonie entièrement britannique qu'il projetait de créer dans l'Ouest canadien. D'abord, cependant, le révérend Horn se moqua des misérables conditions dans lesquelles vivaient les membres de son auditoire. « Regardez-vous, dit-il.

Vous vivez entassés comme des sardines dans des taudis puants, en proie au mépris des riches, vos enfants sujets à la consomption et au rachitisme. » Élevant la voix, il leur parla des terres fertiles et du climat vivifiant qui les attendaient, des terres où ils pourraient semer du blé, planter des pommiers et des poiriers, véritable parc où le gibier de toutes sortes abondait, un pays d'herbe tendre et de ruisseaux étincelants qui regorgeaient de truites sautillantes. Un lopin de deux cents acres qu'ils n'auraient qu'à choisir, leur dit-il. Une sorte de grande propriété comme seuls les aristos pouvaient s'en offrir dans cette île déchue.

Et c'est ainsi qu'Archie et Nancy se mirent dans la file, remplirent tous les formulaires dont avait besoin la secrétaire du révérend, la ravissante Mlle Olivia Litton, qui, se souviendrait-on plus tard, dégageait une odeur suspecte de spiritueux. Ils signèrent les documents et s'engagèrent à verser dans la semaine un acompte sur le coût du voyage.

Quelques mois plus tôt, le révérend Horn était allé voir un représentant du ministère de l'Immigration canadienne, à Ottawa.

« Je ne saurais vous dire, monsieur, combien je suis affligé de voir la vierge prairie, la belle province britannique de la Saskatchewan, contaminée par des Slaves ignorants et crasseux dans leurs peaux de mouton infestées par les poux, ainsi que par les adeptes décérébrés du prince Kropotkine et du comte Léon Tolstoï, romancier qui célèbre l'adultère. Pourquoi accueillons-nous ici de tels paysans quand de robustes sujets britanniques, des hommes de valeur qui ont repoussé les Derviches à Omdurman et traversé le Transvaal aux côtés de Kitchener, réclament des terres à grands cris ? »

Le révérend promit de livrer dans les prairies quatre mille fermiers expérimentés, la fine fleur de cette île porte-sceptre, à cinq dollars pièce. En échange, on lui permit d'acquérir des *homesteads* dans douze cantons du nord de la Saskatchewan, le pays sauvage où il entendait fonder la colonie toute britannique de Gloriana. On lui fournit aussi un navire de transport de la guerre des Boers, l'*Excelsior* de la Dominion Line, amarré au port de Liverpool. L'*Excelsior*, que ses passagers insatisfaits en viendraient à surnommer « l'*Excrément* », avait été conçu pour accueillir sept cents cavaliers et leurs chevaux. Mais, le 10 mars 1902, quelque deux mille émigrants, les premiers colons destinés à la terre promise de Gloriana, furent coincés dans la mêlée qui se forma sur la passerelle. Parmi eux se trouvaient Archie, terrifié, et Nancy, sa perruche en cage dans les bras. Il y avait des Cockneys scrofuleux, des mineurs gallois crachant de la poussière de charbon et des terrassiers des Gorbals déjà soûls au point de tituber. Des femmes tenaient des bébés en pleurs et des gamins couraient dans tous les sens, volant tout ce qui n'était pas cloué ferme. On voyait aussi des perroquets, des canaris, des chiens jappeurs et une chèvre apprivoisée qui se ferait rôtir bien avant l'arrivée à Halifax.

Debout sur le pont, le révérend Horn, répondant aux acclamations, lança : « Nous faisons route vers le pays où coulent le lait et le miel. » Puis il disparut dans sa cabine, Mlle Litton sur ses talons.

Les colons étaient déjà loin en haute mer, glissant dans les flaques de vomissures, lorsqu'ils comprirent qu'il n'y avait pas de pain, que les pommes de terre étaient pourries, que la viande grouillait d'asticots, que les murs de la cale dans laquelle on les avait entassés étaient souillés par du fumier, que le trop-plein des sentines inondait le pont tanguant, que les rats étaient partout.

Au cours des deux semaines que dura la traversée, le révérend Horn, bien à l'abri dans sa cabine, ne descendit que deux fois sous le pont. Le quatrième jour, un ivrogne s'était fracturé le bras dans une bagarre, et c'est le révérend lui-même qui avait joué les rebouteux et posé une attelle. On l'aperçut une dernière fois lors d'un autre combat, au couteau celui-là, au terme duquel il sutura les entailles des blessés. Mais une certaine Mme Bishop jura l'avoir vu courir sur le pont, la nuit des rafales de vent, pendant que le frêle *Excelsior* gravissait des vagues de vingt pieds avant de plonger dans des creux. Des malles heurtaient les murs, des éclats de bois volaient, le bâtiment, sûrement, se fracturerait d'un instant à l'autre. Torse nu, ivre, il criait dans la pluie et le vent qui cinglaient : « Face à face, je veux te voir face à face, une seule fois. »

Ils finirent par accoster à Halifax et furent promptement poussés dans un train en vue de l'interminable voyage jusqu'à Saskatoon. De là, des chars à bœufs étaient censés les conduire à Gloriana, à cent cinquante milles. Saskatoon, une chiure de mouche sur les prairies, n'avait ni pâturages, ni arbres, ni haies, ni grand-rue, ni presbytère, ni pub. En revanche, il y avait des moustiques et de la boue, des cabanes grossières, deux hôtels, un magasin général, un silo à céréales et une gare.

Le révérend Horn leur avait promis que toutes sortes de biens de première nécessité les attendraient à la gare : bœufs et chariots, tentes, outils agricoles, sacs de semences et provisions. Ils en virent très peu. Au-delà, pas un monticule, pas un arbre. Qu'un désert plat s'étendant jusqu'à l'horizon. Les femmes s'assirent sur leurs effets éparpillés, leurs balluchons rongés par l'eau salée, leurs malles éventrées d'où s'échappait la coutellerie, et pleurèrent les clapiers qu'elles avaient laissés derrière elles. Les hommes, armés de gourdins, de couteaux et, dans quelques cas, de fusils, réclamèrent une audience auprès du révérend. Lorsqu'il parut, juché sur un char à bœufs, d'où il réclama le silence, ils s'avancèrent en huant, le poing brandi. Imperturbable, le révérend Horn parcourut le char en tous sens, interrogea le ciel du regard et laissa entendre une sorte de claquement triste, un cri inhumain, provenant du fond de sa gorge. Un corbeau surgit des nuages, fondit sur lui et se posa sur son épaule. La foule se tut. Le révérend Horn, les yeux embrasés, leur rappela l'ingratitude dont les enfants d'Israël avaient fait preuve envers Moïse, leur libérateur, en se rebellant contre lui : « “Que ne sommes-nous morts par la main de l'Éternel dans le pays d'Égypte, quand nous étions assis près des pots de viande, quand nous mangions du pain à satiété ? car vous nous avez menés dans ce désert pour faire mourir de faim toute cette multitude." » Puis il ajouta : « Que ceux d'entre vous qui sont timorés au point de vouloir rentrer après tout ce qu'ils ont enduré montent dans le train. Je prendrai à ma charge leur retour en Angleterre. Sachez toutefois que ceux qui resteront sont des visionnaires, les premiers des millions qui exploiteront ces terres fertiles. Je n'ai point de manne à vous offrir. Mais, d'ici une heure, ceux d'entre vous qui décident de me suivre jusqu'à Gloriana auront droit à de la soupe chaude et à du pain frais. Il y aura aussi un tonnelet de rhum pour célébrer notre traversée des mers démontées. Ensuite, mes bons amis, nous mettrons le cap sur l'ouest et Gloriana ! »

Les Smith ne survécurent qu'une année à Gloriana, où ils combattirent les feux d'herbes dans la chaleur de l'été et le froid cruel en hiver, la seule récolte qu'ils parvinrent à vendre étant les os de bisons qu'on leur achetait six dollars la tonne.

Fuyant la colonie, les Smith s'établirent à Saskatoon, petite ville sujette aux gelées précoces de même qu'aux plaies de la sécheresse et des sauterelles, fondée par un groupe de méthodistes venus de l'Ontario dans l'intention de créer une colonie où la tempérance tiendrait lieu de loi inviolable. Ensuite, les Smith se retirèrent vers une ville ferroviaire encore plus petite. Archie y trouva du travail dans une boucherie, où il farcissait des saucisses pour le compte d'un Galicien ; Nancy, elle, fit la plonge au Queen Victoria Hotel de McGraw jusqu'au jour où, après avoir compris la nature du commerce auquel on s'y livrait, elle prit ses jambes à son cou ; elle devint alors serveuse à la Regal Perogie House de Mme Kukulowicz.

Bert, né en 1903, eut droit à une éducation des plus sévères. Lorsqu'il mouillait son lit, son père lui mettait une épingle à linge sur le sexe et il se guérit bien vite de cette habitude. Sa mère fut horrifiée de constater qu'il était gaucher ; à l'heure des repas, elle attachait le bras coupable derrière son dos afin de lui apprendre à se tenir convenablement. Quand elle le surprenait en train de lire un roman de cow-boys ou de rêvasser sur le canapé, elle le chargeait aussitôt d'une corvée. « Chaque jour, chaque heure qui passe te rapproche de la tombe et du Jugement dernier, lui rappela-t-elle le jour de son douzième anniversaire. Tâche que la paresse ne fasse pas partie des péchés dont tu devras te repentir. »

Contraint de prendre son bain une fois par semaine dans une bassine en tôle galvanisée, Bert avait reçu l'ordre de ne jamais se laver le visage avec l'eau qui avait servi à frotter ses parties intimes : il devait plutôt le faire dans le lavabo, avec de l'eau non contaminée. À soixante-dix ans, il conservait la même habitude. S'il souillait ses draps durant la nuit, il fallait qu'il baisse son pantalon et se soumette à une correction administrée par son père.

Ce dernier refusa de s'associer aux fainéants du salon de barbier, une bande de combinards qui rêvaient de s'enrichir rapidement, et de risquer ses maigres économies lorsque, en 1910, une fièvre foncière entraîna une flambée des prix. La crise soudaine de 1913 lui donna raison. « Tu dois apprendre, répétait-il inlassablement à Bert, à ne jamais courir de risques stupides, c'est là l'œuvre du diable. Tu dois bien travailler à l'école pour trouver un emploi de fonctionnaire au gouvernement, avec un salaire, un poste qui te met à l'abri des temps durs et t'assure une retraite. »

Souvent, le matin, en mangeant ses Sugar Pops dans du lait en compagnie de Mme Jenkins, Smith la faisait rire en lui lisant tout haut des passages de la *Gazette*. À une époque où le taux de chômage était à douze pour cent, par exemple, il tomba sur une information intéressante dans la chronique mondaine d'E. J. Gordon :

« "Pot O' Gold, une dégustation de vins et fromages unique en son genre organisée par la section montréalaise du Conseil national des femmes juives, se tiendra le 4 février, de dix-huit à vingt heures, au Victoria Hall, à Westmount. Un chanceux ayant payé cent dollars pour participer au tirage décrochera le gros lot, d'une valeur de dix mille dollars. Le nombre de billets est limité à trois cent cinquante."

— Diable ! fit Mme Jenkins. Je gage qu'il est trop tard pour en acheter.

— "Il s'agit d'une idée de notre coprésidente, Mme Ida Gursky, a déclaré Mme Jewel Pinsky, responsable de la publicité. Nous étions d'avis qu'il était tout simplement trop banal d'offrir une voiture. C'est un truc auquel on a trop fréquemment recours. C'est alors que Mme Gursky a eu une idée de génie. Pourquoi ne pas mettre en jeu un lingot d'or ?" »

Dès qu'elle avait fini de lire la page des bandes dessinées et son horoscope, Mme Jenkins refilait le journal à Smith, qui l'apportait dans sa chambre. Pas de répit. Pas de soulagement. Même pas dans les pages sportives, où il était question d'un nègre d'une taille anormale qui touchait plus d'un million de dollars par année pour mettre des ballons dans un panier, et d'un autre qui gagnait encore plus parce que, une fois sur trois, il réussissait à frapper une balle avec un bâton. L'entraîneur du second disait : « Elroy se présente tous les jours. Il se donne toujours à cent dix pour cent. »

Un jour qu'ils regardaient un match de baseball à la télévision, Mme Jenkins et Smith avaient vu Elroy se présenter au bâton. « Regardez-le, dit Mme Jenkins. Il ne s'installe jamais au marbre sans se tripoter les bijoux de famille. Rocky Colavito, lui, avait l'habitude de se signer. C'était le bon temps, hein, Bert ? »

Chaque fois que Mme Jenkins, qui s'était fait des boudins dans les cheveux, invitait Smith à regarder la télé, elle fournissait le Kool-Aid et Smith les gâteaux Twinkies de Hostess. Il la jugeait parfois d'une alarmante vulgarité. Un jour, par exemple, éclatant de rire à la suite d'une blague entendue à la télévision, elle jeta un regard en coin à Smith, décidément coquette, et lui demanda :

« Vous savez comment on appelle un Esquimau qui bande ?

— Certainement pas.

— Un nain frigide avec un engin rigide. Oups. Pardon. Je sais que vous n'appréciez pas les plaisanteries osées. »

Un autre jour, elle regardait *La Grande Caravane* avec Smith quand un jeune homme sonna et demanda à voir une chambre à louer. Il avait les cheveux blonds, mais les sourcils bruns, et il portait une boucle d'oreille. Elle le renvoya aussi sec. Elle revint dans le séjour en minaudant, les poignets cassés, et lui demanda :

« Vous savez pourquoi il ne restera plus d'homos en l'an 2000 ? »

Pas de réponse.

« Parce qu'ils ne se reproduisent pas et qu'ils se mangent entre eux. »

Il gémit.

« Allons donc, Bert. C'est tordant, je trouve. »

Dans l'espoir de se faire pardonner, le lendemain matin, elle lui tendit, outre la *Gazette*, le seul vrai livre qu'elle ait lu : *Listen to the Warm* de Rod McKuen. Smith ne se donna pas la peine d'y jeter un coup d'œil, mais la *Gazette* retint son attention. M. Bernard allait célébrer son soixante-quinzième anniversaire. En son honneur, on organisait un énorme banquet au Ritz-Carlton. Indigné, Smith chiffonna le journal, le jeta par terre et s'empara de sa bible de chevet.

> Pourquoi les méchants vivent-ils ? Pourquoi les voit-on vieillir et accroître leur force ?
> Leur postérité s'affermit avec eux et en leur présence, leurs rejetons prospèrent sous leurs yeux.
> Dans leurs maisons règne la paix, sans mélange de crainte ; la verge de Dieu ne vient pas les frapper.

DEUX

Un

C'était en 1973. Là-haut, tout au bord du monde, à Tulugaqtitut, sur la mer de Beaufort, minuit avait sonné depuis un moment déjà, et le féroce soleil d'été trônait encore dans le ciel. Henry Gursky posa son livre, *Pirké Avot. Les Maximes des pères*, et jeta un coup d'œil par la fenêtre. *Éternel ! j'élève à toi mon âme.*

De toute évidence, l'Otter serait de nouveau en retard, mais il finirait par arriver, à moins que le pilote, basé à Yellowknife, ait dû modifier son itinéraire pour répondre à un appel d'urgence. Ou qu'il soit soûl, pour changer, songea Henry. Le vol de demain ne ferait pas l'affaire, ce serait trop tard. Henry soupira et tendit la main pour caresser les cheveux noirs et lustrés de son fils.

« *Aleph*, fit-il.

— *Aleph.*

— *Beth.*

— Pas maintenant, implora Isaac. C'est l'heure.

— Ah oui, désolé. »

Henry fit alors tourner le bouton de sa radio. Lorsque les sons familiers retentirent dans le salon de la maison préfabriquée, les yeux d'Isaac scintillèrent de plaisir.

Un vent violent balayait la toundra. Au loin, le hurlement d'un loup. De la musique électronique, venue d'un autre monde. « Dans toute vie, un peu de pluie est à craindre, commença le narrateur d'une voix solennelle. Sur l'immense tête blonde du capitaine Al Cohol, cependant, les catastrophes pleuvent sans discontinuer. »

Henry fit claquer sa langue ; simulant la peur, il se tapa la joue. Isaac se cala dans le canapé en tirant distraitement sur les franges rituelles de son maillot de corps. Il y en avait quatre, chacune composée de douze brins de soie.

« Après avoir défendu les habitants du fjord aux Poissons contre les monstrueux Hommes Corbeaux, le capitaine Al Cohol a fini dans le ruisseau, porté là par les effets diaboliques de la bibine. D'abord une bagarre dans un bar, ensuite une nuit en prison, enfin une entrevue avec un agent du bien-être social à Inuvik. »

La voix d'un fonctionnaire de l'aide sociale s'amplifia.

« Bon, remplissons les formulaires d'usage, d'accord ? Votre nom ?

— Capitaine Al Cohol, matricule intergalactique 80321.

— Oui… Euh, votre dernière adresse ?

— 737, avenue de la Douzième-Lune, province de Lutanie, planète Barkelda. »

Oy vey, songea Henry. Il donna à son fils une petite poussée jubilatoire à laquelle Isaac répondit en ricanant.

« Bien, très bien. Euh… Votre profession ?

— Commandant de la flotte intergalactique, diplômé en science antigravitationnelle et en transmutation ionique.

— C'est un problème, évidemment. À Inuvik, les besoins en la matière sont limités. Hélas, il arrive parfois qu'une personne soit surqualifiée. Qu'est-il arrivé à vos vêtements ? Vous avez dû les vendre ?

— Je m'habille ainsi, monsieur. C'est la mode, sur Barkelda.

— Dans le Nord, en revanche, ce n'est pas très pratique. Vêtu de sous-vêtements jaune, rouge et bleu, vous aurez du mal à décrocher un emploi par ici. Il faut qu'on vous trouve quelque chose de décent et de chaud. Et vos cheveux ! À Inuvik, les cheveux jusqu'aux épaules n'ont pas la cote.

— Il y a des siècles que je n'ai pas eu le temps de me les faire couper.

— C'est le moment ou jamais. Capitaine Al Cohol, vous nous avez été chaudement recommandé par la GRC, qui affirme que l'infirmière Alley s'est portée garante de vous. Voici cinquante dollars. Allez donc vous acheter des vêtements chauds et décents, et vous faire couper les cheveux pour avoir l'air respectable.

— Impossible. Je n'ai jamais accepté l'aumône.

— C'est de l'orgueil mal placé ! Nous sommes là pour vous aider, à condition que vous vous aidiez vous-même. Et surtout, évitez l'alcool à tout prix, capitaine Al Cohol.

— J'en fais le serment, par toutes les galaxies ! Merci et au revoir. »

Henry, entendant un bruit de moteur, se pencha pour jeter un coup d'œil par la fenêtre. Ce n'était pas l'Otter, mais un avion affrété, un DC-3. À la radio, une porte s'ouvrit et se referma. Bruits de rues. Retour de la voix du narrateur. « Dans les rues glauques et glacées d'Inuvik, le capitaine Al Cohol est encore attristé par la perte de la ravissante Lois. Il doit retrouver sa fierté et se montrer digne de la brave petite infirmière du Nord. Mais pour l'instant, il est aux prises avec une faim lancinante. Il faut aussi qu'il trouve un endroit où passer la nuit. On lui procure un lit de camp dans un centre pour itinérants qui accueille des âmes en peine comme lui. »

En vain, Henry regarda de nouveau par la fenêtre. Entretemps, le capitaine Al Cohol s'était acoquiné avec des voyous du centre. Ensemble, ils jouaient au poker.

« Nous jouons entre amis, étranger. Et j'ai ici un nectar grâce auquel nous serons encore plus amis. Vous connaissez le lait d'orignal ?

— Non, mais ça m'a l'air nourrissant. J'ai l'estomac vide depuis longtemps.

— Bien ! Je nous sers une tournée avant la première main. »

Glou, glou, glou.

« Cul sec, étranger. »

Alarmé, le narrateur intervint : « NE FAITES PAS ÇA, CAPITAINE AL COHOL ! VOUS ALLEZ ENCORE FINIR DANS LE RUISSEAU. »

Glou, glou, glou.

« La situation du vaillant vagabond de l'espace vient peut-être d'empirer. Croisez les doigts jusqu'au prochain épisode des rudes épreuves du capitaine Al Cohol, l'infortuné nomade du Grand Nord. »

Suivait l'avertissement habituel : l'alcool risque d'altérer votre personnalité et crée une dépendance à laquelle il est difficile d'échapper. Tout comme Dieu, songea Henry en s'étonnant lui-même d'une telle irrévérence.

« Si vous ne parvenez pas à vous en sortir par vous-même, demandez de l'aide. Un message du programme de lutte contre l'alcoolisme du gouvernement des Territoires du Nord-Ouest. »

Henry éteignit le poste, mais il resta assis près de la fenêtre, d'où, de temps en temps, il consultait le ciel, une bible ouverte sur les genoux.

> Sur les bords des fleuves de Babylone, nous étions assis et nous pleurions, en nous souvenant de Sion.
> Aux saules de la contrée nous avions suspendu nos harpes.
> Là, nos vainqueurs nous demandaient des chants, et nos oppresseurs de la joie : Chantez-nous quelques-uns des cantiques de Sion !
> Comment chanterions-nous les cantiques de l'Éternel sur une terre étrangère ?

Il était plus d'une heure du matin lorsqu'il aperçut un point au loin. Peu à peu, il lui poussa des ailes, puis une queue, toutes équipées de lumières rouges clignotantes. Il descendit, ballotté par le vent, ses ailes vacillant. Enfin, l'Otter fit le tour de la baie en un long virage incliné ; il sembla se désintégrer sous l'effet du soleil ardent avant de réapparaître, par miracle, et de se poser sur l'eau glacée en soulevant des gerbes d'éclaboussures.

Henry Gursky enfila son parka et ses *mukluks*, puis il se dirigea vers le ponton en poussant devant lui un chariot à bagages. Henry, au début de la quarantaine, était un homme musclé avec une barbe noire comme de l'encre et de longues papillotes dansantes ; il avait le corps noueux et le visage jubilant. Le visage de Solomon. Sur ses cheveux noirs et clairsemés, une kippa en tricot était fixée à la manière d'un bouchon. Il salua de la main les enfants et les chasseurs du village qui, déjà, s'étaient réunis au bord de la baie, heureux de la distraction. Deux phoques gris, tués depuis peu, gisaient sur les rochers, tout luisants, leurs yeux arrachés, leurs orbites ensanglantées, couvertes de mouches noires déjà en train de faire ripaille.

Le pilote, nouvellement arrivé au nord du soixantième parallèle, avait entendu assez de rumeurs au Gold Range Bar de Yellowknife pour avoir envie de se renseigner sur l'infirmière du village.

« Dites-lui que j'ai une surprise pour elle », dit-il.

Henry accueillit le pilote d'un sourire.

« *Baroch ha'bo* », dit-il.

Les yeux plissés, le pilote, méfiant, demanda :

« Qu'est-ce que ça veut dire ?

— Librement traduit : "Béni soit celui qui arrive."

— Vous devez être Gursky.

— Pour vous servir. Vous l'avez apportée ?

— Absolument. »

C'était la petite malle en zinc si familière. Elle avait beau être cabossée, ses verrous étaient intacts. Lorsque les foreurs de puits de pétrole d'Inuvik, pour la plupart des épaves venues du sud, avaient commencé à faire transiter de la marijuana et d'autres produits encore plus meurtriers par le territoire, un caporal de la GRC particulièrement zélé et qui ne connaissait pas encore Henry lui avait demandé, d'un ton poli mais ferme, de déverrouiller sa malle sur-le-champ. Henry avait obtempéré et le caporal, en examinant le contenu et le connaissement d'un air perplexe, avait secoué la tête, incrédule.

« Je ne m'attendais pas à trouver un Juif dans un coin de pays aussi inhospitalier, dit le pilote.

— Nous sommes un peuple étonnant. De vrais pissenlits, disait mon père. Arrachez-nous ici et, portés par le vent et la pluie, nous prendrons racine là. Du courrier ? »

Il y avait un numéro de *Newsweek* avec un John Dean à la mine pensive en couverture ; deux anciens numéros du *Beaver* ; un rapport trimestriel de la société James McTavish Distillers Ltd., accompagné d'un chèque de 2 114 626,17 $; un catalogue d'armes à feu d'Abercrombie & Fitch ; un numéro du *Moshiach* (ou Messie) *Times* pour Isaac ; une lettre du *rebbe* du 770, Eastern Parkway, à Brooklyn ; une autre lettre du Crédit suisse ; une boîte de livres de chez Hatchards. Mais rien de sa sœur Lucy, à Londres, ni de Moses Berger.

Le pilote regarda Henry hisser la malle sur le chariot, se mettre bruyamment en route et passer devant la coopérative en direction du village, insensible au nuage de moustiques qui l'entourait. Le peuplement se composait de maisons préfabriquées appelées 512 parce qu'elles faisaient cinq cent douze pieds carrés. Les 512 étaient disposées en rangées bien nettes, regroupées autour d'une caserne de pompiers, d'un centre communautaire, d'une école, d'un dispensaire, de la coopérative et du Sir Igloo Inn Café, qu'exploitait le *bootlegger* du coin. Il y avait aussi un poste de traite de la Compagnie de la Baie d'Hudson comprenant les appartements de l'intendant, un jeune homme taciturne appelé Ian Campbell. Il était venu tout droit de Stornoway, dans l'île de Lewis, pour occuper ce poste au nord du soixantième parallèle. Fils d'un teinturier de laine, Campbell était à présent maître du crédit et des provisions ainsi que teneur de livres. Sur les chasseurs des environs, il exerçait en quelque sorte les pouvoirs d'un potentat. Il évitait le couple d'instituteurs de Toronto, qui cédaient à tous les caprices des autochtones, et se montrait à peine poli avec l'infirmière dévergondée qui hantait ses rêves et le faisait se tourner et se retourner dans son lit. De loin en loin, la solitude le poussait à jouer aux échecs avec ce cinglé de Juif riche à craquer ; pour l'essentiel, cependant, il préférait boire en compagnie des occupants gris et gras de la station de la ligne DEW, à huit milles du village.

En hiver, la maison préfabriquée d'Henry se reconnaissait facilement : c'était la seule à ne pas avoir des quartiers de caribou gelés ou des côtes de phoque empilés sur le toit. Composée de trois 512 reliées entre elles, elle était aussi la plus grande. Henry possédait des chiens. Il avait les moyens de les nourrir. Deux fois par semaine, un camion passait pour remplir les réservoirs domestiques d'une eau potable qu'on siphonnait par un trou dans la glace d'un lac des environs. Tous les jours, un camion-citerne s'arrêtait devant les maisons pour recueillir les sacs Glad remplis de déjections humaines. On les abandonnait sur la glace à seulement trois milles en mer, en dépit des protestations des chasseurs. Le problème, c'était qu'au moment de la fonte printanière, les sacs partaient à la dérive ; aussi, bon nombre de phoques qu'ils capturaient étaient couverts d'excréments. Un léger désagrément, disons.

Durant les longs mois sombres de l'hiver, on enflammait des barils d'huile pour illuminer une piste déneigée. L'été, seuls des hydravions desservaient le village.

Immigrant grec, le pilote avait entendu parler d'Henry à Yellowknife. Naturellement, il avait cru qu'on se payait sa tête. Baignant dans l'odeur aigre du Gold Range, il sirotait deux bières mélangées avec du jus de tomate en compagnie d'autres pilotes de brousse et quelques mineurs lorsqu'un contremaître yougoslave de la Great Con avait dit :

« Il est allé jusqu'à Boothia avec ses chiens et il connaît l'île du Roi-Guillaume comme le fond de sa poche.

— Qu'est-ce qu'il cherche ? demanda le Grec, déclenchant des rires. Du pétrole ?

— Quelques-uns de ses frères qui se sont trop éloignés du soleil.

— Je ne comprends pas.

— T'es pas censé. »

L'infirmière était là, plus maigrichonne qu'il l'aurait souhaité, plus vieille qu'on le lui avait dit.

« Je t'ai apporté quelque chose, dit-il.

— Oui, c'est généralement comme ça qu'on procède », dit Agnes.

Puis elle tourna les talons et s'éloigna. Qu'il la suive ou qu'il ne la suive pas, ça lui était égal. La décision ne lui appartenait pas.

Henry, s'approchant du Sir Igloo Inn Café, cabane en tôle ondulée, aperçut une mêlée d'enfants roulant dans la poussière. Lorsqu'il fut encore plus près, l'un des enfants se libéra, ses cheveux noirs au vent, et disparut derrière une remise en aluminium. « Isaac ! cria-t-il, laissant là son chariot pour se lancer aux trousses de son fils. Isaac ! »

Il le trouva caché derrière un baril de pétrole, mâchant avidement un œil de phoque cru, en en suçant toute la substance. « Il ne faut pas, dit Henry en sortant son mouchoir pour essuyer avec tendresse le sang qui maculait le menton de son fils. Ce n'est pas casher. C'est impur, *yingele. Trayf.* »

Riant bêtement, Isaac, les yeux brillants et noirs comme du charbon, accepta une orange en échange.

« *Aleph*, dit Henry.

— *Aleph.*

— *Beth.*

— *Beth.*

— Et ensuite ? demanda Henry en s'arrêtant pour lui tirer l'oreille.

— *Gimel.*

— Bravo ! s'exclama Henry en ouvrant la porte de la maison. Nialie, lança-t-il. Le colis est arrivé ! »

Sa femme, une Netsilik d'une minceur peu commune originaire de Spence Bay, sourit de toutes ses dents.

« *Kayn anyhoreh* », dit-elle.

Ensemble, ils déposèrent la malle par terre et Henry la déverrouilla. Ne prenant que le connaissement du Notre-Dame-de-Grâce Kosher Meat Market, à Montréal, il l'apporta jusqu'au bureau à cylindre qui avait appartenu à son père. Il était percé de deux impacts de balle.

« Nous avons eu droit à un nouveau pilote, aujourd'hui. Un Grec. Agnes est venue à sa rencontre.

— Dans ce cas, il va détecter une panne de moteur et passer la nuit ici.

— Ça suffit comme ça, Nialie. »

À trois heures du matin, le soleil couchant flotta brièvement sur le bord du monde. Henry, qui ne disposait que de dix minutes avant que l'astre reprenne son ascension, se leva et se tourna vers le mur orienté à l'est, vers Jérusalem, puis entreprit ses prières du soir. *Éternel ! j'élève à toi mon âme.*

La foi d'Henry, conçue sur les rivages d'une autre mer, cultivée à Babylone, polie en Espagne et dans la Zone de Résidence, semblait s'accommoder à toutes les situations, sauf celle du croyant dans l'Arctique. Ainsi Henry, débrouillard en certains domaines, se contentait en général d'improviser, sa vie religieuse régie non pas par le soleil fou de la mer de Beaufort, mais bien par une horloge au diapason d'un horaire plus raisonnable. Un horaire du Sud.

Henry dormit pendant six heures. À son réveil, vendredi matin, il trouva Nialie en train de saler une poitrine de bœuf qui avait décongelé pendant la nuit. Elle laissait la viande saigner dans l'évier, exactement comme sa grand-mère avait appris à le faire, enfant, durant la saison de Tulugaq, venu sur le bateau en bois avec trois mâts. Troussé, le poulet du sabbat attendait dans une cocotte, et le pain tressé était prêt à enfourner.

Après ses prières du matin, Henry retira son talit, le plia avec soin, puis il enleva ses phylactères. Tout de suite après le petit déjeuner, il s'installa à son bureau pour écrire à Moses Berger.

Par la grâce de D--u
15 nissan *5734*
Tulugaqtitut (T. N.-O.)

Cher Moses,
Savais-tu que des photographies prises par satellite depuis février révèlent la présence de fractures dans le glacier Tweedsmuir ? Selon mes cartes, ce glacier fait 44 milles de longueur sur 8 de largeur. Depuis février, il a accéléré sa marche le long de la vallée de la rivière Alsek. En fait, le glacier, qui avançait lentement vers le sud-est à un rythme de moins de 2 pieds 3 pouces par jour, parcourt désormais environ 13 pieds par jour. L'hiver dernier, à son paroxysme, il progressait de 288 pieds par jour, un chiffre ahurissant. Je me rends compte que cette agitation n'est pas sans précédent et qu'il pourrait bien s'agir d'un phénomène isolé, anormal. Je te serais pourtant reconnaissant, la prochaine fois que tu verras Conway à l'Institut, de lui en toucher un mot et de vérifier le mouvement des autres glaciers. Je m'intéresse en particulier aux changements dans le comportement de la calotte glaciaire Barnes où, tout bien considéré, l'activité pourrait reprendre.
Conway, comme tu le sais, ne veut rien savoir d'illuminés de mon espèce, mais tu pourrais lui rappeler que, au cours des quinze dernières années, on a noté une augmentation marquée des précipitations sur la calotte glaciaire Barnes, surtout en hiver.
*Nialie vous embrasse, toi et Beatrice, et Isaac aussi. Isaac (un peu tardivement, il est vrai) fait de louables progrès dans son apprentissage de l'*aleph beth. *Je te serais reconnaissant de nous donner de tes nouvelles. Nous nous faisons du souci pour toi.*

Amitiés,
HENRY

La dernière fois qu'ils s'étaient vus, Moses venait tout juste d'être congédié par la NYU. Henry, à New York pour consulter le *rebbe* du 770, Eastern Parkway, était passé voir Moses chez lui.

Un sous-sol fétide sur Ninth Avenue. Des meubles dont même l'Armée du Salut n'aurait pas voulu. Partout, des bouteilles de scotch vides. Sur le lavabo de la salle de bains, entouré d'un dépôt visqueux, un pain de savon où les souris avaient laissé des marques de dents.

À quatre heures de l'après-midi, Moses était encore au lit, le visage bouffi et contusionné, une efflorescence violette sur le front.

« On est quel jour ? demanda-t-il.

— Mercredi. »

Henry loua une voiture et emmena Moses à la clinique du New Hampshire.

« On dirait qu'il a foncé dans un mur, observa le médecin. Avec qui s'est-il battu, cette fois-ci ?

— C'est injuste. On l'a agressé. Écoutez, Moses n'a jamais été un homme violent. »

Le médecin tira une feuille dactylographiée d'un dossier posé sur son bureau.

« Il y a deux ou trois ans, pendant un vol à destination de New York, il a – sans la moindre provocation, selon des témoins oculaires – tenté de frapper deux ou trois marchands de fourrures. Des membres de l'équipage ont dû avoir recours à la force pour le maîtriser. Une rage contenue dévore votre ami. Quand on secoue trop la bouteille, le bouchon saute. »

La dernière lettre de Moses à Henry était pleine d'allant, voire joyeuse, ce qui, par le passé, avait toujours été un signal d'alarme. Beatrice et lui vivaient de nouveau ensemble, cette fois à Ottawa. Moses, qui donnait des cours à l'Université Carleton, devait à tout prix, et il en était conscient, éviter un nouvel esclandre.

… et je n'ai rien bu ni rien risqué de plus enivrant que du coq au vin depuis six mois, deux semaines, trois jours et quatre heures. Ravale tes paroles, Henry : j'ai peut-être franchi pour la dernière fois la porte tambour de cette clinique.

Cette semaine, Beatrice est à Montréal, où elle écrit une ode au Canada : l'introduction du rapport annuel de Clarkson, Wiggin, Delorme. Un pensum, mais étonnamment bien payé. Selon elle, Tom Clarkson, LCC, Bishop's, Harvard (MBA), est un insupportable raseur, mais il la loge au El Ritzo, que diable ! Malgré tout, elle se sent seule. Un de ces soirs, je sauterai peut-être dans l'avion de Montréal, à temps pour l'inviter au restaurant…

Henry hésita avant de cacheter l'enveloppe. Devait-il ajouter un post-scriptum au sujet de l'embarrassante visite de son cousin Lionel ? Non, il n'en ferait rien parce qu'il avait honte et que Nialie lui avait déjà reproché sa docilité. M. Mollasson, c'est moi.

La visite de Lionel aurait été éprouvante même dans les meilleures circonstances, mais, comme son cousin avait débarqué pendant les *Asseret yemei techouva*, les dix jours de pénitence, c'était une *mitsva* de se réconcilier avec un membre de la famille qui vous avait fait du tort. N'est-il pas écrit : « Lorsqu'il s'agit de pardonner, l'on doit se montrer souple comme le roseau et non rigide comme le cèdre » ?

Lionel, sa sœur Anita et son frère cadet, Nathan, étaient les héritiers présomptifs de McTavish Distillers Ltd., du Jewel Investment Trust, d'Acorn Properties, de Polar Energy et du reste de l'empire, de plus en plus diversifié, des Gursky. Enfant déjà, se souvenait Henry, Lionel était le plus audacieux de la famille. Agrippant les servantes là où il ne fallait pas. Propulsant son vélo sur les nouveaux garçons qu'on avait sélectionnés pour jouer avec lui, certain que leurs mères en émoi n'oseraient jamais se plaindre.

Lorsqu'il avait reçu l'appel mortifiant de son cousin, Henry était sans nouvelles de Lionel, qui présidait le bureau newyorkais de McTavish Distillers, depuis au moins dix ans. Lionel, avait compris Henry, estimait qu'il pourrait le faire déclarer bon à enfermer si besoin était, et il avait peut-être raison. Ayant retrouvé dans le dernier tiroir de son bureau un vieux rapport trimestriel de McTavish, Henry le feuilleta avant d'affronter

Lionel. Assez pour se convaincre de ses propres lacunes. *Oy*, il allait se faire rentrer dedans ! Contrairement à lui, Lionel connaissait la musique de l'argent. Débentures bancaires, obligations à taux variable, amortissement des frais reportés, etc. Tout ça, c'était du chinois pour Henry.

Lionel, arrivant à Yellowknife à bord d'un des jets des Gursky, se souvenait de son cousin Henry comme d'un attardé – en fait, à deux doigts d'être demeuré – qu'il avait eu l'habitude de taquiner impitoyablement parce qu'il mouillait son lit. Henry avait d'ailleurs redoublé sa sixième année. Puis, si la mémoire de Lionel était bonne, le petit crétin n'avait pas fréquenté l'école secondaire ; il y avait plutôt eu une succession de tuteurs et de psys sinistres et complaisants, peut-être une ou deux écoles privées pour les enfants privilégiés mais pas très futés. Au gré de son parcours mouvementé, Henry avait trouvé Dieu et s'était retiré dans une *yeshivah* de Brooklyn, où il n'osait pas changer de marque de dentifrice sans l'aval du tout-puissant Oz, *rebbe* qui régnait sur la maison de timbrés du 770. Et puis – *presto !* – il avait filé vers une destination improbable, l'Arctique, où il s'était déniché une épouse de l'âge de pierre, une Esquimaude. Pas si vite, pas si vite. C'était un article de presse qui avait précipité la fuite d'Henry dans le Grand Nord – les parents de Lionel, parlant yiddish à toute vitesse, s'en étaient inquiétés dans la cuisine. Lui en gardait un souvenir vague, fragmenté. L'article portait sur une bande d'Esquimaux isolés qui étaient, pour la troisième fois en un siècle, victimes d'une famine inexplicable. Les autorités étaient mystifiées puisque, à l'époque, il n'y avait pas de pénurie de blanc de baleine ou de va donc savoir ce que mangent ces gens-là. Ces cinglés refusaient tout simplement de s'alimenter. Des fonctionnaires eurent beau leur faire livrer par avion toutes sortes de victuailles, ils n'en démordaient pas. Des psychologues dépêchés sur place évoquèrent de sombres rites tribaux ou la malédiction des chamans et renvoyèrent des journalistes abasourdis à *Wandlungen und Symbole der Libido,* au *Rameau d'or* ainsi qu'à *Totem et Tabou.* Les autochtones, cependant, se contentaient de dire que c'était interdit, que c'était la Journée... de quoi, déjà ? Du Hibou ? De l'Aigle ? Une ineptie du genre. Personne n'y comprenait rien, et c'est alors qu'Henry se rendit là-bas et, allez savoir comment, régla le problème. Quelques Esquimaux étaient déjà morts, mais la plupart furent sauvés.

Henry fit le voyage jusqu'à Yellowknife à bord d'un Otter de la compagnie Ptarmigan Air. Il avait pris Isaac avec lui afin que celui-ci puisse visiter l'école secondaire Sir John Franklin, qu'il fréquenterait vraisemblablement après ses études primaires au village. Nialie ne voyait pas d'un bon œil l'autre possibilité, la *yeshivah* du *rebbe* à Crown Heights. « Les autres garçons n'accepteront jamais un tel *shayner yid.* Ils vont s'en prendre à lui à cause de la couleur de sa peau. »

L'entreprenant commissaire des Territoires du Nord-Ouest, à l'affût d'investissements potentiels, était à la tête de la délégation venue accueillir Lionel à l'aéroport. Lionel, chauve, bedonnant, était resplendissant : il portait un manteau de castor, un costume Giorgio Armani, des bottes en peau de mouton. Des lunettes d'aviateur aux verres teintés voilaient ses yeux. Le commissaire avait ordonné que l'appartement de grand standing, au sommet de l'immeuble à neuf étages que les gens du coin surnommaient le « gratte-ciel », soit mis à la disposition de Lionel et qu'on ait la prévenance de remplir le bar de bouteilles portant uniquement les sacro-saintes étiquettes de la famille Gursky. L'appartement, dont le décor somptueux n'avait pas son pareil au nord du soixantième parallèle, avait été aménagé pour la reine Élisabeth II et le prince Philip à l'occasion de leur visite dans les Territoires du Nord-Ouest en 1970.

« J'espère que vous dormirez bien entre les draps royaux, lui dit le commissaire, les yeux pétillants.

— Il faudrait glisser une planche sous le matelas. Mon dos, vous savez.

— Bien sûr, bien sûr. Vous serez heureux d'apprendre qu'il se trouve encore ici de vieux autochtones qui racontent, au sujet de votre arrière-grand-père, des histoires transmises par leurs aïeux. Aimeriez-vous en rencontrer, monsieur Gursky ?

— J'ai un emploi du temps très chargé. Laissez-moi passer un moment avec mon cousin avant, puis on verra. »

Lionel fut contrarié en voyant qu'Henry, lorsqu'il daigna enfin se montrer, était accompagné de son fils, le petit métis. Cependant, le garçon, manifestement aussi idiot que son père, s'assit tranquillement dans un coin, avec un album de bandes dessinées et un numéro du *Moshiach Times.* En première page, il y avait un bulletin de Tzivos Hashem signé par une fille appelée Gila, qui vivait à Ashkelon. « Selon notre *madircha,* notre conseillère ici à Tzivos Hashem, il y a partout dans le monde des enfants qui tentent de faire la même chose que nous : exécuter les ordres d'Hashem, notre commandant en chef. » Le nom propre *Hashem* était suivi d'un astérisque renvoyant à une note de bas de page : « *Hashem* : un des noms de D--u », comme si Isaac n'était pas au courant.

Isaac semblait perdu dans son monde, indifférent, tandis que les deux hommes discutaient ou, plus précisément, que Lionel pérorait et qu'Henry écoutait.

« Je pense qu'il est grand temps d'enterrer les querelles de nos pères, Henry, tu ne crois pas ? »

Nialie lui avait fait promettre. Ne gigote pas. Regarde-le dans les yeux. Oui, avait-il dit, mais il avait déjà baissé le regard et commencé à croiser et à décroiser les jambes.

« Tu es un sacré phénomène, Henry. Il ne s'en fait plus des comme toi. Tu n'as toujours pas encaissé ton dernier chèque de dividendes. Tu le savais ?

— Je le déposerai demain à la première heure.

— C'est un chèque de trois millions huit cent mille dollars et des poussières. As-tu une idée de ce que tu as déjà perdu en intérêts ? »

Ayant mis son cousin sur la défensive, Lionel évoqua habilement le bon vieux temps, lui rappela leurs jeux derrière les hauts murs qui les protégeaient du monde. Puis, las de dribbler, il tira au panier. M. Bernard, du haut de ses soixante-quatorze ans, n'avait plus toute sa tête. C'était triste, mais inévitable : Lionel prendrait bientôt les commandes de la société James McTavish Distillers Ltd.

« Et Nathan ?

— Soyons sérieux. C'est une perspective intimidante, poursuivit Lionel, mais aussi un défi. Tu te souviens de ce qu'a dit John F. Kennedy (un autre fils de *bootlegger,* soit dit en passant) ? Le moment est venu de passer le flambeau à la nouvelle génération. Nous avions l'habitude de parler à cœur ouvert, Bobby et moi. Je connais Teddy. On a reçu Frank Sinatra, chez nous à Southampton. Tu sais qui a chanté à la bar-mitsva de mon Lionel Jr ? Diana Ross. Kissinger a besoin d'aller aux toilettes, il tombe sur une fille de Rowan et Martin qui se fait *shtupper* par un *schwartze.* Pas Sammy Davis Jr, l'autre. Le comique. Rocky était à la bar-mitsva. Elaine et Swifty et Arnie Palmer aussi. On joue au golf ensemble. À propos de la distillerie. Des changements se préparent. Des changements qui ont trop tardé. En principe, c'est moi qui devrais prendre les commandes, mais il y a un os ! Il ne faut pas perdre de vue qu'il s'agit d'une société ouverte, avec des flux de trésorerie enviables et des actions actuellement sous-évaluées. Il y a donc des tas de vautours qui tournent autour. La famille, à supposer que nous votions tous ensemble (après tout, nous sommes de la même *mishpoche,* indépendamment des vieilles querelles), ne détient que 21,7 pour cent des actions de l'entreprise. À en croire les meilleurs conseils dont je dispose (je te parle de Lehman Brothers, je te parle de Goldman Sachs), nous sommes vulnérables. Peut-être même de la chair à pâté. Disons-le sans détour, Henry : tu ne t'intéresses pas à l'entreprise. Tu n'as jamais assisté à une seule réunion du conseil d'administration ! Je ne te fais pas de reproches, remarque. Nous sommes tous tellement fiers de toi. Tu t'occupes de ce qui compte vraiment. Dieu, l'éternité et tout ça. Tu es un saint, Henry. Un foutu saint. Je t'admire. Mais il faut bien que quelqu'un reste à New York pour faire tourner l'affaire. Rien ne garantit que Getty Oil sera toujours dirigée par un Getty ou Ford par un Ford. Quand on a la chance d'avoir un actif comme celui-là, on veille dessus jour et nuit. Henry, pour protéger les intérêts de tout le monde, y compris les tiens et ceux de Lucy, j'ai besoin de vos votes à tous les deux. Je t'ai apporté une procuration. Demande à ton *rebbe* d'examiner les papiers, si tu veux. Sinon… Écoute, je viens d'avoir une idée. Et je tiens à ce que tu saches que je n'avais pas l'intention de te faire une offre en venant ici. Demain, je risque de le regretter. Mon avocat va croire que j'ai perdu la tête. *J'ai perdu la tête ! Je suis prêt à t'acheter toutes tes actions à vingt-cinq pour cent de plus que la valeur du marché.* Qu'est-ce que tu en dis ?

— Ton père est au courant de tout ça ?

— Tu sais, Henry, ça me fend le cœur de l'admettre, mais M. Bernard n'est plus celui qu'il était. Il bave. Il somnole pendant les réunions du conseil d'administration. Ou il reste là à sucer un de ses maudits *popsicles*, en pétant à tour de bras, pendant que sont prises des décisions engageant des millions de dollars. Tu t'imagines que les autres ne sont pas au courant ? Ils le sont, crois-moi. En plus, il maîtrise de moins en moins son célèbre tempérament. Il congédie des cadres importants que j'ai eu un mal de chien à recruter, les envoie tout droit chez nos concurrents. Pourquoi ? Parce qu'ils sont trop grands. Il rate des rendez-vous avec des banquiers d'affaires. Le bon vieux syndrome d'Henry Ford, quoi. Il pense encore à sa première érection. Il va te faire une Model-T de la couleur que tu veux, à condition qu'elle soit noire. Mme Bernard refuse de nous laisser abandonner les vieux scotchs foncés et lourds, qui ne se vendent plus, sous prétexte qu'il a autrefois eu son mot à dire pour le *blend*. Il rejette tous les nouveaux mélanges plus légers que proposent ceux qu'il appelle mes crétins du marketing. Il risque de détruire l'empire qu'il a créé et de me détruire, moi, exactement comme Henry Ford, devenu gâteux, a failli détruire son fils et son empire. Non, M. Bernard ne sait pas que je suis ici. C'est entre toi et moi, Henry. Notre secret. J'ai décidé de te faire confiance, c'est vrai, et je veux que tu me fasses confiance. Vingt-cinq pour cent de plus que la valeur du marché. Qu'est-ce que tu en dis, Henry ? »

Henry, qui avait mal au crâne, bondit sur ses pieds.

« C'est l'heure de mes prières du soir, dit-il.

— Tu es un exemple pour nous tous, Henry. Un Juif vraiment exceptionnel. Ça fait chaud au cœur.

— Je vais les réciter dans la cuisine. Je n'en ai pas pour longtemps. »

Lionel resta donc seul avec le garçon, dont la présence le troublait.

« Quelle est ta couleur préférée, petit ? » demanda-t-il en tambourinant impatiemment sur la table avec son stylo Cross en or.

Isaac se contenta de regarder devant lui.

« Allez, tout le monde a une couleur préférée.

— Rouge.

— Que dirais-tu si ton oncle Lionel t'envoyait une grosse motoneige rouge ?

— Vous pensez que le *Moshiach* arrive ?

— Le messie ? »

Isaac fit oui de la tête.

« Eh bien, c'est une question difficile.

— Je le pense, moi.

— Hé, c'est bien. Je te prends au mot.

— Pourquoi ?

— Parce que c'est une bonne indication du genre de garçon que tu es et de la personne altruiste que tu vas devenir. »

Le garçon regardait toujours droit devant lui.

« C'est quoi, les intérêts ? demanda-t-il.

— Pardon ?

— Vous avez dit que mon père avait perdu beaucoup d'intérêts en ne déposant pas le chèque.

— Ne te préoccupe pas de ces choses-là, petit.

— Si mon père ne vend pas, tout me reviendra un jour ?

— McTavish ? » demanda Lionel en résistant à une inexplicable envie de gifler le garçon.

Isaac hocha la tête.

« J'ai bien peur que non, petit. »

Henry était de retour. Il avait emmené Isaac pour se donner du courage. Seul, il craignait de dire oui à tout, de signer n'importe quoi, pour échapper à Lionel. Avec Isaac comme témoin, qui allait de toute façon tout raconter à Nialie, il était en sécurité. Il n'oserait pas capituler.

« Je dois songer à mon fils. Comment pourrais-je vendre son héritage ?

— Ces jours-ci, l'alcool ne se vend pas exactement comme des petits pains. Il va même peut-être falloir annoncer une perte au troisième trimestre. Si tu vends et que tu suis mes bons conseils, tu vas doubler ta mise, peut-être davantage. L'héritage du garçon augmenterait d'autant.

— Je t'en prie, Lionel. Il m'est impossible de vendre.

— Vendrais-tu à d'autres ?

— Non.

— Et si ton *rebbe* qui sait tout te conseillait de vendre ?

— Le *rebbe* ne s'intéresse pas au rachat d'entreprises. »

On frappa à la porte. Deux hommes apportaient des planches clouées les unes aux autres pour les glisser sous le matelas de Lionel.

« Ce n'est plus la peine, dit Lionel. Je pars dans l'heure.

— Et le banquet du commissaire ? On l'a organisé en votre honneur, monsieur Gursky.

— Veuillez transmettre mes plus sincères regrets à qui de droit, mais je viens de recevoir un coup de fil urgent de la part de mon père. Il a besoin de moi à Montréal. »

Les hommes sortirent et Henry, les yeux remplis de larmes, tendit le bras et, avec hésitation, toucha l'épaule de Lionel. Malgré tout, c'était encore son cousin : il avait le droit de savoir.

« La fin est pour bientôt, dit-il.

— La fin de la mainmise familiale ?

— La fin du monde.

— Ah, ça, dit Lionel, soulagé. Content de t'avoir revu et merci pour le tuyau. Te connaissant, je suis sûr qu'il s'agit d'une information privilégiée. »

Une foule de fidèles, venue en pèlerinage de Grise Fiord, campait aux abords du village. C'était la même chose tous les ans. Ainsi, à six heures du soir, tel que prescrit durant la saison de Tulugaq, venu sur le bateau en bois avec trois mâts, les plus pieux d'entre eux se réunirent, tête baissée, devant la maison préfabriquée d'Henry jusqu'à ce qu'il sorte pour les recevoir. De mauvaise humeur, Nialie, prenant Isaac avec elle, partit se réfugier dans la chambre, où elle tira les rideaux.

« Pourquoi je ne pourrais pas regarder, pour une fois ?

— Parce que, à ton âge, je te l'interdis. »

D'un air de défi, Isaac rouvrit les rideaux et Nialie, bien qu'ébranlée, ne le réprimanda pas. Elle se contenta de quitter docilement la pièce.

Les hommes portaient des parkas munis de quatre franges, chacune composée de douze brins de soie. En tapant sur leurs peaux de tambour, ils firent défiler devant eux leurs offrandes traditionnelles pour le soir du sabbat. Parmi les plus âgées, quelques femmes grassouillettes et édentées étaient déjà ivres. Leurs joues fardées, leurs lèvres barbouillées de rouge. Deux des plus jeunes arboraient des minijupes en similicuir et des bottes à talons hauts en plastique rouge, sans doute achetées à Inuvik ou à Frobisher Bay. Henry détourna les yeux, rougit, mais il écouta avec gravité les hommes qui, un à un, s'avancèrent. Si leurs manières étaient respectueuses, leurs mots, explicites, avaient pour but d'émoustiller. Tout en exprimant sa gratitude avec effusion, Henry refusa toutes les offrandes.

Puis, signalant que la cérémonie était terminée, il sourit et s'écria : « Bon *shabbos.* »

Les hommes réunirent leurs femmes, déçues, rancunières, et regagnèrent leur campement en tapant sur leurs tambours d'un air lugubre.

« Tu parles d'un *shabbos*, dit l'une des femmes.

— Quand ce sera le tour du plus jeune, les choses seront différentes. Je l'ai vu regarder entre les rideaux. »

À sept heures trente, Nialie bénit les chandelles et la famille s'attabla devant le repas du sabbat. Henry régala Isaac d'histoires concernant Moïse. « Non, non, pas ton oncle[1], je veux parler du vrai Moïse, de l'original. Moïse, notre Père. » Moïse, le grand *angakok* des Hébreux, capable de transformer son bâton en serpent, de tirer de l'eau d'une pierre et de séparer les mers d'un simple commandement. Seul Moïse, expliqua Henry, avait vu Dieu sans voile, ainsi qu'il était écrit : « Il n'a plus paru en Israël de prophète semblable à Moïse, que l'Éternel connaissait face à face. »

Plus tard, Henry déposa son fils dans le lit qu'il avait fabriqué pour lui. Les lettres de l'alphabet hébreu étaient peintes sur la tête du meuble. C'était très astucieux. Un phoque bêlait un *shin.* Un *resh* était fixé à la queue d'un caribou. Un *dalet* dansait avec un bœuf musqué. Et du bec du corbeau s'envolait le *gimel* assassin. Le signe du grand homme venu sur le bateau en bois avec trois mâts.

Dans l'embrasure de la porte, Nialie les observait. Son mari, son fils. Isaac avait recommencé à voler à la coopérative et au poste de traite de la Compagnie de la Baie d'Hudson. Deux paquets de cigarettes Player's Mild, un magazine cochon, un canif, un stylo Cross. Elle voulait en parler à Henry, mais, une fois de plus, elle tergiversait. Il chérissait tellement le garçon. Une telle foi l'habitait. Nialie aurait bien voulu réprimander

---

1. En anglais, *Moïse* se dit « Moses », d'où la confusion d'Isaac. *(N.d.T.)*

Isaac elle-même, mais c'était hors de question, impossible, car elle craignait à juste titre l'âme-nom du garçon, son *atiq*, c'est-à-dire Tulugaq, le nom qu'elle avait crié juste avant de donner naissance à Isaac.

Pendant que Nialie faisait la vaisselle, Henry s'installa dans sa chaise berçante avec le plus récent numéro de *Newsweek*. Dans le reste du monde, on ne parlait toujours que du Watergate. Un extrait de dix-huit minutes et demie d'un enregistrement de Nixon avait mystérieusement disparu. Un comité présidé par le sénateur Sam Ervin siégeait tous les jours. Le trouble des gens était palpable.

Soudain, pris d'une impatience, d'un malaise inexplicable, Henry enfila son parka, sortit et mit le cap sur le campement des Fidèles. Parmi eux, il se sentait toujours apaisé. Exactement ce dont il avait besoin en ce moment. À son arrivée, il eut la surprise de trouver le camp abandonné. Ils étaient partis sans lui dire un mot. C'était bizarre, très bizarre. Le vieux Pootoogook fouillait dans ce qu'il restait.

« Que s'est-il passé ? demanda Henry.

— Un homme est venu, un homme de Spence. Il était très énervé. Ils ont ramassé leurs affaires vite, vite, et ils sont partis », dit Pootoogook en battant des bras pour éloigner les autres pilleurs de poubelles, les corbeaux qui tournoyaient au-dessus de leurs têtes.

Des corbeaux, des corbeaux partout.

Henry courut d'un trait jusqu'au dispensaire. Lorsque Agnes lui ouvrit, vêtue de son peignoir décoloré, il ne s'excusa même pas de l'avoir réveillée, ce qui, chez lui, était inhabituel. Il se contenta de dire : « Je dois envoyer un télégramme. C'est urgent. »

Les Fidèles avaient griffonné un message dans la neige.

NOUS VOULONS LE *MOSHIACH* TOUT DE SUITE !

Deux

MOSES BERGER
UNIVERSITÉ CARLETON
OTTAWA (ONTARIO)
LES CORBEAUX SE RASSEMBLENT. BESOIN
RÉPONSE URGENTE. HENRY.

HENRY GURSKY
DISPENSAIRE
TULUGAQTITUT (T. N.-O.)
MOSES BERGER NE TRAVAILLE PLUS ICI. AVONS
FAIT SUIVRE VOTRE TÉLÉGRAMME. DAVIDSON.
INTENDANT. UNIVERSITÉ CARLETON.

HENRY GURSKY
DISPENSAIRE
TULUGAQTITUT (T. N.-O.)
AI MES PROPRES PROBLÈMES EN CE MOMENT.
DU CALME, ÂME EN PEINE. MOSES.

MOSES BERGER
THE CABOOSE
MANSONVILLE (QUÉBEC)
ON DOIT PRÉVENIR M. BERNARD. BESOIN
RÉPONSE URGENTE. HENRY.

HENRY GURSKY
DISPENSAIRE
TULUGAQTITUT (T. N.-O.)
RABBI JANNAI A DIT UN JOUR NOUS NE SOMMES PAS RESPONSABLES DE LA SÉCURITÉ DU MÉCHANT. BIEN À TOI. MOSES.

Trois

À sept heures cinquante du matin, M. Bernard, fidèle à son habitude, descendit en vitesse de sa limousine en maudissant la pluie battante, le problème persistant des espaces vacants dans son plus récent centre commercial montréalais, le coût élevé de l'agitation canadienne-française, les fluctuations de la livre sterling, une litanie de concessions pétrolières dans le Nord aussi stériles que sa fille (malgré, Dieu sait, d'innombrables forages dans les deux cas) et les sommes que Lionel avait stupidement englouties dans une série télévisée de moins en moins populaire (sans doute dans l'espoir de tirer son coup). Le matin même, Lionel avait téléphoné au moment où M. Bernard sortait de la douche.

« Comment vas-tu, ce matin, papa ?

— Mauvaise nouvelle : je n'ai pas crevé durant la nuit. Ce n'est donc pas encore toi le patron.

— Je donne suite à ton appel.

— C'est trop d'honneur.

— Allons donc, papa.

— Le Dow Jones a encore baissé. Tout le monde sait que nous allons afficher une perte pour le trimestre. Pourtant, mon petit bas de laine a pris deux points. Explique-moi ça.

— Certainement quelques prédateurs qui achètent à New York, Toronto et Londres. Je n'en sais pas plus que toi.

— M. Bernard sait, lui. Il s'appuie sur des faits. Je dirais que c'est un *putz* impatient – toi, en l'occurrence – qui engrange des actions en se cachant derrière des prête-noms.

— Papa, si seulement tu acceptais de signer les procurations qui feraient de moi le PDG au moment de ton départ à la retraite, je barrerais la route aux spéculateurs.

— Je ne sais pas à quoi tu joues, mais ça ne m'impressionne pas. Pourtant, il y a une chose que je tiens à te dire clairement, espèce de fornicateur : n'essaie pas de racheter les actions d'Henry et de Lucy. Il y a des choses que tu ignores. Des secrets de famille. Je veux que tu me donnes ta parole d'honneur. N'essaie pas d'entuber les rejetons débiles de Solomon.

— Je te le promets sur la tête de mes enfants, papa.

— De quel mariage ?

— Je…

— Je-je-je. Et ne va pas croire que je-je-je ne suis pas au courant du nombre d'actions qui ont changé de mains à Tokyo hier.

— Tu as dit Tokyo ?

— Ne joue pas les innocents avec moi », dit M. Bernard en raccrochant.

Lionel sonna aussitôt Mlle Heffernan.

« Téléphonez à Lubin et passez-le-moi sur la un ; téléphonez à Weintraub et mettez-le en attente.

— Oui, monsieur.

— Je te croyais à Montréal, dit Lubin.

— Je prends l'avion cet après-midi. Dis-moi, Sol, nous avons acheté des actions de McTavish à Tokyo ?

— Non.

— C'est ce que je pensais. Je te mets en attente. Oui, Mlle Heffernan ?

— M. Weintraub est sur la trois. »

Lionel l'interrogea sur Tokyo.

« Ce n'est pas nous. »

Merde.

On racontait qu'il y avait de la glace dans le cœur de M. Bernard, une glace qui remontait à la nuit des temps, mais il ne l'avait pas volée. Cela datait du jour où Ephraim les avait abandonnés. Sentant une boule de mucosités lui remonter dans la gorge, M. Bernard foulait le trottoir glissant avec prudence, songeant aux os friables des personnes âgées. Il franchit les portes de la tour Bernard Gursky, boulevard Dorchester, où l'attendait une obscurité inhabituelle, de véritables ténèbres, puis une explosion de lumière aveuglante le fit sursauter.

Oh, mon Dieu !

Levant automatiquement les bras pour se protéger le visage, M. Bernard tomba à genoux. En gémissant, il s'effondra sur le sol de marbre, recroquevillé en position fœtale. Il craignait les armes de ces écervelés de terroristes arabes, lui qui avait autrefois survécu à la fureur du Purple Gang de Detroit, tapi au milieu des chauves-souris, à deux cents pieds sous terre, dans le puits glacial de la mine de talc des Cantons-de-l'Est, pendant trois semaines de terreur, le temps que Solomon négocie une trêve.

Examinant la scène, Mlle O'Brien se tourna vers Harvey Schwartz et lui décocha son regard si particulier. « Oh là, fit-elle avec une certaine âpreté. Cette fois, vous allez vraiment y goûter, monsieur Schwartz. »

Ébranlé, Harvey Schwartz accourut et aida M. Bernard, tremblant, les yeux plissés, à se remettre sur pied, puis il désigna nerveusement la banderole qui, dans le hall, s'étendait d'un mur à l'autre :

JOYEUX ANNIVERSAIRE, M. BERNARD,
AUJOURD'HUI JEUNE DE SES SOIXANTE-QUINZE ANS !

Au moment où la banderole était révélée à M. Bernard, une centaine de gratte-papier de la société James McTavish Distillers Ltd., son empire tentaculaire, entonnèrent « Joyeux anniversaire ».

Des larmes de reconnaissance plein les yeux, ne fût-ce que parce que son corps n'avait pas été criblé de balles, M. Bernard s'avança en trottinant pour recevoir, des mains d'une délégation de ses employés, un service à thé en argent fin. Applaudissements, applaudissements. M. Bernard s'épongea les yeux (en en profitant pour cracher furtivement dans son mouchoir une boule de mucosités étonnamment chaude) et étendit ses bras grêles pour offrir sa bénédiction. « Dieu vous bénisse. Dieu vous bénisse tous et toutes. »

Deux secrétaires poussèrent un chariot sur lequel était posé un gâteau, une énorme pièce montée représentant une bouteille de Canadian Jubilee, leur marque de rye la plus populaire, que surmontaient les silhouettes de M. Bernard et de sa femme, Libby. « Je suis indigne de tant d'amour, protesta M. Bernard. Vous êtes merveilleux, absolument merveilleux. Vous n'êtes pas mes employés, roucoula-t-il en soufflant des baisers dans les airs, tout en se retirant vers l'ascenseur, vous êtes mes enfants, ma famille. »

Seuls Mlle O'Brien, perplexe, et Harvey Schwartz, qui portait le service à thé, prirent avec M. Bernard l'ascenseur express jusqu'au quarante et unième étage.

« Tout le monde a contribué, déclara Harvey avec un large sourire. Des vice-présidents jusqu'aux commis.

— Tout le monde ne trouvait pas l'idée si géniale, pourtant, dit Mlle O'Brien.

— Leur idée, pas la mienne. J'ai été très touché pour vous, monsieur Bernard. »

M. Bernard commença à faire claquer son dentier.

« J'ai envie de pisser, déclara-t-il. Une sacrée envie de pisser.

— Ça ne vous a pas fait plaisir ? »

M. Bernard jura, s'adossa au mur de l'ascenseur et, profitant de cet appui, s'élança pour asséner un coup de pied dans le tibia d'Harvey. Le service à thé vola dans les airs.

« J'aurais pu me casser la hanche, espèce d'avorton. Ramasse-moi tout ça. J'espère pour toi qu'il n'y a rien d'abîmé. »

M. Bernard, homme de petite taille, d'à peine cinq pieds quatre pouces pour être précis, chauve à l'exception d'une couronne argentée, avait le corps d'une carpe. Des yeux bruns embrumés et exorbités, des joues pelées qui s'empourpraient chaque fois qu'il se mettait en colère. Fonçant dans son bureau, il se pinça le nez et des trainées de morve firent tinter la poubelle en cuir repoussé florentin. Puis il lança son feutre sur son canapé en noyer Queen Anne, au capitonnage en velours, fabriqué à Philadelphie pour William Penn. Au-dessus du canapé était accroché un Jackson Pollock, l'une des acquisitions *fershtinkena* de sa fille. M. Bernard aimait se servir du tableau, qui lui faisait penser à des vomissures figées, pour embarrasser les quémandeurs ou les chercheurs d'emploi qui entraient dans son bureau pour la première fois.

« Tu trouves ça beau, toi ? prenait-il plaisir à leur demander. Après tout, tu as fait ton MBA à Harvard. Dis-moi. Tes lumières me seront précieuses.

— C'est un tableau de tout premier ordre, monsieur.

— Tu ne vois rien d'anormal ? Prends ton temps, mon garçon. Regarde-le bien.

— Anormal ? C'est de l'abstraction lyrique, monsieur. »

Puis, les yeux brillants de rancœur, M. Bernard fondait sur sa proie.

« Il est accroché à l'envers. Qu'est-ce que je peux faire pour toi, à présent ? »

Prends ça dans les dents, monsieur le diplômé de Harvard avec ton MBA et ta face de *tuchus*.

Seul Moses Berger, cet ivrogne, l'avait déjoué. Évidemment, la rencontre avait eu lieu des années plus tôt, à l'époque où M. Bernard avait découvert que Moses fourrait son nez dans les affaires de la famille Gursky et posait des questions sur Solomon.

« Tu ne lui trouves rien d'anormal, à cette peinture ? »

Moses avait haussé les épaules.

S'avançant brusquement dans son fauteuil à roulettes, M. Bernard avait aboyé :

« Elle est accrochée à l'envers !

— Comment pouvez-vous en être certain ? avait demandé Moses.

— Hé, tu es un petit malin, toi, s'était réjoui M. Bernard. Viens travailler pour moi et je te paierai deux fois plus qu'une université de merde.

— Je ne cherche pas d'emploi, au cas où vous m'auriez convoqué pour cette raison.

— Je t'ai convoqué parce que je n'aime pas que des étrangers fouillent dans nos poubelles pour salir la réputation des Gursky et faire le jeu des antisémites. Comme si ces gens-là n'avaient pas déjà de quoi se mettre sous la dent… Quand un fauteur de troubles se met dans mon chemin, je l'écrase comme une punaise. »

Le visage rouge de colère, M. Bernard, d'humeur exécrable, déjeuna dans sa salle à manger privée avec son frère Morrie.

M. Morrie, qui n'oubliait jamais le nom d'une femme de ménage, l'anniversaire d'une secrétaire ou la maladie de la femme d'un documentaliste, était adulé d'à peu près tous ceux qui travaillaient pour McTavish. Il lui arrivait de manger à la cafétéria des employés, où il refusait tout traitement de faveur : il faisait la queue avec son plateau, comme tout le monde. Il était incroyable, vraiment incroyable, que M. Bernard et lui soient frères. Un saint, disait-on, et un démon.

Personne n'avait vu M. Bernard parler avec son frère depuis des années. Depuis le jour, en fait, où M. Morrie, à l'instigation de sa femme, avait eu l'audace d'entrer dans le bureau de M. Bernard pour plaider en faveur de Barney.

« Je me rends bien compte que c'est Lionel qui prendra un jour ta place, dit M. Morrie.

— Tu oublies Nathan.

— Ou Nathan.

— Nathan ? De quoi tu parles ? Ce garçon est un vrai raté. Les bêtises que tu dis, pour l'amour du ciel !

— Mais quel mal y aurait-il à ce que Barney devienne vice-président ?

— Je ne vais pas installer un mouchard qui va comploter contre mes fils une fois que je serai parti.

— Il ne va pas comploter. Il n'a que de bonnes intentions.

— Ce garçon a un jour été piqué par l'ambition et il est infecté de la tête aux pieds.

— Je te le demande à genoux, Bernie. C'est mon fils unique.

— Tu en veux d'autres ? Fais-en d'autres. Comme moi.

— Je ne lui ai même pas dit que j'avais signé ces papiers, dans le temps.

— Écoute, pourquoi ne retournerais-tu pas dans ton bureau faire une grille de mots croisés ? Ça me prendrait deux fois moins de temps que toi pour la remplir. Ou va jouer avec ton *petzel*, deux doigts suffisent, je l'ai vu. Ça devrait t'occuper jusqu'à l'heure de rentrer auprès de la *yenta* que tu as mariée comme un parfait imbécile.

— Bernie, je t'en supplie. Qu'est-ce que je dis à mon fils ?

— Sors d'ici avant que je m'énerve. »

Assistaient aussi au repas la toujours charmante Mlle O'Brien, sa secrétaire depuis vingt-cinq ans, et Harvey Schwartz.

Couvert de taches de son, rose et dodu, Harvey se glorifiait démesurément de sa crinière rousse et bouclée, même si, dans les soirées, Becky aimait à répéter que la calvitie était un signe infaillible de virilité. Homme de petite taille qui dépassait malgré tout M. Bernard de quelque deux pouces des plus compromettants, Harvey portait des chaussures conçues spécialement pour lui, aux talons quasi inexistants. Âgé de seulement quarante-trois ans, il pliait aussi légèrement les genoux pour affecter le maintien voûté d'un septuagénaire.

Pour le déjeuner, M. Delorme, le chef, proposa de la sole de Douvres cuite à la vapeur et des pommes de terre nouvelles bouillies. Selon la règle établie, M. Morrie fut servi le dernier et eut droit à la plus petite portion. Avec ses cinq pieds cinq pouces, M. Morrie, un peu plus grand que son frère, était forcé de s'asseoir sur une chaise chippendale différente de celle des autres convives : on en avait raccourci les pieds de deux bons pouces.

« Harvey, dit M. Bernard sur un ton d'une douceur menaçante, je suis désolé de t'avoir donné un coup de pied dans l'ascenseur. Excuse-moi.

— C'était sans malice, monsieur Bernard.

— Va me chercher le *Wall Street Journal*, tu veux ? dit M. Bernard en donnant un petit coup à Mlle O'Brien sous la table. Je l'ai laissé sur mon bureau. »

Aussitôt qu'Harvey eut quitté la salle à manger en boitant, M. Bernard s'empara de la salière, qu'il secoua vigoureusement au-dessus du poisson d'Harvey.

« Ce que vous pouvez être vilain, monsieur B.

— Ça lui est interdit. Il se fait du souci pour son cœur. Regardez bien. »

Harvey revint avec le journal et M. Bernard, qui trépignait presque de jubilation en feignant d'être captivé par les pages boursières, vit son subalterne s'étouffer à la première bouchée.

« Un problème ? »

Harvey secoua la tête, non, non, en tendant la main vers la bouteille d'eau minérale.

« Comment est votre poisson, Mlle O'Brien ?

— Ferme, mais tendre.

— Mange, Harvey, mange. C'est faible en gras et bon pour la matière grise. C'est donc bon pour toi. Finis ton assiette, sinon M. Delorme va se mettre à chialer et tu sais ce que ça fait à son mascara. »

Après le repas, M. Bernard, quelque peu apaisé, bien que toujours nerveux, demanda à Mlle O'Brien de lui apporter les carnets de vol des jets de la famille. En mettant le doigt sur l'entrée qu'il avait bêtement espéré ne pas y trouver, il blêmit. Il se mit à jurer. Et Solomon se matérialisa de nouveau devant lui, les yeux durs comme des diamants. « Bernie, avait-il dit, tu es un serpent, mais tu n'es pas un complet imbécile. Alors, avant de m'en aller, je tiens à te dire clairement ceci : si toi ou un de tes misérables rejetons tentez de déposséder Henry ou Lucy de leurs actions, je vais sortir de ma tombe, s'il le faut, et tu seras un homme fini. Un homme mort. »

Frissonnant, en nage, M. Bernard s'empara de l'objet le plus proche, un presse-papiers chinois en jade, et le lança sur la porte. Mlle O'Brien accourut. « Si vous avez besoin de moi, monsieur B., il y a un bouton sur le téléphone, vous savez. »

Il lui prit la main et l'entraîna précipitamment vers la salle de billard. Ils jouèrent deux ou trois parties de snooker. Entre deux coups, M. Bernard suçait un *popsicle*. Puis, brusquement, il attira Mlle O'Brien contre lui et posa la tête sur sa poitrine haute et ferme.

« Je ne crois pas aux fantômes. Et vous ?

— Chut », fit-elle en se déboutonnant, en se dégrafant et en caressant la tête du vieil homme qui, blotti contre elle, se mit à téter.

Plus tard, se laissant choir dans son fauteuil derrière son bureau chippendale en acajou, avec ses tiroirs bordés de baguettes saillantes et ses poignées sculptées et dorées, M. Bernard, toujours inquiet, se mit à passer en revue une pile de télégrammes contenant des vœux d'anniversaire. Le premier ministre, le président Nixon, Golda, Kissinger, une flopée de Rothschild, des banquiers d'affaires de New York, Londres et Paris, des quémandeurs, des créanciers et des ennemis divers. Le reste de l'après-midi, qui se déroula sans encombre, ne fit qu'attiser les angoisses de M. Bernard. Il téléphona à Harvey Schwartz. « Je veux que tu préviennes la réception : les lettres volumineuses, tu sais, celles qui ont la taille d'un colis, doivent être ouvertes par le *goy* d'en bas, même si c'est marqué "Personnel et confidentiel". Non, attends. Surtout si c'est marqué "Personnel et confidentiel". »

En soirée eut lieu un banquet dans la salle de bal du Ritz-Carlton, judicieusement ornée des drapeaux du Canada, du Québec (on n'est jamais trop prudent) et d'Israël. Des roses rouges, arrivées par avion de Grasse, décoraient toutes les tables. Les dames reçurent une bouteille de parfum d'une once fabriqué par une maison récemment acquise par les Gursky, et les hommes, un briquet doré d'une grande finesse, produit par une autre entreprise de l'empire Gursky. Trônant sur toutes les tables, des sculptures de glace représentant des pavillons universitaires et des hôpitaux et des musées et des salles de concert, tous financés par les Gursky, témoignaient de la munificence de M. Bernard.

Au centre de toutes les tables se trouvait un bonhomme en papier mâché représentant M. Bernard, coiffé d'une couronne scintillante inclinée de façon guillerette. Le roi Bernard. Le personnage, monté sur un destrier, brandissait une lance à laquelle était accroché un étendard. Chacun témoignait d'une réalisation de M. Bernard : un poste de directeur, une médaille, un prix, un diplôme honorifique. « Si vous voulez bien retourner vos assiettes, annonça Lionel Gursky, vous constaterez qu'il y en a une à chacune des tables qui est marquée d'une couronne. La personne qui trouve la couronne rapporte chez elle la figurine de M. Bernard qui orne sa table. »

Tous les membres, absolument tous les membres de la communauté juive fortunée, à défaut de la communauté juive tout entière, étaient présents. Les dames parfumées, leurs cheveux sculptés et laqués, leurs paupières ombrées de vert ou d'argent, leurs doigts parés de bagues surdimensionnées ; les dames, scintillantes dans leurs robes longues en façonné de soie écrue, en satin cyclamen chatoyant ou en mousseline de soie violette, achetées chez Holt Renfrew et discrètement retouchées par les couturières de l'établissement, étalaient leur présence époustouflante, triomphante. Les hommes, quant à eux, étaient engoncés dans des smokings en velours lie-de-vin, bleu nuit ou vert foncé, boutonnés si serré qu'ils semblaient au supplice ; ils arboraient des chemises à jabot au liséré noir, telles des cartes de condoléances, des ceintures de satin très travaillées et des chaussures Gucci aux boucles étincelantes.

Comme antidote à l'ingratitude de leurs enfants – ces polypes indésirables –, ils s'échangeaient des plaques, des plaques et encore des plaques à l'occasion des soirées honorifiques qu'ils organisaient une fois, voire deux fois par mois dans cette même salle. Dans leur élément au Ritz-Carlton, ils se déclaraient, à tour de rôle, présidents d'universités à Haïfa ou à Jérusalem ou encore Homme de l'année selon l'Organisation des obligations de l'État d'Israël. Pour sceller leurs mérites, un conférencier invité venu de New York – la ville, pas l'État – les flattait dans le sens du poil dans le discours qu'il prononçait après le repas, moyennant un cachet de dix mille dollars. Au programme, un ex-secrétaire d'État, une vedette de la télé dont on n'avait pas renouvelé le contrat ou un sénateur impécunieux. Ce soir-là, cependant, pas de frime. C'était du sérieux. Il s'agissait, après tout, de M. Bernard, de *leur* M. Bernard, aussi important fût-il sur l'échiquier international, et ils entendaient bien s'imprégner de son aura. Plaisir décuplé par le fait que certaines personnes qu'ils auraient pu nommer, que certains amis très chers à qui ils ne manqueraient pas de téléphoner dès le lendemain matin, ne fût-ce que pour établir hors de tout doute qu'ils en étaient, eux, qu'en somme certains soi-disant *knackers* avaient été exclus, jugés indignes.

Bonheur suprême.

Alors, tandis que se multipliaient les hommages au grand homme, ils applaudissaient, acclamaient et faisaient tinter leurs verres à vin avec leurs fourchettes, et M. Bernard lui-même restait là, en proie à un malaise inexplicable, à faire grincer son dentier.

L'ambassadeur d'Israël, venu spécialement d'Ottawa à bord d'un jet des Gursky, offrit à M. Bernard une bible, enchâssée dans un coffret en or martelé, dont la page de garde avait été signée par Golda. Une plaque en bronze témoignait du fait que, grâce à la générosité de M. Bernard, on avait encore planté des forêts en Israël. Tout le territoire de Sion serait bientôt vert Gursky. M. Bernard reçut également une médaille de la Bolivie, où il détenait des intérêts dans le secteur du cuivre, mais l'Ordre de l'Empire britannique, qu'on avait activement tenté d'obtenir pour l'occasion, sur ordre de M. Bernard, lui avait été refusé, de la même façon qu'il avait par le passé échoué à décrocher un siège au Sénat.

On n'oublia pas l'une des œuvres de bienfaisance les plus chères à M. Bernard, l'Hôpital de l'espoir, où étaient traités des enfants atteints d'une maladie en phase terminale.

Un représentant de la Ligue canadienne de football remit à M. Bernard un ballon, souvenir du dernier match de la Coupe Grey, signé par tous les joueurs de l'équipe gagnante, puis l'une de ses vedettes, un mastodonte qui vendait de la Crofter's Best pendant l'intersaison, poussa jusqu'à la table d'honneur le fauteuil roulant d'un enfant paraplégique. M. Bernard, visiblement ému, offrit le ballon au garçon en même temps qu'un chèque de cinq cent mille dollars. Les trois cents invités se levèrent d'un bond pour applaudir. Le garçon, qui avait répété son texte pendant des jours, se mit à se tortiller et à tressaillir en semant des postillons. Il essaya d'avaler et recommença, en vain. Au moment où il allait faire une troisième tentative, M. Bernard l'interrompit en esquissant un sourire avunculaire. « Pas besoin d'un autre discours, fit-il. Ce qui compte pour moi, mon petit, c'est ce qu'il y a dans ton cœur. » À mi-voix, il dit au joueur de football : « Sortez-le d'ici, pour l'amour du ciel. Il emmerde tout le monde. »

Sans compter qu'ils avaient faim.

Après le repas, on tamisa les lumières pour l'ultime surprise, le film spécialement commandité pour l'anniversaire de M. Bernard. De plus en plus tendu, ce dernier, la lippe tremblante, sortit un mouchoir pour cacher ses larmes. En esprit, il revit Solomon descendre de la clôture du corral et se glisser parmi les mustangs sauvages, qui étaient, au mieux, à peine dressés. *Suis-moi, Bernie, et je te paie une bière.*

« Oh ! mon chou ! » fit Libby en lui caressant la main. Je suis contente de voir que tu t'amuses. Le meilleur est encore à venir.

Ignorant sa femme, M. Bernard se tourna vers Lionel.

« Qu'es-tu allé faire à Yellowknife ? demanda-t-il d'un ton péremptoire.

— Il faut bien que quelqu'un s'occupe des concessions pétrolières, de temps en temps, non ?

— Il n'y a pas de discothèques à Yellowknife. Tu es allé là-bas pour voir Henry et essayer de lui acheter ses actions. Puis tu es allé à Londres pour tenter de convaincre Lucy de se départir des siennes.

— Vanessa et moi avons pris le jet pour voir des matchs à Wimbledon.

— Pas la peine de mentir. Je sais. Je sais, aussi sûrement que je suis assis ici, ce que tu manigances », dit-il.

Puis, les joues empourprées, il saisit la main de Lionel, la fourra dans sa bouche et lui mordit les doigts de toutes ses forces. Lionel, gémissant, finit par libérer sa main, qui l'élançait, et la glissa sous son aisselle… Puis les lumières s'éteignirent et le film débuta.

Debout devant un piano à queue, Jimmy Durante, l'un des artistes favoris de M. Bernard, leva un verre de champagne (une des marques de la maison Gursky) à la santé du vieil homme, puis, une fois installé devant l'instrument, joua et chanta d'une voix rauque « Joyeux anniversaire, monsieur Bernard ». Il enchaîna avec quelques-uns de ses airs les plus populaires.

L'image impudente du Schnoz fut remplacée par celle du grand rabbin d'Israël qui, devant le mur des Lamentations, récita une bénédiction en hébreu. Bientôt se surimposa à sa voix un montage illustrant une version expurgée de l'histoire des Gursky, à commencer par la hutte de terre dans la prairie (à présent un musée, un lieu saint voué aux Gursky), là où M. Bernard avait vu le jour. Suivit une image de la première distillerie, celle de Saint-Jérôme, M. Bernard et M. Morrie posant à l'avant-plan. Seule la silhouette gaie de l'autre frère, Solomon

Gursky, avec ses yeux éclatants, avait été effacée. De cette photo, comme de toutes les autres.

Puis Golda présenta son hommage.

Ensuite, on découvrit la femme d'Harvey Schwartz, Becky, en cafetan doré, assise à son bureau plat Louis XIV en bois blanc avec son placage d'ébène et sa marqueterie Boulle. Elle se tourna vers l'auditoire, un sourire modeste sur les lèvres, et se mit à lire l'hommage qu'elle avait composé pour l'occasion, au moment où la caméra zoomait sur un exemplaire bien en vue de son livre, un recueil de chroniques sur la vie de famille d'abord parues dans le *Canadian Jewish Review* : *Chagrins, câlins et biscuits au chocolat.*

Jan Peerce porta un toast à M. Bernard et entonna ensuite *The Bluebird of Happiness.*

Zero Mostel fit rire les invités en louant les vertus des *blends* de la famille Gursky, alors même qu'il chantait *If I Were a Rich Man* en imitant le pas chancelant d'un ivrogne.

Une harpiste interpréta la chanson thème de *Love Story*, tandis que, à l'écran, M. Bernard et Libby déambulaient dans les rues de la vieille ville de Jérusalem, main dans la main. Assis dans son jardin de Coldwater Canyon, la grande vedette de nombreuses superproductions bibliques récita les strophes préférées de M. Bernard, tirées de l'œuvre de Longfellow.

Puis, au terme d'un lent fondu enchaîné, apparut une mer sombre comme du vin. Le yacht fait sur commande des Gursky, d'une longueur de cent dix pieds, voguait au milieu des îles grecques, tandis qu'une voix, peut-être celle de Ben Cartwright, récitait :

> [...] la barque où elle était couchée, resplendissait comme un trône, incendiait l'eau ; la poupe était d'or martelé ; de pourpre les voiles et parfumées au point que les vents amoureux pâmaient sur elles ; les avirons étaient d'argent, qui battaient les flots en cadence, au son des flûtes, et faisaient s'empresser les eaux sous les délices de leurs coups.

La caméra survola M. Bernard, assoupi, et révéla Libby, à soixante-cinq ans, allongée sur le pont, en bain-de-soleil à fleurs et pantalon corsaire, servie par des stewards noirs en veston de lin blanc.

> Quant à elle, son aspect met toute description en déroute : sous un pavillon de drap d'or, elle reposait plus belle encore que cette image de Vénus où l'imagination fait honte à la réalité [...].

Riant, son ventre secoué par le ravissement, Libby faisait manger du caviar et des oignons hachés accompagnés de Coca-Cola à l'un de ses petits-enfants, du foie haché sur des craquelins à un autre.

> [...] à ses côtés de mignons garçons potelés, pareils à de souriants cupidons, agitaient des éventails diaprés, au souffle desquels paraissait s'aviver l'incarnat des délicates joues, rafraîchies comme s'ils eussent à la fois propagé l'ardent et le frais.

L'image de Libby s'amusant avec ses petits-enfants fut suivie d'un plan plus long montrant le yacht au coucher du soleil. « William Shakespeare, le barde d'Avon », dit une autre voix.

Enfin, une photographie prise d'un hélicoptère montrait les enfants d'un kibboutz du Néguev debout dans le parc Bernard Gursky, disposés de manière à épeler *l'chaim*, l'apostrophe levant une bouteille de massada blanc, une autre marque maison, à la santé de M. Bernard.

Le film terminé, un projecteur illumina M. Bernard, apparemment terrassé par tant d'honneurs, les yeux ruisselants de larmes, un mouchoir détrempé serré dans son dentier. Tous étaient très émus, en particulier Libby, qui se leva et, sous les feux de la rampe, lui chanta leur chanson :

> *Bei mir bist du schön,*
> Laisse-moi t'expliquer

Bei mir bist du schön,
Veut dire que tu es le plus grand…
Je pourrais chanter Bernie, Bernie,
Et même crier « *voonderbar* »,
Chaque langue me permet seulement
De dire que
Tu es le plus épatant…

Dans la salle, se souviendrait Libby, tous les invités avaient les larmes aux yeux, et le reste de sa chanson fut noyé sous les applaudissements, des applaudissements retentissants. C'est alors que M. Bernard bondit sur ses pieds, renversant sa chaise, et sortit en vitesse de la salle de bal.

« Au fond, c'est un cœur tendre, vous savez.

— On a envie de lui faire un gros câlin. »

En réalité, M. Bernard avait de nouveau envie de pisser, une envie irrépressible. Quelque chose brûlait en lui et, quand ça finit par sortir, il eut la surprise de constater que c'était rouge comme le bourgogne Big Sur, autre marque maison. Une semaine plus tard, on commença à le charcuter et Mlle O'Brien, éplorée, alluma le premier d'une longue succession de cierges à la cathédrale Marie-Reine-du-Monde. M. Morrie, répondant à une sommation, rendit visite à son frère, chez lui, pour la première fois en vingt ans.

« Alors, fit M. Bernard.

— Alors.

— Regarde où en est Barney aujourd'hui. C'est moi qui avais raison depuis le début. Je veux que tu l'admettes.

— Je l'admets.

— Sans rancune ?

— Sans rancune.

— Comment va Ida ?

— Elle aimerait venir te présenter ses respects.

— Dis-lui de venir avec Charna. Ça ne me dérange pas.

— Charna est morte.

— Merde, j'avais oublié. J'ai assisté aux funérailles ?

— Oui.

— Tant mieux.

— J'ai quelque chose à te dire, Bernie, mais promets-moi de ne pas me crier après.

— Essaie toujours, petit crétin.

— Il faut que tu prévoies quelque chose pour Mlle O.

— Une grosse enveloppe brune. Dans le coffre-fort. »

On coupa et recoupa M. Bernard et on le déclara remis. M. Bernard, cependant, n'était pas dupe. Il convoqua Harvey Schwartz. « Je veux voir mes avocats demain matin à neuf heures tapantes. Tous. »

Plus tard dans le courant de l'après-midi, M. Bernard vit Mlle O'Brien.

« Je vais mourir, mademoiselle O.

— Ça vous dirait que je m'occupe de votre zizi ?

— Je ne dirais pas non. »

Quatre

Passant devant la chambre de ses parents, quelques années après leur installation à Outremont, Moses s'immobilisa, retenu par leurs voix. Sa mère parlait à L. B. des tests d'intelligence administrés à l'école. Une idée ultramoderne. Moses avait obtenu des résultats si élevés que l'inspecteur des écoles avait demandé à rencontrer le brillant garçon juif qui ne manquerait pas de découvrir le remède contre le cancer. L. B. soupira.

« Si seulement tu savais avec quelle ferveur j'espère qu'il fera sa médecine. Ou son droit. Parce que si Moses reste déterminé à devenir écrivain, on le comparera forcément à moi et il risque d'en pâtir. Je n'aurais peut-être pas dû avoir d'enfant. C'était égoïste de ma part. »

Il n'entendit pas la réponse de sa mère.

« Et coûteux aussi, franchement. Crois-tu vraiment que j'accepterais de faire le pitre à la table de ce parvenu si je n'avais pas une femme et un enfant à nourrir ? Sans vous, je vivrais dans une mansarde de Montparnasse, au service exclusif de ma muse. »

Les horribles enveloppes-réponses continuaient d'arriver. *Partisan Review, Horizon, The New Yorker.* Chaque année, c'était un autre, un rival haï, qui remportait le Prix littéraire du Gouverneur général.

Un matin, trois ans après avoir brillé aux tests d'intelligence, Moses découvrit sa photo dans le journal : le garçon de seize ans qui avait fini premier aux examens provinciaux d'admission à l'université. À ce titre, il avait droit à une bourse de l'Université McGill. L. B. accueillit la nouvelle en laissant échapper un sifflement d'admiration. Il retira son binocle et en polit les verres avec son mouchoir. « Je constate que tu as eu quatre-vingt-dix-sept pour cent en français. Bon, je vais te lire le premier paragraphe d'un classique de la littérature française. Voyons si tu réussis à le reconnaître, dit-il en se tournant pour ouvrir un livre caché derrière un magazine. "Madame Vauquer, née de Conflans, est une vieille femme qui, depuis quarante ans, tient à Paris une pension bourgeoise établie rue Neuve-Sainte-Geneviève, entre le quartier latin et le faubourg Saint-Marceau." »

Quoi qu'il en soit, L. B. s'arrêta à la Horn Cafeteria pour recevoir les félicitations des vieux copains. « La pomme ne tombe jamais loin de l'arbre, hein, L. B. ? »

Quatre ans après que Shloime Bishinsky, avec sa voix de crécelle, l'eut dénoncé, L. B. publia dans *Canadian Forum* une nouvelle dans laquelle un petit Juif minable, peu séduisant, parvient à se rendre au Canada après avoir réussi, à coups de pots-de-vin, à sortir de Sibérie, puis à traverser la Chine et le Japon. Dès le premier jour dans l'antichambre de la terre promise, il se fait renverser par un tramway.

Un jour, Moses avait demandé à Shloime :

« Comment êtes-vous sorti de Sibérie ?

— À reculons », avait répondu l'autre.

Puis il avait tordu le nez de Moses et en avait tiré une prune.

« Drôle de garçon. Il lui sort des fruits par les narines. »

Parfois, pendant que l'un des hommes lisait à voix haute un essai long et solennel dans la salle à manger, Shloime réunissait les enfants dans la cuisine, où se trouvait aussi la mère de Moses, pour les divertir. Il savait faire apparaître une pièce d'un dollar derrière votre oreille, avaler une cigarette allumée ou faire crier Bessie Berger en tirant une souris blanche de la poche de son tablier. Il déchirait un billet d'un dollar et recollait les morceaux en serrant le poing. Shloime savait aussi danser la *kazatchka* sans renverser une seule goutte du verre d'eau de Seltz qui tenait en équilibre sur sa tête. Il vous passait la main dans les cheveux et en extirpait des raisins secs enrobés de chocolat ou, après avoir tiré la langue pour prouver que sa bouche était vide, il crachait assez de pièces de cinq cents pour que tout le monde puisse s'acheter un cornet de crème glacée.

Shloime finit par se lancer en affaires : il occupa un des étages d'un immeuble de la rue Mayor, où il connut la prospérité à titre de marchand de fourrures pour ceux qui roulaient carrosse. Il épousa l'une des filles acariâtres de Zelnicker, une travailleuse sociale qui lui donna deux fils, Menachim et Tovia.

Des années plus tard, Moses, à bord d'un avion qui le conduisait à New York, se trouva incapable de se concentrer sur son livre : de l'autre côté de l'allée, deux hommes jouaient à des jeux électroniques de poche, tout nouveaux à l'époque, qui faisaient bip, bip, bip. Chacun portait une petite sacoche, une chemise de soie aux trois premiers boutons défaits et un collier en or étincelant avec une médaille ornée du *Haï*. N'en pouvant plus, Moses dit :

« Je vous serais infiniment reconnaissant de bien vouloir ranger ces jouets.

— Hé, tu ne serais pas Moses Berger, par hasard ?

— Lui-même en personne.

— C'est ce que je me disais, aussi. Je m'appelle Matthew Bishop et voici mon dégoûtant de petit frère, Tracy. Du magasin Belle de jour Furs. Si tu cherches un manteau pour ta douce, on te fera un bon prix.

— Je ne comprends pas.

— Mon père m'a un jour dit qu'il avait frayé avec toi quand tu étais petit.

— Bishop ?

— Shloime Bishinsky.

— Oh ! mon Dieu ! Comment va-t-il ?

— Tu n'es pas au courant ? Il nous a quittés il y a huit ans pour un ultime encan de fourrures dans le ciel. Le cancer, rien de moins. Mais c'était un sacré numéro, pas vrai, Moe ? »

C'était en 1951 et, dès que la nouvelle fut confirmée à McGill, Moses, exultant, entra dans la cuisine sur la pointe des pieds, enlaça sa mère, la fit pivoter et lui apprit la nouvelle.

« Chut, fit-elle. L. B. travaille. »

Moses osa déranger L. B. en faisant irruption dans son bureau.

« Flash spécial. Nous interrompons ce programme pour annoncer que Moses Berger, fringant jeune homme à l'élégance notoire, a obtenu une bourse Rhodes. »

L. B. épongea avec soin la page à laquelle il travaillait à l'aide d'un buvard et vissa lentement le bouchon de son Parker 51.

« Dans mon temps, dit-il, on aurait jugé présomptueux qu'un jeune Juif sollicite un tel honneur.

— J'ai l'intention de faire une demande à Balliol.

— D. H. Lawrence, fit L. B., qui s'est bien tiré d'affaire malgré une éducation aussi peu distinguée que la mienne, a un jour écrit que la chapelle du King's College lui faisait penser à une truie couchée sur le dos.

— Le King's est à Cambridge. Et je n'ai nulle intention de fréquenter la chapelle.

— Notre pays a toujours été assez grand pour moi. J'ai été publié là-bas, remarque. *The New Statesman.* Une lettre sur la politique étrangère antisémite d'Ernest Bevin qui a donné lieu à une polémique longue de plusieurs semaines. Tu n'auras qu'à aller saluer Kingsley Martin de ma part. C'est le rédacteur en chef. »

Dix-huit mois plus tard, Moses rentra chez lui en avion. L. B. venait de subir sa première crise cardiaque. Une fois de plus, il avait échoué à remporter le Prix du Gouverneur général, son recueil intitulé *Les Poèmes choisis de L. B. Berger* n'ayant pas été jugé à la hauteur.

« Pas de danger qu'ils l'attribuent à un Juif, déclara Bessie. Ça leur coûterait trop. »

L. B., alité, écrivait sur un bloc-notes, soutenu par des oreillers. Flasque, blême, les yeux tremblants de peur.

« Tu restes longtemps ?

— Une dizaine de jours, peut-être deux semaines.

— J'ai bien aimé la nouvelle que tu m'as envoyée. C'est un début prometteur.

— Je l'ai soumise au *New Yorker.* »

L. B. éclata de rire, essuya les larmes au coin de ses yeux avec ses jointures.

« Quelle *chutzpah* ! Quelle arrogance ! Il faut apprendre à ramper avant de marcher.

— S'ils n'en veulent pas, ils me la renverront. Ce n'est pas plus grave que ça.

— Tu aurais dû réécrire ta nouvelle avec mon aide et la proposer à une revue littéraire d'ici. Et si tu avais eu assez de bon sens pour me consulter – après tout, j'ai beaucoup d'expérience dans ce domaine –, je t'aurais conseillé d'utiliser un pseudonyme. Il vaut mieux pour toi qu'on ne te compare pas à L. B.

— Tu veux que je te fasse la lecture ?

— Il faut que je dorme. Attends. Je constate que, ces jours-ci, ton ami Sam Birenbaum interviewe des écrivains pour le *New York Times.* Je ne sais plus combien de fois j'ai nourri ce gros plein de soupe… Mais maintenant qu'il est un grand journaliste, il ne se souvient même plus de mon numéro de téléphone.

— Je suis sûr que ces interviews lui sont imposées, papa. Ce n'est pas lui qui choisit.

— Pourquoi voudrait-il m'interviewer, de toute façon ? Je ne viens pas du Sud et je ne suis pas pédéraste.

— Tu veux que je lui parle ?

— Je ne me rabaisse jamais à supplier. De toute façon, son ami, c'est toi. Fais ce qui te semble juste. »

Les choses se détériorèrent davantage lorsque L. B. découvrit que Moses avait donné au *New Yorker* la maison d'Outremont comme adresse de retour.

« Quand ta nouvelle sera rejetée, je ne veux pas te voir ivre pendant trois jours. Je n'ai pas besoin de ça. »

Moses cachait sa bouteille de scotch derrière des livres de la bibliothèque. Il suçait des pastilles Life Savers à la menthe.

« Apporte-moi le courrier, ordonnait son père chaque matin. Tout le courrier. »

Un soir, ses parents au lit, Moses s'attarda dans la bibliothèque et, un verre à la main, parcourut *Les Poèmes choisis de L. B. Berger.* Tant de colère, tant d'ardeur. Il tirait à boulets rouges, c'était incontestable, mais il ne touchait pas toujours la cible. De toute évidence, la force de nombreux poèmes était amoindrie par un excès de sentimentalité ou une tendance à s'apitoyer sur soi-même. L. B. n'était pas W. B. Yeats. L. B. n'était pas Gerard Manley Hopkins. Certes, mais ses poèmes étaient-ils sans valeur ? Moses, couvert de sueur, se servit trois autres doigts de scotch. Devant cette question, il s'esquiva, incapable d'accepter une telle responsabilité. Après tout, il tenait une vie entre ses mains. La vie de son père. Des années de dévouement et d'ambition déçue. Les sacrifices, les humiliations. Le manque de reconnaissance. Moses repoussa le livre. Il préférait se souvenir de la vie qu'il avait menée autrefois avec son père. L'homme et l'enfant marchant péniblement dans la neige pour se rendre dans les synagogues, se tenant par la main pour affronter les plaques de glace.

Le facteur n'avait toujours pas glissé dans la fente à lettres la grande enveloppe en papier kraft du *New Yorker,* et l'humeur de L. B. s'assombrissait. Les moindres gestes de Moses semblaient l'irriter. « Tu n'es pas là pour veiller un mourant, tu sais. Rien ne t'oblige à passer tes journées et tes soirées ici. Va donc voir des amis. »

Mais si Moses était en retard pour le souper, L. B. disait : « Tu es venu pour réconforter ton père ou pour courir après le genre de filles qui fréquentent les bars du centre-ville ? »

L. B. n'était plus confiné au lit, mais il avait l'air défait, fragile. On lui avait suggéré de perdre vingt livres, mais il en avait manifestement perdu trente, voire davantage. Sur sa silhouette amaigrie, les vêtements tombaient mal. On ne le voyait plus s'affairer à gauche et à droite, en homme qui a des rendez-vous à honorer, des échéances à respecter ; il traînait plutôt les pieds dans ses pantoufles. Il semblait essoufflé pendant la plus grande partie de la journée et, la nuit, il avait la respiration sifflante. Effrayé, Moses comprit que son père, l'hercule de son enfance, celui qui pérorait à la table de la salle à manger recouverte d'une nappe au crochet, était en réalité un homme de petite taille avec de vilaines dents, un nez bulbeux et une mauvaise vue.

Moses se mit à boire beaucoup. Souvent, il ne rentrait qu'à une heure du matin et faisait la grasse matinée. Sa mère lui parlait dans la cuisine.

« Il ne faut pas que tu déçoives L. B. Son fils unique, un ivrogne… Ça lui fendrait le cœur.

— Et ton cœur à toi ?

— Puisque tu repars jeudi, n'oublie pas de me donner tes chaussettes et tes chemises à laver ce soir. »

Bessie Berger, née Finkelman, venait d'une famille très pieuse. Son père pratiquait l'abattage rituel. À sa mort, L. B. n'avait assisté à ses funérailles qu'à contrecœur. « Ton grand-père, dit-il à Moses, était un homme très superstitieux. Un apôtre, si j'ose utiliser ce mot, du *rebbe* de Rawa Rouska. Ces illuminés ont enterré ton *zeyda*, ce tortionnaire de vaches, avec une brindille dans la main. Comme ça, quand le messie viendra en soufflant dans son *chofar*, il pourra creuser pour sortir du tombeau et le suivre jusqu'à Jérusalem. Pas vrai, Bessie ? »

L. B. ne lui avait jamais offert de fleurs, ne l'avait jamais invitée au restaurant, ne lui avait jamais dit qu'elle était jolie. Désormais, elle avait les mains rêches, d'un rouge vif, et les ongles courts. Gênée par les varices qui sillonnaient ses jambes, elle portait des bas de contention même en été.

« La maison nous appartient, maman, ou elle est encore lourdement hypothéquée ?

— Ne raconte pas de bêtises. Va plutôt lui faire la lecture. Il aime ça. »

Le lendemain matin, tandis que Moses, souffrant d'une gueule de bois carabinée, dormait encore, une grosse enveloppe en papier kraft du *New Yorker* fut glissée dans la fente de la porte de devant. L. B. entendit le bruit sourd, le reconnut et alla aussitôt chercher l'enveloppe. Il l'emporta dans son bureau et ferma la porte derrière lui. Il s'installa à sa table de travail, que surmontait son propre portrait : L. B., de profil, supportant courageusement le poids du cosmos, contemplant ses mystères. Eh bien, songea-t-il, c'était à prévoir. Si ses poèmes n'étaient pas assez classe pour M. Harold Ross, ce je-sais-tout, quelle chance avait la première nouvelle d'un néophyte un peu maladroit ? Rongé par l'impatience, L. B. s'appliqua d'abord à ouvrir son propre courrier. Un relevé de droits d'auteur de Ryerson Press, auquel étaient attachés un chèque de 37,25 $ ainsi qu'un mot de son éditeur. Il regrettait qu'Ogilvy, Classic et Burton n'aient pas un seul exemplaire de ses *Poèmes choisis,* mais le service commercial de Ryerson n'y était pour rien. Dans le domaine de la poésie, la demande était minimale. Il n'y aurait pas, hélas, de seconde édition. Un producteur radio de la CBC, encore un ignare, à l'évidence, se disait séduit par l'idée de L. B., qui consistait à transformer des épisodes de *Contes de la diaspora* en dramatiques pour la radio, mais ses collègues ne partageaient pas son enthousiasme. La saison prochaine, peut-être ? T. S. Eliot, de Faber & Faber, cet antisémite notoire, le remerciait d'avoir soumis un exemplaire des *Poèmes choisis,* mais… Détail exaspérant, la lettre, en l'absence de M. Eliot, était signée par un secrétaire.

Enfin, L. B. tendit la main vers la grande enveloppe en papier kraft et l'ouvrit à l'aide de son coupe-papier au manche en cuir, cadeau qu'on lui avait remis, au lieu d'un cachet, à la suite d'une lecture à la synagogue B'nai Jacob de Hamilton, en Ontario. Puis, il regagna sa chambre, retira son binocle, se frotta le nez, en proie à la légère raideur dans la nuque qu'il connaissait bien. Il était midi quand il entendit Moses entrer dans la cuisine d'un pas chancelant. Il lui cria :

« Apporte ton café dans ma chambre et ferme la porte derrière toi. »

Moses obéit et L. B. lui saisit la main et la caressa.

« Moishele, commença-t-il, les yeux ruisselants de larmes, tu crois que je ne sais pas ce que tu ressens en ce moment ? »

Retirant sa main, il la posa sur son cœur bondissant et meurtri.

« Mes œuvres n'ont pas toujours eu la cote. L. B. Berger n'est pas né célèbre. Moi aussi, j'ai essuyé bien des refus de la part d'éditeurs prêts à publier n'importe quelle merde, pourvu que ce soit celle de leurs copains, mais qui ne sauraient pas faire la différence entre Pouchkine et Ogden Nash. J'ai aussi dû faire face à d'irréparables outrages. Des prix attribués à des écrivaillons qui connaissent les bonnes personnes, alors que j'ai cent fois plus de talent qu'eux. Il faut te blinder, mon garçon. Un artiste n'a qu'une devise : *nil desperandum.* »

Il tendit alors l'enveloppe à Moses. Elle avait déjà été ouverte et Moses distingua la lettre type attachée au manuscrit.

« La prochaine crise risque de m'être fatale, poursuivit L. B. en saisissant de nouveau la main de Moses. Alors laisse-moi te dire que j'ai toujours voulu que tu marches sur mes traces. Il ne faut surtout pas qu'elles t'intimident. Je fonde de grands espoirs sur toi. Je t'ai toujours aimé plus que quiconque, plus que ta mère même. »

Pris de nausée, son estomac prêt à le trahir, Moses déglutit avec difficulté. Tel père, tel fils.

« Ne va surtout pas croire que je me plains d'une femme foncièrement bonne. D'une femme loyale. D'une vraie *baleboosteh.* Mais, pour dire les choses franchement, elle n'a jamais été pour moi une véritable âme sœur. Un homme de ma qualité a besoin d'une présence raffinée, d'une compagne intellectuelle, comme l'a été George Sand pour Chopin ou madame du Châtelet pour Voltaire. Je veux que tu comprennes une chose, peu importent les rumeurs qui circuleront après mon départ et les lettres que de futurs biographes déterreront : au fond de moi, je n'ai jamais été infidèle à ta mère. De temps en temps, cependant, j'ai eu besoin de femmes à qui parler d'égal à égal. Mon âme en était avide. Ne me regarde pas comme ça. Tu es un homme, à présent. Nous devrions pouvoir discuter. Tu crois que je me sens coupable ? Jamais de la vie. Ma famille a toujours passé en premier. Je l'ai payé assez cher. Tu crois que j'aurais travaillé pour M. Bernard, ce *behayma*, si je n'avais pas voulu le bien de ta mère et surtout le tien ? As-tu une idée de combien j'ai souffert là-bas ? J'ai monté la bibliothèque de ce gangster. J'ai parsemé les discours de ce voyou de références littéraires. Il ne savait même pas prononcer les mots. Il fallait que je les lui apprenne. Un homme qui, pendant l'*Ed Sullivan Show*, ne quittait pas l'écran des yeux. Tu ne te doutes pas de ce que j'ai dû supporter à sa table pour ne pas sacrifier ton avenir sur l'autel de mon art. Il est d'une grossièreté qui dépasse l'entendement, Moses. Quand il est sur sa lancée, il ferait rougir même un marin. »

Moses, sur le point de protester, se fit rembarrer d'un geste impatient de la main.

« Ne commence pas. Je sais très bien ce que pense ton ami Birenbaum, le grand ponte du journalisme. Je l'ai entendu parler dans mon dos. "Pour qui se prend-il avec ses accoutrements ? Ses cheveux ? Beethoven." Quand on s'achète un poète, dans ce pays qui n'en est pas un et qui n'honore pas ses géants littéraires, on tient à en avoir pour son argent. D'où la cape et les cheveux longs. »

Moses triturait distraitement le rabat de la grosse enveloppe, posée sur ses genoux.

« Hé, sèche tes larmes. Ne pleure pas sur mon sort. Au moins, ton père n'a pas eu à jouer les bossus ou à promener une marotte ornée d'une clochette. Je sens que tu as du talent, Moishe, et j'ai du flair.

— Tu n'avais pas le droit d'ouvrir mon courrier.

— Et toi, tu avais le droit de donner mon adresse au *New Yorker*, peut-être ? Es-tu si égocentrique, monsieur le boursier Rhodes, que tu ne vois même pas que c'était une provocation ?

— Mais bon sang, où veux-tu en venir ?

— Je t'interdis de me regarder comme ça. Je suis ton père et il va sans dire que je te pardonne cet enfantillage avec le *New Yorker*. Ne le prends pas mal, d'ailleurs : c'était inévitable. Tu connais ton Œdipe et moi aussi. Je n'ai rien publié dans ce magazine – non pas que j'y tenais, remarque –, alors tu t'es dit que si, toi, tu y parvenais, tu donnerais une bonne gifle au vieux L. B. Bon, cette *narishkeit* est derrière nous et tu veux que je te dise ? C'est une sacrée bonne chose. Si le magazine avait accepté ton texte, tu te serais mis à écrire des histoires faites sur mesure pour répondre à ses attentes commerciales. Tu as échappé à un piège, Moishe. Maintenant, je veux que tu continues de travailler. Le moment venu, je proposerai tes textes à des éditeurs de confiance. Mais dépêchons-nous de nous mettre au boulot, d'accord ? Parce que, la prochaine fois que tu viendras, j'aurai peut-être quitté mon enveloppe charnelle. Tu sais quoi ? Je suis vraiment heureux que nous ayons cette conversation. Que nous laissions parler nos cœurs avant qu'il soit trop tard. La dernière fois que je me suis senti si proche de toi, tu étais encore tout petit. Je t'appelais mon petit page. Alors dis quelque chose. »

Moses quitta la pièce en courant. Pris de haut-le-cœur, il s'agenouilla juste à temps devant la cuvette. Puis il sortit sa bouteille de scotch de sa cachette. En entrant dans la cuisine, il constata que L. B., délivré de sa migraine, célébrait en s'offrant son petit déjeuner préféré : des œufs brouillés avec du saumon fumé, des pommes de terre rissolées avec des oignons, des bagels généreusement tartinés de fromage à la crème.

« Assieds-toi, mon garçon. Ta mère en a assez préparé pour deux.

— Sacrée *baleboosteh*, hein ?

— Je croyais que cette conversation allait rester strictement une affaire d'hommes. »

Bessie, flairant les ennuis, toisa son fils.

« Qu'est-ce qui ne va pas ? demanda-t-elle.

— Notre artiste en herbe vient de recevoir sa première lettre de refus et il le prend mal, au lieu d'apprécier la chance qu'il a.

— Je tiens à dire quelque chose », fit Moses.

L. B., soudainement sur le qui-vive, se leva d'un bond.

« Les auteurs négligés ne le sont pas tous sans raison.

— De quel droit oses-tu parler ainsi à ton père ?

— Voici un petit garçon, déclara L. B., autrefois rempli de promesses, ma joie et ma fierté, qui refuse à présent d'assumer la responsabilité de ses échecs et préfère les imputer à son vieux père chenu. Laisse-moi te dire une chose. Ce n'est pas moi qui ai fait de toi un ivrogne. Je méritais mieux. »

Cinq

La veille de la réception de la grosse enveloppe en papier kraft du *New Yorker,* Moses avait assisté aux premières noces d'Anita Gursky. En réalité, il n'avait pas reçu d'invitation. Il déambulait rue Sherbrooke, tout près de McGill, longeant les demeures maussades en calcaire gris érigées par les requins de la finance écossais qui, autrefois, avaient régné sur le pays. Perdu dans ses pensées, il passait devant les maisons des magnats du commerce maritime, des chemins de fer et des mines qui avaient fait fortune à une époque, pour eux bénie, où les impôts sur le revenu, les lois antitrust et les droits de succession n'existaient pas encore. La vieille maison de Sir Arthur Minton, devenue un club privé ; la maison des Clarkson, qui abritait désormais une confrérie étudiante ; l'ancienne résidence de Sir William Van Horne avec sa serre extravagante à souhait. Et c'est alors qu'il tomba, contre toute attente, sur Rifka Schneiderman, elle qui avait chanté à tue-tête *The Cloakmakers' Union Is a No-Good Union* de l'autre côté de la montagne, un autre monde déjà, dans l'appartement sans eau chaude de la rue Jeanne-Mance. Au grand étonnement de Moses, Rifka était devenue une jeune femme ravissante, quoique trop bien mise, ses cheveux autrefois indociles maintenus en place par une coiffure caniche.

« Oh ! s'exclama-t-elle. Je croyais que tu étais parti étudier à Oxford ou à Cambridge ou un truc du genre.

— Mon père a eu une crise cardiaque. »

Rifka était demoiselle d'honneur. Cependant, son fiancé, Sheldon Kaplan, avait été terrassé par une nouvelle crise d'allergie. Rifka, d'humeur sentimentale, demanda à Moses de l'accompagner.

« Seulement si tu promets de chanter ta chanson », dit-il.

Anita Gursky avait rencontré son premier mari sur les pistes de ski de Davos. New-Yorkais, fils rebelle d'une famille de banquiers juifs allemands, il espérait se faire un nom comme joueur de tennis. Le magazine *Life* était présent aux noces, tenues au Ritz-Carlton.

Becky Schwartz se rapprocha d'Harvey.

« Ne regarde pas, mais les Côté viennent d'entrer en plissant le nez comme s'ils sentaient une mauvaise odeur. Comment ose-t-elle porter une robe dos nu avec ses épaules qui ressemblent à des ailes de poulet ? *Je t'ai dit de ne pas regarder.*

— Je ne regarde pas.

— Je croyais t'avoir dit de te couper les poils du nez avant de sortir. Berk ! »

Dodu et pourvu d'un double menton, Georges Ducharme, secrétaire parlementaire du ministre des Transports, gratifia Mimi Boisvert d'un clin d'œil.

« Je vais être le premier à danser le boogie-woogie avec la femme du rabbin.

— Tais-toi, Georges, lui intima-t-elle en français.

— Ne parle pas la langue de la paysannerie ici. Parle yiddish. »

Cynthia Hodge-Taylor était présente, ainsi que Neil Moffat, Tom Clarkson, un Cunningham, deux Pitney et d'autres jeunes appartenant au beau monde westmountais. Jamais leurs parents, bien plus sourcilleux, n'auraient honoré de leur présence le mariage d'un membre de la famille Gursky, mais, pour les représentants de la jeune génération, c'était une distraction et peut-être, seulement peut-être, la possibilité d'avoir leur photo dans *Life.*

« Lors du procès, mon père était l'un des procureurs du gouvernement, vous savez, dit Jim MacIntyre. Face à un témoignage particulièrement incriminant, Solomon ne put que déclarer JE SUIS CELUI QUI SUIS. À ce moment, jurait mon père, la température a baissé de vingt degrés dans la salle. Le juge semblait être sur le point d'avoir une attaque. »

Il y avait des milliers de roses rouges dans des vases disposés aux quatre coins de la salle de bal. Au moment opportun, Guy Lombardo and His Royal Canadians entonnèrent *My Heart Belongs to Daddy* et M. Bernard, en larmes, descendit sur la piste pour danser un fox-trot avec Anita, joue contre joue.

Moses dansa avec Kathleen O'Brien, avec qui il avait plus d'une fois bavardé au Lantern.

« Viens, dit-elle. Sortons prendre l'air.

— Je ne suis pas soûl.

— Ton père a écrit un poème pour les nouveaux mariés. Dans cinq minutes exactement, Becky Schwartz va s'approcher du micro pour le lire à haute voix. »

Dehors, Moses dit :

« Il a toujours voulu être un poète lauréat.

— J'espère que tu ne bois pas autant à Oxford. Ton père compte sur toi pour ramener une mention très bien.

— En fait, rien ne lui ferait plus plaisir qu'on me mette à la porte.

— Allons, allons. »

De retour dans la salle de bal, Kathleen entraîna Moses jusqu'à la table où M. Morrie avait pris racine avec sa femme, Ida, et leur fille énorme et boutonneuse, Charna.

« Cet homme est doux comme un agneau, lui chuchota Kathleen à l'oreille avant de faire les présentations. Sois gentil.

— Comment va ton père ? demanda M. Morrie.

— Mieux.

— Dieu merci.

— Son père, c'est l'écrivain ? demanda Charna.

— Et comment !

— Tu parles ! Je pourrais écrire un livre, moi aussi. Je saurais juste pas comment le mettre en mots.

— Tu es un ange », dit Ida.

M. Morrie serra le bras de Moses.

« Sache que, par ton père, je suis au courant de tout ce qui t'arrive, monsieur le boursier Rhodes. »

En réponse à un coup de pied de Kathleen, Moses dit : « Oh oui, merci. » Cependant, il surveillait du coin de l'œil Barney, qui flirtait avec Rifka Schneiderman sur la piste de danse.

Barney, racontait-on, espérait toujours être celui qui réussirait à déloger l'épée de la pierre et, ce faisant, à devenir le prochain PDG de McTavish. Il avait tout fait pour asseoir ses prétentions. Pendant que Lionel se la coulait douce, Barney conduisait un camion de McTavish. Il avait passé un été à Skye, où il avait travaillé à la distillerie Loch Edmond's Mist ; là, il avait commencé comme râteleur dans le grenier à orge, puis assimilé tout ce qu'il pouvait dans la salle de brassage, avant de s'occuper des cuves dans le bâtiment abritant les alambics. À son retour au Canada, il était devenu un spécialiste de la tonnellerie et s'était rendu dans l'Ouest pour assister à des séances de négociation des prix du grain.

Rifka quitta la piste de danse en plein milieu d'un morceau, plantant là Barney, qui riait trop fort. Puis celui-ci entreprit d'aller retrouver Lionel. Ils se rapprochaient l'un de l'autre en butinant de table en table.

Lionel avait parié cinq mille dollars avec Barney : non seulement il boirait, sans dégueuler, plus de champagne que son cousin, mais en plus il réussirait à tirer son coup avant minuit sans débourser un sou. Une bouteille à la main, il faisait le tour des tables, Barney jamais loin derrière. Lionel dit : « Salut, beauté. Ça te dirait de me caresser la queue ? » À une autre table, il lança : « L'une d'entre vous a envie de baiser ? »

(Des années plus tard, un hagiographe à succès de la famille écrivit, dans un chapitre intitulé « Lionel en prince Henry », que s'il avait à l'époque la réputation d'être un rustre dépourvu de l'étoffe royale, Lionel était en réalité « un jeune homme solitaire, aussi seul qu'un gardien de phare le jour de la Saint-Valentin, accablé dès son plus jeune âge par l'intime conviction que, un bon matin, on lui confierait les clés du royaume des Gursky, alors qu'il aurait préféré élever des chevaux dans des champs élyséens ». Passion durable, soulignait l'auteur dans une note de bas de page, qui se traduirait par l'établissement des Sweet Sue Stables à Louisville, dans le Kentucky. Après le premier divorce de Lionel, les écuries, rebaptisées, porteraient le nom de Big Cat.)

Finalement, les rejetons des Gursky se retrouvèrent à la même table et Barney entendit son cousin dire : « C'est réglé : un jour, tout sera à moi. Alors réfléchis bien avant de m'envoyer paître, ma cocotte. »

Barney empoigna Lionel par les revers de son veston et le secoua.

« Qu'est-ce que tu racontes ?

— Ton père ne t'a rien dit ? »

Barney, le visage exsangue, fondit sur la table de son père, mais celui-ci n'y était pas. Barney le trouva dans les toilettes, où il se lavait les mains. Indifférent à la présence d'un autre homme dans l'un des box, il maudit son père, l'accusa d'avoir laissé M. Bernard le déposséder de son héritage. Dégoulinant de sueur, au bord de vomir, Barney dit :

« Si oncle Bernard posait un bol de lait par terre, tu te mettrais à quatre pattes pour boire.

— S'il te plaît, Barney, ne te mets pas en colère contre moi. Je t'aime.

— Et alors ?

— À trente et un ans, tu hériteras de millions de dollars.

— Je veux l'argent tout de suite, sinon je vous fais un procès. En fait, je vais peut-être contester tout ça devant les tribunaux, quoi qu'il arrive.

— Mais, *yingele*, j'ai signé les papiers il y a des années, dit M. Morrie en tendant la main vers lui.

— Tu penses qu'il serait difficile de prouver que tu étais mentalement inapte, même dans ce temps-là ? » demanda Barney en repoussant la main de son père et en quittant les toilettes.

Dans le box, Moses entendit la porte se refermer et crut que les deux hommes étaient partis. En sortant, pourtant, il trouva M. Morrie encore sur place, l'air abasourdi.

« Mon Dieu, tu as tout entendu.

— J'en suis désolé.

— Barney est un bon garçon, comme il ne s'en fait plus. Seulement, ce soir, il a trop bu.

— Vous avez besoin de quelque chose ?

— Je me sens… un peu étourdi. Tu m'aides à regagner ma table ? »

Moses le prit par le bras.

« Barney est quelqu'un d'exceptionnel. Je tiens à ce que tu le saches. »

Six

1973. À la suite de son humiliante altercation avec Beatrice au Ritz et de l'irréprochable conduite de l'insupportable Tom Clarkson, qui ne fit qu'aggraver les choses, Moses s'offrit une cuite monumentale. Dix jours plus tard, une femme de ménage noire le secouait pour le réveiller. Il gisait au milieu d'une flaque de quelque chose d'infect dans les toilettes d'un bar glauque de Hull, ses cheveux emmêlés et croûtés de sang, son portefeuille, ouvert sur les carreaux fêlés, vidé de ses billets de banque et de ses cartes de crédit. Carleton l'avait congédié.

Idiot. Aveugle. Cocu. Roulant vers les Cantons-de-l'Est, Moses rata la sortie 106 et fut contraint de poursuivre sa route jusqu'à Magog pour ensuite rebrousser chemin jusqu'à sa cabane, sa Toyota croulant sous le poids des valises qu'il avait bouclées à la hâte et de tous les livres qu'il avait accumulés pendant son séjour à Ottawa. Un télégramme était punaisé à sa porte. Henry. Les corbeaux se rassemblent. Qu'ils aillent au diable.

Moses remonta aussitôt dans sa voiture pour aller prendre son courrier. Legion Hall, qui le ramassait pour lui, avait l'habitude de le déposer au Caboose pendant ses absences.

Legion Hall était doté d'une vive imagination. Selon Strawberry, Legion Hall et ses deux frères, Glen et Willy, s'étaient enrôlés dans l'armée au printemps 1940. Dans la grange de leur père, ils pelletaient de la bouse de vache, offerts en pâture aux mouches noires, du sang leur dégoulinant sur le visage, quand Glen avait soudain laissé tomber sa fourche.

« À la radio, ce matin, un type a dit que la démocratie était en péril ou une autre niaiserie du genre. Il paraît que notre mode de vie est menacé.

— Enfin !

— Je m'enrôle.

— Bonne idée.

— Oui, monsieur. »

Glen fut décapité à Dieppe et Willy vola en éclats en marchant sur une mine quelque part en Italie. Legion Hall, pour sa part, essuya une seule fois des tirs, en Hollande, et décida que ce n'était pas pour lui. Le lendemain, un colonel le trouva, à quatre pattes, armé d'un marteau et d'un ciseau, devant la tente du mess de campagne.

« Qu'est-ce que vous faites là, soldat ?

— À ton avis, crétin ? Je tonds le gazon. »

Il eut droit au corps de garde.

« Et ensuite, expliqua Strawberry, un docteur juif lui a fait passer toute une série de tests. Legion Hall a été renvoyé chez lui avec une pension d'invalidité de vingt-cinq pour cent. Moi, je lui aurais facilement donné cinquante pour cent. »

À présent, au jour du Souvenir, Legion Hall, coiffé du béret de son régiment qu'il portait sur le côté avec désinvolture, vendait des coquelicots dans tous les bars des routes 243 et 105 et remettait peut-être même une partie de l'argent à qui de droit.

Pour la plus grande partie, le courrier de Moses se composait de magazines : *The New York Review of Books*, le *TLS*, *The Economist*, le *New Republic* et ainsi de suite. Il récupéra le tout, regagna sa cabane, se laissa tomber sur son lit défait et dormit pendant dix-huit heures. Il se réveilla à sept heures le lendemain matin. Après avoir ingurgité plusieurs tasses de café noir arrosé de cognac, il s'assit à son bureau. En faisant le ménage dans ses papiers, il tomba sur une lettre qu'il cherchait depuis des semaines. Il l'avait reçue de la dame aux yeux de deux couleurs différentes. La missive de Diana McClure se terminait ainsi :

Après avoir longuement divagué sans rien dire, ce qui est impardonnable, et sans qu'il en résulte le moindre bénéfice, encore moins une quelconque catharsis, j'ai pris la liberté de demander à M. Hobson de vous faire parvenir un souvenir. C'est le moyen que j'ai trouvé pour vous faire oublier que je me suis pendant longtemps montrée distante avant de me révéler d'un ennui mortel. Aimez-vous les romans policiers ? Patricia Highsmith, Ruth Rendell, P. D. James. Pour ma part, j'en suis mordue. Mais j'ai toujours trouvé que les énigmes étaient beaucoup plus intéressantes que leur résolution. Il en va certainement ainsi de mes « confessions » tardives. La table en cerisier que je vous envoie (frais de port payés, quoi qu'on vous dise) est celle que Solomon a terminée pour moi le vendredi où je n'ai pu passer prendre la bibliothèque. Le chauffage central a tendance à dessécher le bois. Le meuble doit être traité régulièrement à la cire d'abeille (en vente chez Eddy's Hardware, au 4412, rue Sherbrooke Ouest).

Encore aujourd'hui, je me demande si le fait que je ne sois pas allée prendre le thé avec Solomon, ce vendredi-là, a été un grand malheur ou, au contraire, une bénédiction pour nous deux. Évidemment, ce ne sont que de vaines conjectures, désormais sans intérêt, mais, assise dans mon fauteuil roulant, d'où je domine le jardin qu'il ne m'est plus possible d'entretenir, je m'abandonne volontiers à ce travers. Il faudrait couper les roses fanées, les cosses semblent sur le point d'éclater. Un garçon vient de passer avec sa canne à pêche, en route vers le ruisseau. Il a détourné les yeux, ce que je comprends sans mal. Le Dr McAlpine affirme que mes cheveux repousseront, mais je doute qu'ils en aient le temps. Enfin, je dois couper court à ces divagations. Au revoir, Moses Berger, et n'oubliez pas de suivre mes instructions pour la table. Peut-être pourriez-vous inscrire un rappel dans votre agenda ou sur votre calendrier mural.

Moses continua à mettre de l'ordre dans son bureau. Dans l'un des derniers tiroirs, où se trouvaient de nombreux courriers virulents adressés à des journaux, mais jamais postés, il dénicha sa flasque à cognac argentée et un chèque de cent livres sterling que le *TLS* lui avait envoyé pour une recension de livre et qu'il croyait irrémédiablement perdu. Puis, enfoui sous tout le reste, il découvrit les mémoires que M. Morrie avait écrits à la main. Le convaincre de les rédiger, se souvenait Moses, avait requis quelques manœuvres plutôt retorses. Le résultat, chef-d'œuvre du faux-fuyant, était pitoyable. Mais on pouvait tout de même en tirer quelques informations utiles, de la même façon que les kremlinologues parvenaient parfois à extraire une once de vérité de la *Pravda*. Moses était séduit par l'analogie. Car, tout compte fait, qu'était-il devenu, outre un cocu et un ivrogne dégénéré ? Un gurskyologue, rien de moins. Le seul qui, au milieu de tous les hagiographes, soit en mesure de mettre le feu aux poudres.

Moses s'approcha de la table en cerisier, son bien le plus précieux, débarrassa les feuilles des crottes de souris et se mit à les parcourir. Dans son premier paragraphe, M. Morrie avait le culot d'affirmer qu'il se proposait de rendre compte des grands moments de la création de l'empire Gursky ; il s'excusait d'avance de ses omissions, imputables à la mémoire défaillante d'un vieil homme. En cent vingt-deux pages bien serrées, il n'y avait donc aucune mention de Bert Smith. D'entrée de jeu, M. Morrie précisait que son père, Aaron Gursky, avait décidé d'émigrer au Canada en 1897 (avec sa femme, Fanny, enceinte de cinq mois de celui qui deviendrait Bernard) « afin d'élever sa famille sous la protection du drapeau britannique, réputé pour son franc-jeu ». En réalité, les choses ne s'étaient pas tout à fait passées ainsi.

Le whisky brut de contrebande était non seulement la source des milliards des Gursky, mais aussi la cause indirecte de la présence des descendants légitimes d'Ephraim au Canada. Moses avait réussi à le prouver grâce à un examen minutieux du rapport de la Commission royale sur le commerce des spiritueux vers 1860-1870 et à la collecte de toutes les informations disponibles sur les premières années de la Police à cheval du Nord-Ouest. Ses recherches le conduisirent au quartier général de la GRC à Ottawa, où il réussit à accéder aux archives à force de flagorneries : il brandit sa bourse Rhodes ainsi que sa mention très bien en histoire obtenue à Balliol, et prétendit effectuer des recherches en vue de la publication d'un article sur le fort Whoop-Up dans *History Today*.

Moses, qui éplucha jusqu'à en avoir mal aux yeux les journaux intimes, les revues et les actes d'accusation de l'époque, fut récompensé par la découverte suivante : en 1861, Ephraim était installé avec une squaw péigane et trois enfants dans une cabane en rondins sise sur les contreforts des Rocheuses. Il fabriquait ce qu'on appelait le casse-pattes de Whoop-Up, d'après une recette combinant une ou deux poignées de piments rouges, un demi-gallon de « gingembre de la Jamaïque », une pinte de mélasse, environ une livre de tabac à priser et une pinte de whisky. Ce mélange fatal était ensuite dilué avec de l'eau provenant d'un ruisseau, porté à ébullition, puis convoyé jusqu'à une tente voisine du fort Whoop-Up, à deux pas de la frontière avec le Montana. Une tasse à la fois, Ephraim vendait cette décoction aux Pieds-Noirs en échange de peaux et de chevaux. C'est la soif inextinguible des Pieds-Noirs, de même que la vaste quantité de chevaux dont ils avaient besoin pour l'assouvir, qui fut à l'origine des problèmes. Les Indiens se mirent à voler des chevaux à des colons et à des forts de la Baie d'Hudson. Soûls à en perdre la raison, certains incendièrent aussi un ou deux postes de traite pour le simple plaisir. Ils violaient et pillaient et, selon un rapport, Ephraim lui-même dut faire un exemple en en descendant deux, car ils avaient eu l'outrecuidance de lui réclamer du whisky non dilué, c'est-à-dire de l'eau de feu qu'on pouvait enflammer avec une allumette.

Il y eut d'autres escarmouches, échanges de coups de feu et incendies, et la nouvelle de cette agitation finit par atteindre le premier premier ministre du Canada dans la lointaine capitale d'Ottawa. Sir John A. Macdonald, lui-même grand buveur devant l'Éternel, créa, pour mettre un terme aux troubles, ce qu'on appela les Fusiliers à cheval. Mais Washington n'apprécia guère que ces Canadiens belliqueux déploient une force armée de trois cents hommes si près de la frontière. Débrouillard, Sir John A. s'empara de sa plume et donna à cette force le nom de Police à cheval. Ainsi naquirent les légendaires cavaliers des plaines :

Nous ne sommes que trois cents
Dans ce grand pays solitaire,
Des rives du lac Supérieur
Jusqu'aux Rocheuses aux hauts versants ;
Jamais notre cœur ne fléchit,
Jamais par lâcheté nous ne nous plaignons,
Bien que trop peu nombreux nous soyons,
Nous, les cavaliers des plaines.

Nous avons pour mission de hisser le drapeau
De l'Empire britannique en ce pays,
De mater les sauvages sans foi ni loi,
Et de protéger les colons d'ici ;
Et c'est faire un grand honneur
Que de confier ces vastes domaines
À trois cents hommes à cheval,
Nous, les cavaliers des plaines.

Avant même que la Police à cheval du Nord-Ouest eût terminé l'exténuant voyage de huit cents milles jusqu'au fort Whoop-Up, des trafiquants de whisky américains enragés massacrèrent une bande d'Assiniboins à Battle Creek. À cette époque, le tord-boyaux qu'utilisait Ephraim provenait du fort Benton. Plutôt que d'attendre de s'expliquer avec le nouveau corps policier, qui le tiendrait sûrement responsable de la mort des deux Pieds-Noirs, Ephraim jugea manifestement qu'il valait mieux décamper. Aussi, pendant un long moment, Moses perdit complètement sa trace.

Cette énigme fut élucidée lorsqu'il mit la main sur le journal intime dans lequel Solomon rendait compte des récits que lui avait faits son grand-père pendant leur périple jusqu'à la mer Polaire. Des récits que distillait la mémoire défaillante d'un vieil homme et que Solomon avait transcrits, de longues années plus tard. Des récits, soupçonnait Moses, magnifiés non pas par un, mais par deux ego surdimensionnés.

Quoi qu'il en soit, selon Solomon, son grand-père alla jusqu'en Russie, où il livra un chargement de peaux de castor à Saint-Pétersbourg, avant de poursuivre jusqu'à Minsk, d'où s'étaient enfuis ses parents. C'était au début du règne de Nicolas Ier, l'époque où fut adopté, parmi d'autres décrets, celui qui prescrivait que les enfants juifs soient enlevés de force à leurs parents à l'âge de douze ans et servent dans l'armée du tsar pour une période pouvant atteindre vingt-cinq ans.

Ephraim, entrant dans la synagogue de Minsk à temps pour le service du vendredi soir, constata qu'on gardait un souvenir attendri de son père. « Le meilleur chantre que nous ayons eu », lui dit un vieil homme.

Une semaine plus tard, Ephraim agissait comme chantre pendant les services du sabbat. La congrégation fut ébahie par la puissante voix d'or de ce Juif qui allait nu-tête, mais s'habillait comme un prince russe et qui, à en croire la rumeur, fréquentait *leurs* tavernes et exigeait d'être servi. Malgré la méfiance que leur inspiraient ses airs d'aventurier, ils lui offrirent l'ancien poste de son père à la synagogue. Ephraim déclina cet honneur, mais il s'attarda à Minsk le temps d'épouser, sur un coup de tête, une certaine Sarah Luchinsky, qui lui donna un fils, Aaron. Puis il y eut un incident dans une taverne et Ephraim fut une nouvelle fois contraint de s'enfuir. Il installa sa femme et son fils, plutôt confortablement, dans un *shtetl* de la Zone de Résidence. Lassé de les voir, il quitta bientôt le pays, mais continua d'envoyer des fonds de la France, de l'Angleterre et, enfin, du Canada.

Ephraim continua de vagabonder : il fit passer des fusils à La Nouvelle-Orléans pendant la guerre de Sécession, selon le récit qu'il fit à Solomon, puis disparut jusqu'en 1881, où l'assassinat d'Alexandre II par des terroristes donna lieu à une avalanche de pogroms. Ephraim, sa femme acariâtre morte pour de bon et son fils marié depuis peu, finit par envoyer à ce vaurien d'Aaron des billets de bateau et assez d'argent pour venir au Canada avec Fanny. Ephraim, cependant, n'apprécia guère plus l'adulte qu'il n'avait aimé l'enfant avec ses minauderies, et Fanny ne lui plut pas davantage. Après les avoir largués dans un *homestead* qu'il avait acquis dans les prairies, il s'éclipsa de nouveau.

« Mon cher père, écrivait M. Morrie, avait été mal renseigné sur le climat canadien. Il avait donc apporté de jeunes cerisiers et poiriers ainsi que des graines de tabac. »

Arrivés en avril, Aaron et sa femme, accueillis par la neige et la froidure, durent se réfugier dans un hôtel de la petite ville ferroviaire la plus proche en attendant le dégel. Aaron se construisit ensuite une hutte de terre, acquit une paire de bœufs et une vache, et planta sa première récolte de blé. Elle gela dans les champs. Alors Aaron acheta à un grossiste des batteries de cuisine, du thé, du kérosène et des médicaments brevetés, puis il prit la route pour les vendre à des fermiers. Bernard vit le jour, suivi de Solomon et de Morrie.

Pendant ce temps, Ephraim escalada le col Chilkoot et gagna le Klondike. « Il m'a dit, écrivait Solomon dans son journal, qu'il avait trouvé du travail comme pianiste dans un saloon de Dawson, où il faisait aussi office de caissier. Les prospecteurs avinés payaient leurs consommations et leurs filles avec de la poudre d'or. En général, c'était Ephraim qui manipulait la balance ; il taquinait les hommes et détournait leur attention, promenait ses doigts dans ses cheveux relevés et enduits de vaseline. Puis, tous les soirs, avant de se coucher, Ephraim se lavait les cheveux pour en extraire la poudre d'or. Il finit par réunir une somme de vingt-cinq mille dollars, qu'il perdit presque en entier au cours d'une partie de poker au Dominion Saloon. »

Au printemps, Ephraim redescendit dans les prairies et s'installa, en compagnie de Lena Bas-Verts, dans une cabane de la réserve recouverte de papier goudronné. De temps en temps, il allait rendre visite à Aaron et se moquait de sa situation de colporteur juif. Il asticotait Fanny, taquinait les enfants. Ses visites, nota Solomon, suscitaient beaucoup d'appréhension. M. Morrie, cependant, écrivait : « Mon grand-père était un personnage haut en couleur, plus intéressant que bon nombre de ceux dont il est question dans ma rubrique préférée du *Reader's Digest*, celle intitulée : "L'être le plus extraordinaire que j'aie rencontré". Comme nous étions impatients de l'accueillir à notre table pour le sabbat ! Il avait mené une vie très difficile, marquée par l'adversité. À un très jeune âge, le pauvre homme avait perdu son épouse adorée et n'avait trouvé personne pour la remplacer dans son cœur. Il parlait l'indien et l'esquimau, savait rebouter les os mieux que les docteurs. Hélas, bien qu'il ait atteint un âge vénérable, il n'a pas vu ses petits-enfants réussir au-delà de tout ce qu'il aurait pu imaginer. Sans doute en aurait-il été très fier. »

À l'occasion de ses visites, Ephraim reprochait leur ignorance à ses petits-enfants, en particulier à Solomon, qui avait ses cheveux, ses yeux et son nez.

Ephraim attendit, observa. Quand il estima que Solomon était prêt, il était là lorsque le garçon déboula de l'école sous la neige qui tombait dru ; il était là, à l'arrière de son long traîneau, empestant le rhum, les yeux embrasés. Au lieu de virer à droite aux rails du CNR, il tourna à gauche sur le sentier qui menait vers les grandes plaines.

« Je croyais que nous allions au Montana, dit Solomon.

— Nous allons au nord.

— Où ça ?

— Loin. »

Sept

La réponse variait d'un interlocuteur à un autre. Certains disaient six, sept millions à coup sûr, d'autres dix, peut-être davantage. Quoi qu'il en soit, en 1973, les ragots ne manquaient pas à propos de la somme qu'Harvey Schwartz avait personnellement engrangée en sarclant les centaines de millions qui mûrissaient dans Jewel, le fonds de placement de la famille Gursky, et en veillant sur Acorn Properties, la société immobilière internationale des Gursky, dont la valeur, à l'époque, était estimée à plus d'un milliard de dollars. Remarquez, une bonne part de la fortune d'Harvey était liée à des actions acquises. Mais c'était le poids de tout cet argent, disait-on, qui expliquait qu'Harvey se rongeait les ongles, souffrait d'insomnie, de dyspepsie et de coliques atroces. Les rumeurs, comme souvent, étaient sans fondement. Avant même d'avoir accumulé ces millions, Harvey était dévoré par la crainte secrète qu'on l'accuse d'un crime qu'il n'avait pas commis. Vol, viol, meurtre, peu importe. Un jour, on monterait un coup contre lui et on viendrait l'arrêter ; il aurait beau clamer son innocence, on ne l'écouterait pas, *à moins qu'il ait un alibi en béton.* Alors, Harvey, conscient qu'il risquait d'être arrêté au moment où il s'y attendait le moins (cela pouvait se produire n'importe où, n'importe quand), s'employait sans cesse à blanchir son nom. Un jour, confortablement installé au bord de la piscine du Tamarack Country Club, Harvey, somnolant à moitié, comprit soudain qu'il était question, tout autour de lui, du meurtre de Kleinfort. « Vous savez, dit Harvey, dès qu'il eut l'attention du groupe, moi, je ne saurais même pas me servir d'une arme à feu. »

L'obsession d'Harvey se cristallisa lorsqu'il vit *Le Faux Coupable*, film d'Alfred Hitchcock inspiré de l'histoire d'un joueur de contrebasse du Stork Club. Reconnu à tort au cours d'une séance d'identification, il est accusé de vol et n'est sauvé qu'*in extremis*, au moment où le véritable coupable commet un nouveau crime. Harvey avait vu le film trois fois en souffrant avec Henry Fonda du début à la fin.

Harvey savait. Harvey comprenait. C'était tout naturel qu'il prenne ses précautions.

Si, par exemple, il allait au cinéma avec sa femme Becky (dont le témoignage en sa faveur serait déclaré irrecevable), il conservait les talons de ses billets et les classait par date ; en plus, il s'arrangeait pour se faire remarquer. Au guichet, il lui arrivait de payer avec un billet de cent dollars et de s'excuser de ne pas avoir de monnaie, *le tout pour qu'on se souvienne de lui*. À l'intérieur, il cherchait du regard des visages familiers et les saluait tous avec effusion, même les personnes qu'il connaissait à peine. « Oui, le soir du viol, je suis certain d'avoir vu M. Schwartz au cinéma de Westmount Square. »

En descendant à l'hôtel, à New York, Chicago ou ailleurs, Harvey enfilait des gants de chirurgien dès que le groom avait déposé ses bagages et quitté la suite. Il jetait un coup d'œil dans les placards, la douche (depuis *Psychose*) et tous les tiroirs, et il ne laissait ses empreintes digitales qu'après s'être assuré que l'occupant précédent n'avait pas abandonné derrière lui de couteau ensanglanté ni d'arme à feu incriminante *dans l'intention de le prendre au piège*. Harvey obligeait aussi son chauffeur à respecter scrupuleusement le code de la route, en particulier les limites de vitesse, de crainte qu'une mère cupide et dans le besoin ne jette son bébé sous les pneus de sa voiture *et ne lui réclame des millions en justice*. À l'époque où il prenait encore des vols commerciaux, il n'acceptait jamais de s'asseoir à côté d'une dame non accompagnée : *c'était peut-être un appât* dans le but de lui faire un procès pour attentat à la pudeur. Par chance, grâce à la générosité de M. Bernard, il avait désormais accès aux jets des Gursky.

La vérité, c'est que M. Bernard pouvait avoir pour Harvey des égards surprenants, le traiter comme son acolyte favori, réfléchir tout haut en sa présence. S'il était premier ministre, lui dit-il un jour, il réglerait le problème de la dette en deux coups de cuillère à pot. Il était fermement convaincu qu'il y avait trop de sexe sans capote dans le tiers-monde et il y mettrait le holà. Et si les Israéliens avaient assez de jugeote pour faire appel à ses services, il réglerait aussi la pagaille avec les Arabes.

« Vous savez, monsieur Bernard, nous devrions garder des enregistrements de vos propos de table.

— Pour les générations futures ?

— Oui. »

Les séances débutèrent ainsi, M. Bernard pontifiant allègrement.

« Tu sais quelle est la plus grande invention des Occidentaux ?

— Non.

— Les intérêts. »

M. Bernard, mâchouillant des noix de cajou et sirotant du massada blanc, se perdait dans ses souvenirs.

« Abraham Lincoln (je ne veux pas en dire du mal, vu que c'est lui qui a libéré les nègres) est né dans une cabane en rondins, mais dans un climat chaud, alors c'était la belle vie. Le pauvre Bernard Gursky, lui, a vu le jour dans une hutte en terre au milieu de la prairie glaciale parce que, à ce moment-là, c'est tout ce que mon pauvre père pouvait s'offrir. Ephraim ne lui donnait rien du tout. J'étais le chouchou d'Ephraim, tu sais. Ça me faisait une belle jambe. Ephraim avait toujours de l'argent pour les putes et les jeux de hasard, ça oui, mais pour son fils ? *Bupkes.* Comment je peux savoir que ton magnétophone fonctionne ? »

Harvey fit rejouer les derniers propos de M. Bernard. Tout allait bien.

« Tu crois qu'il fait froid, à Westmount ? Je vais t'en parler, moi, du froid. Quand la température tombe à moins soixante, l'eau gèle dur dans les seaux, même quand le poêle de la cuisine ronfle toute la nuit. Puis c'est le printemps et tu as beau colmater de ton mieux toutes les fissures de ta hutte de terre, quand il pleut, l'eau te pisse sur la tête. Tant pis. Tu recueilles aussi l'eau de pluie dans des barils posés à côté du toit couvert de tourbe pour avoir de quoi boire. Sinon, mon garçon, tu en es quitte pour aller au ruisseau remplir des seaux en acier galvanisé, jour après jour.

« En hiver, ma mère – que Dieu bénisse son âme – faisait fondre de la neige dans des cuves. On se chauffait avec des bouses de bison séchées. Les bisons avaient disparu depuis longtemps, mais on voyait encore des crânes partout. Hé, tu veux savoir comment Bernard Gursky, ce bâtisseur d'empire, a gagné ses premiers sous ? C'est le genre d'information qui peut intéresser monsieur et madame Tout-le-monde. Mes premiers sous, je les ai gagnés en attrapant des sangsues, dit M. Bernard en tapant sur la table et en riant aux larmes, mais aujourd'hui, j'en ai qui travaillent pour moi, hein, l'avorton ? »

Les joues tachées de son d'Harvey s'empourprèrent.

« Hé, je plaisantais. C'était juste une blague. Tu ne m'en veux pas, au moins ?

— Non. »

Un autre jour.

« Toutes les familles ont leur croix à porter, leur squelette dans le placard, c'est la vie. Eleanor Roosevelt, elle est venue chez nous, tu sais. Son père n'avait pas les moyens de lui payer le dentiste ? Ses dents. *Oy vey.* Sa famille était dans le commerce de l'opium, en Chine, mais il n'en est pas question dans le *Ladies' Home Journal* ou là où elle a écrit "My Day". Joe Kennedy a toujours été un fornicateur de première et il a escroqué Gloria Swanson, mais on ne chante pas ça dans *Camelot.* Prends même George V, l'Ordre de l'Empire britannique, c'était trop d'honneur pour moi. Un de ses fils était un ivrogne patenté, un autre un sodomite et un drogué. Quant au duc de Windsor, cette pauvre cloche, il a renoncé à tout pour une pute. Tu veux que le duc et la duchesse assistent à un bal de bienfaisance ? Tu n'as qu'à les louer comme on loue un smoking chez Tip Top. Royauté, mon cul. Moi, ma croix à porter, c'est Solomon, même si Dieu sait que j'ai tout fait pour lui, ce ne sont pas les preuves qui manquent. C'était ce qu'on appelle une mauvaise graine. Tu penses que ça ne me fait pas de la peine ? Ça m'en fait, beaucoup même. Penser que mon frère est mort comme ça, le nom des Gursky entaché jusqu'à ce jour. Hé, c'est Solomon Gursky qui a ordonné que Willy McGraw soit assassiné à la gare. Et les frères Gursky, ils ont commencé comme *bootleggers.* Oh là là ! Dieu du ciel ! Pas question qu'on les reçoive pour le thé avec des sandwichs au concombre faits avec du pain à la colle LePage.

« Je t'ai déjà raconté ce qui est arrivé juste avant que j'achète notre premier hôtel ? Et si on te dit que c'est Solomon qui s'en est occupé, vérifie, d'accord, et regarde bien le nom qui figure sur le titre de propriété. Tout ce que nous avions à notre nom, à ce moment-là, c'était le magasin général de notre père et peut-être quatre mille dollars dans la *pushke.* Correction. Nous *avions* quatre mille dollars jusqu'à ce que Solomon vole l'argent pour participer à la plus grande partie de poker en ville. Il va risquer l'argent durement gagné de la famille, tout risquer. Puis, perd ou gagne, le salaud va lever le camp. Adieu, la famille. Adieu, les économies. Ma pauvre mère et mon père, et Morrie évidemment, braillent dans la cuisine, snif, snif, snif. Personne ne sait où a lieu la partie de poker, mais je sais, moi, où trouver les putes de Solomon. La vieille Indienne, sur la réserve, et la Polaque aux grosses boules, à l'hôtel. Je leur laisse un message pour mon petit frère chéri. Il aura beau courir jusqu'à Tombouctou, je vais le retrouver, la police va l'arrêter et il va croupir en prison. Il a reçu le message, pas de doute là-dessus, et il revient à la maison, mais il a tellement honte de nous regarder dans les yeux que, dès le lendemain, il s'enrôle dans l'armée. Pendant qu'on le paie pour faire du tourisme en Europe, où en plus il finit officier dans le corps d'aviation en se fabriquant un faux diplôme universitaire, moi je crée une chaîne d'hôtels, dix-huit heures de travail par jour, c'était de la petite bière pour moi, et je mets le tiers à son nom parce que c'est dans la nature de Bernard Gursky. La famille, c'est la famille. Il rentre au bercail. Est-ce qu'il dit : "C'est trop, Bernard, je ne mérite pas ça", est-ce qu'il me félicite pour tout ce que j'ai fait ? Jamais dans cent ans.

« À la sombre époque, il fallait toujours se méfier des détrousseurs. Les gangsters. La cupidité des autres. Une fois, il envoie Morrie – tu imagines, Morrie… – avec un convoi, parce que lui-même a trop peur. Morrie est dans la dernière voiture, tu sais, celle qui traîne une chaîne de cinquante pieds qui soulève un nuage de poussière pas possible, au cas où on nous poursuivrait. Les hommes assis dans cette voiture-là ont aussi un projecteur, qui leur sert à aveugler les gens à travers la vitre arrière, et des mitraillettes, mais seulement pour se défendre. Bon, les coups de feu commencent avant même la frontière du Montana et Morrie chie dans ses culottes. Si tu as lu sur la Grande Guerre, tu sais qu'il n'y a pas de honte à ça. Moi, on ne m'a pas pris à cause de mes pieds plats. J'en ai eu le cœur brisé. J'aime ce pays et tous ceux qui y vivent. En tout cas, j'ai lu que c'est arrivé aux hommes de la crête de Vimy quand ils ont débarqué dans les tranchées la première fois, et certains d'entre eux sont revenus avec la Croix de Victoria, pas avec une maladie vénérienne comme Solomon. Solomon, le grand héros. On en a entendu parler de la crête de Vimy ! La boue. Les poux. Les rats dans les tranchées. Si tu veux mon avis, le plus près qu'il a été des tranchées, avant de passer dans l'aviation, c'est dans un bordel de Montmartre.

« Où j'en étais, déjà ? Ah oui. Solomon se met à taquiner Morrie comme c'est pas permis au sujet de son petit incident. Je lui ai cloué le bec, moi. Je l'ai mis dans le convoi suivant, il était blanc comme un linge. Il sue à grosses gouttes. Le moteur d'un camion pétarade et il se jette par terre. Les autres se tordent de rire. Tout le monde se paie sa tête, lui, le héros de la crête de Vimy. Après, il n'a plus agacé Morrie, c'est moi qui te le dis. »

Un autre jour encore.

« Chaque génération produit une poignée de grands hommes élevés dans des cabanes en rondins ou dans des huttes de terre, des hommes qui suivent leur rêve impossible jusqu'à décrocher la lune. Einstein, Louis B. Mayer, Henry Ford, Tom Edison, Irving Berlin. Des hommes d'horizons divers qui ont en commun de ne jamais se reposer. Mais comment tout a-t-il commencé dans le cas de Bernard Gursky ? Eh bien, laisse-moi te l'expliquer. Nous vivions à présent à Fort McEwen (bon sang, ces trottoirs de bois !) et mon père faisait notamment le commerce du bétail. Il avait une entente avec un type et, une fois, ce type lui apporte quarante mustangs sauvages au lieu des vaches. J'ai dû les dresser moi-même dans un corral derrière le vieux Queen Victoria Hotel. Mon père les a vendus aux enchères et, après chaque transaction, il invitait le client à venir dans l'hôtel pour trinquer. Moi, j'observais tout ça, assis sur la clôture du corral. Fidèle à mon habitude, j'observais et je réfléchissais. "Papa, j'ai dit, le bar fait plus de profits que nous. Pourquoi on n'achèterait pas l'hôtel ?" C'est là, à ce moment précis, que tout a commencé. Sous ma gouverne, les Gursky ont franchi le Rubicon pour entrer dans le commerce des spiritueux. Je ne me suis pas planté de fleuve, hein ?

— Non.

— On raconte déjà tellement de faussetés sur Bernard Gursky qu'il faudrait payer quelqu'un pour m'écouter dire la vérité et écrire ma biographie.

— Je me faisais justement la même réflexion, monsieur Bernard.

— Pour ce travail, pas question de retenir les services d'un Canadien. Je veux ce qu'il y a de mieux. Au diable la dépense.

— Laissez-moi consulter Becky et vous soumettre une liste de noms.

— Et Churchill ? Qui a écrit sur lui ?

— Lui-même, monsieur Bernard.

— Ah bon ? fit M. Bernard en tambourinant sur la table avec ses doigts dodus. Peut-être bien que oui, peut-être bien que non. Et ce Hemingway, il gagne combien, à ton avis ?

— Il est mort.

— Bien sûr qu'il est mort. Tu penses que je ne suis pas au courant ? Tu commences à me taper sur les nerfs, Harvey. Tu n'as donc rien à faire ? »

Oui, oui, bien sûr que oui, mais Becky, de retour d'un séjour de deux jours à New York, téléphona et dit : « Il faut que je te voie maintenant. *Et quand je dis maintenant, ça veut dire tout de suite.* »

Harvey, de retour chez lui moins d'une heure plus tard, trouva Becky assise derrière son bureau plat Louis XIV. Le contenu d'un coffret tapissé d'amiante, sorti du coffre-fort d'Harvey, était disposé devant elle.

« Je voudrais savoir pourquoi ta vie si précieuse de caniche de M. Bernard est assurée pour trois millions de dollars auprès de diverses compagnies, tandis que la mienne, celle d'un auteur publié, ne vaudrait que cent mille misérables dollars ?

— Justement, j'ai pris note de réviser la situation ce week-end.

— Fais voir.

— Je voulais parler d'une note mentale. »

Becky lui lança les titres de propriété et les polices à la figure, sortit de la pièce et grimpa à toute vitesse l'escalier en direction de leur chambre. Harvey la poursuivit jusque dans le couloir, où il se prit les pieds dans une pile de boîtes de chez Gucci, Saks, Bendel et Bergdorf Goodman. Il se retira au salon et se laissa tomber sur le canapé. La vérité, c'est que le jour où il avait passé en revue leur portefeuille d'assurance-vie, dans l'intention d'augmenter substantiellement la protection de sa femme, les journaux ne parlaient que d'une affaire de meurtre à Toronto, laquelle lui avait donné à réfléchir. Il s'agissait d'un promoteur immobilier, qui semblait avoir mené jusque-là une existence irréprochable, accusé d'avoir tué la femme qui partageait sa vie depuis vingt ans. Selon sa version des faits, sa femme et lui se rendaient à Stratford après la tombée de la nuit quand il s'était arrêté dans une aire de repos au bord de l'autoroute 401 pour réparer une crevaison. Pendant qu'il était penché sur sa roue arrière, une autre voiture s'était rangée derrière lui, deux drogués en étaient sortis, l'avaient assommé et avaient descendu sa femme, qui avait commis la bêtise de résister. Puis ils avaient pris la fuite avec le portefeuille du mari, le sac à main de la femme et tous leurs bagages. Seulement, un petit élément de preuve vint compromettre sa défense. Un mois plus tôt à peine, il avait assuré la vie de sa femme pour la rondelette somme d'un million de dollars. Harvey, aussitôt sur ses gardes, naturellement, avait donc évité de faire de même avec Becky… Car qu'arriverait-il si, une semaine plus tard, que Dieu la protège, elle se faisait faucher en traversant la rue ou périssait dans un accident d'avion? *Il serait le premier suspect, voilà ce qui arriverait.* Sorti de chez lui, les menottes aux poignets, devant les caméras de télévision. Incarcéré avec des tapettes salivant d'envie. Son corps profané comme celui de Peter O'Toole par ce Turc qui donne la chair de poule dans *Lawrence d'Arabie.* Harvey, le cœur battant, se mit à gravir les marches en quête d'une aspirine et là, dans la porte de leur chambre, se tenait Becky, tout sourire. « Qu'est-ce que tu en dis, mon gros nounours? »

De quoi? songea-t-il. *Donne-moi un indice.*

Elle pivota sur elle-même, portant ses mains à son cou, et c'est alors qu'il le vit : un collier serti de diamants.

« De chez Van Cleef & Arpels », dit-elle. Puis elle montra un petit paquet, surmonté d'une boucle dorée, posé sur le lit. « Je t'ai aussi apporté un petit quelque chose. »

Harvey déchira l'emballage.

« Je sais qu'il t'en aurait fallu une douzaine, mais je ne pouvais tout simplement pas *schlepper* plus de paquets. »

En pressant les chaussettes contre sa poitrine, Harvey dit : « Elles me vont à ravir. »

Huit

Tim Callaghan espérait que Bert Smith ne résisterait pas à l'envie d'assister aux funérailles de M. Bernard. Il mettrait ainsi un terme à une chasse à l'homme de vingt-cinq ans. Smith devait avoir soixante-cinq ans, selon les calculs de Callaghan, peut-être plus. Smith, cette vermine bien-pensante. Callaghan l'imaginait dans la minuscule cuisine d'un sous-sol qui puait le moisi, la pisse de chat et la vertu presbytérienne. Punaisé au mur, un calendrier, aux coins cornés, avec une photo de la reine Élisabeth II à cheval. Le linoléum fendillé et usé, la théière ébréchée. Une table en formica où il est assis devant une platée de macaronis ou de fèves au lard servies sur des toasts, nourri par les charbons ardents de la haine. Oui, songea Callaghan, Smith, s'il était encore en vie, viendrait aux funérailles, même s'il devait s'y faire porter sur une civière.

Callaghan, né avec le siècle, avait survécu à une blessure par balle, à deux infarctus et à une ablation partielle de la prostate, mais rien ne l'avait autant affecté que la perte de ses dents, cet intolérable outrage. C'était un homme de grande taille, une vieille pièce de monnaie tout usée, ses cheveux autrefois blonds se résumant désormais à une frange grisonnante, ses yeux bleu pâle, ses épaules voûtées, ses mains aux jointures toutes esquintées couvertes de taches de vieillesse et sujettes aux tremblements. Il n'était pas incontinent, c'était déjà ça. Il ne traînait pas les pieds comme certains autres qui avaient fait leur temps sur terre. Dès qu'il aurait retrouvé Bert Smith et pris les dispositions nécessaires, lui-même serait libre de mourir, perspective qu'il entrevoyait avec soulagement. Il laisserait son argent à la Mission Old Brewery et ses souvenirs à Moses Berger.

« Mon Dieu ! » avait dit celui-ci la première fois qu'il avait vu les photos dans l'appartement de Callaghan.

Au-dessus du manteau de la cheminée était accroché un instantané décoloré montrant Solomon jeune, déambulant sur une petite route de campagne en compagnie de George Bernard Shaw ; sur une autre photo, légèrement floue, on le voyait assis sur une véranda avec H. L. Mencken, une canne en malacca entre les genoux, ses mains et son menton posés sur le pommeau.

C'était en 1956 et Callaghan avait fait voir à Moses l'un de ses souvenirs les plus précieux de cette époque, celle où il s'était senti le plus vivant. C'était son édition de la Bible telle qu'expurgée par l'incomparable Charles Foster Kent, professeur d'histoire biblique à Yale et homme qui avait l'alcool en horreur. « Et il distribua à tout le peuple, à toute la multitude d'Israël, tant aux femmes qu'aux hommes, à chacun un pain, et une ration de vin, et un gâteau de raisins », lisait-on dans 2 Samuel 6.19. Dans sa version, le vin brillait par son absence.

C'était le temps où Callaghan se couchait rarement avant quatre heures du matin, à supposer qu'il se couche. Le plus souvent, il se trouvait, fasciné, à la table de Solomon, où il écoutait ce dernier se prononcer sur la création de l'Armée rouge par Trotski, la théorie de l'acteur marionnette d'Edward Gordon Craig ou l'art de dresser un mustang. La table accueillait souvent des filles de la bonne société qui adoraient plaire. Une de Brisson, une McCarthy, une des filles Newton. Et on ne savait jamais ce qui allait arriver, ce que décréterait ce diable de Solomon. Un souper organisé à minuit en l'honneur d'une compagnie minable qui était de passage au His Majesty's Theatre, Solomon offrant le champagne et le caviar à des interprètes de troisième ordre, faisant sauter sur ses genoux une Juliette dans la quarantaine, flirtant avec un Macbeth efféminé et, enfin, épatant la galerie avec sa parodie du Hamlet de Barrymore. Ou encore Solomon s'invitait à la réunion en principe secrète du Parti communiste dans l'appartement d'un quelconque professeur, jouait avec le conférencier comme un chaton avec une pelote de laine, puis fondait sur sa proie, fort de sa connaissance supérieure de la dialectique, lui assénant le coup de grâce en citant les *Thèses sur Feuerbach* de Marx : « Les philosophes n'ont fait qu'interpréter le monde de différentes manières, ce qui importe c'est de le transformer. » Ou encore il fonçait à toute vitesse vers l'hôtel d'Albert Crawley dans les Cantons-de-l'Est pour jouer du piano avec l'orchestre Dixieland et jouir de la stupéfaction des autres musiciens devant ses prouesses. Ou encore il disparaissait, se retirant pour méditer sur le bord de la rivière aux Cerises, là où frère Ephraim avait autrefois posé des pièges pour le gibier et, à bien y réfléchir, pour les hommes aussi. Les puits abandonnés de la New Camelot Mining & Smelting Co. étaient encore là, les chevrons pourrissants servant de perchoirs aux chauves-souris. Ou encore Solomon aguichait soudainement sa tripotée de filles de bonne famille, en séduisait une et la forçait à se soumettre à des actes sexuels avilissants avant de la renvoyer chez elle, dans sa grande demeure à flanc de montagne. Il avait alors le sentiment d'être vengé, mais aussi, se plaignait-il à Callaghan, d'être diminué.

« Gerald Murphy s'est trompé, lui avait-il un jour confié. La meilleure revanche est de vivre deux, peut-être trois fois. »

Callaghan, qui venait de Griffintown, près du port de Montréal, avait autrefois été boxeur. Peut-être parce que, dans le ring, il avait plus de cran que de talent, il s'était fait quelques admirateurs dans l'ouest du pays. Solomon, après l'avoir vu perdre une demi-finale à Regina, l'avait invité à souper. Il l'avait gavé de bœuf et de billets de banque, puis lui avait confié le volant d'une Hudson Super-Six, chargée d'alcool de contrebande, qu'il devait conduire jusqu'à la frontière du Dakota du Nord, où l'échange s'effectuerait avec les Américains. Callaghan s'était révélé si efficace que Solomon l'avait rapidement chargé du réseau de la rivière Detroit, armé de ce qu'Eliot Ness appelait les « papiers canadiens », c'est-à-dire les formulaires de dédouanement B-13 indiquant que l'alcool à bord faisait route vers La Havane. Parce que Callaghan en savait long sur M. Bernard, il obtint de rester au service de McTavish longtemps après la mort de Solomon, en qualité de vice-président de rien du tout pour Loch Edmond's Mist.

En 1947, le cancer emporta la femme de Callaghan. Il resta à ses côtés tout au long de ses derniers mois à la maison, aidé par une infirmière de nuit, Kathleen O'Brien et des caisses entières de Loch Edmond's Mist. Pour le bien de son épouse, il toléra les allées et venues du trop zélé père Moran. Kathleen O'Brien faisait la lecture à la mourante tous les après-midi. Belloc, Chesterton. Puis elle passait un moment avec Callaghan, en qui elle voyait un mari dévoué et digne d'admiration.

« La vérité, c'est que je voudrais qu'elle meure et me fiche la paix, dit-il.

— Chut.

— Et en plus il y a l'infirmière.

— Elle ne se doute de rien.

— Moi, oui. »

Frances. Frances. Chaque fois qu'il posait le regard sur elle, allongée dans son lit, sa superbe crinière de cheveux noirs réduite à quelques touffes desséchées, ses yeux enfoncés dans leurs orbites, il était éperdu de rage. Il voulait ravoir sa Frances naguère resplendissante, la fille qu'il avait vue sortir de la cathédrale Marie-Reine-du-Monde par un matin de printemps radieux. Frances, qui n'avait absolument pas remarqué que tous les hommes s'étaient retournés sur son passage, bien que pas un ne l'ait sifflée ni n'ait proféré de grossièretés. Elle lui avait annoncé qu'il devrait d'abord parler à son père, un plombier fielleux dont le nez couperosé ne trompait personne. Callaghan avait dit au père qu'il était dans le transport, ce qui avait fait rougir Frances, parce qu'elle comprenait, et elle avait prié pour lui. Face aux enquêteurs de la GRC, dans les semaines précédant le procès, elle s'était montrée étonnamment coriace.

« Mais que fait votre mari, au juste ? avait demandé l'un d'eux en affichant un petit sourire méprisant.

— M. Callaghan est un pourvoyeur. Sucre et crème ? »

Une semaine seulement avant de mourir, elle émergea d'une vague de morphine et dit :

« Tu n'aurais pas dû mentir au procès.

— Nous devons tout à Solomon.

— Tu l'as fait pour sauver ta peau.

— Pourquoi parler de ça maintenant, après toutes ces années ?

— Trouve Bert Smith. Fais-toi pardonner. Promets-le-moi.

— Je te le promets. »

Elle mourut dans ses bras. Pendant quelque temps, mieux valait éviter Callaghan : il était tombé dans l'alcool et cherchait la bagarre au Normandy Roof, au Carol ou au Rockhead. Puis, une fin d'après-midi, en sortant d'un pas chancelant de chez Aldo, Callaghan le vit, rue Sainte-Catherine. Il vit Bert Smith. Son visage crayeux aux traits tirés remplissait une vitre du tramway n° 43 et le fixait d'un regard vide. Callaghan, des picotements dans la nuque, se lança aux trousses du tramway, qu'il rattrapa au coin de Peel. Un arrêt trop tard. Bert Smith n'était plus à bord.

Dans l'annuaire, Callaghan découvrit cent cinquante-trois Smith, dont pas un ne se prénommait Bert. Sans doute vit-il toujours à Regina, se dit Callaghan, et il était de passage à Montréal pour assister à un mariage ou à un congrès de l'ordre d'Orange. Quelque chose du genre. Callaghan fit venir l'annuaire de Regina et, obéissant à un pressentiment, celui de Winnipeg, mais il ne trouva aucun proche parent. Il eut donc recours à une autre ruse. Il chargea son avocat de publier des avis dans les quotidiens de Montréal, de Toronto et de tout l'ouest du pays : un héritage non réclamé de cinquante mille livres sterling attendait un certain M. Bert Smith, ex-douanier établi à Saskatoon. Aucun des emmerdeurs qui se présentèrent – certains menaçant même d'engager des poursuites – n'était le bon. Ainsi, Callaghan, se souvenant qu'il était soûl au moment où il avait vu le visage de Bert Smith remplir la vitre du tramway, en conclut à une apparition. Tel fut le parti qu'il prit sans y croire. Il était certain d'avoir vu Bert Smith.

Tim Callaghan prit sa retraite en 1965, pourvu d'une pension forcément généreuse, et s'établit dans un appartement de la rue Drummond. Créature d'habitude, il se levait à six heures et demie, quelle que soit l'heure à laquelle il s'était couché, se rasait, prenait sa douche, puis mangeait des œufs et du bacon en feuilletant la *Gazette*. Ensuite, il arpentait les rues, cherchant Bert Smith dans le bas de Westmount, à NDG et à Verdun, s'aventurant parfois jusque dans Griffintown, puis il faisait demi-tour, passait par le Hunter's Horn ou s'arrêtait à la taverne de Toe Blake pour bavarder avec les policiers du poste n° 10, y compris son neveu Bill.

Après un repas en solitaire dans son appartement, Callaghan sortait de nouveau dans le vain espoir de tomber sur Bert Smith ou, à tout le moins, de s'épuiser assez pour parvenir à dormir.

À force de sillonner les rues du centre-ville, Callaghan en vint à regretter de plus en plus le Montréal clinquant d'autrefois : les bons restaurants, les librairies et les bars avaient été remplacés par les sempiternels *fast-food* (Mikes, McDonald's, Harvey's), des magasins de vêtements tape-à-l'œil, des salles de jeux vidéo, des bars où des filles insipides dansent nues à votre table, des boîtes de nuit gays, des salons de massage et des *sex-shops*. Finis les salons exigus des cireurs de chaussures où on pouvait faire retaper son chapeau et peut-être aussi parier sur un cheval à Belmont. Le dernier barbier digne de ce nom avait remisé son enseigne des années auparavant. Disparus aussi, le Slitkin and Slotkin, le Carol, le Café Martin, l'Eiffel Tower, le Dinty Moore et Aux Délices. Errant dans les rues, Callaghan se demandait parfois s'il était le dernier homme en ville à avoir entendu Oscar Peterson jouer à l'Alberta Lounge ou à avoir terminé une longue nuit en prenant l'inévitable dernier verre pour la route au Rockhead's Paradise. Il était certainement le dernier Montréalais à avoir vu Babe Ruth lancer pour les Orioles de Baltimore au parc Atwater, à présent transformé en un centre commercial sordide.

Quand Moses était en ville, Callaghan avait l'habitude de le retrouver chez Magnan ou chez Ma Heller, et les agapes se poursuivaient jusque tard dans la nuit. Quelques années plus tôt, Moses, en proie à une vive agitation, lui avait dit :

« La semaine dernière, j'étais à Winnipeg, et je me suis rendu dans les bureaux du *Tribune*, où j'ai demandé à l'archiviste de me faire voir le dossier des Gursky. Mais tous les comptes rendus du meurtre de Willy McGraw ainsi que ceux de l'arrestation et du procès de M. Bernard avaient été volés. J'ai communiqué avec d'autres journaux. Le vieux salaud a chargé un de ses sous-fifres de parcourir l'Ouest d'un bout à l'autre et de nettoyer tous les dossiers.

— Moses, dit Callaghan, ton père n'a pas été enrôlé de force : il s'est porté volontaire. Rien ne l'obligeait à écrire des discours pour M. Bernard. »

Moses, alors jeune, avait beau boire avec excès, il était capable d'en prendre. Callaghan le trouvait intéressant, mais pas très sympathique. Moses était trop vif, porté aux jugements hâtifs, et il y avait chez lui, soupçonnait Callaghan, une tendance à en faire des tonnes, fruit d'un sentiment d'insécurité peut-être, mais tout de même. Et puis, le désir risible de Moses de se faire passer pour un parfait gentleman britannique le rebutait. Le costume de Savile Row. La cravate de Balliol College. Le parapluie roulé. Callaghan ne comprenait pas que Moses, s'estimant laid, peu séduisant aux yeux des femmes, se réfugie dans le rôle du paon se pavanant d'un air de défi. Du point de vue de Callaghan, ce qui rachetait le jeune Moses, si prompt à se mettre en colère, c'était qu'il n'avait pas encore compris que le monde était imparfait. Il s'attendait sincèrement à ce que justice soit faite.

Callaghan tenta bien de le dissuader de poursuivre ses recherches sur Solomon, mais, s'il avait prévu la déchéance qu'allait vivre Moses au nom de sa quête, il l'aurait éloigné de force du bourbier des Gursky.

« Je sais très bien pourquoi tu es si entiché de Solomon, dit Callaghan, mais tu es loin de connaître tous les faits. M. Bernard est un homme vulgaire, mais fidèle à lui-même : entièrement dévoré par sa soif de richesse. Tandis que Solomon…

— … a trahi les espoirs placés en lui ?

— Oui. »

Neuf

« Que ce soit le bon ou le mauvais moment pour investir, dit Becky, *je la veux.* »

Ainsi, en 1973, au moment où la plupart de ses amis, craignant l'agitation canadienne-française, convertissaient leurs actifs en argent liquide, Harvey Schwartz acheta un imposant manoir en calcaire sur le chemin Belvedere à Westmount. Juché à flanc de montagne de manière à dominer la ville de Montréal, Westmount avait la réputation d'être une enclave anglo-saxonne et protestante, la plus privilégiée du Canada. Bon nombre de ses grandes demeures, arrachées à la montagne, avaient été érigées par des *self-made-men* : des barons des céréales, des chemins de fer et de la bière ; des magnats des transports et des mines. Au départ, la plupart étaient des Écossais, fils triomphants du colonialisme, descendants de petits fermiers, de *shipchandlers* ou d'intendants de la Baie d'Hudson qui sculptaient dans la roche le blason de clans presque oubliés et érigeaient leurs maisons dans le but de rivaliser avec les plus grandes demeures d'Édimbourg. Harvey acheta la sienne, avec sa vue spectaculaire sur la ville et le fleuve en contrebas, d'un courtier en valeurs mobilières. Grand, voûté, celui-ci insista pour leur faire visiter les lieux lui-même, affichant tout au long un sourire acrimonieux. À l'étage, ils passèrent devant la série des Harvard Classics et les œuvres complètes de Dickens, et Becky s'arrêta pour admirer les reliures en cuir.

« J'ai publié des articles dans le *Jewish Review,* dit-elle, ainsi que dans *Canadian Author and Bookman.* Je suis membre du PEN Club.

— Dans ce cas, M. Schwartz a de quoi être fier.

— Absolument », dit Harvey.

Le courtier les fit entrer dans la chambre principale, ouvrit une garde-robe et dit :

« Voici qui va vous intéresser, monsieur Schwartz. Le coffre-fort mural. Évidemment, vous voudrez faire changer la combinaison.

— Loin de nous cette idée », dit Becky.

Au rez-de-chaussée, ils retrouvèrent la femme du courtier. L'élégante Mme McClure, au sourire cordial mais réservé. Malgré ses soixante-dix ans, songea Harvey, elle était encore magnifique. Ses cheveux cendrés, parcourus de mèches blondes, coupés court. De frêle constitution, elle s'appuyait sur une canne. Harvey avait aussitôt remarqué la jambe infirme. Aussi fine qu'un poignet – non, plus fine encore – et prisonnière d'un appareil orthopédique peu commode. Elle lui offrit un verre de sherry. La carafe était posée sur une table en cerisier où trônait un bouquet d'œillets de poète. Désignant du fromage et des craquelins, Mme McClure s'excusa de ne pas les recevoir plus dignement : leur domestique et leur chauffeur étaient déjà partis pour St. Andrews-by-the-Sea. Westmount, leur dit-elle, avait autrefois été un cimetière indien. On avait exhumé les premiers squelettes, découverts en 1898, sur les terrains du St. George Snowshoe Club. « Cette rue, expliqua-t-elle, n'a été tracée qu'en 1912. Petite, je descendais d'ici en traîneau jusqu'à la rue Sherbrooke en passant par le parc Murray Hill. »

Un portrait de McClure, en kilt et portant l'uniforme du Black Watch, était accroché au-dessus du manteau de la cheminée, sur lequel était posée une photographie autographiée de Mackenzie King. Le tableau le plus imposant de la pièce était le portrait ténébreux de Sir Russell Morgan, le grand-père de Mme McClure.

« Je crois comprendre que vos services sont retenus par les Gursky, dit McClure.

— Il dirige Jewel et siège au conseil d'administration de McTavish, précisa Becky. Il a reçu la Médaille du centenaire et…

— Vous connaissez M. Bernard ? demanda Harvey.

— Je n'ai pas ce plaisir.

— C'est un homme remarquable.

— Mme McClure, cependant, connaissait son frère, celui qui a perdu la vie dans des circonstances si tragiques. Solomon, si ma mémoire est bonne. »

Mme McClure, ménageant sa jambe infirme, boitilla jusqu'à un fauteuil avec une grâce stupéfiante. Aussitôt, elle s'assit, porta les mains à son genou et remit l'appareil métallique en place.

« J'espère, dit-elle à Becky, que vous aimez les roses-thé.

— Vous voulez rire ? Nous adorons les fleurs. Harvey m'en achète tout le temps.

— Pourquoi ne ferais-tu pas voir le jardin à Mme Schwartz ? Je suis certaine qu'elle en serait ravie.

— Avec votre permission, madame Schwartz. »

Mme McClure proposa un autre sherry à Harvey, mais il refusa.

« Je conduis, expliqua-t-il.

— Cette table est de lui, dit-elle.

— Pardon ?

— C'est Solomon Gursky qui a fabriqué cette table en cerisier. »

Harvey esquissa un mince sourire, sans être vraiment étonné. Des inconnus lui mentaient tout le temps dans l'espoir de l'impressionner. Les risques du métier…

« Ah bon ?

— Oui, mais c'était il y a longtemps. Ah ! te voilà, dit-elle à M. McClure sans se laisser décontenancer. Déjà de retour ?

— Mme Schwartz se faisait du souci pour ses talons hauts.

— C'est parfaitement compréhensible. Quelle étourderie de ma part. »

Ses yeux bleus et froids empreints de malice, M. McClure leva son verre de sherry. « Pendant des générations, cette maison a été celle de Sir Russell Morgan, puis la mienne. Longue vie à la résidence des Schwartz et, ajouta-t-il en s'inclinant légèrement devant Becky, à sa nouvelle châtelaine, au charme si délicat. »

Dehors, Becky dit : « Maintenant que la maison est à nous, où m'emmènes-tu pour célébrer ? »

Il l'emmena chez Ruby Foo's.

« Mme McClure…, commença Harvey. Tu as remarqué ?

— Qu'elle est infirme ? Tu me prends pour une aveugle ?

— Non. Pas ça. Ses yeux.

— Qu'est-ce qu'ils ont ?

— Il y en a un brun et un bleu.

— Ne regarde pas, dit Becky, mais les Bergman viennent d'entrer.

— Je n'avais encore jamais vu ça.

— Comment peut-elle porter une robe pareille ? Elle vient de subir une mastectomie, tout le monde est au courant. Ah, je vois. On les fait avec des mamelons, à présent.

— Quoi donc ?

— Les faux nichons. *Je t'ai dit de ne pas regarder.*

— Je ne regarde pas !

— Et ne mange pas avec des baguettes. On te regarde. Tu as l'air complètement ridicule. »

Dix

« Qu'en avez-vous pensé, Olive ?

— Il devrait se mettre au régime, ça urge. Il était si sexy, Brando. Oh là là ! »

Mme Jenkins n'osa pas faire allusion au *Dernier Tango à Paris,* qu'elle était allée voir en catimini, seule. S'imaginer aux côtés de Bert Smith quand Brando tend la main vers le beurre...

« Mais, ajouta-t-elle, j'ai un faible pour Al Pacino.

— Il est italien.

— Oui, mais il est séduisant. Ses yeux de braise... Vous vous souvenez de Charles Boyer ? *Come wiz me to ze Casbah.* C'était le bon temps, hein, Bert ? Et vous, vous en avez pensé quoi ?

— Que c'était choquant et immoral, du début à la fin !

— Dit la prieure au vendeur de brosses. Vous n'avez pas fait un bond quand le type s'est réveillé avec la tête de cheval dans son lit ?

— Dans la vraie vie, il se serait réveillé quand on est entré dans sa chambre avec cette horreur. »

Fermant ses petits yeux de fouine et gonflant sa lèvre inférieure, Mme Jenkins dit :

« Et si on l'avait mise là pendant qu'il était sorti, monsieur je-sais-tout ?

— Il aurait sûrement remarqué la bosse au pied de son lit au moment de se coucher.

— Vous savez, Bert, il faut soixante-douze muscles pour

froncer les sourcils et seulement douze pour sourire. Vous devriez essayer, un de ces quatre. »

Comme d'habitude, après la matinée, ils allèrent au Downtowner s'offrir une petite douceur. Smith commanda du thé, des toasts au blé entier et de la confiture aux fraises.

« Et pour vous ? demanda la serveuse.

— Faites-moi une offre que je ne pourrai pas refuser.

— La dame prendra un banana split.

— Une ou deux additions ?

— M. Smith et moi payons toujours chacun notre part. »

Aussitôt la serveuse disparue, Mme Jenkins prit toutes les petites dosettes de moutarde et de ketchup et les fourra dans son sac à main.

« En nettoyant la table avec son chiffon crasseux, la serveuse s'est penchée pour ton bénéfice.

— Je ne comprends pas.

— *Ses lolos.*

— Je vous en prie, dit Smith.

— Et peut-être, je dis bien peut-être, le type ne s'est pas réveillé parce qu'il avait pris des somnifères avant de se coucher, comme tout le monde à Hollywood, à en croire ce qu'on lit.

— Dans ce cas-là, pourquoi s'est-il réveillé un peu plus tard ? »

Mme Jenkins soupira profondément et leva les yeux au ciel.

« Arrêtez votre cirque, Bert. Et déridez-vous donc un peu. »

Mais c'était impossible. Le monde marchait à l'envers, toutes ses convictions les plus chères étaient méprisées. Autrefois, les agents du FBI, comme Dennis O'Keefe ou Pat O'Brien, étaient les héros du cinéma ; dorénavant, c'était *Bonny and Clyde.* Quant aux gardiens de l'ordre public, ils étaient présentés comme des êtres corrompus. Même dans les westerns, quand on se donnait encore la peine d'en faire, ce n'était plus Randolph Scott ou Jimmy Stewart qui tenait la vedette, mais Butch Cassidy et le Kid. Les mémoires des putains et des escrocs figuraient parmi les meilleures ventes. Dans un bureau de la rue

Prince-Arthur où trônait en vitrine, au vu et au su de tous, un livre – *Manual for Draft-Age Immigrants to Canada* – qui expliquait comment mentir pour rester au pays et éviter la conscription, une grosse Juive en minishort accueillait de jeunes froussards venus des États-Unis. Des Canadiens français exigeaient avec suffisance que les fils des anglophones qui les avaient vaincus sur les plaines d'Abraham parlent leur langue, un patois qui faisait grincer des dents les vrais Français. Les tablettes de la bibliothèque de Westmount débordaient de cochonneries et, par les chaudes soirées d'été, on risquait, en se baladant dans le parc Murray Hill, de trébucher sur des étrangers en train de copuler.

Depuis que le bureau de douane l'avait injustement congédié, Smith n'avait jamais profité de l'aide sociale. Il avait toujours réussi à s'en sortir, d'une manière ou d'une autre. Il avait tenu les livres d'un magasin de pièces d'automobile, à Calgary, jusqu'au jour où il avait compris que M. Hrymnak comptait sur lui pour fausser sa déclaration de revenus. Pendant huit ans, il avait été caissier au Wally's Prairie Schooner, où on lui confiait la responsabilité des dépôts bancaires, jusqu'à l'arrivée d'un nouveau directeur, un jeune Italien avec une banane sur la tête. Vaccarelli avait remercié Smith de ses services et l'avait remplacé par une jeune Polonaise aux cheveux blonds décolorés.

Durant ces années de galère, Smith fit appel à un grand nombre d'avocats. Les plus respectables le renvoyaient nerveusement dès qu'il se mettait à déblatérer contre les Juifs, et les autres l'escroquaient. Chaque fois qu'un nouveau ministre de la Justice était nommé, Smith lui écrivait une lettre-fleuve dans laquelle il réclamait, en vain, la réouverture de son dossier.

Smith atterrit une première fois à Montréal en 1948. En désespoir de cause, il répondit à une petite annonce parue dans le *Star* et se retrouva au service d'un Juif : Hornstein's Home Furniture sur la Main. Le premier jour, Smith se rendit compte qu'il était l'une de six recrues présentes dans le magasin. Gordy Hornstein les réunit avant d'ouvrir les portes à la foule qui grouillait déjà, les clients jouant des coudes, tapant sur les vitrines. « Vous voyez ces trois meubles de salon, là, dans la vitrine ? Hier, dans le *Star*, j'ai pris une demi-page pour annoncer que les cinquante premiers clients pourraient avoir l'ensemble pour cent vingt-cinq dollars. Si vous en vendez un, vous êtes virés. Racontez ce que vous voulez aux chasseurs d'aubaines. On ne peut pas livrer avant dix ans. Les coussins sont rembourrés avec des crottes de rats. La structure est en carton. N'importe quoi. Votre travail consiste à les convaincre d'acheter des articles plus chers et de signer un contrat de douze mois. Maintenant, laissez-moi vous donner quelques conseils parce que vous êtes nouveaux chez nous et que seulement trois d'entre vous seront encore ici la semaine prochaine. On voit toutes sortes de gens ici. Des Canadiens français, des polaques, des macaronis, des frisés, des Juifs, des nègres, en veux-tu, en v'là. On n'est pas chez Ogilvy ni chez Holt Renfrew. C'est la Main. Vous vendez un ensemble de cinq meubles à un Canadien français pour trois cent cinquante dollars ? Livrez-lui quatre articles dépareillés provenant d'ensembles moins chers et il ne dira rien parce que c'est probablement la première fois qu'il met les pieds dans un vrai magasin et que, de toute façon, il s'attend à se faire rouler par un Juif. J'espère que vous avez mémorisé les prix sur les feuilles que je vous ai fournies, vu qu'il n'y en a aucun sur les articles. Avec les Italiens et les Juifs, il faut toujours donner le double parce que la seule chose qui les fait bander, c'est qu'on coupe le prix en deux. Encore une chose. Ici, on ne vend pas aux PD. »

À l'époque, PD était l'acronyme qu'utilisaient les Canadiens pour désigner les personnes déplacées, c'est-à-dire les rares survivants européens autorisés depuis peu à s'établir au pays.

« Pourquoi on ne vend pas aux réfugiés ? demanda une des recrues.

— Et merde. Parce que, à mes yeux, les PD ne sont pas juste des gens qui viennent de débarquer, ce sont des nègres. Pour eux, tout ce qui compte, c'est l'acompte. Ils me donnent le minimum, ils mettent mes meubles dans leur camionnette volée et c'est à la revoyure, Arthur. Dites-leur que nous n'avons plus l'article qu'ils veulent. Dites-leur qu'ils trouveront la même chose pour moins cher chez Greenberg ; il me fait le même coup, qu'il pourrisse en enfer. Mais ne leur vendez rien. Bon, bouchez-vous le nez. Je vais leur ouvrir les portes du paradis. Bonne chance, les gars. »

Smith, qui ne dura pas la semaine, trouva un meilleur boulot, cette fois comme chef de rayon au grand magasin Morgan. Il y travaillait seulement depuis un mois lorsque, à bord du tramway n° 43, il vit Callaghan à un carrefour, qui le dévisageait. *Menteur. Judas.* Peu de temps après, les Gursky lui tendirent un piège en bonne et due forme en publiant un avis manifestement fallacieux dans le *Star,* l'appât étant un héritage non réclamé de cinquante mille livres sterling destiné à un certain Bert Smith. *Ils croient vraiment que je suis stupide. Complètement stupide. Que je souhaite finir dans une flaque de sang dans le hall d'une gare, comme McGraw. Ou flottant sur les eaux du fleuve.* Trop futé pour se laisser berner par une ruse aussi grossière, mais tout de même effrayé, Smith fit ses bagages et quitta Montréal. Il mit le cap sur l'Ouest en apportant, enveloppée dans une serviette pour la protéger, sa précieuse photographie sous verre d'Archie et de Nancy Smith posant devant leur hutte de terre à Gloriana. À bord du train, Smith se réconforta en imaginant les Gursky réunis en conclave, fabuleusement riches, certes, mais effrayés à la pensée qu'il y avait quelque part un homme pauvre, mais honnête, qui savait de quoi ils étaient capables et ne se laisserait pas acheter, un homme aux aguets qui attendait son heure, écrivait à des fonctionnaires d'Ottawa.

Smith fut réceptionniste pour une petite agence de recouvrement de Regina, vigile dans un grand magasin de Saskatoon et se hissa de nouveau au rang de teneur de livres dans une entreprise d'Edmonton, où il resta jusqu'au jour où le patron découvrit que le bureau de douane l'avait jadis congédié pour avoir semé la pagaille, peut-être même pire.

Puis, en 1963, de retour à Montréal, il parcourut les flancs de la montagne pour se faire une idée d'ensemble des demeures des Gursky, longeant les hauts murs de brique hérissés de tessons de verre inquiétants, épiant à travers les portails en fer forgé.

> Il y a paix sous la tente des pillards,
> Sécurité pour ceux qui offensent Dieu,
> Pour quiconque se fait un dieu de sa force.

Mû par une extrême indigence, Smith demanda un prêt de trois cents dollars à la banque. L'employée vers qui on le dirigea, une Noire ondoyante qui avait moins de la moitié de son âge, sembla amusée.

« Mon Dieu, s'exclama-t-elle. À soixante ans, vous n'avez aucune histoire de crédit. Vous n'avez donc jamais emprunté d'argent ?

— J'aimerais voir le directeur, s'il vous plaît.

— M. Praxipolis ne s'occupe pas des petits prêts.

— Et, à la Banque Royale, je m'attendais à traiter avec des gens de mon espèce », lança-t-il en sortant du bureau.

Heureusement, l'affable Mme Jenkins accepta un chèque postdaté pour la première semaine de loyer, et voilà désormais dix ans qu'il habitait chez elle.

Une décennie.

Smith reprisait lui-même ses chaussettes, mais Mme Jenkins faisait sa lessive. Après leur première année de vie commune, elle ne lui fit plus payer qu'un loyer symbolique. En contrepartie, Smith effectuait de menus travaux, tenait les comptes des loyers, effectuait les dépôts à la banque et préparait les déclarations de revenus de Mme Jenkins. Il vivotait grâce à sa pension et à de petits boulots, travaillant à l'occasion comme gardien de nuit, plongeur ou préposé au stationnement. Mme Jenkins lui cédait une tablette de son réfrigérateur. Ils regardaient la télévision ensemble. Puis, de retour dans sa chambre, Smith feuilletait souvent ses albums consacrés aux Gursky, qui débordaient d'informations sur les activités de la famille.

Au fil des ans, Smith vit pousser un peu partout des immeubles financés par le vieux *bootlegger* et portant son nom. Il avait déjeuné avec le premier ministre, lut-il un jour. À peine quelques mois plus tôt, Lionel Gursky avait obtenu que Saint Andrews, où se tenait le British Open, accepte une bourse de deux cent mille livres sterling pour le tournoi Loch Edmond's Mist. Sa dernière concubine en date faisait l'objet d'un article de fond dans *Queen* :

> « Il y a des gens qui achètent des objets pratiques ; ma folie à moi, ce sont les peintures », avoue l'éblouissante Vanessa Gursky, beauté anglaise et épouse de Lionel Gursky, qui sera sans doute le prochain PDG de la société James McTavish Distillers Ltd. Châtelaine dans le Connemara, mais tout aussi à l'aise dans son grand appartement terrasse de Fifth Avenue à New York (« Mon pied-à-terre dans la Grosse Pomme », dit-elle de façon absolument charmante) ou sa maison signée Nash dans Regent's Park, Vanessa, grande voyageuse, a posé pour Graham Sutherland et Andy Warhol. On la voit ici devant son œuvre favorite, le portrait exécuté par Annigoni, peinture d'une élégance ensorcelante.

À l'occasion de la fête légendaire organisée au Ritz pour le soixante-quinzième anniversaire de M. Bernard, la *Gazette* publia la liste des heureux invités. Quelques mois plus tard, le vieux *bootlegger* était mort. Cancer. Smith assista aux funérailles, se mêla à la foule des endeuillés et c'est là qu'il tomba sur Judas en personne.

« Tim Callaghan. Vous vous souvenez de moi ?

— Je me souviens de vous. »

Un matin, à peine une semaine plus tard, Mme Jenkins frappa bruyamment à la porte de Smith.

« Un gentleman demande à vous voir.

— Je n'attends personne.

— Il dit que c'est important. »

Et, ayant contourné Mme Jenkins, l'homme était là, souriant avec bienveillance.

« Bertram Smith ?

— Qu'est-ce que ça peut vous faire ?

— J'aimerais vous parler en privé. »

Mme Jenkins, dont la poitrine massive se souleva devant une telle insulte, ne broncha pas.

« Vous savez ce qui est brun, noir et blanc et qui fait bon effet sur un avocat ? demanda-t-elle, les narines frémissantes.

— Qu'est-ce qui vous fait croire que je suis avocat ?

— J'ai raison ou pas ?

— Oui.

— Alors ?

— Brun, noir et blanc ? Qui fait bon effet sur un avocat ?

— Hum hum.

— Aucune idée.

— Un doberman, dit Mme Jenkins en sortant de la pièce et en faisant claquer la porte derrière elle.

— Bon, maintenant, dites-moi ce que vous me voulez, fit Smith.

— Pour peu que vous soyez bien Bert Smith, unique descendant d'Archibald et Nancy Smith venus d'Angleterre en 1902 pour s'établir dans ce pays et que vous ayez en votre possession des pièces d'identité qui le prouvent, ce que je veux, monsieur, c'est vous informer que nous vous cherchons depuis des années. Vous êtes le légataire d'un héritage considérable.

— Un instant », ordonna Smith.

Il entrouvrit la porte de sa chambre. Non, elle ne les espionnait pas.

« Très bien, fit-il. Allez-y. Dites-moi tout. »

TROIS

Un

Strawberry descendait de loyalistes de l'Empire-Uni. Le nom de son arrière-grand-père, le capitaine Josiah Watson, était gravé sur une plaque de cuivre incrustée dans un rocher sur la rive du lac Memphrémagog, mémorial consacré aux pionniers, « à ceux qui ont bravé ce pays sauvage afin que leurs enfants et autres jouissent des avantages de la civilisation au cœur de l'une des merveilles de la Nature ».

Un jour, Strawberry emmena Moses voir le rocher. Il se dressait sur une hauteur où, depuis longtemps, les adolescents du coin se donnaient des rendez-vous galants. Le sol était jonché de tessons de bouteilles et de préservatifs. À l'origine isolé, le rocher surmontait à présent VINCE'S ADULT VIDEOS au bord de la route ; juste en dessous, un panneau annonçait que le terrain voisin accueillerait bientôt les PIONEER PARK CONDOMINIUMS et leur marina dernier cri. Autre projet de lotissement d'ACORN PROPERTIES supervisé par Harvey Schwartz.

Moses trouva le nom du capitaine Watson dans *Settling the Townships* de Silas Woodford : « Le premier établissement de ce que nous appelons aujourd'hui Watson's Landing est dû au capitaine Josiah Watson, loyaliste de l'Empire-Uni originaire de la province de New York, venu de Peacham, au Vermont, vers la fin du XVIIIe siècle. »

C'était peut-être à ce genre d'hommes que pensait une

autre historienne du coin, Mme C. M. Day, quand, dans *History of the Eastern Townships, Province of Quebec, Dominion of Canada, Civil and Descriptive*, elle écrivit : « De façon générale, les hommes qui composaient notre population initiale étaient tout sauf portés sur la religion ; on disait même, peut-être non sans raison, hélas, que rares étaient ceux qui, parmi ces pionniers de la première heure, craignaient Dieu. »

Dès que ces voyous eurent engrangé leur première récolte, ils distillèrent les grains excédentaires pour produire des spiritueux, d'où une remarque plutôt acerbe de Mme Day : « Lentement mais sûrement, on préparait ainsi le terrain à l'ivrognerie, à la pauvreté et aux diverses formes de vice qui, souvent, conduisent au crime et à d'atroces châtiments. »

Ce fut indubitablement le cas du capitaine Watson qui, sortant en titubant de la cabane d'un ami, par une nuit pluvieuse de printemps, réussit un exploit de taille : se noyer dans un fossé où il y avait au maximum trois pouces d'eau. Son fils Ebenezer, buveur de première lui aussi, semblait destiné à marcher sur ses pas jusqu'au jour où il fut, au sens propre, tiré du ruisseau de Magog par l'imposteur connu sous le nom de frère Ephraim.

« Voici, lui dit le frère Ephraim, le jour de l'Éternel arrive, jour cruel, jour de colère et d'ardente fureur, qui réduira la terre en solitude, et en exterminera les pécheurs. »

Le frère Ephraim était l'unique auteur des *Preuves tirées des Écritures d'un second avènement du Christ dans les Cantons-de-l'Est vers l'an 1850,* date qu'il remplaça ensuite par 1852 et, enfin, par le 26 février 1853.

Laissant ses démons derrière lui, Ebenezer Watson se joignit au frère Ephraim et à ses deux principaux convertis, les révérends Columbus Green et Amos Litch, dénonça la tyrannie de la gnôle et propagea la peur du Jugement dernier.

Plusieurs disciples d'Ephraim, notamment Ebenezer Watson, prenant très au sérieux ses mises en garde au sujet des chameaux et des hommes riches, cédèrent leur bétail et leurs titres de propriété à la Société de fiducie millénariste. En prévision de la fin du monde, ils achetèrent aussi des robes d'ascension au frère Ephraim. Les hommes se souciaient peu de la coupe de leurs amples robes, mais bon nombre de femmes, en particulier les plus jeunes, durent se plier à d'innombrables essayages dans la cabane en rondins que frère Ephraim s'était construite dans les bois. Elles y venaient à tour de rôle et ce n'est que beaucoup plus tard qu'elles s'interrogèrent entre elles sur les entailles, les nœuds et les creux profonds qui lui ciselaient le dos.

Les millénaristes, qui ne furent jamais plus de deux cents, étaient la risée du village. À l'hôtel de Crosby, par exemple, ainsi qu'autour du poêle à bois chauffé à blanc d'Alva Simpson & Co., négociants en médicaments brevetés, parfums, accessoires en caoutchouc, lotions capillaires, articles de pharmacie en tous genres, etc., etc., etc. Les rires des sceptiques se firent plus insistants lorsque le monde omit de prendre fin le 2 juin 1851, comme initialement prévu. Il était évident que le Créateur avait fait faux bond aux millénaristes réunis dans la salle communautaire de Magog, vêtus de leur robe d'ascension. La *Sherbrooke Gazette*, un journal des Cantons-de-l'Est populaire à l'époque et propriétaire de SMITH'S PATENT EGG BEATER (capable de battre une chopine d'œufs en cinq secondes), écrivit : « Suivant l'erreur de calcul du frère Ephraim eu égard au "moment de la fin", de nombreux disciples apostasièrent, mais beaucoup restèrent d'une foi inébranlable. »

Réaction bien compréhensible, au fond. Le sol qu'ils s'efforçaient de cultiver, ancien territoire de chasse de la nation algonquine, était parsemé de monticules inexploitables et jonché de pierres. Les premiers colons, leurs grands-parents, s'étaient réunis en groupes de quarante pour réclamer un canton de dix milles carrés et avaient divisé la forêt entre eux, l'agent se réservant la plus belle parcelle.

Les grands-parents se mirent en route avec un réchaud, une hache, un fusil, des munitions, des sacs de semences, peut-être une ou deux vaches ou un bœuf. Il n'y avait pas de routes. Il n'y avait même pas de sentiers. En attendant d'avoir terminé la construction de leur première cabane en rondins, avec un toit en écorce et un sol en terre battue, ils dormaient à la belle étoile dans la forêt, sur des lits faits de branches de sapin, dont les plus grosses servaient à les protéger du vent. Sans allumettes, ils étaient dépendants du silex, de l'acier et de leur courage. Dès le mois de juin, ils devaient entretenir des feux de boucane dans le vain espoir d'éloigner des mouches à chevreuil grosses comme des bourdons. Ils n'avaient pas de foin, alors ils détruisirent les barrages des castors, asséchèrent les terres inondées et consommèrent les herbes sauvages qui y poussaient. Ils apprirent à se nourrir de coucous et d'orties, de berces, de châtaignes de terre et d'oignons sauvages. Ils étaient aux prises avec des panthères et des chats sauvages, des ours noirs qui tuaient les veaux et les emportaient. Lorsqu'ils se procurèrent des agneaux, des dindes et des poules, ils se rendirent compte que ceux-ci étaient la proie des lynx et des loups. Les vêtements qu'ils portaient étaient pour la plupart fabriqués par les femmes, qui apprirent à manier la carde, la quenouille, le rouet et le métier à tisser. Avec un peu de chance, certains engrangèrent leur première moisson au bout de seulement trois ans. Si les cultures ne donnaient rien, les hommes abattaient des arbres et fabriquaient du sel noir avant de parcourir quarante milles pour écouler la potasse, qu'on leur achetait pour trois fois rien.

À l'époque d'Ebenezer, les familles habitaient de vraies cabanes avec un trou servant de cave à légumes, un foyer en pierre, un sol en planches équarries et quelques meubles de fortune. On avait tracé des routes, et des ponts couverts enjambaient les ruisseaux et les rivières. Il y avait des débits de boissons clandestins, des scieries et des moulins, des magasins généraux et un médecin (interdit d'exercer à Montréal) qui faisait des visites à domicile, des églises, des journaux, un bordel et du whisky maison en quantité industrielle. Certaines choses, cependant, n'avaient pas changé. Pendant six mois de l'année, les colons enduraient des hivers solitaires et féroces que seuls égayaient de loin en loin une bagarre ou un suicide ou un meurtre commis à coups de hache. À quatre heures du matin, ils se levaient en titubant et sortaient dans la neige profonde pour traire les vaches. Ensuite venaient les inondations printanières, les mouches noires, les maringouins, le travail de l'aube jusqu'au crépuscule et, pour finir, les comptes à faire. En général, ils semaient tard parce que le sol était gelé dur jusqu'à la fin mai. Et, souvent, ils ne moissonnaient rien du tout à cause d'une tempête de grêle ou d'un gel tardif en juin, ou encore d'une canicule impitoyable qui desséchait les plants de maïs dans les champs. Dans les villages, où les mariages entre cousins étaient la règle plutôt que l'exception, les idiots et les enfants difformes ne manquaient pas. Avec tout ce qu'elles avaient à faire, la cuisine, les conserves, la couture, le filage, les vaches à traire, le beurre à baratter et les chandelles à fabriquer, les femmes qui ne mouraient pas en couches étaient vieilles avant l'âge. Les hommes se réveillaient avant le point du jour pour aller défricher leurs pauvres lots dans les collines, jonchés de pierres et de souches, et s'occuper des récoltes et des bêtes ; dès le mois de mai, il fallait qu'ils commencent à couper le bois de chauffage pour l'hiver. Plus ils travaillaient, plus ils s'endettaient, semblait-il. Pas étonnant, dans ces conditions, qu'ils aient accueilli à bras ouverts un prophète qui leur promettait la fin du seul monde qu'ils aient connu.

Le frère Ephraim, après avoir consulté les révérends Litch et Green, révisa ses calculs en se fiant essentiellement au Livre de Daniel et aboutit à une toute nouvelle date, soit le 1er mars 1852, par chance assez rapprochée. Une fois de plus, il exhorta ses ouailles à se purifier. D'autres millénaristes se départirent donc de leurs titres de propriété. Négligeant leurs fermes, ils se réunirent de nouveau dans la salle communautaire de Magog et, de nouveau, ils furent déçus. On lut dans le *Townships Bugle* la manchette suivante :

SITUATION DIFFICILE
POUR DES CENTAINES D'HABITANTS DES CANTONS-DE-L'EST

Le frère Ephraim fixa une nouvelle date irrévocable : le 26 février 1853. D'autres titres de propriété lui furent cédés. Tandis que les millénaristes se préparaient à la fin du monde, Ebenezer Watson, deux fois déçu et profondément déprimé, renoua avec la bouteille et vida la réserve d'élixir balsamique à base de plantes qu'avait constituée sa femme, un remède du révérend N. H. Downs fortement recommandé pour la névralgie, les rhumatismes, les maux de tête et de dents, les coliques, le choléra morbus et la diarrhée. Ebenezer redevint un habitué de l'hôtel de Crosby.

« Hé, Eb, s'il y a pas de tempêtes de neige, de banquiers et de fumier de cochon, là-haut, ça te dérangerait de nous faire signe ? »

Un matin, lassé du ridicule – à juste titre – et impatient d'en finir, Ebenezer avala une pleine cruche d'alcool maison, revêtit sa robe d'ascension et grimpa sur le toit de sa grange. À midi pile, il s'élança dans le vide avec l'intention de gagner le ciel en solitaire. Sa tentative échoua. Il tomba, s'écrasa sur une pierre qui dépassait de la neige et mourut, le cou cassé.

Ebenezer ne laissa à sa femme et à ses six enfants que la terre originelle de quatre-vingts acres que, par suite d'un heureux oubli, il n'avait pas cédée aux millénaristes. Ce soir-là, tandis que les Watson pleuraient, les habitants des environs du lac furent réveillés par des jappements de chiens. Ils se dirent que le frère Ephraim partait relever ses collets le long de la rivière aux Cerises, mais on ne le revit plus jamais à Magog.

Sans le frère Ephraim, l'ascension n'allait pas être très amusante, si bien que, le 26 février, seulement soixante-dix millénaristes environ se réunirent dans la salle communautaire. Retenus au sol pour la troisième fois, ils s'en prirent aux révérends Green et Litch. Les deux hommes de Dieu furent battus, enduits de goudron et de plumes, et conduits aux limites de Magog à bord d'un traîneau. Avec jubilation, le *Witness* de Montréal rendit compte de l'escroquerie, le journaliste se payant une pinte de bon sang aux dépens des péquenauds. Peu après, les millénаristes dépossédés de leurs biens virent trois inconnus dans la quarantaine, manifestement fortunés, débarquer de Montréal. Descendant à la Magog House, les étrangers ne se mêlaient pas aux autres et chuchotaient entre eux. Ils dînèrent avec « Ratty » Baker, le banquier du coin, étudièrent des relevés d'arpentage et burent beaucoup de vin, en particulier le type dodu au visage écarlate, un avocat.

Le lendemain matin, l'avocat convoqua les millénaristes et leur proposa de les aider à récupérer leurs propriétés ; ce serait du gâteau, leur dit-il. S'interrompant pour porter une flasque en argent à ses lèvres et boire une gorgée, il leur donna l'assurance qu'ils avaient devant eux le petit-fils d'un laboureur des verts arpents du bon Dieu. Il comprenait ce que représentait la terre, savait que les hommes l'avaient dans le sang. Souvent, poursuivit-il, au moment même où il plaidait une cause avec succès auprès du plus haut tribunal du pays, il regrettait de ne pas se trouver sur la terre de son grand-père à couper du foin, le parfum le plus doux de la création. Même s'il s'était abstenu de leur débiter de telles absurdités, Russell Morgan, conseiller de la reine, n'était pas du genre à inspirer confiance aux habitants des Cantons-de-l'Est. Il arborait un manteau de castor, des demi-guêtres, un coupe-cigare en argent et un gros ventre rebondi.

« Ouais, mais si vous nous rendiez nos terres, les hypothèques viendraient avec, pas vrai ?

— Non, monsieur, répondit l'avocat en reprenant une gorgée pour se désaltérer. Ephraim Gursky, car c'est le vrai nom de cette crapule d'Hébreu, a liquidé les hypothèques avec des pépites d'or d'une taille qu'on n'avait jamais entrevue dans une banque auparavant. »

Assis au fond, les deux complices de l'avocat, Darcy Walker et Hugh Clarkson, s'agitèrent aussitôt. L'un d'eux tira de sa poche un immense mouchoir en lin et s'en servit moins pour se moucher que pour y jouer de la trompette. L'autre martela les lattes du plancher avec sa canne.

« Remarquez, s'empressa d'ajouter Russell Morgan, c. r., uniquement trahi par un afflux de sang à ses joues, il est certain que Gursky n'a pas trouvé ces pépites dans des ruisseaux des Cantons-de-l'Est. Il les avait apportées avec lui.

— C'était pas un Hébreu, dit un garçon. C'était un "quatre par deux".

— *Quatre par deux* est une expression cockney qui désigne un Juif, mon jeune ami, et Ephraim Gursky est l'un des pires représentants de cette vile race. Il est recherché par la police d'ici, mais aussi par les autorités de l'Angleterre et de l'Australie. »

Parmi les millénaristes, un murmure se fit entendre, un murmure que Russell Morgan, c. r., satisfait, prit pour de la réprobation, mais qui exprimait en réalité une admiration pure et simple.

« Sans blague !

— Racontez-nous ça.

— En 1835, Ephraim, qui vivait en Angleterre, a été déporté en terre de Van Diemen pour avoir falsifié des documents officiels. La suite est floue, cela va sans dire. Nous ne savons pas comment il est arrivé dans notre grand pays.

— Combien vos services nous coûteraient-ils, monsieur Chose ?

— Rien du tout, monsieur.

— On a beau être stupides, dit Abner Watson, on n'est pas fous. Combien ? »

Russell Morgan, c. r., expliqua qu'en cas d'échec, issue peu probable étant donné son brillant parcours et son éloquence légendaire devant le tribunal, ses services – très recherchés, inutile de le préciser – leur seraient offerts *pro bono publico.*

« Pardon ?

— Gratis. »

Si, en revanche, il devenait leur sauveur, toutes les terres boisées longeant la rivière aux Cerises – y compris les droits miniers, se hâta-t-il d'ajouter – lui seraient cédées.

Chat échaudé craignant l'eau froide, les millénaristes commencèrent à sortir un à un et atterrirent à l'hôtel de Crosby. De la fenêtre, ils virent Russell Morgan se faire passer un savon par ses deux acolytes ; l'un d'eux plongea même la main dans une poche du manteau de castor de Morgan, en tira la flasque et la jeta dans un banc de neige. Tandis que Morgan allait la récupérer, tout penaud, « Ratty » Baker accourut et prononça quelques mots. Les trois Montréalais partirent aussitôt pour Sherbrooke. Une fois sur place, ils se rendirent au bar du Prince of Wales Hotel, où ils découvrirent un petit homme féroce aux yeux de braise et à la barbe noire comme de l'encre, qui buvait seul dans un coin. Ils encerclèrent la table plus qu'ils ne s'en approchèrent.

« Que puis-je faire pour vous, mes bons amis ? »

Morgan agita un doigt devant lui.

« Vous êtes Ephraim Gursky ! »

Le petit homme à l'air farouche, observant nerveusement autour de lui, voulut se lever, mais il fut rapidement cerné, vissé à sa chaise, les trois hommes ayant pris place à table. Morgan, débordant de joie, prit le temps de s'allumer un havane en regardant le petit misérable suer. Mis au pied du mur, ils étaient tous les mêmes. Cette racaille. Morgan rit aux éclats, son ventre tressautant, et souffla de la fumée dans le visage d'Ephraim.

« Je me demande, commença-t-il, si nous devrions t'escorter jusqu'à Magog, où tu serais sans doute pendu à l'arbre le plus proche, ou faire preuve d'un minimum de charité chrétienne et nous contenter de te livrer aux autorités. Qu'est-ce que tu en penses, Hugh ?

— Grands dieux ! Quel dilemme !

— Je vous en prie », pleurnicha Ephraim, juste avant de tomber dans les pommes.

On fit venir le serveur.

« J'ai bien peur, dit Morgan, que notre ami n'ait un peu trop festoyé. Je suppose qu'il loge dans votre hôtel ? »

Darcy passa prendre la clé à la réception et les trois hommes le portèrent jusqu'à sa chambre. Après l'avoir jeté sans ménagement sur une chaise, ils le réveillèrent à coups de gifles.

« Eh bien, mon bonhomme, fit Morgan, il me semble, pour être parfaitement honnête, que tu es fait comme un rat. »

Darcy se mit à fouiller la valise d'Ephraim et Hugh inspecta les tiroirs de la commode.

« Le peu d'argent que j'ai est sous le matelas. Il est à vous si vous me laissez partir.

— C'est la meilleure, celle-là, les gars. Il nous prend pour de vulgaires voleurs.

— Vous êtes manifestement des gentlemen, mais je ne sais pas ce que vous me voulez.

— Disons que nous souhaitons acheter les propriétés que tu as acquises frauduleusement le long de la rivière aux Cerises.

— Elles ne valent rien, monsieur.

— Bon, pourquoi ne pas le ramener à Magog et en finir ? »

Les yeux exorbités, Ephraim vit Darcy tirer un lourd coffre en pin de sous le lit.

« Il est verrouillé.

— Les clés, Gursky.

— Perdues. »

Morgan sortit le trousseau de la poche du veston d'Ephraim.

« Je collectionne les pierres, dit Ephraim. C'est mon passe-temps.

— Elle est bien bonne, celle-là. Excellente, même. Je te signale que M. Walker est géologue et que M. Clarkson est ingénieur minier. »

Le coffre en bois fut ouvert, les échantillons dévoilés.

« Vous trouverez peut-être une ou deux pépites d'or dans le lot, dit Ephraim, mais je vous jure qu'elles ne viennent pas d'un ruisseau des environs.

— D'où viennent-elles, dans ce cas ?

— Du nord, mes bons amis. »

Les hommes firent circuler les pierres.

« Passez-moi à tabac, si ça vous chante, lança soudain

Ephraim. Dénoncez-moi à la police ou ramenez-moi à Magog, où je serai pendu, mais à moins d'en tirer un bon prix, je ne céderai pas les titres de propriété que j'ai mis trois longues années de dur labeur à accumuler. »

Les millénaristes, leurs terres envolées, étaient d'humeur à chanter l'alléluia. Frère Ephraim leur avait promis de les sauver et, de leur point de vue, il avait tenu parole. Dès la fonte des neiges, la plupart des expropriés entassèrent les quelques biens qui leur restaient dans une charrette et mirent le cap sur le sud. Libres. Enfin libres. Libres de laisser derrière eux cette terre glaciale et impitoyable. Certains se rendirent au Texas, dont il était abondamment question dans les romans populaires, mais d'autres n'allèrent pas plus loin que les « États de Boston » où, huit ans plus tard, quelques-uns, moyennant rémunération, prirent la place de riches Yankees dans l'armée de l'Union.

L'un des volontaires, Hugh McCurdy, était apparenté à la mère de Strawberry. Une de ses lettres subsista, rédigée sur du papier illustré de lithographie en trois couleurs provenant d'un Ornamental and Glorious Union Packet des imprimeries Magnus. Elle avait été écrite la veille de la bataille de Shiloh, où McCurdy perdit la vie, et un soir, Strawberry apporta la lettre au Caboose pour la montrer à Moses.

Chère Bess,

Bess, il y a de bonnes chansses que je soie apeler à me batre demain et parce que j'ai peur et que je sais pas si je vas en sortir, je t'envois quinze dollards et si je sui à cour, ce qui es très possible, je t'écrirez au besoin. Donne la petite amulete au père seulement au besoin. Dit à Amos d'être genti et de fère attention à lui et en temps que frère je lui conseil de jamais s'enroler parce que ces pas un endroi pour lui. Dit à Luke de ce contanter de ce qu'il a et de jamais s'enroler et se batre toute la journé. Bess ! Embrasse le petit Frankie

pour moi parce que moi je pourrez peut-être pas le fère. Je peu pensé à rien d'autre d'important.
De ton mari adorer.

HUGH MCCURDY

Le lendemain matin, Moses monta jusqu'à la maison de Strawberry, sur la colline. Ensemble, ils fouillèrent dans un coffre entreposé au grenier, où ils découvrirent, entre autres objets intrigants, le compte rendu, tiré d'un numéro du magazine *Harper's* de 1874, d'un voyage au pays du lac Memphrémagog à la suite de son éphémère boom minier. « De Knowlton à South Bolton s'étend la nature sauvage. On y voit parfois de petits ours et on y tue souvent des renards ; les ruisseaux à truites recèlent des trésors. De là, nous avons gagné la rivière aux Cerises. On croyait autrefois que les affluents de ce cours d'eau regorgeaient d'or, un banquier de Magog ayant brandi comme preuves quelques grosses pépites. Mais, pour le plus grand malheur des investisseurs de la New Camelot Mining & Smelting, tel ne fut pas le cas. Il y a là une histoire qui mériterait d'être racontée ! Nous sommes passés voir Sir Russell Morgan à sa résidence de la rue Peel, à Montréal, dont le portail arbore fièrement le blason de la famille, dans l'espoir qu'il nous éclairerait sur une question qui reste controversée. Hélas, il n'a pu nous recevoir. »

La New Camelot Mining & Smelting fut la pierre sur laquelle furent bâties trois grandes fortunes familiales montréalaises, celles des Morgan, des Clarkson et des Walker. L'action minière, dont le prix initial fut fixé à dix cents, grimpa à 12,50 $ avant de s'effondrer. À l'époque, des députés radicaux réclamèrent la tenue d'une enquête en arguant que Morgan et consorts avaient vendu avant l'éclatement de la bulle, mais leurs protestations restèrent lettre morte.

Sir Russell Morgan, dans son autobiographie parue à compte d'auteur, *Souvenirs d'un gentleman campagnard*, s'étendait longuement sur la question de ses ancêtres, dont il n'avait eu aucun mal à remonter la piste jusqu'à la conquête normande de 1066, même si – ou parce que, ainsi que certains plaisantins l'avaient laissé entendre – les noms de famille n'avaient pas encore été introduits en Angleterre à cette date. Mais il ne consacrait que deux paragraphes à l'aventure brève et houleuse de la New Camelot Mining & Smelting, la société qu'il avait fondée en partenariat avec le sénateur Hugh Clarkson et le député Darcy Walker. Dès le départ, indiquait-il, les trois hommes avaient été dupés par un renégat israélite qui leur avait assuré que les collines étaient parcourues de filons d'or. Il regrettait sincèrement les pertes subies par de nombreux investisseurs. Le secteur minier était risqué, hélas. Remarquez, ajoutait-il, il n'avait jamais entendu de plaintes de la part de ceux, plus nombreux encore, qui avaient gagné de l'argent en vendant leurs actions ou en investissant dans les entreprises qu'il fonda ensuite. Enfin, concluait-il, c'est la vie, ainsi que se plaisent à le dire nos charmants amis les « habitants ».

Deux

Souffrant d'une gueule de bois et incapable de se concentrer, Moses se dit que la journée ne serait pas complètement perdue s'il parvenait à mettre un semblant d'ordre dans les livres réunis dans sa cabane, à commencer par ceux qui s'empilaient par terre. Le premier qu'il ramassa fut *Le Tombeau de Palinure.* « Plus nous lisons de livres, lut-il, plus il est clair que la véritable fonction de l'écrivain est de produire un chef-d'œuvre et qu'aucune autre tâche ne doit avoir d'importance à ses yeux. Mais aussi évident que cela puisse paraître, il y a bien peu d'écrivains qui voudront l'admettre ou qui, l'ayant admis, seront prêts à laisser tomber l'échantillon de chatoyante médiocrité qu'ils ont commis ! »

Va donc chier, Cyril, songea Moses en jetant la plaquette à l'autre bout de la pièce. Puis, en raison de la grande estime qu'il avait pour Connolly, il se dépêcha d'aller la récupérer. Sur la page de garde, il y avait un autocollant de la librairie Blackwell ainsi qu'une mention écrite de sa main : « Oxford, 1956 ».

C'était, bien sûr, l'année où Moses aperçut pour la première fois Sir Hyman Kaplansky, homme à la fortune légendaire, assis à la table d'honneur de Balliol, où il bavardait avec deux des professeurs les plus rasoir. Quelques semaines s'écoulèrent avant que Moses tombe de nouveau sur Sir Hyman, cette fois à la librairie Blackwell. Le vieil homme avait une canne en malacca sous le bras. Il se présenta.

« J'ai lu votre article sur l'étymologie yiddish dans *Encounter*, dit-il. Je l'ai trouvé excellent.

— Merci.

— Vous ne m'en voudrez donc pas, j'espère, de relever une petite erreur. J'ai bien peur que vous vous soyez mépris sur l'origine de *kike*. Partridge aussi, remarquez, qui fait de 1935 l'année de la première occurrence du mot en anglais. Comme vous le savez, j'en suis sûr, Mencken y fait référence dès 1919 dans son *American Language*.

— Je croyais l'avoir mentionné.

— Oui. Mais vous laissez entendre que le mot a été introduit par les Juifs allemands, pour qui il se serait agi d'un terme désobligeant désignant les immigrants du *shtetl*, parce que nombre d'entre eux avaient un nom se terminant en *-sky* ou en *-ski*. D'où *ky-kis* et ensuite *kikes*. En fait, le mot est venu d'Ellis Island, où on demandait aux analphabètes de signer les formulaires d'entrée d'un X. Les Juifs, qui s'y refusaient, traçaient plutôt un cercle ou un *kikel*, et bientôt les inspecteurs prirent l'habitude de les appeler *kikelehs* et enfin *kikes*. »

Au bout d'un autre mois, la convocation lui parvint du Sinaï.

« Les goûts ne se discutent pas, dit à Moses son professeur d'histoire. La preuve, il semble que Sir Hyman Kaplansky se soit pris d'affection pour vous. »

Sir Hyman, expliqua le professeur, collectionnait des livres rares, en particulier liés au judaïsme, mais il se passionnait aussi pour l'Arctique. Il possédait l'une des plus importantes collections privées de manuscrits et d'éditions originales portant sur la recherche du passage du Nord-Ouest. Une université canadienne, McGill, si sa mémoire ne lui faisait pas défaut, lui avait proposé d'exposer sa collection. Sir Hyman, qui avait acquiescé à la demande, avait besoin de quelqu'un pour établir un catalogue. « J'imagine, dit le professeur, qu'une quinzaine de jours devraient vous suffire. Vous serez généreusement récompensé, même si je suis certain que l'idée ne vous serait pas venue de poser la question. »

La fois suivante qu'il passa par Londres, Moses se rendit directement au bureau de Sam Birenbaum dans Mayfair. Fidèle à son habitude, Sam se surmenait, ne fût-ce que pour faire ses preuves auprès du réseau de télévision qui l'engageait, et eut à peine le temps de s'offrir une chopine de bière et un pâté en croûte au pub du Guinea. Puis, de retour au bureau, il demanda au bibliothécaire de faire voir à Moses l'épais dossier consacré à Sir Hyman.

Selon les renseignements glanés ici et là, l'insaisissable Sir Hyman serait né à Alexandrie, d'un père courtier en coton, et il se serait enrichi en spéculant sur le marché des changes à Beyrouth avant de s'établir en Angleterre, peu avant la Seconde Guerre mondiale. Il fut fait chevalier en 1945, pour services rendus au Parti conservateur, disait-on, et accumula une fortune encore plus grande à titre de banquier d'affaires et de promoteur immobilier. L'immédiat après-guerre semblait toutefois un peu moins reluisant pour Sir Hyman, qui connut au moins deux échecs. En 1946, il créa une compagnie de navires, basée à Naples, et fit l'acquisition de deux navires de transport de troupes vieillissants ainsi que de plusieurs cargos à l'état de navigabilité douteux. Finalement, il dut radier sa flotte et vendre ses rafiots pour une bouchée de pain. Puis l'un de ses cargos, portant toujours l'emblème de la défunte compagnie, un corbeau peint sur la cheminée, fut surpris en train de contourner le blocus palestinien avant qu'un contre-torpilleur britannique ne l'oblige à se dérouter vers Chypre. Heureusement, Sir Hyman put prouver qu'il s'était départi du navire en question six mois plus tôt, ainsi qu'il s'en expliqua dans sa lettre au *Times*.

Puis, début 1948, il y eut une autre tentative infructueuse, cette fois dans le domaine de la production cinématographique. Sir Hyman, mordu d'aviation depuis qu'il avait appris à piloter au Kenya, confondit une fois de plus ses admirateurs de la City en achetant une villa à La Valette et en annonçant son intention de produire un film sur la bataille aérienne de Malte. À cette fin, il se mit à recruter d'anciens pilotes de la Seconde Guerre mondiale et à constituer une petite armada, surtout composée de Spitfire. Le film, cependant, ne fut jamais tourné, Sir Hyman se montrant incapable d'opter pour un scénario. En mai, il rentra à Londres, où il donna à un journaliste du *Financial Times* l'assurance qu'il ne s'aventurerait plus jamais dans un domaine qu'il connaissait mal et admit que sa flotte aérienne, qui avait fini à la casse, lui avait coûté une petite fortune. Le lendemain, David Ben Gourion proclama l'État d'Israël qui, dit-il, serait un « phare pour les nations ». Le nouvel État fut aussitôt attaqué par des troupes de la Syrie, du Liban, de la Transjordanie, de l'Égypte et de l'Irak.

Le plus récent ajout au dossier de Sir Hyman n'était en fait qu'une note dactylographiée par un recherchiste qui lui avait demandé de commenter une interview que Guy Burgess avait donnée, la veille seulement, à Moscou, où il venait de refaire surface.

« Le rouge qui a mis les voiles ? avait répondu Sir Hyman. Je connaissais à peine Burgess et, d'ailleurs, je ne me montre pas à la télévision. »

Dans le dossier, on trouvait des articles de magazines sur le domaine que possédait Sir Hyman à la campagne, près de Bognor Regis, sur la côte du Sussex. La propriété, ses antiquités et ses trésors artistiques avaient fait l'objet de reportages dans *Tatler* et dans *Country Life*. Lady Olivia était une cavalière aguerrie. Elle élevait aussi des corgis.

Moses brûlait d'envie de voir le domaine, mais il fut plutôt convoqué à l'appartement de Sir Hyman dans Cumberland Terrace. Moses arriva à quatre heures de l'après-midi, comme convenu, et le majordome le conduisit dans la bibliothèque.

Une fois seul, Moses parcourut pour la première fois les tablettes où s'alignaient des noms qui finiraient par se graver dans son âme : Sir John Ross, Hearne, Mackenzie, Franklin, Back, Richardson, Belcher, M'Clure, M'Clintock, Hall, Bellot… Puis il alla examiner de plus près un tableau accroché au-dessus du foyer. De l'art primitif esquimau. Sur un arrière-plan d'une blancheur éclatante, des rayons rouge sang jaillissaient d'une boule jaune représentant le soleil. En bas, un corbeau menaçant becquetait une tête d'homme qui flottait sur l'eau.

« Ah ! fit Sir Hyman en entrant dans la pièce. Je vois que vous vous êtes laissé séduire par le fourbe corbeau.

— De quoi s'agit-il au juste ?

— Un jour, un corbeau descendit sur un groupe d'igloos et dit aux habitants que des visiteurs approchaient. S'ils n'avaient pas aperçu les voyageurs avant la tombée du jour, dit-il, ils devaient établir un campement au pied de la falaise. Comme personne ne vint, les habitants firent ce qu'on leur avait ordonné et bâtirent de nouveaux abris. Lorsque la dernière lampe de pierre fut éteinte, le fourbe corbeau fonça vers le sommet de la falaise qui dominait les igloos. Là, perché sur un énorme surplomb de neige, il se mit à sauter, à courir et à danser, tant et si bien qu'il provoqua une avalanche. Les habitants, en contrebas, furent ensevelis et ne se réveillèrent plus jamais. Le corbeau attendit le printemps. Puis, lorsque la neige fondit, révélant les cadavres des malheureux, il s'amusa à leur vider les orbites. Selon la légende, le corbeau eut de quoi festoyer jusqu'au milieu de l'été. Que diriez-vous d'un verre de sherry ?

— Je préférerais un whisky, si vous n'y voyez pas d'inconvénient.

— Bien sûr que non. »

Ils furent interrompus par Lady Olivia. Nettement plus jeune que Sir Hyman, blonde, dotée d'une mâchoire impressionnante, elle tenait un plan de table sur lequel un petit drapeau indiquait chacune des places.

« Le secrétaire d'Henry vient de téléphoner. Il ne peut rien promettre pour ce soir. La Chambre va siéger tard.

— En ce cas, nous devrons tout simplement nous passer de lui.

— Mais tu n'as pas idée ! Je vais devoir asseoir Rab à côté de Simon. »

Sir Hyman jeta un coup d'œil aux drapeaux.

« Et si tu mettais Rab ici ?

— C'est là que j'ai installé Lucy. Elle sera enchantée. Après tout, c'est une tête couronnée qu'elle est venue chercher ici, non ?

— Lucy Duncan ?

— La petite Canadienne.

— Oh, Gursky. Remettons cette discussion à plus tard, d'accord ? fit Sir Hyman en indiquant Moses. Je n'en ai plus pour longtemps. »

Moses lisait un livre posé sur un pupitre. Les journaux intimes d'Angus McGibbon, intendant de la Compagnie de la Baie d'Hudson au fort Prince-de-Galles :

> Un jeune Blanc, inconnu de la Compagnie ou de la concurrence, vit à Pelly Bay parmi une bande d'Esquimaux nomades qui semblent l'adorer à la façon d'un guérisseur ou d'un chaman. Il s'appelle Ephrim Gor-ski, mais, peut-être en raison de sa peau foncée et de ses yeux perçants, les Esquimaux l'appellent Tulugaq, qui signifie « corbeau » dans leur jargon.

Une demi-heure plus tard, Lady Olivia, irritée, était de retour, le plan de table à la main.

« Tout est arrangé, ma chérie, dit Sir Hyman. M. Berger sera notre invité. Il est Canadien, lui aussi. Il a connu Lucy enfant. »

Pour Lady Olivia, c'était nettement insuffisant.

« Il étudie à Balliol. C'est un boursier Rhodes. Son père est poète.

— Comme c'est chou, fit Lady Olivia. Je ne savais pas qu'il y avait des poètes là-bas. »

Trois

Lucy.

Après leur première nuit ensemble, Moses reprit connaissance peu avant midi, se demandant à qui appartenaient les draps de soie dans lesquels il se trouvait, lorsqu'il parvint à isoler le bruit qui l'avait sans doute tiré du sommeil. Des haut-le-cœur, puis le gargouillis d'une chasse d'eau. Émergeant de nouveau, mais toujours vaseux, il ouvrit les yeux avec effort et se dirigea vers l'origine du bruit : derrière une porte ouverte, il aperçut Lucy, nue, agenouillée devant la cuvette. Tant bien que mal, elle se remit sur pied, vacillante, d'une maigreur attendrissante.

« Que veux-tu qu'Edna te prépare pour le petit déjeuner ?

— Du café noir. Et je ne dirais pas non à une vodka jus d'orange. »

Toujours nue, Lucy appuya sur un bouton encastré dans le mur puis grimpa sur sa balance. Une grosse dame noire à la mine maussade entra sans frapper. Lucy ne se donna même pas la peine de se retourner.

« Apporte-nous une grande quantité de café noir, du jus d'orange fraîchement pressé et deux yogourts. Au fait, Edna, je te présente M. Berger. Il vient habiter chez nous. »

Moses attendit qu'Edna soit sortie avant de lancer :

« Ah bon ?

— Si tu as déjà tout oublié, finis de manger et fiche le camp.

— Non, j'ai envie de rester. Et que chaque matin tante Jemima me monte le journal et un délicieux yogourt pendant que je me prélasse au lit.

— J'ai pris trois quarts de livre. »

S'il avait voulu, il aurait pu compter ses côtes, une vraie planche à laver.

« À mon avis, tu ne pèses pas plus de cent livres. »

Cent dix, songea-t-il, si tu portes tous tes bijoux.

« Tu ne comprends pas. On nous force à être minces. Aurais-tu oublié tout ce qui s'est passé hier soir ?

— Je me souviens d'absolument tout.

— Dans ce cas, pour qui est-ce que j'auditionne cet après-midi ?

— Manchester United ?

— Très drôle !

— Rafraîchis-moi la mémoire.

— Sir Carol Reed.

— Je l'avais sur le bout de la langue.

— C'est d'ailleurs là que j'ai passé une bonne partie de la nuit. »

Moses rougit.

« Tu constateras qu'il m'arrive d'être plutôt grossière, mais c'est de famille. Je suis la fille d'un satyre, paraît-il. Tu as un smoking ?

— En quelque sorte, répondit-il en se disant qu'il emprunterait à Sam de quoi en louer un.

— Tant mieux, tu en auras besoin ce soir. »

Elle lui expliqua qu'ils assisteraient à la première d'une nouvelle pièce au Royal Court et ensuite à une réception habillée chez Sir Hyman Kaplansky.

« Es-tu capable de ne pas boire jusqu'à mon retour ? »

Il en fit la promesse.

« Il y aura Ken Tynan, Oscar Lowenstein, Joan Littlewood, Peter Hall et Dieu sait qui d'autre. Hymie les a tous invités pour moi. »

Dès qu'elle fut sortie, Moses se servit un verre de vodka pure et explora l'élégant appartement. Ses tablettes regorgeaient de textes de théâtre, de mémoires de comédiens, d'études consacrées aux vedettes et aux starlettes d'Hollywood. Un panier en osier débordait d'anciens numéros de *Stage, Variety, Plays and Players, Films and Filming*. Moses décida qu'encore un peu de vodka – trois doigts, mettons – ne lui ferait pas de tort, puis il s'écroula dans un fauteuil à oreilles recouvert de velours. Quelque chose lui pinça le bas du dos. Il extirpa un collier de perles, assez long pour pêcher à la ligne, qui devait valoir, selon lui, des milliers de livres. Soudain conscient qu'on le surveillait par la lucarne de la cuisine, il déposa l'objet dans le cendrier le plus proche, où il tomba en cliquetant.

« Vous avez besoin de quelque chose, monsieur Berger ?

— Non, je vous remercie. »

À son retour, Lucy était d'une humeur massacrante. « Quand il faut choisir entre moi et une pute qui vit dans une chambre de bonne, c'est elle qui décroche le rôle. On me punit parce que je suis riche. »

La pièce, véritable fourre-tout, se révéla interminable. Croulant sous les symboles. Si, par exemple, un personnage allumait la radio, il ne tombait jamais sur les derniers résultats sportifs ou sur la météo. C'était invariablement Chamberlain qui annonçait une ère de paix ou un type déclarant qu'on venait de lâcher la bombe sur Hiroshima. Dehors, le chauffeur de Lucy attendait dans la Bentley. Harold les conduisit chez Sir Hyman, dont l'appartement était bondé de producteurs et de metteurs en scène importants, que Lucy pourchassa inlassablement. Moses, qui ne connaissait personne, se réfugia dans la bibliothèque, où il prit un titre familier, le livre qui l'avait persuadé que le séjour dans l'Arctique d'Ephrim Gor-ski, ou Tulugaq, avait été fructueux. C'était une édition originale de *La Vie avec les Esquimaux, récit de la recherche de survivants de l'expédition de Sir John Franklin dans l'Arctique* du capitaine Waldo Logan. Logan, originaire de Boston, avait fait voile à bord du baleinier

Determination le 27 mai 1868. Un mois plus tard, au moment d'entrer dans le détroit d'Hudson, il écrivit : « Le lendemain, 29 juin, nous mîmes une fois de plus le cap sur la côte, mais le temps restait brumeux, et nous ne pûmes nous en approcher que vers quatre heures de l'après-midi, peu de temps après avoir aperçu le *Marianne.* Deux jeunes Esquimaux se ruèrent vers nous. Au bout de quelques minutes, ils étaient à côté de notre bâtiment et nous les hissâmes à bord, y compris leurs kayaks. Ils s'appelaient Koodlik et Ephraim. Hauts de cinq pieds et six pouces, ils avaient de petites mains, de petits pieds et des traits agréables, sauf qu'il leur manquait à tous deux quelques incisives. Les garçons, qui avaient apporté une grande quantité de saumons, de capelans et d'oiseaux de mer, étaient impatients de commercer avec nous. Rapidement, nous trouvâmes un terrain d'entente et l'atmosphère fut à la fête. Dans la cabine où nous prîmes le souper, ils firent preuve de bonnes manières. Mais Ephraim, le plus jeune, refusa de manger avant d'avoir salé et béni son pain en murmurant une prière. Je ne compris pas grand-chose, mais j'appris que le mot esquimau pour "pain" est *lechem.* »

Une fois de plus, l'alcool trahit Moses, qui commença à voir double. Il remit le livre sur sa tablette et se dirigea vers une fenêtre à meneaux, qu'il parvint à ouvrir. Il inspira un grand bol d'air frais. Puis, se sentant un peu mieux, il s'avança vers le tableau qui, ayant détrôné le fourbe corbeau, était désormais accroché au-dessus du foyer.

« C'est le prince Henri le Navigateur. »

Surpris, Moses se retourna et vit s'approcher Sir Hyman.

« Quel âge avez-vous, Moses ?

— Vingt-cinq ans.

— Eh bien, en 1415, le prince Henri, âgé de vingt et un ans, rompit tous ses liens avec la cour et devint le Navigateur. Il s'établit au cap Saint-Vincent, la pointe sud-ouest du Portugal. À partir de ce promontoire, il envoya des bateaux cartographier les côtes de l'Afrique, mais, par-dessus tout, chercher le royaume légendaire du prêtre Jean. Mais vous connaissez sans doute cette histoire.

— Désolé, mais non.

— Ah, c'est le royaume mythique des justes, véritable paradis terrestre. Un royaume de rivières souterraines d'où jaillissaient des pierres précieuses et l'habitat d'une espèce de ver stupéfiante qui filait la soie la plus exquise. On estimait qu'il se trouvait quelque part dans les "Indes". On racontait que le prêtre Jean alliait le flair militaire à une piété digne d'un saint et qu'il descendait des rois mages. On comptait sur lui pour conquérir le Saint-Sépulcre de même que pour défendre l'Europe civilisée contre l'Antéchrist, les hordes de cannibales qui hantaient les terres de Gog et de Magog. L'existence du royaume fut révélée par une lettre que le prêtre Jean aurait écrite en 1165 et envoyée à l'empereur romain de Constantinople. Hélas, on découvrit que la lettre était fausse. Il n'y a pas de royaume des justes. Seule existe la quête d'un tel lieu, sujet qui intéresse surtout les idiots, vous ne trouvez pas ? »

Dans tous ses états et tout en dents, Lady Olivia entra au galop dans la bibliothèque.

« Te voilà, Hymie ! Tout le monde te réclame.

— J'arrive, ma chérie. »

Dans l'embrasure de la porte, il s'arrêta et se retourna vers Moses.

« Vous aurez compris, j'en suis certain, que Lucy est une jeune femme tourmentée. Soyez gentil avec elle, je vous en prie. »

Au début, ils furent effectivement gentils l'un avec l'autre, jouèrent au papa et à la maman, couvés par Edna et Harold et approvisionnés par Harrods, Paxton & Whitfield, Fortnum & Mason, Berry Bros. & Rudd.

Veiller l'un sur l'autre était un jeu qu'ils vinrent à apprécier.

Lucy étonnée de se soucier du bien-être d'un autre et Moses satisfait que quelqu'un pense à lui. Le taquinant, le cajolant, se privant elle-même de vin, elle finit par le convaincre de s'abstenir de boire. À jeun depuis une quinzaine, il mentit, lui dit que l'alcool ne lui manquait pas, et elle le supplia de poursuivre ses travaux sur le plan Beveridge et l'évolution de l'État-providence britannique.

Un après-midi, accompagnée d'Harold, elle visita Harrods, puis Asprey, puis Heal, acheta une boîte du papier le plus soyeux, une machine à écrire électrique, des fiches livrées dans un adorable coffret en velours aux tiroirs équipés d'une poignée en laiton, un fauteuil en cuir et un bureau ancien dont la surface de travail était recouverte de cuir repoussé. Puis, pendant que Moses était sorti se promener, comptant les pubs qu'il croisait sur sa route, son chemin de croix à lui, elle fit transformer son salon en bureau. L'ensemble sembla à Moses d'une grande prétention, mais il fut malgré tout enchanté, en particulier par la cave à cigares Fabergé remplie de Davidoff. Il se dit que seuls deux détails manquaient. Un portrait de M. Berger, Esq., supportant courageusement le poids du cosmos, contemplant ses mystères, et naturellement du liège pour tapisser les murs.

Lucy, découvrit-il, était venue à Londres (à bord du premier vol outre-mer au départ d'Idlewild dans lequel son siège porte-bonheur, le cinq, était libre) au lendemain de sa liaison new-yorkaise avec un pilote de formule 1 sud-américain. Son amant suivant, un magnifique garçon qu'elle avait rencontré au bar de Quaglino, avait pris la fuite en emportant un collier fait d'or, de diamants et de perles qui avait appartenu autrefois à Catherine II de Russie. La Royal Academy of Dramatic Art ne voulant pas d'elle, pas plus que la London Academy, Lucy bricola sa propre école. Elle suivit les cours de théâtre d'un disciple de Lee Strasberg un peu toqué, les leçons de danse et de mouvement d'un ivrogne qui s'était autrefois produit au Sadler's Wells (une vieille tantouze plutôt vache avec qui Moses aimait déjeuner à l'occasion), en plus d'étudier le chant avec un ancien ténor de

La Scala qui prétendait avoir fui Mussolini, mais qui, croyait Moses, avait plus vraisemblablement cherché à échapper aux critiques cinglantes. Un cadre de McTavish avait déniché une agence de renom pour représenter Lucy, avant de se rendre compte qu'il s'agissait de la fille de Solomon, et non de M. Bernard, et qu'il s'était donné du mal pour rien.

Le jour d'une audition, Lucy se réveillait convaincue d'avoir une mine de déterrée, ce qui était généralement le cas, puisqu'elle avait très mal dormi. Elle se refaisait tant bien que mal une beauté et fonçait chez Vidal, chez son psy, sa masseuse et son professeur de chant, mais pas nécessairement dans cet ordre. Puis, serrant contre elle son portfolio de photos signées David Bailey et regrettant d'être moins jolie que Jean Shrimpton ou Bronwen Pugh, elle rejoignait les autres filles, qui serraient elles aussi leur portfolio, assises sur le banc devant la salle de répétition sordide, où elle attendait que le gros type aux cheveux gras, planchette à pince en main, crie son nom. Pourquoi Lucy, riche comme elle l'était, s'humiliait-elle de la sorte, se jetait-elle dans la mêlée dans l'espoir de décrocher un petit rôle dans un film médiocre ? Moses n'y comprenait rien. Pour son bien, il aurait souhaité que tous la rejettent, ce qui aurait eu pour effet de la ramener sur terre. Mais, hélas, on lui jetait parfois traîtreusement un os qui embrasait ses rêves de célébrité. Un rôle de secrétaire impertinente dans un film taillé pour Diana Dors, par exemple. Ou encore, celui de la standardiste qui, en mâchant de la gomme, mettait Eric Portman ou Jack Hawkins, rien de moins, en communication avec l'Amérique. Moses tentait de la raisonner.

« Ce n'est quand même pas comme si on te proposait de jouer Masha ou Cordelia. Pourquoi as-tu besoin de ça ?

— Va donc lire un livre, espèce de salaud. »

Ce furent en réalité leurs jours les plus heureux. L'époque où, restant à la maison avec lui au lieu de foncer tous les soirs aux Ambassadeurs, au Mirabelle ou au Caprice, elle avait l'occasion de jouer un rôle à la Celia Johnson. La plupart du temps, il semblait satisfait de passer la soirée à lire au salon. Elle-même s'y essaya, mais, incapable de se concentrer, elle se contentait de feuilleter un magazine, de faire des casse-tête ou de regarder la télé en passant d'une chaîne à l'autre. Pendant tout ce temps, elle s'efforçait de faire taire une voix intérieure qui protestait, lui disait qu'elle gaspillait ses plus beaux jours dans une sorte de caverne, vieillissait en compagnie d'un ex-alcoolique morose et peu doué au lit, alors que le véritable plaisir était ailleurs. Non, non, se corrigeait-elle. Il accoucherait d'une œuvre prodigieuse et on verrait en elle une nouvelle Aline Bernstein, cette Juive plantureuse sans qui, selon un de ses professeurs à l'université, son époux n'aurait jamais réussi. Ouais, évidemment. Sauf que Thomas Wolfe était un *goy* grand et fort, tandis que Moses, soyons honnête, était un petit intellectuel aux yeux exorbités et aux lèvres charnues qui avait tout l'air d'un israélite. *Le Temps et le Fleuve* est un classique publié dans la Modern Library, alors qu'une étude sur le plan Beveridge accompagnée de tableaux et de graphiques… Cause toujours.

Ce qu'elle n'avait pas saisi, c'est qu'il avait horreur de passer ses soirées à lire au salon, habitude née non pas d'une vive prédilection, mais bien de la pauvreté. Son attrait pour Lucy tenait en partie au fait qu'elle l'emmenait aux Ambassadeurs ou au Mirabelle, un monde qu'il brûlait de connaître, mais qui était au-dessus de ses moyens. Après être sortie avec lui deux ou trois fois, cependant, elle s'était juré qu'on ne l'y prendrait plus. Moses, que l'opulence rendait mal à l'aise, quoiqu'il en raffole, composait avec cette contradiction en faisant des commentaires narquois sur les couples resplendissants assis aux autres tables. Dans les restaurants chics, où l'arrivée de Lucy était naguère célébrée en grande pompe, le maître d'hôtel répandant les flatteries comme autant de pétales de rose, Moses la plongeait dans l'embarras en ne réglant l'addition qu'après avoir vérifié chacune des entrées ainsi que le montant total.

Un soir, Moses, qui s'ennuyait ferme, dit :

« Parle-moi de Solomon.

— J'avais seulement deux ans quand il est mort.

— Ta mère ne t'a jamais parlé de lui ?

— Il l'a rendue folle. Qu'y a-t-il à ajouter ? »

Les vêtements de Lucy, achetés chez Dior ou chez les sœurs Rahvis, traînaient partout, et c'était Edna qui les ramassait. Allongée sur le canapé, plongée dans la lecture du dernier numéro de *Vogue,* elle avait l'habitude de se curer le nez d'un air distrait. Fait encore plus déconcertant, il arrivait que son pouce se glisse dans sa bouche et qu'elle le suce avec avidité, sans s'en rendre compte. Une mère folle et un père absent : voilà qui expliquait pourquoi elle ne savait aucunement se tenir à table, croyait-il, sans l'excuser pour autant. Malgré tout, elle parvenait, à force de taquineries, à le tirer de ses épisodes de dépression, plus fréquents maintenant qu'il devait se passer d'alcool.

« Qu'allons-nous faire de passionnant cet après-midi, Moses ?

— Qu'est-ce qui te ferait plaisir ?

— Peut-être qu'un autre mordu de l'Arctique, aux dents toutes cariées, donne une conférence à l'ICA ?

— Que dirais-tu plutôt de prendre le thé chez Hymie, s'il est libre ? »

Sir Hyman semblait ravi de les voir, mais, dès qu'ils furent installés, le majordome les interrompit et murmura un message à l'oreille de son maître.

« Ah bon ? répondit Sir Hyman. Je ne l'attendais pas aujourd'hui. »

Un homme grand et dégingandé, avec une petite bouche pincée, fit son entrée. Sir Hyman le présenta : c'était le directeur adjoint de l'Institut Courtauld et le conservateur des tableaux de la reine.

Bien que Sir Hyman les ait suppliés de rester, Moses prit congé et entraîna Lucy vers la sortie, mais il n'avait aucune envie de passer encore une soirée enfermé avec elle dans son appartement de Belgravia.

« Pourquoi n'irions-nous pas souper au Mirabelle ? »

Pas de réponse.

« Je m'en voudrais de te couper de tous tes vieux amis.

— Que fais-tu toute la journée dans ta pièce ? Je ne t'entends plus taper à la machine.

— Je supporte courageusement le poids du cosmos, contemplant ses mystères.

— Edna a trouvé une bouteille de vodka vide, cachée au fond du placard. »

En dépit de leurs prises de bec, elle en vint à compter sur lui. Son ancre, se disait-elle. Un homme qui savait décortiquer un scénario ou expliquer les personnages qu'elle rêvait de jouer d'une manière qui lui permettait d'éblouir plus d'un metteur en scène par sa perspicacité. Mais les soirées qu'ils passaient ensemble à l'appartement lui devinrent à elle aussi insupportables. Malgré tout, elle n'entendait pas l'inviter à sortir avant que les cliquetis de la machine à écrire aient recommencé. Elle prit donc l'habitude de mentir, de dire qu'elle répétait avec une amie alors qu'elle se trouvait en réalité au Annabel ; quant à lui, heureux de ces instants de solitude, il se remit à boire en cachette et à remplir les bouteilles de scotch et de cognac entamées avec du thé froid dès qu'Edna avait le dos tourné. Puis, un matin, Lucy rentra du bureau de son agent, tout excitée. L'un de ces nouveaux metteurs en scène l'avait vue à la télé et invitée à passer une audition pour un rôle mineur, mais central, dans la nouvelle pièce d'un auteur dont même Moses avait dit qu'il n'était pas entièrement sans mérite. L'audition devait avoir lieu l'après-midi même, mais elle rentra à l'appartement après minuit et envoya valser un bol de pot-pourri en renversant une table basse. « Il m'a dit que j'étais parfaite, née pour jouer ce rôle, et qu'il ne se donnerait même pas la peine d'auditionner d'autres candidates. » Puis, ajouta-t-elle, il lui avait demandé si la perspective de prendre une collation avec lui ne l'assommait pas trop. Harold les emmena chez Boulestin.

« Comme c'est rafraîchissant ! fit le metteur en scène en

frottant ses petites mains dodues l'une contre l'autre. Il faut fêter ça. N'est-ce pas, ma chère ?

— Certainement.

— Nous pourrions commencer par une montagne de caviar et une bouteille de Dom Pérignon, si vous n'y voyez pas d'inconvénient ?

— Pas du tout. »

Il la régala d'anecdotes méchantes sur Larry et Johnny G. Lorsque des admirateurs s'arrêtèrent à leur table, il la présenta comme sa plus récente trouvaille.

« Du homard, ça vous dirait ?

— Pourquoi pas ?

— Vous êtes adorable.

— Oh, pour l'omelette norvégienne, il faudrait prévenir Vincent.

— Excellente idée. »

Il commanda une bouteille de chassagne-montrachet. Enfin, au moment où il entamait son deuxième verre d'armagnac, elle demanda :

« Excusez-moi d'insister, mais quand commençons-nous à répéter ?

— Heureux que vous posiez la question, car nous avons un petit pépin.

— Je vous écoute.

— Ce n'est rien, vraiment, fit-il en poussant adroitement vers elle la soucoupe sur laquelle on avait posé l'addition. Mais il nous manque encore quinze mille livres pour mettre la production en branle.

— C'est tout ?

— J'étais sûr que vous comprendriez. »

Elle lui proposa de commander une autre bouteille de champagne.

« Vous croyez que votre chauffeur pourrait me raccompagner chez moi, ou est-ce trop demander ?

— Aucun problème.

— J'habite dans le Surrey, vous savez.

— Et alors ?

— C'est très gentil de votre part. »

Puis Lucy dit à Moses : « Dès que Mario a eu débouché la bouteille, je la lui ai arrachée des mains, j'ai posé mon pouce sur le goulot, je l'ai secouée trois ou quatre fois et j'ai aspergé sa face de gros lard. Puis je suis sortie du restaurant en criant à Vincent de m'envoyer l'addition par la poste. À présent, si ça ne te dérange pas, j'aimerais que tu me verses un cognac. Et pendant que tu y es, sers-t'en un. Je sais très bien ce que tu fabriques ici. Finis les faux-semblants. »

Ils burent toute la nuit et ne s'arrêtèrent qu'au milieu de l'après-midi. Entre deux crises de larmes, Lucy lui parla de M. Bernard, d'Henry et de sa mère folle. M. Bernard, dit-elle, s'en était pris à Nathan lorsqu'il avait appris que son fils, alors âgé de seulement sept ans, avait refusé de se battre à la Selwyn House School. « Je m'en vais de ce pas téléphoner à l'Hôpital général juif, avait-il dit, pour voir si je peux t'échanger contre une fille. »

La démarche s'était révélée infructueuse. « Je suis coincé avec toi : l'hôpital n'accepte pas les lâches. »

Puis, poursuivit Lucy, à l'époque où ils étaient encore autorisés à jouer avec les autres enfants Gursky, M. Bernard leur avait dit que, petit, il n'hésitait pas à sauter dans un corral rempli de mustangs sauvages.

« Et regarde ce que sont devenus les enfants Gursky, dit Lucy. Tous plus cinglés les uns que les autres. Sauf Lionel. Une ordure encore plus détestable que son père. Henry est un fou de Dieu. Anita s'achète un nouveau mari tous les ans. Nathan a peur de traverser la rue. Barney a brisé le cœur d'oncle Morrie. Il refuse de lui adresser la parole. Un de ces quatre, il finira derrière les barreaux. Quant à Morrie, je ne le comprends pas. Plus oncle Bernard le maltraite, plus il se montre loyal envers ce vieux pirate. »

À la mort de Solomon, dit Lucy, quand son avion avait

explosé en plein vol, M. Bernard, en larmes, était venu chez eux pour promettre à sa mère qu'il agirait comme un père pour eux, désormais : « Je jure sur la tombe de ma sainte mère que je traiterai les enfants de Solomon comme les miens. » Elle avait alors hurlé : « Assassin ! Va-t'en et ne remets plus jamais les pieds ici ! »

« Assassin ?

— Jusqu'à sa mort, elle est restée convaincue que l'explosion n'était pas un accident. La vérité, c'est que mon père ne méritait pas une telle loyauté. Il a épousé ma mère parce qu'elle était enceinte. Quand elle a fait une fausse couche, il s'est dit qu'il avait désormais le droit de rentrer à la maison quand ça l'arrangeait.

— Pourquoi n'a-t-elle pas demandé le divorce ?

— À l'époque, c'était impensable. Elle l'aurait peut-être fait, remarque, s'il n'y avait pas eu Henry. Ou moi. Mon père était un vrai salaud. Elle m'a dit un jour qu'il laissait son journal intime sur son bureau pour qu'elle puisse lire ce qu'il pensait de ses maîtresses.

— Solomon tenait un journal ?

— Oui. Non. Qu'est-ce que ça change ?

— Où est-il ?

— Ça ne te regarde pas. C'est peut-être Morrie, ce pauvre type, qui l'a.

— Tu aimerais le récupérer ?

— Vous faites une sacrée paire, le Dr Hersheimer et toi. Non, merci. J'en sais déjà trop sur son compte.

— Mais c'était ton père.

— Parce que toi, tu adores le tien, peut-être ? Tu te souviens du jour où nous nous sommes vus pour la première fois ?

— Oui.

— Il y avait un espace vide sur le mur, là où se trouvait le portrait d'une femme aux yeux de deux couleurs différentes, celui qui avait été volé.

— Oui.

— C'était une de ses maîtresses, de toute évidence, et il

avait accroché son portrait à cet endroit pour que ma mère le voie tous les jours. »

Ils finirent par s'endormir et, à leur réveil, ils s'offrirent un petit déjeuner composé de bloody mary et de saumon fumé. Lucy, malade à n'en plus finir, était rongée par le remords.

« Je t'ai menti, dit-elle.

— À quel propos ?

— Le champagne que j'aurais jeté au visage de ce gros lard. J'en mourais d'envie, mais je n'en ai pas eu le courage. Par contre, je l'ai bien laissé en rade au restaurant. »

Lucy téléphona à son agent qui, lui dit-on, était en réunion. Elle l'appela de nouveau à midi. Il était sorti déjeuner. Moses et elle passèrent au scotch et Lucy réessaya à cinq heures. L'agent n'était pas disponible.

« Il y a d'autres agents », dit Moses.

Elle se sauva et ne rentra qu'à midi le lendemain.

« J'ai joint le metteur en scène, dit-elle, mais trop tard. Il a trouvé l'argent ailleurs. »

C'est alors seulement qu'elle remarqua que Moses avait fait ses valises.

« Tu ne peux pas m'abandonner maintenant. Je suis en train de perdre la tête. Écoute, tu peux boire autant que tu veux. Je ne dirai rien. Reste. Je t'en prie, Moses. »

Le lendemain, elle courut dans une galerie d'art de New Bond Street acheter à Moses une eau-forte de Hogarth qu'il avait un jour admirée et, dans une autre boutique, une édition originale de *Narrative of a Journey to the Shores of the Polar Sea* de Sir John Franklin. L'après-midi même, elle congédia Edna.

« Mais je croyais que tu l'adorais, s'étonna Moses.

— Je l'adorais. Je l'adore. Mais tu n'as donc rien lu sur le boycottage des autobus à Montgomery, en Alabama, espèce de *shmuck* ? À présent, tout le monde ne parle que de ce Martin Luther King. Les gens racontent qu'il n'est pas étonnant que Miss Crésus ait une domestique noire. J'ai dû la renvoyer.

— J'espère au moins que tu lui as expliqué pourquoi.

— Elle est si bête, celle-là, qu'elle n'aurait rien compris de toute façon. »

Deux ou trois jours plus tard, Lucy loua un bureau dans Park Lane, embaucha un secrétaire et un lecteur de scénarios, puis elle se mit à racheter les droits de plusieurs romans et pièces et à confier à des tâcherons le mandat d'en faire des scénarios de films où elle tiendrait le premier rôle. Bientôt, des foules d'agents cupides et d'écrivains ineptes accoururent dans l'intention de profiter de la légendaire fortune des Gursky. On la consultait. On l'écoutait. En contrepartie, elle n'avait qu'à signer des chèques. Mille cinq cents livres par-ci, deux mille cinq cents par-là, deux mille ailleurs. Elle s'étonnait du peu qu'il fallait pour les satisfaire. Déconcertée, elle demanda à Moses :

« Combien gagne un écrivain ?

— Un de tes tricoteurs de scénarios ou un vrai ?

— Un vrai, disons. »

Il lui répondit.

« Eh bien ! j'ai vraiment affaire à une bande de crétins. »

Mais l'un d'eux, ancien jeune premier dans plusieurs farces du West End, attira son attention. Jeremy Bushmill, à présent dans la quarantaine, tentait de s'imposer comme écrivain et réalisateur. La première version du texte dont elle avait acquis les droits fut remarquée par les scénaristes de Sydney Box. Lucy, armée des notes que Moses lui avait fournies, invita Jeremy à dîner. Au grand ravissement de Lucy, il insista pour régler l'addition. Ils allèrent du Wheeler au Gargoyle Club, établissement qui n'était plus le même, dit-il, depuis que le pauvre Dylan était parti. En revanche, Brian Howard, abruti par l'alcool, était là, et Jeremy dit à Lucy qu'il avait inspiré le personnage d'Ambrose Silk. Lucy ne rentra qu'à deux heures du matin. Moses, feignant de dormir, ne broncha pas. Mais en l'entendant se faire couler un bain, il comprit. Il alluma la lampe de chevet et alla se chercher un verre et un cigare, puis il attendit qu'elle sorte de la salle de bains.

« Tu t'es bien amusée ?

— C'est un casse-pieds », répondit-elle.

Elle se servit à boire et s'assit par terre.

« Et si on se mariait et qu'on avait des enfants, tous les deux ?

— Je suis un ivrogne notoire. Et, à mon avis, mieux vaut attendre d'être sorti de sa propre enfance pour avoir des enfants.

— Qui est Ambrose Silk ?

— Un personnage dans un roman d'E. M. Forster.

— Lequel ?

— *Capitaine Hornblower.* »

Au cours de la semaine suivante, Moses se dénicha un appartement convenable dans Fulham, mais il ne serait pas libre avant le premier du mois. Lucy s'absentait souvent, rentrait tard, se glissait dans la baignoire. Elle avait soin de rester de son côté du lit, veillant à ce que leurs corps ne se touchent pas, le pouce enfoncé dans la bouche. Puis, un soir, tandis qu'elle se maquillait dans la chambre, on sonna à la porte. C'était Jeremy, grand et beau, avec son chapeau à la Sherlock Holmes et son veston en tweed Harris. Jeremy, un bouquet de roses à la main.

« J'ai bien peur qu'elle ne soit pas encore prête. Je mets les fleurs dans un vase ?

— C'est sacrément gênant comme situation, vous ne trouvez pas ?

— Comment se comporte votre égérie ?

— Elle est merveilleuse. Ses notes sont toujours au poil. »

Lucy rentra plus tôt que d'habitude.

« J'ai quelque chose à te dire, fit-elle.

— Pas la peine. Je déménage demain matin. »

Elle tenait à ce qu'il travaille pour sa société de production en tant que scénariste, en échange d'un acompte de dix mille livres par année.

« Nous mangerions ensemble tous les midis.

— Tu ne cesseras jamais de m'étonner, Lucy.

— J'espère que ça veut dire oui.

— Absolument pas.

— Oh, Moses, Moses, je t'aimerai toujours, à ma façon, mais j'ai besoin de lui. La dimension physique…

— Je comprends.

— J'ai autre chose à te dire. »

Comme aucun réalisateur ne se montrait disposé à lui donner sa chance, elle avait décidé de monter un spectacle de prestige et d'y inviter un groupe sélect de metteurs en scène, de producteurs et d'agents. Elle avait acquis les droits du *Journal d'Anne Frank* pour trois représentations seulement et, à cette fin, avait loué l'Arts Theatre. Jeremy dirigerait la mise en scène, jouerait lui-même M. Frank et se chargerait de compléter la distribution.

« Qu'en dis-tu ?

— Tu devrais engager des spectateurs et les payer pour applaudir, tant que tu y es.

— Je veux que tu assistes aux répétitions, que tu prennes des notes et que tu me signales mes erreurs.

— C'est hors de question.

— Viendras-tu au moins à la première ?

— Je ne raterais ça pour rien au monde.

— Nous resterons amis pour la vie. »

Câline, elle s'assit sur ses genoux et se pelotonna contre lui. Mais il la sentait encore préoccupée.

« Dis-moi, Moses, qui a écrit *Mr. Norris change de train* ?

— P. G. Wodehouse.

— Je devrais le lire ?

— Pourquoi pas ? »

Sir Hyman Kaplansky assista à la première. Plusieurs producteurs et réalisateurs firent de même, ainsi qu'un nombre étonnant d'artistes que rien n'obligeait à être là. Quelques-uns étaient mus par la curiosité, d'autres, désireux de conclure un accord avec la société de production de Lucy, par l'intérêt ; il y avait aussi la claque réunie par Bushmill, mais la plupart des spectateurs, prévoyant le pire, étaient là dans l'intention perverse de se moquer. Bushmill interpréta le mièvre Otto Frank, marchand d'épices hollandais, comme s'il était passé sans transition d'une garden-party des tories au grenier maudit. Les autres comédiens étaient à peine compétents. Lucy, quant à elle, était insupportable. Imitatrice-née, mais pas actrice pour deux sous, elle jouait ses scènes à la manière d'une Shirley Temple à bout de nerfs aux côtés d'un Peter Van Daan d'une gaieté déconcertante. Quand cette méthode atteignait ses limites, elle se mettait à imiter Elizabeth Taylor dans *Le Grand National.*

Moses arriva au théâtre dans un état d'ébriété inquiétant, mais il était résolu à bien se tenir. Hélas, l'insoutenable banalité de la pièce eut raison de ses bonnes intentions. S'assoupissant brièvement pendant le premier acte, il fut visité en songe par Shloime Bishinsky. « Ce que j'essaie de dire, avec votre permission, c'est que les princes de l'Amérique ont droit à leurs grandes demeures, à leurs Rolls-Royce, à leurs manteaux de chinchilla, à leurs yachts, à leurs jolies filles tout droit sorties des cabarets. Mais ils ne devraient jamais pouvoir s'acheter un poète. » *Ou un théâtre. Ou un auditoire.* « Pourquoi ? C'est une question de dignité humaine. Les morts. Le caractère sacré de la parole. »

Il y eut du chahut sur scène, et Moses se réveilla devant un spectacle pour le moins inattendu : le grenier et ses occupants avaient triplé en nombre. Le pauvre Bushmill, qui débitait des platitudes sentimentales, avait à présent six doubles mentons empilés les uns sur les autres et vingt-deux yeux, peut-être. Moses secoua la tête, se pinça et la scène se précisa de nouveau. Merde. C'était le fameux épisode de Hanoucca, larmoyant à souhait et débordant d'une ironie manifeste, où le pathétique M. Frank/Bushmill, attablé avec les autres dans le grenier – où ils se cachaient de la Gestapo –, louait le Seigneur, Dieu de l'univers, qui, au temps jadis, avait libéré nos ancêtres. Il n'y avait pas de *latkes,* mais Anne, adorable à l'excès (son soutien-gorge bourré de mouchoirs en papier), vint à la table armée de cadeaux attentionnés. Des mots croisés pour sa sœur. « Tu les as déjà faits, mais j'ai effacé toutes les lettres. Si tu attends un peu et que tu oublies les réponses, tu pourras les refaire. » Du shampoing pour Mme Van Daan, cette chaude lapine. « J'ai pris tous les petits bouts de pains de savon et je les ai mélangés aux dernières gouttes de mon eau de toilette. » Deux cigarettes pour le mufle qu'avait épousé Mme Van Daan. « Pim a trouvé du vieux tabac à pipe dans la doublure de la poche de son manteau… et nous les avons roulées… en fait, c'est surtout Pim qui s'en est chargé. »

Une fois de plus, la scène se mit à vibrer, à se multiplier. Moses plissa les yeux. Il serra les poings, enfonça ses ongles dans les paumes de ses mains. Et il y avait quatre Anne/Lucy qui se levèrent pour entonner, en faussant toutes les quatre :

> Ô Hanoucca, ô Hanoucca.
> Douce célébration.

Soudain, on entendit du raffut sous le grenier. La police verte ? La Gestapo ? Sur scène, les personnages s'immobilisèrent, tendirent l'oreille. Pendant quelques secondes, le silence fut total, puis Moses disjoncta. Se propulsant hors de son siège, il hurla : « Regardez dans le grenier ! Elle se cache dans le grenier ! »

Le lendemain matin, Moses reçut le télégramme de sa mère et prit le premier avion pour Montréal.

Quatre

« Mon frère sait-il que tu es ici ? Non pas que j'aie quelque chose à cacher, remarque.

— Je ne savais pas qu'il fallait demander à M. Bernard la permission de vous voir.

— Ne dis pas de bêtises. Je ne suis pas le gardien de Bernard et il n'est pas le mien. Je suis juste curieux. Tu es garé devant ?

— Je suis venu à pied.

— D'où ça ?

— Du centre-ville.

— Quelle belle idée ! Il fait si beau, aujourd'hui, qu'on se réjouit d'être en vie, dit Morrie en fermant les stores. Oh, pardonne-moi. Tu parles d'une chose à dire à un jeune homme en deuil. Mon frère était en larmes. Une telle perte pour la communauté et, bien sûr, pour ta mère et toi. Tu repars quand ?

— Je rentre à Londres après-demain.

— Tu crois que je ne me rappelle pas que tu es un bon garçon ? Je te sers quelque chose à boire ?

— Un café, si ce n'est pas trop demander.

— Tu ne te montres pas à la hauteur de ta réputation. Mais ça me soulage. La modération en toutes choses, telle est la clé de la réussite. Hé, si je souris comme un idiot, c'est parce que je suis content que tu sois là. Tu sais ce que je vois en te regardant ? L. B. quand il était jeune.

— Je prendrais bien un scotch, en fin de compte.

— Avec plaisir. Avant ta naissance, tu sais, j'ai moi-même assisté à une de ses lectures.

— Vous êtes bien l'un des seuls.

— Laisse-moi te dire une chose, même si tu es déjà au courant. Tu es bien chanceux d'avoir eu un père aussi remarquable. Tu penses que nous ne savions pas combien il souffrait en privé de ne pas pouvoir sortir en compagnie de ta pauvre mère ?

— Pardon ?

— *Oy vey.* J'ai dit quelque chose qu'il ne fallait pas ? Il n'en parlait pas, remarque, un homme d'une si grande dignité, mais ça lui a échappé, c'est comme ça, le jour où mon frère lui a demandé pourquoi il ne venait jamais dîner avec sa femme. Tu es bouleversé. Je le vois bien. Écoute, il n'y a pas de honte. Prends la veuve de Solomon, par exemple. Qu'est-ce que l'esprit ? Un muscle. Les médecins te le diront : c'est une maladie comme les autres. Mais qui veillera sur ta mère, maintenant que L. B. est parti ? Inutile de répondre. Je sais. Tu lui es aussi dévoué que l'était ton père.

— Vous permettez que je me resserve ?

— La bouteille n'est pas finie, que je sache.

— Merci.

— Je tiens à te dire qu'Ida et moi avons reçu ton père à dîner, ici même, dans cette pièce, et que c'était pour nous un honneur. Un *goldener yid.* Un véritable idéaliste. Mais, je t'en prie, ne va surtout pas te méprendre sur le sens de mes paroles. Un grand artiste s'éteint et soudain tous ceux qui lui ont un jour serré la main disent avoir été son meilleur ami. Malheureusement, je n'étais pas aussi proche de lui que Bernard. Je ne suis pas le lecteur de la famille, celui qui a la bibliothèque la mieux garnie.

— On m'a dit que c'était Solomon qui dévorait les livres.

— Tu veux savoir ce que j'aimerais ? J'aimerais avoir fait des études comme toi. Ton père, lui, qu'il repose en paix, avait tout lu, absolument tout. En sa présence, je perdais mes mots. Un jour, il est venu prendre le thé en compagnie d'une de ses admiratrices. Comment s'appelait-elle, déjà, cette jeune femme si charmante ? »

Moses saisit de nouveau la bouteille.

« Peterson. Marion Peterson. Il voulait lui faire voir les tableaux de mon frère, mais il n'était pas chez lui. Alors ils sont venus ici et il a eu la gentillesse de me dédicacer ses livres, tous sans exception, et depuis je les conserve précieusement dans la vitrine que tu vois là-bas. »

Dans le salon, il y avait un piano à queue qui avait autrefois appartenu à Solomon. Il était entièrement couvert de photos de Barney et de Charna montées dans des cadres en argent. Barney et Charna, encore petits, s'ébattant dans l'herbe à Sainte-Adèle. Barney à dos de cheval, M. Morrie tenant les rênes, tout sourire. Charna dans la robe blanche de ses seize ans. Barney ratissant de l'orge dans la distillerie Loch Edmond's Mist sur l'île de Skye.

« Et si tu me disais maintenant ce que je peux faire pour toi, fit M. Morrie.

— En fait, je suis ici au nom de Lucy. Elle avait seulement deux ans quand Solomon est mort et elle aimerait mieux le connaître.

— J'ai ouï dire que vous vivez ensemble à Londres, Lucy et toi.

— Lucy est persuadée que vous avez en votre possession les journaux intimes de son père et elle vous serait reconnaissante de les lui remettre.

— Comment vous êtes-vous rencontrés ? Allez. Crache le morceau. Tu as devant toi un homme qui a un faible pour les histoires d'amour.

— Nous nous sommes connus quand nous étions enfants, comme vous le savez, et Henry et moi sommes amis depuis des années.

— Bégaie-t-il encore autant, ce pauvre garçon ?

— Non.

— J'en suis heureux. À présent, raconte-moi comment vous vous êtes retrouvés, Lucy et toi, après toutes ces années.

— Nous nous sommes croisés lors d'une réception donnée par Sir Hyman Kaplansky.

— Si les Canadiens avaient encore le droit d'accepter des titres, je parie que mon frère serait le premier sur la liste des candidats.

— Les journaux intimes de Solomon comptent beaucoup pour Lucy.

— Pauvre Lucy. Pauvre Henry. Pauvre Barney. Dommage que leur génération se soit retrouvée au centre de nos querelles familiales. Et pourquoi ? L'argent. Le statut social. Le pouvoir. Que Lucy soit devenue actrice ne me surprend pas du tout. Elle sera une vedette. J'en mets ma main à couper.

— Pourquoi n'êtes-vous pas étonné qu'elle ait choisi la scène ?

— Parce que c'est dans son sang. On n'échappe pas à son destin. C'est d'ailleurs la carrière que Solomon aurait dû choisir. Comédien. Quand nous étions petits, il passait tout son temps à se déguiser, à écrire des pièces qu'il nous faisait interpréter. Il avait l'art d'imiter les accents. C'était renversant. Plus tard, tu sais, nous avions déjà notre premier hôtel, et le bar était rempli de filles d'un certain genre. Qu'aurions-nous dû faire ? Les jeter dehors, dans le froid ? Bernard n'a jamais été un maquereau – et si quelqu'un ose prétendre le contraire, qu'importe ma petite taille, je lui colle mon poing sur la figure ! Quoi qu'il en soit, Solomon revient de la guerre, auréolé du titre de pilote, rien de moins, et il téléphone à Bernard à l'hôtel en se faisant passer pour un agent de la GRC. À la perfection, j'aime autant te le dire. C'était cruel, évidemment, mais avec Solomon on avait l'habitude. Il savait imiter un Chinois, même sa démarche. Le boucher allemand. Le forgeron, un polaque. N'importe qui. Il avait aussi un don pour les langues, mais il tenait ça de notre grand-père, j'imagine. »

M. Morrie bondit sur ses pieds.

« J'ai cru entendre une voiture. C'est sûrement Bernard qui rentre. Tu m'as bien dit que tu étais venu à pied ?

— Du centre-ville.

— Ma belle-sœur était dans le jardin ?

— Non.

— Libby est une femme merveilleuse, merveilleuse. Quand Bernard l'a épousée, tu sais, c'est elle qu'on considérait comme un beau parti. Son père présidait la *shul* et la Beneficial Loan Society. Personne ne le soupçonnait.

— De quoi ?

— Écoute, les racontars, ce n'est pas mon genre. Il a joué de malchance à la Bourse, mais il avait la ferme intention de rendre jusqu'au dernier sou. De toute façon, ça ne porte nullement atteinte à la réputation de Libby. Si elle préside un grand nombre d'œuvres de bienfaisance, c'est parce qu'elle a le cœur grand comme le Saint-Laurent, et si tu vérifiais les livres de ces organisations, tu verrais que tout est en règle, j'en suis persuadé. Libby n'a rien à prouver.

— Vous saviez que Lady Jane Franklin mentionne votre grand-père dans quelques-unes de ses lettres ?

— Ah bon ? Décidément, je me trouve en présence d'un érudit de tout premier ordre. Je parie que même Bernard n'est pas au courant de ça.

— Deux fois dans des lettres à Elizabeth Fry et une fois dans une lettre au Dr Arnold, de Rugby.

— Et dire que ce vaurien ne devait pas avoir plus de seize ans quand il a tapé dans l'œil de cette dame de qualité !

— Tout a commencé par les serpents, vous savez. La terre de Van Diemen était infestée de serpents, ce qui la dégoûtait au plus haut point. Elle a décidé d'offrir aux détenus un shilling pour chaque reptile tué et, le premier jour, il lui en a apporté un si grand nombre qu'elle a ri sans pouvoir s'arrêter.

— Ce devait être un sacré gamin ! Mais ça te dérangerait de me dire d'où te vient cet intérêt pour notre histoire familiale ?

— De Lucy.

— Ah. J'avais peur que tu songes à écrire quelque chose. Bernard serait mécontent. Et fouiller le passé nuirait à Lionel, que Dieu le bénisse, lui qui essaie si fort de s'élever au sein de la société. Mais, entre toi, moi et le pot de chambre, qu'est-ce que tu mijotes, au juste, Moses ? »

Moses tendit la main vers la bouteille.

« Ne crains rien. Ça ne tache pas. Sers-toi.

— Ephraim ne vous a jamais parlé de son séjour en terre de Van Diemen ?

— Jouons cartes sur table. S'il en a parlé à quelqu'un, c'est forcément à Solomon. Il l'a un jour kidnappé, tu sais. C'était quoi, ça ?

— Pardon ?

— Chut. »

M. Morrie s'avança jusqu'à la fenêtre et jeta un coup d'œil à travers le store.

« Tiens, Bernard et Libby sortent. C'est bizarre.

— Ah bon ?

— Il y a *Coup de filet*, ce soir à la télé. Ah, je vois ! il leur a sûrement demandé de lui envoyer la cassette à l'avance. Une fois, tu sais, il était si impatient de savoir ce qui allait arriver à Dick Tracy, ça le taraudait tellement qu'Harvey Schwartz a dû prendre l'avion et aller chez King Features pour rapporter la bande dessinée avant qu'elle soit publiée dans le journal. Oh, si tu avais vu la tête de Bernie quand Harvey est rentré avec le butin, ni vu ni connu ! C'était au beau milieu d'une réunion du conseil d'administration. Allions-nous investir x millions de dollars dans l'acquisition d'un vignoble près de Beaune ou dans la construction d'une tour de bureaux à Houston ? Chacun y allait de ses arguments, déballait des faits et des chiffres en scrutant le visage de Bernard. “Hé ! a-t-il lancé, soudain ragaillardi. Je crois savoir ce que va faire Dick Tracy pour se tirer du dernier pétrin dans lequel il s'est fourré et ce qui va arriver à Pruneface. Mais je peux me tromper. Je suis quand même prêt à parier un billet de dix que j'ai raison. Des preneurs ?” Évidemment, tout le monde allonge les dix dollars, non pas parce qu'ils ont peur de mon frère, quelle absurdité, mais parce qu'ils l'adorent. Et alors Harvey, ce petit diable, dit : "Je vous relance de vingt dollars, monsieur Bernard." Évidemment, tous mettent la main dans leur poche. Tu connais Harvey Schwartz, je suppose ?

— Oui.

— Quel garçon brillant ! La loyauté incarnée. Je ne saurais te dire la chance que nous avons de pouvoir compter sur lui. Et dévoué à son épouse en plus, une femme charmante et talentueuse comme ce n'est pas permis ! Crois-moi. Tu savais qu'au début elle ne trouvait personne pour publier son livre ? Alors Harvey se rend à Toronto, rencontre l'éditeur le plus en vue, investit de sa poche dans l'entreprise, et ce livre magnifique qu'est *Chagrins, câlins et biscuits au chocolat* paraît enfin. Mais Ogilvy en commande seulement quatre exemplaires. Becky est en larmes. Elle a des crampes. Ses règles sont en retard. Harvey téléphone dare-dare au président du conseil d'administration du grand magasin et lui dit : "Hum, Harvey Schwartz à l'appareil, responsable des projets spéciaux au Jewel Investment Trust. Mon patron, M. Bernard Gursky, aimerait savoir pourquoi vos libraires n'ont acheté que quatre exemplaires du livre de ma femme." Bing, bang, boum. Le magasin commande quatre cents exemplaires supplémentaires et les expose en vitrine. J'ai cru comprendre qu'on a fini par brûler la quasi-totalité d'entre eux, mais ce n'est pas moi qui vais apprendre au fils de L. B. que, dans ce pays, les œuvres d'art ne se vendent pas toujours comme des petits pains. Ne t'inquiète pas. Ça ne tache pas. Ressers-toi.

— Vous avez dit qu'Ephraim avait kidnappé Solomon ?

— Absolument. Solomon avait seulement neuf ans. Bernie et moi sortons de l'école juste à temps pour le voir partir avec lui dans son traîneau. D'accord, pourquoi pas ? Seulement, à sept heures du soir, nous sommes prêts à manger, une tempête de neige s'est levée et où sont-ils ? Pourvu qu'il ne leur soit rien arrivé ! Finalement, un Indien du nom de George Deux-Haches nous envoie un messager : Solomon passe la nuit chez les Davidson. Louche. Très louche. Parce que, à peine une heure plus tôt, la police montée est venue nous rendre une visite de courtoisie. Il y a eu du grabuge dans la réserve où Ephraim vit en concubinage avec une jeune Couteau-Jaune appelée Lena. Laisse-moi te dire qu'elle n'était pas désagréable à regarder. Bref, Lena a été poignardée et quelqu'un a descendu le père d'André Ciel-Clair. Avons-nous vu Ephraim ou eu de ses nouvelles ? demande le caporal. Pourquoi ? Juste pour savoir. Mon œil, ouais. Ensuite, il nous demande si Ephraim a des amis dans le Montana. Comment diable veut-il que nous le sachions ? Le fin mot de l'histoire, c'est que mon grand-père a emmené Solomon dans ses vieux repaires de l'Arctique. Ils sont partis pendant des mois et c'est là-bas que Solomon a appris à parler la langue des Esquimaux, à chasser le caribou et Dieu sait quoi d'autre. Et nous n'avons jamais revu mon grand-père, âgé de quatre-vingt-onze ans ; il est enterré quelque part là-haut, selon Solomon, qui voudrait aussi nous faire croire qu'il est rentré tout seul. De la mer Polaire ? À d'autres, dit mon père. Eh bien, explique Solomon, j'avais une carte et, à l'aller, j'avais entaillé un arbre près de tous nos campements. Évidemment, dit mon père, *mais, avant d'atteindre les premiers arbres, comment as-tu fait ?* Un corbeau m'a montré le chemin, répond-il sans perdre son sérieux. À question stupide…, commence mon père. *Et, pendant tout ce temps-là, comment t'es-tu débrouillé pour manger ?* J'ai chassé et j'ai pêché, rétorque Solomon. D'ailleurs, Ephraim avait laissé de la nourriture pour moi sous tous les arbres que j'avais marqués. Avant mon départ, il m'a donné ceci. La montre de gousset en or d'Ephraim. Si je t'embête, tu le dis, hein ? Ida dit qu'une fois lancé, je suis pire qu'un disque rayé.

— Solomon évoque-t-il ce voyage dans le Grand Nord dans un de ses journaux intimes ?

— Dis donc, on jurerait un interrogatoire en règle. Au fait, il y a une chose que j'aimerais savoir. Qu'est-ce que fabrique ce pauvre Henry, là-haut ?

— Ce pauvre Henry est plus heureux que vous le pensez.

— Ma mère avait l'habitude de dire que rien ne vaut une

éducation religieuse, mais Henry, mon Dieu..., soupira M. Morrie. Les enfants, les enfants. Nous avons gagné tant d'argent que trois vies ne suffiraient pas pour tout dépenser, et mon Barney est incapable de se ranger, ma Charna vit dans une commune avec une bande de cinglés et elle se fait appeler Tournesol Cristal-Noir.

— Je suppose que c'est ce requin de Lionel qui prendra un jour la direction de McTavish ?

— Écoute, j'adore Barney. Je sais que ça lui a fait un choc de découvrir qu'il ne dirigerait jamais McTavish. Alors je lui pardonne ses erreurs. S'il entrait ici, là, maintenant, je le serrerais dans mes bras. Attends d'avoir des enfants, tu m'en donneras des nouvelles. Mais regardons les choses en face : Lionel est le seul à avoir hérité d'une once du génie de Bernard, et je ne lui en veux pas de ne faire confiance à personne. Peu de gens comprennent que les riches ont aussi leurs problèmes. Quand on est issu d'une famille riche comme la nôtre, on est une cible. Si Lionel n'avait pas fait suivre Fenella, comment aurait-il su qu'elle le trompait, avec un *schwartze* par-dessus le marché ? Ç'a sûrement été très humiliant pour un homme aussi fier que lui. Et tu n'as pas idée de ce que lui a coûté ce mariage, qui n'a même pas duré un an. La pension alimentaire. Les diamants. Les fourrures qu'il n'a jamais récupérées. Certains disent que c'est de mauvais goût, mais je ne lui reproche absolument pas de faire signer un règlement de divorce à chacune de ses futures épouses. Mais les rumeurs prétendant qu'il exige des reçus en échange de ses cadeaux sont tout à fait exagérées. Je peux t'assurer que Melody n'est pas tenue de signer une promesse de restitution sur demande pour les articles de moins de cent mille dollars. D'ailleurs, ce n'est pas ce qui l'a poussée à réclamer un diadème moins cher chez Winston. C'est parce qu'elle n'a rien d'une profiteuse. À présent, dis-moi une chose. Est-il vrai qu'Henry a une théorie *meshuggena* au sujet d'une nouvelle ère glaciaire, un châtiment pour les Juifs ?

— Absolument pas.

— Perdre ses parents si jeune… *Oy vey.* Tu sais, encore aujourd'hui, j'ai le cœur brisé à l'idée de la mort de Solomon dans cet effroyable écrasement d'avion. J'en fais encore des cauchemars. Je rêve de l'explosion de ce Gipsy Moth, au corps de Solomon qui vole en mille morceaux, aux loups blancs de l'Arctique qui emportent ses os.

— Et si, au lieu d'avoir été pulvérisé, il avait sauté en parachute avant l'explosion et était sorti de la toundra à pied ?

— Qu'est-ce que tu me chantes là ?

— Il était déjà revenu une fois de la toundra, non ?

— Voyons. Je t'en prie.

— Et on m'a dit que, pendant la Première Guerre mondiale, il avait dû à deux reprises évacuer son Sopwith Camel en sautant en parachute.

— Alors, où est-il depuis toutes ces années ?

— Aucune idée.

— On n'a jamais touché à ses comptes bancaires. Pas un sou n'en a été retiré. Je suis surpris de t'entendre débiter des sottises pareilles. D'où vient ce bruit ? »

M. Morrie se leva d'un bond et jeta encore un coup d'œil à l'extérieur, abrité derrière le store.

« La voiture est de retour. On dirait qu'ils vont regarder *Coup de filet*, après tout. Je pense qu'il vaudrait mieux que j'allume la télé, moi aussi. Je t'ai déjà retenu trop longtemps, Moses. Je suis sûr que tu as des gens plus importants à voir.

— Qu'est-ce que je dis à Lucy à propos des journaux intimes de Solomon ?

— Dis-lui que si je les avais, répondit M. Morrie, je me ferais une joie de les lui remettre. Sincèrement. Embrasse-la très fort pour moi.

— Qu'est-il arrivé aux journaux intimes, à votre avis ?

— Dieu seul le sait. Mais la meilleure chose qui ait pu arriver, c'est qu'ils aient brûlé dans l'accident d'avion. J'en ai lu quelques pages et, nom d'une pipe, laisse-moi te dire que Solomon en racontait des vertes et des pas mûres. Si ces journaux, à supposer qu'ils existent encore, tombaient entre de mauvaises mains, ils auraient l'effet d'une bombe. Ça t'ennuie si j'allume la télé ?

— Je vous en prie.

— Tu es un ange. Et, à présent, je vais te demander une faveur. Tu permets ?

— Bien sûr.

— Mon Barney, qui a joué de malchance dans bon nombre de ses entreprises, le pauvre, a décidé de devenir écrivain et a écrit un livre. À New York, personne ne veut le publier. Faut-il que j'explique au fils de L. B. combien ces choses-là sont difficiles ?

— Certainement pas.

— C'est un roman policier. Un peu trop sexy à mon goût, mais qu'est-ce que j'y connais ? Barney vit maintenant au Mexique, où il s'est associé à un médecin pour ouvrir une sorte de clinique pour cancéreux, et il m'a demandé de soumettre le manuscrit à des éditeurs de Toronto. Mais avant, j'aimerais bien qu'un homme instruit comme toi – et je ne parle même pas de ton ascendance littéraire – le lise et me dise franchement ce qu'il en pense.

— Il faudrait que je l'emporte à Londres avec moi.

— Je savais que je pouvais compter sur toi. Descendons au garage. Je vais te remettre le manuscrit, puis mon chauffeur va te conduire à ton hôtel.

— Je peux rentrer à pied.

— Non, ça me fait plaisir. C'est Ida qui va être jalouse. Le fils de L. B. sous notre toit. Tu sais ce qu'on dit, hein ?

— La pomme ne tombe jamais loin de l'arbre.

— Quel gentil garçon ! Je serais honoré de devenir ton oncle, un jour. Tu veux bien ne pas te mettre devant cette lampe ? L'ombre se projette sur le store. Allez, viens, Moses, et donne-moi vite de tes nouvelles. »

Cinq

C'était un vendredi après-midi, tard, l'heure de fermer boutique. J'ai renvoyé Myrna chez elle. Au volant de mon tas de ferraille, j'ai roulé pépère jusqu'au Nick's Bar & Grill, sur la Main, dans l'intention de m'en jeter un petit. On a connu l'enfer ensemble, Nick et moi, et on en est revenus. On a débarrassé la Normandie de ces pourris de nazis.

La Normandie.

Là où la jambe droite de Nick est enterrée et où on a épinglé la Croix militaire sur ma poitrine avec toutes les autres breloques en oubliant que j'étais youpin de souche. « A fait preuve d'un courage qui surpasse… » Oublie ça, petit. La guerre est terminée. Avec ma Croix et cinquante cents en poche, j'avais de quoi m'offrir un hamburger et des frites avec une tasse de caoua.

J'ai envie de m'en jeter un.

Peut-être deux.

Le problème, c'est que mon ardoise, chez Nick, était déjà plus longue qu'une nuit dans un gourbi et mon portefeuille plus vide que mon .45 le jour où j'avais logé six pruneaux de la plus belle facture dans le buffet de Spider Moran. Mais c'est une autre histoire.

Quoi qu'il en soit, je m'apprêtais, du haut de mes six pieds deux pouces, à saisir mon chapeau quand Myrna ouvrit la porte.

« Une bonne femme demande à te voir. »

Je n'étais pas d'humeur à me taper une autre affaire de divorce, à coller au train d'une couille molle de mari jusqu'à la chambre de motel où il s'enfile une pétasse.

« Dis-lui de revenir lundi matin.

— Elle a des gambettes à n'en plus finir et je pense qu'elle est dans de beaux draps, Hawk », opina-t-elle.

Et tout d'un coup est entrée d'un pas léger Tiffany Waldorf, aussi parfumée que le jour où les hirondelles reviennent à Capistrano. Une crinière d'un roux flamboyant qu'on a envie de fouler pieds nus. Des yeux verts étincelants. De la classe à revendre, mais drôlement bien roulée. Des nichons à l'étroit dans sa robe de soie moulante. Une taille de guêpe. Des courbes là où ça compte.

« Asseyez-vous », dis-je.

Tiffany se dépouilla de sa cape de zibeline et se laissa glisser dans un fauteuil en croisant des jambes à couper le souffle. Puis elle ouvrit son sac, pour lequel un pauvre alligator avait vendu sa peau, et en sortit cinq billets de cent.

« Cela suffit comme acompte, monsieur Steel ?

— Tout dépend du nombre de rats que je dois exterminer, dis-je. Et si vous me racontiez tout ça depuis le début, mon petit ?

— Il y a un macchabée dans ma chambre avec un surin planté là où son cœur faisait boum-boum.

— Autrement dit, vous avez été une bien vilaine fille.

— Je suis une vilaine fille, dit-elle en redressant la tête, mais ce n'est pas moi qui ai fait le coup.

— Pourquoi ne pas être allée chez les flics ?

— Parce que le surin m'appartient. C'est une dague du XVIe siècle, sertie de diamants, qui vaut dans les cent mille dollars. Le prince héritier Hakim me l'a offerte la saison dernière, à Monte-Carlo.

— Pour services rendus ?

— Je devrais vous gifler, dit-elle en me dévisageant.

— La colère vous va bien.

— Je suis rentrée tard hier soir et il gisait sur le sol de ma chambre. Le corps était encore tiède.

— *Je crois comprendre que cet* hombre *ne vous était pas étranger ?*

— *J'ai été sa petite amie jusqu'au jour où j'ai compris qu'il n'était qu'un salaud.*

— *Il s'appelait comment, ce joli cœur ?*

— *Lionel Gerstein. »*

J'étais dans le pétrin. Jusqu'au cou.

*Lionel Gerstein était le fils aîné du vieux Boris Gerstein, ex-*bootlegger *riche à craquer qui, quelques années plus tôt, était sorti de son trou puant pour redorer son blason. Mais il avait encore des contacts. Vous pouviez parier votre ferme et le corset de votre chère mère-grand. Le vieux BG était aussi méchant qu'un serpent à sonnette souffrant d'une gueule de bois et au moins aussi dangereux.*

Au départ, ils étaient trois frères : Boris, Marv et Saul. Marv, haut comme trois pommes malgré ses chaussures à talonnettes, n'avait pas plus de tonus que le scotch dilué qu'on sert dans les bars. Un lèche-bottes professionnel. Saul, lui, était un vrai débauché et un fouteur de merde. Alors le vieux BG, à qui l'idée de partager sa fortune ne plaisait guère, s'occupa de son cas. Liquidé. Une bombe dans son avion privé et voilà le travail.

« J'espère, dit Tiffany, que l'idée d'affronter les Gerstein ne vous fait pas peur, Hawk.

— *À mon avis, il vaudrait mieux aller jeter un œil au macchab, petite. »*

Je ne savais pas trop sur quel pied danser. La personne qui avait suriné Lionel Gerstein avait accompli une bonne action. Les Gerstein étaient de beaux salauds. Sauf le fils de Marv, Brad, qui s'était battu avec moi en Normandie, mais y était resté. Il y était resté après avoir perdu une dispute avec une mitrailleuse nazie.

« Si jamais j'arrive à mettre le grappin sur Dieu, susurrai-je à Tiffany en la prenant par le bras, je vais lui toucher deux mots. Il faudra entre autres qu'il m'explique pourquoi ce sont les beaux et les bons qui meurent jeunes. »

Six

C'est de la folie, songea Moses. D'une stupidité impardonnable. Un homme de cinquante-deux ans met sa cabane sens dessus dessous dans l'espoir de trouver une mouche à saumon. Une satanée Silver Doctor qu'il pourrait remplacer pour trois dollars. Oui, mais la mouche manquante lui avait porté chance : un jour, sur la rivière Restigouche, il avait remonté une femelle de dix-huit livres aux écailles vert océan, une autre fois, sur la Miramichi, un poisson encore plus frétillant. Passant la main sous son lit, Moses trouva son autre pantoufle. Un piège à souris se referma sur ses doigts. Il exhuma une boîte à pizza moisie, une bouteille vide de Macallan Single Highland Malt, un verre brisé, une culotte de Beatrice (une vraie souillonne, celle-là), une lettre d'Henry, son gant de baseball et le numéro d'*Encounter* dans lequel figurait son article sur l'étymologie yiddish.

Je l'ai trouvé excellent.

Merci.

Idiot. Moses eut envie de se cogner la tête contre la cheminée en pierre. Mon Dieu, comment avait-il pu être aussi naïf à l'époque de Balliol ? Manipulé d'abord par Sir Hyman, puis par M. Morrie. Ce fin calcultateur de M. Morrie lui refilant le manuscrit de Barney comme sur l'inspiration du moment. *Saul était un vrai débauché et un fouteur de merde. Alors le vieux BG, à qui l'idée de partager sa fortune ne plaisait guère, s'occupa de son cas. Liquidé. Une bombe dans son avion privé et voilà le travail.*

Les Gursky. Les Gursky.

« Si tu es pris d'une envie pressante, viens me prévenir et je t'indiquerai les toilettes destinées aux visiteurs. »

Tout comme L. B. avait été inféodé à M. Bernard, admettait Moses, lui-même était devenu l'esclave de Solomon, le petit-fils qu'Ephraim avait élu. En plus, Sir Hyman l'avait mené par le bout du nez vers Ephraim. À l'époque, Moses avait eu la vanité de croire que c'était par pur hasard que le journal de McGibbon s'était trouvé ouvert sur le pupitre et que c'était lui qui avait découvert Ephrim Gor-ski.

Ho ! ho ! ho !

« Avez-vous déjà songé, lui avait un jour dit le médecin de la clinique du New Hampshire, que votre obsession pour Solomon Gursky s'explique manifestement par une quête du père, puisque vous avez rejeté le vôtre, qui vous semblait inadéquat ?

— La nourriture que vous servez est abominable. Vous feriez mieux d'y voir.

— Vous semblez avoir besoin de l'admiration, voire de l'amour, d'hommes plus âgés, ajouta le médecin. Prenez votre amitié avec Callaghan, par exemple. »

Comment expliquer, songea Moses en vidant le contenu d'un carton sur le sol de sa chambre, que tout avait débuté, des années plus tôt, par la volonté de jeter le discrédit sur les Gursky et de balancer au visage de L. B. toutes les saletés qu'il espérait déterrer ?

Puis il y avait eu Henry.

Lucy.

Sir Hyman Kaplansky, ainsi qu'il se faisait appeler à l'époque.

Deux heures du matin. S'écroulant sur son lit défait et sombrant dans le sommeil, Moses rêva qu'il était de retour à La Nouvelle-Orléans, non pas dans l'espoir de dénicher des informations sur un trafiquant d'armes du nom d'Ephraim

Gursky, actif pendant la guerre de Sécession, non, non, mais bien pour faire plaisir à Beatrice. Il était de retour à La Nouvelle-Orléans, où, pour se faire pardonner les péchés de la veille, il offrait à Beatrice un petit déjeuner de folie au Brennan. Seulement, cette fois, le serveur ne lui avait pas rendu sa carte American Express.

« Désolé, monsieur, mais… »

Humiliée, Beatrice dit :

« Voici la mienne. »

Puis elle s'en prit à Moses.

« Je suppose que tu as une fois de plus jeté le relevé de ta carte avec les dépliants publicitaires ou que l'enveloppe contenant ton chèque se trouve dans la poche d'un de tes vestons. »

Seulement, cette fois, le léger embarras n'était pas allé jusqu'à susciter larmes et récriminations. Il rêva qu'il était de retour à La Nouvelle-Orléans avec Beatrice ; seulement, cette fois, il ne disparaissait pas après le déjeuner pour rentrer trois heures plus tard dans un état lamentable. Non, cette fois, ils se rendaient au Preservation Hall, où de vieux musiciens noirs tout sourire se contentaient de jouer machinalement jusqu'au moment où un petit homme blanc à l'air espiègle se décidait à poser sa canne en malacca contre un mur et à s'asseoir au piano en tapant du pied, un, deux, trois, quatre… et soudain l'orchestre, transporté, mit la gomme. Moses, l'objet de sa quête enfin en vue, presque à portée de main, voulut s'élancer, mais ses jambes ne lui obéissaient pas. Il était paralysé. Puis, au moment où il recouvrait l'usage de ses membres, le pianiste enjoué s'estompa et Moses émergea du sommeil, en sueur, tremblant de tout son corps.

Le jour n'était pas encore levé, mais il sortit du lit et réchauffa le café de la veille, auquel il ajouta une larme de Macallan. Puis il fouilla de nouveau dans le placard, d'où il sortit un autre carton dans lequel il trouva la cave à cigares Fabergé que Lucy lui avait autrefois offerte. À l'intérieur, il découvrit la lettre qu'Henry lui avait envoyée une semaine après qu'il eut gâché les débuts de Lucy à l'Arts Theatre. Un article découpé dans le *Edmonton Journal* y était annexé.

MENACE
DE NOUVELLE ÈRE GLACIAIRE
APRÈS 10 000 ANS

GENÈVE (Reuter) – De nombreux scientifiques estiment qu'une nouvelle ère glaciaire se profile, mais ils ne s'entendent ni sur le moment où elle se produira ni sur la gravité de ses répercussions.

Après avoir étudié des indices aussi divers que la poussière volcanique, les oscillations de la Terre, les anneaux des arbres et l'ensoleillement, certains climatologistes en sont venus à la conclusion que le monde s'apprête à connaître un refroidissement marqué après dix mille ans d'un réchauffement relatif.

S'ils ont raison, des pays comme le Canada, la Nouvelle-Zélande, la Grande-Bretagne et le Népal risquent de disparaître sous plusieurs couches de glace, tandis que la France prendra des airs de Laponie.

D'autres, cependant, ne prédisent rien de plus qu'un minigel semblable au « petit âge glaciaire » que connut l'Europe de 1430 à 1850. En 1431, toutes les rivières de l'Allemagne gelèrent et, au début du XVIIe siècle, les villages avoisinant l'actuelle station de sports d'hiver de Chamonix furent pris dans la glace.

Pendant la guerre d'Indépendance des États-Unis, il y a près de deux cents ans, des troupes britanniques parvinrent à déplacer leurs canons de Manhattan à Staten Island en les faisant glisser sur la glace.

Un rapport de la CIA publié en mai énumérait les effets possibles d'un petit âge glaciaire sur le monde.

Selon ce rapport, si la température moyenne baissait d'un degré Celsius en Inde, cent cinquante millions de personnes mourraient des suites des sécheresses. La Chine subirait une grave famine tous les cinq ans. La production céréalière du Kazakh-

stan soviétique cesserait et celle du Canada diminuerait de cinquante pour cent.
Dans le rapport toujours, on affirme que le refroidissement a déjà débuté, mais les scientifiques refusent de dire quand aura lieu la prochaine ère glaciaire. « Nous n'en savons rien, a déclaré un climatologiste de renom. Personne ne le sait. »

Sept

Dans la fleur de l'âge, M. Bernard, qui grignotait des noix de cajou ou suçait des *popsicles* en pontifiant devant un journaliste de *Fortune* ou un des cracks du *Wall Street Journal*, se plaisait à dire :

« Lewis et Clark, Frémont, ha ! ha ! mon grand-papa Ephraim était leur égal, pas de doute là-dessus. Il est venu au pays pour aider Sir John Franklin à découvrir le passage du Nord-Ouest. Mes ennemis – je sais qu'il vous faudra écouter leurs calomnies, ça fait partie de votre travail – vous diront que Bernard Gursky est sorti de nulle part. Pas comme eux, hein ? Laissez-moi rire. Westmount, *oy vey*. Ils ont beau enfiler une jupette une fois par année pour le bal de la St. Andrew et faire semblant d'être des gens de la haute qui ne se sont pas fait botter les fesses à Culloden, je ne suis pas dupe, moi.

« Et les *frogs* ? Plus ils se donnent des grands airs, plus il y a de risques que leur arrière-grand-mère ait été une "fille du roi", une petite pute que Sa Majesté a expédiée ici pour qu'elle épouse un soldat et mette au monde vingt-cinq enfants avant ses quarante ans. Encore aujourd'hui, vous savez ce que les Canadiens français offrent à leur fille de seize ans comme cadeau de noces ? Tenez-vous bien. Ils l'envoient chez le dentiste se faire arracher toutes les dents et s'en faire mettre des fausses parce qu'ils trouvent ça plus joli. Où en étais-je, déjà ? Ah oui, les Gursky. Eh bien, les Gursky n'ont pas fui un *drecky shtetl* pour faire le voyage dans l'entrepont d'un bateau. Ma famille est arrivée ici avant même que le Canada soit un pays. Ça vous en bouche un coin, pas vrai ? »

Quand il était d'humeur plus badine, faisant sauter un de ses petits-enfants sur ses genoux, les autres assis autour de son fauteuil, il disait :

« Votre arrière-arrière-grand-père, oh là là ! c'était un sacré numéro. J'étais son chouchou, vous savez ? Mais il faut que je vous dise une chose à propos d'Ephraim, cette vieille fripouille : il n'a jamais travaillé une seule journée de toute sa vie. »

En fait, c'était faux. Après s'être enfui de chez lui, Ephraim avait travaillé dans une mine de charbon de Durham. À l'époque, il n'était qu'un maigrelet de treize ans chargé d'une double responsabilité. Dans les entrailles de la terre, là où on creusait une nouvelle galerie, il devait acheminer l'oxygène du puits en ouvrant et en fermant les portes d'aérage qui régulaient l'arrivée d'air. Il fallait également qu'il assure la circulation, dégage les débris pour l'homme qui travaillait à l'avant. L'espace dans lequel il se mouvait, accroupi, ne faisait que trois pieds de hauteur sur trois de largeur. La poussière de charbon était transportée dans des berlines munies d'un anneau de fer aux deux extrémités. Il faisait noir là-dedans, noir comme l'aile d'un corbeau, les seules bougies disponibles étant fixées aux bouts des galeries. Et, à cette époque-là, les berlines ne glissaient pas sur des rails : il fallait les tirer sur le sol argileux et humide jusqu'à l'arrière-taille, où elles étaient vidées. Ephraim, nu jusqu'à la ceinture dans la chaleur et l'obscurité, portait autour de la taille une corde fort solide à laquelle une chaîne était attachée. Accrochant la chaîne à la berline, il se mettait à quatre pattes et, évitant les rats qui détalaient, tirait sa charge en chantant les chansons qu'il avait apprises à la table de son père :

Fort et infaillible,
De nos chants la digne cible,
Jamais défaillant,

Toujours triomphant.
Avons érigé le temple dans le temps,
Rapidement, ô rapidement,
Afin que tous chantent ta Gloire.

Pendant ses journées de travail longues de douze heures, il se gavait – par deux fois et toujours à heure fixe – d'énormes morceaux de pain blanc, d'un os de bœuf où subsistait un peu de viande caoutchouteuse et de café froid qu'il buvait à même une gamelle en fer-blanc qui avait un goût de poussière d'anthracite. Les éboulements de pierre et de charbon au-dessus de sa tête l'alarmaient, mais la paie était excellente : dix pence par jour, cinq shillings quand la semaine était bonne. De retour à la surface, pantelant, respirant à pleins poumons, il pouvait toujours flirter avec les filles du carreau de la mine, qui triaient et calibraient le charbon. Entre elles, les filles l'appelaient le Petit Lucifer. Elles avaient peur de lui. Mais pas Kate. Une fois par semaine, Ephraim donnait à cette fille du comté de Clare une pièce de six pence pour l'accompagner jusqu'à la cabane au toit percé, au bout de la montagne de débris. Debout sur une boîte, il la prenait contre le mur, le sol étant trop boueux pour se prêter à ce genre de sport.

Ephraim travaillait à la mine depuis six mois seulement lorsqu'il devint portier : il avait pour tâche d'ouvrir les portes pour laisser passer les hercheurs avec leurs poneys et leurs berlines. Il fallait être agile, car les berlines vides dégringolaient vers lui par convois de soixante.

Les mineurs lui apprirent des chants grivois.

De petites duchesses lubriques m'ont attiré dans leurs bras
Et de petites comtesses minables m'ont cédé leurs appas,
Alors laissez-moi aller à la pêche dans votre étang,
Car j'ai une canne longue et forte et un joli leurre, madame
Leblanc.

Ephraim devint lui-même hercheur. Son nouveau travail consistait à pousser – à hercher – les convois remplis par les haveurs jusqu'au treuil, où ils étaient hissés sur des wagonnets que des poneys tiraient ensuite. Le poids moyen d'une berline était de six à huit cents livres, et Ephraim, rémunéré en fonction du nombre de berlines qu'il herchait, gagnait désormais jusqu'à trois shillings six pence par jour. Pour augmenter ses revenus, il livrait des journaux pour un marchand d'un village des environs. Et c'est ainsi qu'il fit la connaissance de M. Nicholson, l'affable instituteur. Ce dernier fut estomaqué d'apprendre qu'Ephraim savait lire et écrire. En dépit des protestations de Mme Nicholson, l'instituteur se mit à prêter des livres au garçon. *Contes d'après Shakespeare* de Charles Lamb. *Robinson Crusoé.*

« Dis-moi, mon petit, lui demanda un jour M. Nicholson, savais-tu que tu portes le même nom que le deuxième fils de Joseph, né d'Asnath, fille de Potiphar ? »

Ephraim, que les noms prononcés à l'anglaise déroutaient, ne se mouilla pas.

M. Nicholson alla prendre la bible familiale, chercha le Livre de Jérémie et lut à voix haute ce que Dieu avait confié au prophète : « "Car je suis un père pour Israël, et Éphraïm est mon premier-né." »

Faisant glisser son doigt sur la page, il trouva l'autre passage qu'il cherchait.

« Jérémie, tu sais, avait annoncé l'avènement du Christ : "Voici, les jours viennent, dit l'Éternel, où j'ensemencerai la maison d'Israël et la maison de Juda d'une semence d'hommes…" »

Ephraim bondit sur ses pieds au moment où Mme Nicholson entra dans la pièce en leur apportant du thé avec du pain et de la confiture de fraises.

« … "et d'une semence de bêtes" », dit-elle.

Nettement plus jeune que M. Nicholson, elle était pâle, son attitude sévère, réprobatrice.

« Josué, fils de Nun, descendait de ton homonyme », dit M. Nicholson, tout tremblant.

Mme Nicholson posa sa tasse de thé, ferma les yeux et, en se balançant légèrement sur sa chaise, récita : « “Josué, fils de Nun, fit partir secrètement de Sittim deux espions, en leur disant : Allez, examinez le pays, et en particulier Jéricho. Ils partirent, et ils arrivèrent dans la maison d’une prostituée, qui se nommait Rahab, et ils y couchèrent.” »

Ses joues s’empourprant, M. Nicholson dit :

« Souffrant, Jacob reconnut les deux fils de Joseph et bénit Éphraïm de sa main droite et Manassé de sa main gauche.

— Sais-tu pourquoi, mon garçon ? demanda Mme Nicholson.

— Pour montrer que les descendants d’Éphraïm seraient le peuple élu.

— Hip, hip, hip, hourra ! fit M. Nicholson. Je constate que tu as lu ton Ancien Testament.

— Seulement en hébreu, monsieur.

— Voyez-vous ça ! »

Fermant les yeux et se balançant de nouveau, Mme Nicholson déclama :

« “Galaad est une ville de malfaiteurs, elle porte des traces de sang. La troupe des sacrificateurs est comme une bande en embuscade, commettant des assassinats sur le chemin de Sichem ; car ils se livrent au crime.” »

Mme Nicholson cligna rapidement des yeux, les ouvrit et regarda fixement Ephraim.

« “Dans la maison d’Israël j’ai vu des choses horribles : là Éphraïm se prostitue, Israël se souille.”

— Oui, oui, bien sûr, ma chérie. Mais sûrement pas notre gentil petit Ephraim. D’où viens-tu, mon garçon ?

— De Liverpool.

— C’est là qu’habitent tes parents ?

— Ils sont morts, monsieur.

— Déportés, plus vraisemblablement, dit Mme Nicholson.

— Et eux, d'où venaient-ils ?

— De Minsk. »

Mme Nicholson grogna.

« J'aimerais étudier le latin et la calligraphie avec vous, monsieur, à condition que vous me fassiez un bon prix. »

M. Nicholson se balança sur ses talons, secoué de rire.

« Mon Dieu ! Un bon prix ! Rien que ça ! »

Par sa simple manière de ramasser les tasses et de se retirer dans la cuisine, Mme Nicholson réussit à marquer sa désapprobation.

« Je veux bien te prendre comme élève, mon garçon, dit-il, mais je ne peux pas, en mon âme et conscience, accepter d'émoluments.

— Je ferai de menus travaux pour Mme Nicholson.

— Tu constateras, dit Mme Nicholson, le visage enflammé, que je suis très exigeante. »

M. Nicholson se révéla bienveillant à l'excès, d'une bonne humeur à toute épreuve, et les leçons d'Ephraim se déroulèrent à merveille. Celui-ci avait droit à d'affectueuses tapes sur la tête, à de gentils taquets, à des chatouillis et à des exclamations de joie : « Bravo, mon mignon ! » Mais quand Mme Nicholson décidait de se joindre à eux, de s'asseoir, la mine sombre, derrière leur table de bois blanc et de faire ses travaux d'aiguille dans sa chaise berçante, M. Nicholson devenait abrupt, impatient, et son dos se raidissait chaque fois que la chaise grinçait. Un soir, M. Nicholson, ayant complètement oublié que sa femme était là, posa sa main sur celle d'Ephraim pour l'aider à réaliser un exercice de calligraphie. Ephraim, parfaitement conscient de sa présence, lui, s'arrangea pour se rapprocher de M. Nicholson afin que leurs joues se touchent. Mme Nicholson déclama :

« "Une femme ne portera point un habillement d'homme, et un homme ne mettra point des vêtements de femme ; car quiconque fait ces choses est en abomination à l'Éternel, ton Dieu." »

Les yeux de M. Nicholson se remplirent de larmes. Sa lèvre inférieure tremblota.

« Ça suffit pour aujourd'hui, mon garçon. Va maintenant donner un coup de main à Mme Nicholson. »

Une fois la première leçon terminée, Mme Nicholson avait obligé Ephraim à nettoyer le tapis du salon. Après l'avoir battu une première fois, il dut recommencer à deux reprises à cause de l'insatisfaction de Mme Nicholson, puis elle le lui fit étendre sur les dalles du petit jardin derrière la maison où, malgré la suie, s'épanouissaient des roses trémières. Puis il le saupoudra d'une épaisse couche de sel mélangé à des feuilles de thé déjà infusées, irritant Mme Nicholson en chantant des chants hébreux qu'il avait appris à la table de son père.

> Un, qui connaît ? Un, je connais. Un notre Dieu qui est dans les Cieux et sur Terre.
> Deux, qui connaît ? Deux, je connais. Deux tables de l'Alliance. Un notre Dieu qui est dans les Cieux et sur Terre.
> Trois, qui connaît ? Trois, je connais. Trois patriarches. Deux tables de l'Alliance. Un notre Dieu qui est dans les Cieux et sur Terre.

Ensuite, elle lui fit nettoyer le fourneau à la mine de plomb, polir méticuleusement une marmite en cuivre, nettoyer et moucher les lampes à l'huile. Après quoi il revint au tapis, le débarrassa des feuilles de thé, jusqu'à la dernière, à l'aide d'une brosse dure, puis le frotta avec un linge humecté de vinaigre pour en restituer les couleurs. Moses était en nage, ses aisselles tachées de deux auréoles. Il puait la sueur. Reniflant pour signifier son déplaisir, Mme Nicholson l'aida à suspendre le tapis sur une corde à linge. Puis elle lui apporta un morceau de pain frit ainsi que deux tranches de bacon, et elle s'assit pour le regarder manger.

« "Vous ne mangerez pas le porc, qui a la corne fendue, mais qui ne rumine pas : vous le regarderez comme impur. Vous ne mangerez pas de leur chair, et vous ne toucherez pas leurs corps morts." »

Ephraim la regarda droit dans les yeux et sourit.

« Dans la première maison où j'ai travaillé, dit Mme Nicholson en baissant le regard, je n'avais droit pour souper qu'à un hareng avec du pain et de la graisse de rôti. J'ai été contrainte de partir parce que le fils de mon maître, qui avait servi avec Gough à Bangalore, est venu en permission. Il a tenté de m'administrer du laudanum. Tu comprends pourquoi, petit ?

— Non, madame.

— Il avait la vile intention de m'asservir à ses passions. »

Après ses leçons et les tâches de plus en plus pénibles que lui confiait Mme Nicholson, Ephraim était autorisé à se recroqueviller devant l'âtre, sur le sol de pierre, où il dormait dans l'une des vieilles chemises de nuit de M. Nicholson et d'où il se levait avant l'aube pour marcher jusqu'au carreau de la mine, à cinq milles de là. La chemise de nuit avait été une idée de Mme Nicholson. Un jour, on l'avait emmenée au zoo, où elle avait vu une gazelle qui remuait sans cesse la queue. Elle s'attendait à observer le même phénomène chez Ephraim ou, à tout le moins, à découvrir des pieds fourchus, mais elle n'avait rien remarqué de tel. Le premier soir, Ephraim venait à peine de s'assoupir qu'il sentit un pied nu parcourir son visage. Mme Nicholson, indignée, se dressait au-dessus de lui, vêtue d'un châle noir au crochet qu'elle serrait sur sa longue chemise de nuit en flanelle.

« Tu as déjà dit tes prières, petit ?

— Non, madame.

— C'est bien ce que je me disais. Il fut un temps, je travaillais pour une certaine Mme Hardy, apparentée au duc de Connaught. Je devais grimper des escaliers sombres jusqu'à mon petit lit de fer dans le grenier, mais, chaque jour, faisant fi du froid, je me mettais à genoux et je récitais mes prières du soir. Tant et aussi longtemps que tu abuseras de la bonté de M. Nicholson, petit, tu feras de même, c'est moi qui te le dis. »

Le sourire fourbe du garçon, qui combinait la soumission et l'insolence, la mit hors d'elle.

« Je vais laisser mon pot de chambre devant ma porte et tu le videras avant de partir demain matin. Sans bruit, il va sans dire. »

Elle l'obligea à polir l'argenterie, héritée d'un oncle de M. Nicholson, lui faisant reprendre les chandeliers deux et même trois fois, jusqu'à ce qu'ils brillent à sa satisfaction.

« Où est Minsk ?

— En Russie.

— Je suis heureuse de constater que tu sais au moins ça. Comment tes parents sont-ils venus jusqu'ici ?

— À pied.

— Balivernes ! »

Elle lui ordonna d'épousseter les meubles et, quand il eut fini, elle inspecta les pieds des chaises et le dessous des tables.

« Pourquoi un garçon aux origines douteuses qui n'a pas grand-chose à attendre de la vie souhaite-t-il apprendre le latin et la calligraphie ?

— Parce que ça m'intéresse. »

Ils s'installèrent dans une certaine routine. Tout de suite après la leçon, M. Nicholson, amusé, fuyait la chaumière et fonçait dans la lande, indifférent aux passants, pour aller boire une chope au Wagon & Horses. Ephraim, lui, se soumettait aux ordres de Mme Nicholson. Elle lui faisait laver les murs peints, repasser les vêtements et, ensuite, elle lui servait un œuf dur et du pain grillé.

« J'ai aussi travaillé sur Cheyne Walk, dans Chelsea, un quartier de Londres. Et là, on me servait tous les jours d'excellents repas, que complétaient à l'occasion les restes exquis d'une grande soirée. Malgré ton effronterie et ton manque singulier d'humilité, je me risquerais à dire que tu n'as jamais mangé un œuf de caille.

— Non, madame.

— Du chevreuil ou de la perdrix ?

— Non, madame.

— Du saumon fumé ?

— Non.

— C'est bien ce que je me disais. Pour ma part, j'ai plus d'une fois goûté à tous ces délices et nous avions également droit à un litre de bière en raison des propriétés nutritives de cette boisson. Hélas, le frère de ma maîtresse tentait toujours de m'acculer dans un coin. Il me prenait pour une proie facile, mais il se trompait. Tu comprends, petit ? »

Il sourit.

« Je sais très bien pourquoi tu es venu ici. Ton intention est d'exploiter la faiblesse de M. Nicholson et d'en profiter. »

Chaque fois que, près du foyer des Nicholson, il sombrait dans le sommeil, elle venait le secouer de son pied nu pour lui rappeler de réciter ses prières. La septième fois, il s'empara de sa cheville fluette et mit tous ses orteils dans sa bouche. Comme marquée au fer rouge, elle s'enfuit. Mais, quelques semaines plus tard, elle était de retour. Se couvrant le visage de ses mains, elle le laissa recommencer en gémissant. Lorsqu'il lâcha son pied, elle lui tendit promptement l'autre. Il écarta les orteils de la femme, promena sa langue entre eux. Debout au-dessus de lui, les yeux tournés vers le ciel, elle fut prise de tremblements. Apaisée, elle se dégagea et l'assomma d'un violent coup de talon sur le nez. « Le petit sodomite à sa tante », cria-t-elle en s'éclipsant.

Elle avait découvert le surnom qu'on donnait à M. Nicholson en allant acheter un litre de bière au Wagon & Horses, où elle avait entendu des voix efféminées à travers les volets du bar.

« Où est la tante, ce soir ?

— Elle fait des câlins à son petit mineur. Le jeune israélite aux yeux de braise. »

Tout au long de la semaine, elle fut en proie à des épisodes de vertige et les cache-corset qu'elle portait depuis des années sans se plaindre lui irritèrent les seins. Lors de la visite suivante d'Ephraim, elle resta dans sa chaise berçante pendant la leçon de latin et elle lui fit ensuite récurer le sol de la cuisine à l'aide d'une solution de bicarbonate de soude et d'eau chaude. Elle ne se déclara satisfaite qu'après une troisième tentative. « Je vais interdire à M. Nicholson de te recevoir ici. Je sais ce que vous manigancez, tous les deux. »

Mais, plus tard, elle vint vers lui et lui offrit son pied, et il l'obligea une fois de plus, la calmant en faisant comme si ce n'était qu'un jeu, pantelant et grognant tel un chiot avec son os. Elle lui présenta l'autre pied. Enhardi par le souffle de plus en plus court de la femme, il fit courir sa main le long de sa jambe. Elle se dégagea en haletant, sans s'enfuir pour autant. Après un moment d'hésitation, elle se rapprocha de nouveau. Roulant sur le dos, il glissa une main sous sa chemise de nuit dans l'intention de la caresser. Mais il avait le bras trop court. Impatiente, elle s'accroupit. Après, les yeux débordants de rancœur, elle lui dit :

« Ne viens pas dimanche prochain. M. Nicholson sera absent. Une lecture de poésie.

— Vous n'aurez qu'à ne pas verrouiller la porte. J'attendrai qu'il fasse noir.

— Oh, non ! » supplia-t-elle en secouant la tête, le visage entre les mains, et en pleurnichant.

Il dut s'écarter promptement pour éviter un coup de pied dans les parties intimes.

Le dimanche suivant fut pour elle un véritable calvaire : elle fit les cent pas dans la chaumière en se tordant les mains, en se cognant aux meubles. Juste avant le coucher du soleil, elle verrouilla la porte et s'étendit dans l'intention de se reposer, victime d'un nouvel épisode de vertige. Un oreiller serré entre les cuisses, elle pleura. C'était peine perdue. Elle sursautait chaque fois qu'elle croyait entendre ses pas sur le sentier. Elle déverrouilla la porte et se fit du thé. Décidément, elle n'arrivait pas à se calmer. Elle s'essaya à des travaux d'aiguille, mais ses mains tremblaient trop. Elle verrouilla de nouveau la porte, cette fois d'un geste colérique, mais il ne vint toujours pas. Elle posa son rouleau à pâte sur la table et déverrouilla la porte. C'était sans importance, désormais. Il ne viendrait plus. Il était tard.

Sans doute se trouvait-il avec M. Nicholson. Elle imagina des positions qui la dégoûtaient, elle remplit une bassine d'eau et se lava, mais seulement après avoir verrouillé la porte. Lorsqu'elle l'entendit s'avancer en chantant un de ses chants funèbres de synagogue, elle souffla la bougie et s'immobilisa. Ses yeux se remplirent de larmes. Silence. On jeta des cendres contre la fenêtre de la cuisine. Les voisins, les voisins. Elle ralluma la bougie, déverrouilla et le fit entrer en vitesse.

« Pars tout de suite », dit-elle.

Mais il était déjà à l'intérieur, tout sourire. Elle regagna sa chaise berçante, les yeux rougis, la bible familiale sur les genoux.

« Certains se réconfortent à l'idée que l'enfer est une abstraction. Ne t'y trompe surtout pas, petit. L'enfer est un lieu bien réel qui attend les sales pécheurs comme toi. Tu as déjà vu un cochon tourner sur la braise, tu as vu sa chair crépiter et grésiller, sa graisse gicler de tous les côtés ? Telle est la chaleur qui règne dans les régions les plus froides de l'enfer. »

Il s'assit sur la chaise de M. Nicholson et retira ses sabots.

« Il y a du linge à laver, dit-elle, et je trouve que ce carrelage a perdu de son éclat. »

Il fit la lessive, plus amusé que contrarié, semblait-il, puis, à quatre pattes, il s'attaqua au sol de la cuisine. Se rapprochant de la chaise berçante, il fit sursauter Mme Nicholson en fourrant son nez entre ses jambes et en grognant. Elle se dégagea, arracha des morceaux de pain et les jeta en l'air pour qu'il les attrape au vol. Quand il les ratait, elle saisissait le rouleau à pâte, menaçante. Il s'accroupit de nouveau, se frotta au carrelage, tête baissée, gémissant. Elle rit, ce qu'il interpréta comme une invitation à fourrer encore une fois son nez entre ses jambes, seulement plus haut, cette fois. Elle recula en trébuchant, épouvantée : tout d'un coup, elle le voyait non plus comme un chiot enjoué, mais comme un bouc menaçant. Elle saisit son rouleau à pâte et le frappa, mais le coup dévia sur son épaule. Outré, il lui prit l'objet des mains et le jeta contre un mur. Elle se réfugia derrière une chaise, haletante, et lui demanda une fois de plus de s'en aller.

« Non », répondit-il.

C'est alors seulement qu'elle remarqua qu'il avait apporté un paquet. Il était emballé dans de vieux journaux et noué avec un bout de ficelle.

« Qu'est-ce que c'est ? demanda-t-elle.

— Une surprise pour vous, madame Nicholson.

— Ce ne serait pas convenable. Tu le rapporteras en t'en allant, petit.

— Après avoir vidé les eaux sales ?

— Oui. »

Calmée, craintive, elle balaya les derniers bouts de pain dans un coin et l'entraîna vers la table en bois blanc, où elle l'initia au Nouveau Testament de Notre-Seigneur et Sauveur Jésus-Christ.

« "Le diable le transporta encore sur une montagne très élevée, lui montra tous les royaumes du monde et leur gloire, et lui dit : Je te donnerai toutes ces choses, si tu te prosternes et m'adores. Jésus lui dit : Retire-toi, Satan ! Car il est écrit : Tu adoreras le Seigneur, ton Dieu, et tu le serviras lui seul." »

Enfin, elle lui désigna sa place habituelle, lui rappela de dire ses prières et de vider les eaux sales, puis elle alla dans sa chambre en laissant la porte entrouverte. Mais il ne la suivit pas. Il enfila plutôt la vieille chemise de nuit de M. Nicholson et attendit sur le sol de pierre, les mains jointes derrière le dos, en chantant :

J'aimerais un beau jeune chevalier
Qui me prendrait dans ses bras,
Et saurait me caresser et me câliner
Quand mon ventre a froid.
Alors je serai sa mie,
Je serai sa mie,
J'aime tant Roger,
Que je serai sa mie.

Il l'entendit s'agiter. Elle l'appela, mais comme une possédée : on eût dit que le nom du garçon avait jailli d'un cauchemar, lui avait échappé contre son gré. Il chanta :

J'aime ce membre enchanté
Qu'ont les hommes sous leurs habits,
J'aime le serrer, j'aime Roger
Et j'aime son nez rubis.
Alors je serai sa mie,
Je serai sa mie,
J'aime tant Roger,
Que je serai sa mie.

Bientôt, elle l'appela de nouveau, cette fois d'un ton péremptoire, exigeant une nouvelle bougie. Il la lui apporta, l'alluma et retourna à sa place. Moins d'une heure plus tard, elle se dressait au-dessus de lui.

« Serais-tu donc malade ?

— Non, madame.

— Eh bien, dans ce cas… »

Il la suivit à pas feutrés et la première chose qu'il fit fut de se dévêtir et de pisser dans le pot de chambre.

« Va le vider », ordonna-t-il.

Se retirant dans un coin, elle se mit à pleurer.

« Obéis. »

Elle vida le pot de chambre, puis souffla la bougie. Il la jeta sur le lit, où elle refusa de retirer sa longue chemise de nuit en flanelle. Elle la retroussa et s'en servit pour se voiler la face. Il la laissa faire la première fois, vite expédiée pour elle comme pour lui, mais, avant de la prendre de nouveau, il ralluma la bougie et la força à retirer sa chemise de nuit et à le regarder. Une fois l'affaire conclue, tandis qu'elle pleurait doucement, il récupéra son paquet, défit la ficelle et laissa tomber sur le corps en sueur de la femme ses vêtements noirs de charbon. « Je ne partirai pas d'ici avant l'aube, dit-il, si mes habits ne sont pas prêts. »

Le dimanche suivant, en présence d'un M. Nicholson particulièrement jovial, Ephraim la fit mourir de honte en la caressant du pied sous la table, pendant qu'ils soupaient tous les trois. Il fut très étonné qu'elle ne vienne pas le retrouver près du foyer dès que M. Nicholson eut commencé à ronfler. Mais, aux premières heures du jour, elle le tira d'un profond sommeil avec son pied.

« Je t'attendais plus tôt, dit-il. Retourne dans ta chambre. »

Piquée au vif, elle pivota sur ses talons.

« Attends. »

Elle s'immobilisa.

« Tiens », dit-il en lui jetant son paquet.

Le dimanche suivant, Ephraim avait à peine eu le temps de s'asseoir pour sa leçon avec M. Nicholson que Mme Nicholson entra dans la pièce, son ouvrage à la main.

« Vous n'assisterez plus à mes leçons », dit Ephraim.

Mme Nicholson s'enfuit.

« Mon Dieu, bégaya M. Nicholson, qu'as-tu fait cette fois ?

— Vous êtes un homme bon et doux de nature, monsieur, mais je ne suis pas de votre espèce. »

Le déboutonnant, il ajouta :

« En guise de dédommagement pour les leçons et en raison de la haute estime que j'ai pour vous, je vais vous offrir un petit quelque chose, mais rien de plus. »

Quand ils eurent fini, M. Nicholson, en grand émoi, s'évada par la porte de derrière et s'enfonça dans la lande.

Ephraim prit Mme Nicholson par la main et l'entraîna dans la chambre.

« Aurais-tu perdu la tête ? demanda-t-elle en résistant.

— M. Nicholson ne rentrera pas avant le matin. C'est arrangé. »

Le lundi et pendant le restant de la semaine, M. et Mme Nicholson firent tout ce qui était en leur pouvoir pour s'éviter. Ils mangeaient en silence. Si leurs regards se croisaient, elle rougissait et la lèvre inférieure de son mari se mettait à trembler. Le samedi, il fit semblant de ne pas remarquer qu'elle sanglotait au-dessus de l'évier. Elle se coupa en épluchant des pommes de terre. Il se rendit au Wagon & Horses et y resta jusqu'à la fermeture. Deux de ses amis plus jeunes durent l'aider à rentrer. « Doucement, ma tante. »

Le dimanche fut intolérable.

« Verrouillez la porte. Nous ne le laisserons pas entrer, monsieur Nicholson.

— Oui. »

Mais, en l'entendant s'avancer sur le sentier en mâchefer, ils bondirent l'un et l'autre. Elle courut lui ouvrir, mais il réussit à l'accueillir en premier.

Parce que Mme Nicholson lui tricotait un chandail, M. Nicholson lui offrit la montre en or qu'il avait héritée de son oncle. Parce que, pour le souper du dimanche soir, elle avait fait une folie en servant du rôti, il courut acheter une bouteille de bordeaux pour leur cours. D'autres aménagements furent tacitement consentis. Pendant leurs leçons, par exemple, elle s'entortillait dans son châle et sortait faire une promenade. Il quittait ensuite la chaumière et ne rentrait que le lundi matin. En contrepartie, elle se retirait tôt dans sa chambre, les mercredis soir, afin qu'il puisse recevoir ses jeunes amis de la Société des poètes. Il empruntait parfois certains vêtements de son épouse en préparation de ces soirées, sans qu'elle le tourmente en citant le verset 5 du chapitre 22 du Deutéronome. Quant à lui, il s'abstenait de faire des commentaires sur l'odeur qu'elle dégageait le dimanche matin.

Ephraim poursuivit son petit manège jusqu'au jour où il comprit que sa maîtrise du latin et de la calligraphie dépassait de beaucoup celle de M. Nicholson. Ce n'était pas tout. Un dimanche soir, il remarqua que les seins de Mme Nicholson avaient commencé à grossir et que ses mamelons brun foncé distillaient une douceur inédite. Alors seulement il vit que sa taille avait épaissi.

Le dimanche suivant, M. et Mme Nicholson l'attendirent en vain jusqu'à la tombée de la nuit.

« Il ne viendra pas, annonça-t-elle.

— Ne dites pas de bêtises, madame Nicholson. Ce n'est pas la première fois qu'il a du retard.

— Vous ne comprenez pas, répondit-elle en sanglotant. Les chandeliers de votre oncle ont disparu. »

Le front de M. Nicholson se couvrit de gouttes de sueur.

« Vous avez le devoir d'alerter les autorités », dit-elle.

Muni d'un chandail neuf, d'une montre de gousset en or, des chandeliers et d'une bourse renfermant cinq livres et douze shillings, Ephraim quitta la mine de Durham et fit route vers Londres. Il avait également en sa possession quelques souvenirs de son père : des phylactères, un talit et un livre de prières en hébreu.

> Quatre, qui connaît ? Quatre, je connais. Quatre matriarches. Trois patriarches. Deux tables de l'Alliance. Un notre Dieu qui est dans les Cieux et sur Terre.
>
> Cinq, qui connaît ? Cinq, je connais. Cinq livres de la Torah. Quatre matriarches. Trois patriarches. Deux tables de l'Alliance. Un notre Dieu qui est dans les Cieux et sur Terre.

C'était le printemps, la terre était humide et odorante, les rhododendrons et les azalées en fleurs.

Ephraim ne revit plus Mme Nicholson ni ne posa les yeux sur son fils, le premier de vingt-sept enfants non reconnus, qui n'étaient pas tous de la même couleur.

Huit

« Qu'en avez-vous pensé, Olive ?

— Je ne vous répondrai pas parce que, sinon, vous allez encore souligner une bourde et me gâcher le film. »

Fidèles à leur habitude, ils allèrent s'offrir une petite douceur au Downtowner. Mme Jenkins décocha à Smith un regard qu'elle espérait perçant.

« Je parie que, pendant toutes ces années, vous aviez une femme cachée quelque part, Bert, avec des enfants majeurs, et qu'elle a fini par vous retrouver pour vous forcer à payer les années de pension alimentaire que vous lui devez.

— Où allez-vous chercher des idées pareilles ?

— L'avocat véreux de chez Denby, Denby, Harrison et Latham qui est venu vous voir… C'était quand, déjà ? Le mois dernier ? Vous ne m'avez toujours pas dit ce qu'il voulait.

— Il m'a confondu avec quelqu'un d'autre.

— Méfiez-vous, Pinocchio, votre nez vient de s'allonger de trois pouces.

— M. Hughes cherchait un autre Smith.

— Alors comment se fait-il que des avocats vous envoient un tas de courrier et que, tout d'un coup, vous ayez un coffre-fort sous votre lit ?

— Vous êtes venue fouiner dans ma chambre.

— Et alors ? Qu'est-ce que vous entendez faire ? Déménager ? Allez-y. Ça m'arrangerait. Pour ce que j'en sais, vous ne vous appelez peut-être même pas Smith. Bert, dit-elle en posant sur lui une main couverte de sauce au chocolat, si la police vous court après, vous pouvez compter sur Olive, votre seule complice dans cette vallée de larmes.

— Je n'ai jamais contrevenu à une loi de toute ma vie, dit-il en dégageant sa main de crainte qu'on les surprenne ainsi.

— Hé ! fit-elle en pouffant, vous connaissez le proverbe préféré des avocats ? »

Il n'en avait que faire.

« Qui vivra véreux. »

Aucune réaction.

« C'est un jeu de mots, Bert. Je vous explique, si vous voulez.

— Inutile.

— Dit la fille du fermier au pasteur. »

Ébranlé, Smith, pour une fois, régla leurs deux additions et laissa dans la soucoupe un pourboire de soixante-cinq cents.

« J'ai comme l'impression que quelqu'un a fait fortune et préfère garder tout ça pour lui. »

Invoquant un mal de tête, Smith, ce soir-là, n'alla pas la rejoindre dans le séjour pour regarder *Kojak.*

« Mardi dernier, quelqu'un vous a vu rentrer en taxi. Sauf que vous êtes descendu au coin de la rue pour qu'Olive ne vous voie pas par la fenêtre.

— J'étais pris de vertiges.

— Quand vous serez prêt à cracher le morceau, Bert, vous saurez où me trouver. D'ici là, j'attendrai, chantonna-t-elle.

— Merci.

— J'ai la loyauté dans le sang. J'espère que vous aussi, mon vieil ami. »

L'héritage, avait-on révélé à Smith, lui venait de son oncle Arnold, mort sans enfants à Hove. Il se chiffrait à 228 725 $.

« Mais je croyais qu'il s'agissait de cinquante mille livres sterling, avait dit Smith.

— Ça, c'était en 1948. Depuis, nous avons placé l'argent pour vous. »

Avançant péniblement dans la neige qui tombait dru, Bert avait apporté le chèque visé à la Banque Royale. L'avait déposé. Avait pris le chemin de la maison. Avait été pris de panique. Avait foncé au bureau de poste de Westmount pour louer une boîte postale. Était retourné à la banque pour dire que, dorénavant, ses relevés devaient être envoyés à cette boîte et non plus à son domicile. À la première heure, le lendemain matin, il était de retour pour faire un retrait de deux cents dollars et s'assurer que tout fonctionnait.

Smith s'estimait trop vieux pour se faire arranger les dents. Il songea à s'acheter un veston en tweed Harris, quelques chemises qui ne soient pas sans repassage et une paire de richelieus, mais Mme Jenkins exigerait de savoir où il avait pris l'argent. En se promenant dans les allées du grand magasin Eaton, il vit un miniréfrigérateur qui conviendrait parfaitement dans sa chambre. Il aperçut aussi une bouilloire électrique qui serait une véritable bénédiction : il pourrait se préparer une tasse de thé quand l'envie lui en prendrait. Et pas la marque Salada, mais du darjeeling de Twinings, rien de moins. Non, il n'osait pas, car aucun détail n'échappait à Olive.

« Que pensez-vous de Murph Heeney, qui habite la cinq, Bert ? »

Heeney, le nouveau pensionnaire qui occupait la chambre voisine de la sienne, était un gros ours hirsute, un menuisier qu'on ne voyait jamais sans une bouteille de Molson Export à la main.

« Ce n'est pas mon genre.

— Vous ne devinerez jamais ce que j'ai trouvé sous son lit. Une pile de *Playboy.* Avec des pages collées ensemble par son jus. »

Olive Jenkins replaçait le col des chemises de Smith. Quand il était souffrant, elle lui montait du bouillon de bœuf fait avec des cubes OXO. Durant la plus longue semaine du mois, celle qui précédait l'arrivée de son chèque de pension, elle lui avait toujours préparé, pour le souper, des saucisses avec de la purée de pommes de terre ou des œufs cocotte. À présent, il avait les moyens de lui offrir un nouveau téléviseur en couleurs ou de l'inviter au cinéma et chez Murray une fois par semaine. Non. Elle se douterait de quelque chose. « As-tu gagné le gros lot, Bert ? »

Tout cet argent à la banque. Il pourrait visiter la mère patrie, voir l'endroit où ses parents avaient grandi. Étourdi, il s'aventura chez Thomas Cook & Sons et se renseigna sur les bateaux en partance pour l'Angleterre. Il fut stupéfait d'apprendre que, désormais, seuls des paquebots russes ou polonais faisaient le voyage à partir du Canada. Cela ne conviendrait jamais. Mais le jeune commis, cet effronté qui empestait l'après-rasage pour tapettes, se tenait devant lui, l'air de dire « Tu es seulement entré ici pour te réchauffer, espèce de vieux croûton », désignait l'emplacement des cabines sur des plans de navires, lui citait des tarifs.

« Repas compris ? » demanda Smith.

L'agent de voyages ne parvint pas à étouffer son rire, malgré la main qu'il avait posée sur sa bouche.

« Et c'est vous le propriétaire, je suppose ? » lança Smith en s'enfuyant.

Smith continua de retirer deux cents dollars par semaine. Il mettait de côté l'argent qu'il ne dépensait pas, c'est-à-dire presque tout, dans une cachette qu'il avait créée, un soir, en sciant une latte du plancher. Il prit l'habitude de s'offrir des déjeuners en solitaire chez Murray, où il réclamait une table au fond. Malgré tout, il sursautait chaque fois que la porte s'ouvrait. La plupart des après-midi, il s'arrêtait chez Laura Secord, où il s'achetait une demi-livre de noix de cajou ou de chocolats, puis il allait s'installer dans le hall de l'hôtel Mont-Royal ou à la gare Centrale et ne rentrait qu'après avoir tout mangé.

« Où avez-vous passé la journée, mon vieil ami ?

— J'ai lu des magazines à la bibliothèque.

— Et comment avez-vous fait pour le déjeuner ?

— Je m'en suis passé. »

Pas selon les informations dont elle disposait.

« Comme dit le vicaire à la femme du rabbin, je pense qu'il faut que nous ayons une petite discussion, tous les deux. »

Elle prépara du thé et, lorsqu'il s'assit, elle remarqua ses chaussettes neuves. Motif en losange. Montant jusqu'aux genoux.

« Je veux savoir si vous volez à l'étalage, Bert. »

Il était sidéré.

« Si vous êtes à court, Olive va vous dépanner, mais il faut que je sache si vous avez des ennuis. »

Il fit signe que non et se dirigea vers sa chambre. Mme Jenkins le suivit jusqu'au pied de l'escalier.

« Auparavant, vous ne faisiez pas de cachotteries à votre bonne vieille Olive.

— Je ne suis peut-être pas le seul à avoir changé. »

Autrefois, Smith était le seul pensionnaire qui avait le droit d'utiliser le réfrigérateur de Mme Jenkins : désormais, cependant, la tablette sous la sienne débordait de bouteilles de bière qui tintaient chaque fois que la porte s'ouvrait ou que le moteur se mettait en marche. L'époque des samedis soir devant la télé avec Olive, où ils se reposaient les « petits petons », comme elle disait, buvaient du Kool-Aid et mangeaient des Twinkies en regardant le film sur la 12, était révolue, elle aussi. Le samedi soir, Olive ne mettait plus la première robe de chambre qui lui tombait sous la main, des bigoudis dans les cheveux. À présent, affublée d'un corset et aspergée de parfum, des boucles à la Shirley Temple descendant sur ses joues, elle portait un chandail angora rose fluo un tantinet trop petit et une minijupe verte, ses jambes grasses gainées de bas résille noirs, ses pieds serrés dans des pantoufles blanches molletonnées avec des pompons bleu clair. Et, dans le séjour qui empestait la bière renversée, la pizza et les cigares White Owl, on regardait *La Soirée du hockey* en compagnie de Murph Heeney.

« Hé, Olive, comment veux-tu que je me concentre sur le match si t'arrêtes pas de m'exciter l'entrejambe ? »

Olive hurla de rire en crachant de la bière.

« Fais attention à ce que tu dis, l'ami, parce qu'après ces publicités… Et voici Johnny ! Non, mille excuses, c'est Bert le loyaliste et sa vallée de larmes.

— Je vous dérange ?

— Nan, fit Heeney. Viens t'asseoir un peu, Smitty, vieille branche. Canadiens 3, Chicago 4, avec huit minutes à jouer. On commence à manquer de temps. »

Smith quitta la pièce, scandalisé. Le lendemain, il sortit de bonne heure et alla manger un œuf McMuffin chez McDonald's. Puis, sortant dans la gadoue, il chercha un taxi. Il fit signe de continuer au premier qui ralentit parce qu'un Noir était au volant, mais il monta dans le suivant.

« Gare Centrale, s'il vous plaît.

— Hé, m'sieur, vous savez qui s'est un jour chauffé les fesses à l'endroit où vous êtes assis ? Nathan Gursky et sa femme. Une grosse fortune, ça. Alors je lui ai demandé c'était quoi, sa philosophie de vie ; je les collectionne, moi. Il me lance que son père lui répétait toujours que tous les hommes sont des frères, et sa femme rit si fort qu'elle devient rouge comme une tomate. Vous voulez savoir où il va ? Dans le Vieux-Montréal. Chez son psy. Vous vous demandez comment je le sais ? Sa femme a dit : "Aux prix qu'il pratique, ne te contente pas de dire 'oh', 'ah', 'euh' au Dr Weinberg. Dis-lui la vérité. C'est de Lionel que tu as peur maintenant." Imaginez… Des millions plein les poches et c'est un timbré. »

Smith acheta la *Gazette* de la veille au kiosque et chercha un banc qui ne soit pas monopolisé par des toxicomanes. Il somnola un moment avant d'aller manger au Jardin de Pékin, cédant à son seul penchant un peu osé : son goût pour la cuisine chinoise. Il alla ensuite se reposer dans le hall de l'hôtel Mont-Royal. Il erra dans le centre commercial Alexis-Nihon, prit un soda Tab et s'assoupit sur un banc. Puis, il fit une petite folie et alla dîner, de bonne heure, chez Curly Joe. Steak frites, tarte aux pommes. Ballonné, aux prises avec d'importantes flatulences, il rentra chez Mme Jenkins avant huit heures, fermement résolu à lui annoncer son départ, mais pas avant de leur avoir dit à tous les deux sa façon de penser.

Murph Heeney était coiffé d'un chapeau de fête en papier crépon.

« Surprise ! On commençait à penser que tu ne rentrerais plus.

— Dit le vicaire à la danseuse en petite tenue », hurla Olive avant de souffler dans un sifflet.

Le prenant par le bras, ils firent danser Smith, ébranlé, jusqu'au séjour, où la table était mise pour trois.

« En entrée, nous avons des œufs à la diable. Viennent ensuite du bœuf braisé et du gâteau au chocolat avec de la crème glacée », dit Heeney en poussant Smith, la mine défaite, sur une chaise.

Pendant qu'Olive divertissait Heeney, Smith parvint à ingurgiter une quantité acceptable de nourriture.

« Un type va chez le docteur, qui lui dit qu'il doit se faire enlever le… son… »

Elle s'interrompit, se censurant par égard pour Smith, et poursuivit :

« … se faire amputer le *pénis*, il saute au plafond… »

Smith déclina le café qu'on lui proposait et monta tant bien que mal dans sa chambre. À trois heures du matin, il se réveilla, l'estomac retourné, et courut aux toilettes, au bout du couloir. Là, il croisa le singe velu qui en sortait, vêtu d'un simple caleçon. Heeney le prit par le bras, peut-être parce que lui-même tanguait un peu.

« À ta place, j'attendrais, fit-il en se bouchant le nez.

— Impossible », dit Smith en se dégageant.

QUATRE

Un

Septembre 1973. Surgissant de Wardour Street au volant de sa vieille MG cabossée, qu'il fit rugir de plaisir en rétrogradant, Terry se glissa dans une place de stationnement. Puis il remonta la rue d'un pas rapide jusqu'au Duke of Wellington en surveillant de près les gros nuages gris, car il portait son nouveau costume, le veston un rien cintré, avec des poches appliquées, et le pantalon légèrement évasé. Ils l'attendaient tous au bar. Des, Nick, Bobby.

« Hello, hello, hello.

— Quel aguicheur, celui-là !

— Tadam ! »

Terry, souriant pour mettre ses fossettes en évidence, souleva les pans de son veston et tourna sur lui-même.

« Oh ! mon chou ! s'exclama Bobby en tremblant de plaisir. Une merveille signée Cecil Gee.

— Pas de saint danger ! Ça m'a coûté trois cents livres. L'œuvre de Doug Hayward, annonça-t-il, tailleur des stars ! »

Des tendit la main pour palper le tissu puis, sans crier gare, il la posa sur l'entrejambe de Terry, qu'il se mit à caresser de ses doigts dodus.

« Et ça, qu'est-ce que c'est ?

— Le fruit défendu », répondit Terry.

Il tapa sur la main de Des et s'esquiva.

« Réservé, tu veux dire ?

— Va te faire voir, petit. »

Nick, pressentant du grabuge, s'interposa.

« Quelqu'un a vu la mère Foley ? demanda Terry.

— T'en fais pas, Terry. La mère Foley viendra. On casse la croûte ?

— Pas ce soir, chérie, j'ai mal à la tête. »

Retroussant avec astuce la manche de son veston, Terry révéla sa magnifique montre noire, particulièrement imposante. On ne pouvait y lire quoi que ce soit jusqu'au moment où Terry, appuyant sur un minuscule bouton, fit apparaître 7:31 en chiffres.

« Tadam !

— Où t'as piqué ça ?

— On n'en trouve même pas ici. Lucy me l'a achetée à New York. »

Soudain, Foley se profila devant eux. Boucles grises émergeant d'un chapeau de brousse à larges bords, col roulé lie-de-vin, jean bariolé. Terry le suivit dans les toilettes pour hommes.

« T'as le cash, mon pote ?

— *Mañana.* Pas de souci. »

Foley frotta sa mâchoire violette, l'air pensif.

« Allez, quoi, mon chou. Je t'ai déjà laissé tomber ? »

Foley lui remit la marchandise. Terry, lui soufflant un baiser, retourna au bar d'un pas dansant.

« J'ai le temps d'en prendre un dernier.

— Et où vas-tu ce soir ? demanda Des. Dis-nous.

— Oh, chez Annabel, peut-être, pour un petit filet mignon arrosé de Dom P. Ou bien aux A. pour quelques parties de baccara. »

En fait, elle ne l'avait encore jamais emmené dans un endroit où on risquait de la reconnaître. Même que c'en était rageant.

« Tu devrais avoir honte, Terry, de vendre ton corps sublime pour des babioles si éphémères. »

Il récupéra sa MG, s'engagea dans Hyde Park à vive allure et déboucha en haut de Sloane Street avant de bifurquer vers Belgravia. Sans même regarder, il savait qu'elle l'attendait, debout devant la fenêtre de son appartement aménagé dans une ancienne écurie, en fumant des cigarettes à la chaîne. Il prit donc tout son temps pour sortir de la voiture.

Vêtue d'un fourreau de soie noire, aux manches longues, forcément, Lucy ouvrit avant même qu'il ait sonné. Le pouce de sa main droite, complètement desséché à force d'être sucé, était aussi plissé qu'une noix. Elle avait tenté de l'envelopper dans un pansement pour la nuit, mais sans succès. Elle arrachait le bandage dans son sommeil.

Les grands yeux noirs de Lucy cillaient d'un air de détresse. Elle avait quarante et un ans, mais elle en faisait davantage, peut-être à cause de son extrême maigreur.

« L'argent est sur la table, dit-elle comme si elle avait affaire à un livreur de John Baily.

— Tu n'as rien dit à propos de mon costume.

— Ne joue pas avec moi, Terry. Donne.

— Tu trouves le pantalon trop serré ?

— Disons qu'il met la marchandise en valeur et restons-en là. »

Elle disparut dans la cuisine en faisant claquer la porte.

Terry entra dans la chambre, où il ouvrit distraitement les tiroirs. Dans le premier de la table de chevet, sans doute une antiquité d'une valeur inestimable, à la surface grêlée de brûlures de cigarettes, il découvrit la moitié d'une tablette de chocolat Toblerone. Dans le tiroir suivant, d'autres chocolats, de chez Bendicks ceux-là, ainsi que des mouchoirs en papier usagés, des bagues dont il pourrait mettre la disparition sur le dos de la femme de ménage. Dans le tiroir suivant, une boîte de Quaalude. D'autres boîtes de pilules. Des stimulants, des calmants. Et un livre, avec de nombreuses pages cornées, des passages soulignés ici et là. *Les Poésies complètes* de Gerard Manley Hopkins. On y avait griffonné une dédicace en caractères minuscules : « Le 12 juillet 1956. Pour ma chère Lucy, avec tout mon amour, Moses. » La première impulsion de Terry fut d'arracher la page et de la déchirer en mille morceaux, mais son instinct de survie le sauva. Il y avait des limites.

« Tu en as avec toi, fit-elle en sortant de la cuisine, et tu me taquines, hein ?

— Désolé, trésor.

— Sers-moi à boire.

— S'il te plaît.

— À ta place, je ferais attention. »

Il alla donc lui chercher un scotch.

« Bois. C'est bien. Que dirais-tu de sortir manger un morceau ?

— Je ne peux pas sortir dans cet état. J'ai besoin de prendre quelque chose, tout de suite.

— Tadam ! dit-il en esquissant un pas en arrière et en brandissant l'enveloppe devant les yeux de Lucy. Tadam, tadam !

— Je t'en supplie, Terry.

— Je veux aller aux A. »

Tenant fermement l'enveloppe, il la repoussa.

« Tu m'emmènes manger aux A. ?

— Oui. Pourquoi pas ? »

La réponse le désarçonna.

« Promis ?

— Oui, oui, oui.

— Dans ce cas, très bien. »

Tirant sur le corsage de Lucy avec un doigt crochu, il enfonça l'enveloppe entre ses seins. Puis il recula en souriant d'un air suffisant, mais il respirait la peur. Lucy, le front couvert de sueur, se réfugia dans la salle de bains. Elle repéra la petite veine dans son cou, la pinça entre deux doigts – c'était là ou bien la langue, les autres veines s'étaient affaissées – et se saisit de la seringue. En sortant de la pièce, elle affichait un air impérieux.

« Assieds-toi, Terry. »

Il obéit.

« Tu n'as jamais été le seul morceau de viande en vitrine, très cher. En cherchant un peu, je suis certaine de trouver des découpes meilleur marché et plus obligeantes. »

Salope. Mais il tint sa langue. Il savait d'expérience que l'effet s'estomperait vite, qu'il lui en faudrait davantage et que c'est elle qui finirait par se montrer obligeante. Il sourit, faisant étalage de ses fossettes.

« Tu ne tolères plus la plaisanterie, à présent ?

— La plaisanterie, si. Toi, non.

— Nous n'allons plus aux A. ? Tu m'avais promis.

— Nous n'irons plus nulle part ensemble. »

S'adoucissant un peu, elle ajouta :

« Allons, Terry. Tu savais bien que ça finirait un jour.

— Très bien. D'accord, mon chou. »

Deux

M. Bernard mourut un lundi, à l'âge de soixante-quinze ans, le corps décharné. Il fut exposé solennellement dans le hall de la tour Bernard-Gursky pendant deux jours et, comme il ne s'était pas encore relevé le troisième, il fut dûment inhumé. La famille demanda, inutilement en l'occurrence, que l'on fasse des dons à la Société du cancer au lieu d'envoyer des fleurs. Les fleurs, que certaines personnes peu au fait des coutumes juives offrirent sous forme de couronnes, furent minutieusement examinées par le dévoué Harvey Schwartz, à l'affût de cartes compromettantes. La plupart d'entre elles, constata-t-il avec soulagement, venaient de célébrités, de gens qui avaient réussi dans la vie et dont la renommée s'étendait bien au-delà de Montréal, ainsi qu'Harvey, avec son zèle coutumier, le fit observer aux journalistes présents.

Heureusement, ils évitèrent tout embarras. Lucky Luciano était mort. Al Capone, Waxey Gordon, « Little Farvel » Kovolick, Longy Zwillman et Gurrah Shapiro aussi. D'autres copains des jours heureux s'abstinrent d'envoyer des fleurs ou, à l'exception de Meyer Lansky, eurent assez de tact pour ne pas faire de déclarations dans les journaux. Lansky, qui n'avait rien pardonné, déclara au journaliste qui l'avait surpris à Miami en lui annonçant le décès de M. Bernard : « Sans Solomon, ce fumier aurait fini sa vie comme il l'a commencée, comme balayeur dans un bordel. »

Invité par les agences de presse à préciser le fond de sa pensée, Lansky s'y refusa. Il insista pour dire qu'il avait été mal cité.

Charley Lin, dit le Gros, se rendit aux funérailles dans une Rolls-Royce de location et distribua à toutes les personnes présentes des cartes parfumées vantant son chic restaurant torontois, House of Lin. Stu MacIntyre, ex-ministre de la Justice, fut amusé d'apercevoir parmi la foule le fils du regretté juge Gaston Leclerc. André Leclerc, responsable des relations publiques de McTavish en Europe, était établi à Paris, mais, bien entendu, il possédait aussi un château dans la Loire. Et, exactement comme Callaghan l'avait prévu, Bert Smith était là pour assister à la mise en terre de M. Bernard.

« Monsieur Smith ?

— Oui.

— Tim Callaghan. Vous vous souvenez de moi ?

— Je me souviens de vous.

— Je me disais, aussi. Eh bien, il est mort. C'est fini, maintenant.

— Fini ? Pas du tout. Ça ne fait que commencer. Maintenant, il va faire face à un juge qu'il ne pourra pas soudoyer.

— Oui, c'est une façon de voir les choses, je suppose.

— La seule, en fait.

— Il faut que je vous parle, Bert.

— Appelez ma secrétaire pour prendre rendez-vous.

— Nous sommes vieux, désormais, Bert, vous et moi. Est-il possible de nous entretenir quelque part ? Je vous en serais reconnaissant.

— À propos du bon vieux temps ?

— Je sais ce que vous ressentez, Bert.

— Vous croyez ?

— Allons causer. »

Les journaux signalèrent que M. Bernard, parti de rien, était né dans une hutte de terre dans les prairies. Fils d'Aaron Gursky, un colporteur, il avait acquis un premier hôtel à vingt et un ans et fini par présider à la destinée d'une distillerie présente dans quinze pays et dont on estimait le chiffre d'affaires annuel à plus d'un milliard de dollars. Les journalistes mentionnèrent que plus de deux mille personnes avaient défilé devant le cercueil de M. Bernard. Parmi elles se trouvaient des ministres des gouvernements fédéral et provincial, des sénateurs américains, l'ambassadeur d'Israël et de nombreux dirigeants d'entreprises. Le rabbin, dans son oraison funèbre, se risqua à dire que « les actions de M. Bernard Gursky lui survivraient sur les scènes locale, nationale et internationale, au pays comme à l'étranger. Il était aussi doué pour donner de l'argent que pour en gagner. Même s'il partageait la table des rois et des présidents, il n'hésitait pas à se mêler aux gens ordinaires, quelles que soient leur race, leur couleur et leurs croyances. Il avait un sens profond de la compassion. Nous avons perdu une légende de notre temps, un homme de renommée mondiale ».

Dans les notices nécrologiques publiées partout dans le monde, on souligna la générosité de M. Bernard, qui pouvait légitimement prétendre au titre de philanthrope moderne. Il ne fut nullement question de son frère Solomon, le tristement célèbre Solomon, et, Dieu merci, on passa vite sur les années de la prohibition.

Harvey, d'humeur bavarde, des chaussures neuves aux pieds, répondit aux entrevues avec une étonnante ardeur. À son grand soulagement, aucun employé aigri – comme le vieux Tim Callaghan, par exemple – n'avait fait surface pour remettre sur le tapis l'histoire la plus compromettante dont Harvey avait été témoin au cours de ses longs états de service auprès de M. Bernard. Le jour où on avait fait venir en avion des banquiers d'affaires de Londres pour déjeuner dans la salle du conseil des Gursky afin de célébrer la marge de crédit de cinq cent millions de dollars que leurs établissements venaient de garantir et qui allait permettre à M. Bernard de faire l'acquisition de la McEwen Bros. & Ross Distillery dans les Highlands, en Écosse. Ce jour d'infamie s'était incrusté dans la tête d'Harvey et hantait encore ses rêves.

M. Bernard, pour une fois intimidé, était déterminé à éviter que ces banquiers de l'establishment, parmi lesquels se trouvaient un lord et deux chevaliers, s'échangent des clins d'œil derrière son dos ou voient en lui un voyou du ghetto repenti. Il avait retouché le menu encore et encore, enfilé et rejeté trois costumes avant de se décider pour le gris foncé avec l'aide inattendue d'une nouvelle réceptionniste tout à fait charmante et d'une beauté déconcertante. En le voyant passer, la jeune femme avait osé siffler, forçant M. Bernard, interloqué, à s'arrêter.

« Il vous donne un air très distingué, dit-elle. On jurerait que vous vous rendez au château de Windsor.

— Comment vous appelez-vous, mademoiselle ?

— Eh bien, Kathleen O'Brien, monsieur B. »

Personne ne l'appelait ainsi. Une telle espièglerie lui plut. Il rit.

« Vous savez taper à la machine ? demanda-t-il.

— Aussi vite que l'éclair, répondit-elle. En plus, je connais la sténo, je parle couramment le français et je ne me débrouille pas trop mal au snooker.

— Mais êtes-vous capable de garder un secret ?

— Mettez-moi au défi, monsieur B. »

Mutée dans le bureau de M. Bernard pour un essai une semaine avant le repas des banquiers, elle finit par le convaincre, à force de taquineries, de troquer contre une parure plus sobre ses boutons de manchette ornés de diamants et de son monogramme. Elle réussit même à le faire renoncer à ses chaussettes de soie noire. « Seuls les Hongrois d'origine douteuse portent des trucs comme ça », dit-elle.

Elle le fit répéter en vue du déjeuner. Mlle O'Brien lui tapait sur la main quand il saisissait sa fourchette comme il l'avait toujours fait.

« Non, non, monsieur B. Comme ceci.

— Mais il y a qu'un trou du cul pour tenir sa fourchette à l'envers !

— Pas de comment ni de pourquoi, monsieur B. Ce sont les bonnes manières. »

À deux jours du lunch avec les banquiers, M. Bernard se mit à arpenter frénétiquement son bureau, les sinus bouchés, l'estomac noué, regrettant de ne pas avoir une fraction du panache de Solomon, de l'esprit de Solomon. Le jour dit, il passa la matinée à engueuler ses subalternes, à lancer des cendriers, à envoyer valser des corbeilles à papier, à poursuivre les secrétaires dans les couloirs en leur criant des obscénités. Morrie, qui se curait le nez sans arrêt depuis sa naissance, fut banni de l'immeuble. En fait, hormis ses deux fils et Harvey, dont il ne pouvait se passer, M. Bernard n'invita que les cadres *goyim* de l'entreprise à rencontrer les banquiers d'affaires. Malgré tout, M. Bernard se rongea les sangs jusque tard dans la nuit pour établir la liste des invités, rayant un nom, se ravisant, le rayant de nouveau.

Tout avait merveilleusement bien débuté. Les banquiers avaient été séduits par le fascinant portrait au crayon d'un Ephraim Gursky rayonnant, qui trônait au-dessus du foyer dans son cadre doré. « Comme vous le savez sans doute, dit M. Bernard, nous sommes loin d'être de nouveaux venus dans ce grand pays où tout est possible. C'est en 1846 que mon grand-père a foulé pour la première fois le sol canadien. C'est le jeune homme que vous avez sous les yeux. Ephraim Gursky à vingt-neuf ans. Venu à la recherche du passage du Nord-Ouest. Passons à table, voulez-vous ? »

Seul Harvey Schwartz, désespéré, se rendait compte que M. Bernard – son discours si cérémonieux qu'il en était assommant, respectant à la lettre les règles de bienséance – était terriblement tendu et il savait d'expérience quel horrible éclat une telle tension risquait de provoquer. Puis, au moment où les banquiers prenaient place et où Harvey tirait la chaise de M. Bernard, celui-ci se détendit prématurément. Il laissa échapper un pet. Un pet tonitruant. Dans le silence qui s'ensuivit, long de quelques secondes à peine, mais qui, pour Harvey, sembla durer une éternité, M. Bernard, les yeux exorbités, foudroya son adjoint du regard.

« Je… suis… navré, bégaya Harvey, le teint cendreux. Je n'ai pas fermé l'œil de la nuit… maux d'estomac… j'ai dû manger quelque chose… pardon, pardon… toutes mes excuses, messieurs. » Et il courut jusqu'aux toilettes qui lui étaient réservées, où, aveuglé par les larmes et tremblant de rage, il se laissa glisser sur le sol et se cogna la tête contre le mur. Puis, il essaya d'amoindrir son humiliation en calculant rapidement la valeur à la revente de ses actions d'Acorn et de ses stock-options de McTavish.

Harvey n'avait pas regagné la salle du conseil. Il avait quitté la tour Bernard-Gursky et était rentré chez lui, où il avait passé les trois jours suivants au lit, prétextant une migraine.

À présent, il avait des ennuis d'une autre nature. Quelques jours seulement après l'inhumation de M. Bernard au cimetière du Temple du mont Sinaï, sa tombe fut profanée. Par chance, on avait aussitôt communiqué non pas avec la famille immédiate, mais avec Harvey, qui fonça au cimetière. Le spectacle qu'il découvrit le confondit et le préoccupa. Un corbeau avait été harponné sur la tombe.

Harvey, l'estomac retourné, avait glissé un billet de cent dollars au gardien du cimetière. Après avoir fait jurer au vieil homme de garder le silence, il avait pris des dispositions pour que le tombeau soit surveillé vingt-quatre heures sur vingt-quatre. Il avait ensuite apporté sa découverte à Walter Osgood, ex-conservateur de musée et directeur de la Fondation Gursky pour les arts.

Osgood, un Anglais corpulent, sujet aux pellicules et à la mauvaise haleine, arborait une moustache touffue; il avait des yeux bleus moqueurs et une attitude qu'Harvey jugeait résolument condescendante pour un type qui – pour reprendre ses mots – ne serait jamais rien de plus qu'un crétin à cinquante mille dollars par année. En plus de conseiller les Gursky dans leurs achats d'œuvres de maîtres anciens et modernes sur les marchés mondiaux, Osgood professait ses opinions littéraires dans l'édition du samedi du *Star* de Montréal. Sa chronique, fort suivie et qui s'intitulait « La griffe du rat de bibliothèque », était émaillée de citations latines, au même titre que les conférences qu'il donnait fréquemment à la St. James Literary Society et au PEN Club. D'autres avaient lieu dans son appartement du Vieux-Montréal – son atelier, ainsi qu'il préférait l'appeler –, à l'étage d'un entrepôt aménagé. Il partageait l'atelier avec une dame qu'il prenait plaisir à présenter comme son *innamorata*.

« Seulement pour épater le bourgeois, avait-il un jour confié à Becky.

— À la bonne heure », avait-elle répondu en lui pressant la main.

Osgood, les coutures de sa saharienne et de son pantalon assorti prêtes à craquer, parvint à dissimuler sa stupéfaction lorsque Harvey fit irruption dans son bureau et laissa tomber son fardeau sur sa table de travail. Le corbeau, déclara Osgood sans la moindre hésitation, était effectivement *rara avis* à Montréal, son habitat naturel étant le Nord. Il s'agissait, bien sûr, de l'oiseau royal. Dans *Macbeth*, le croassement d'un corbeau annonçait la mort du souverain. Le corbeau, ajouta-t-il, était l'emblème du dieu danois de la guerre. Puis, en examinant le harpon, dont la lance était faite de bois de caribou, la tête d'os d'ours et la ligne de peau de phoque barbu, il affirma qu'il s'agissait sans contredit d'un artefact esquimau, probablement d'origine netsilik, d'un genre qui, depuis longtemps, n'était plus en usage.

« Sans doute d'une grande valeur. Où avez-vous dégoté un truc pareil, mon vieux ?

— Aucune importance », répliqua Harvey avec brusquerie.

Puis il lui montra le symbole gravé dans le manche de l'arme.

« C'est un *gimel* », précisa-t-il.

Le visage flasque d'Osgood, déjà rougeaud d'ordinaire, s'empourpra.

« Pardonnez-moi, dit-il en se levant lentement, mais j'ai un urgent besoin de miction.

— Quoi ?

— Envie de pipi. »

Osgood se reposa un moment sur le siège de la cuvette, la tête ballant entre les genoux. Ensuite, il s'aspergea le visage d'eau froide et prit dans la pharmacie un petit sachet et une minuscule cuillère d'argent, puis il sniffa à fond. Ce n'est qu'après qu'il fut en mesure d'affronter de nouveau Harvey.

« Vous disiez…

— C'est un *gimel*. Une lettre de l'alphabet hébreu, Walt, ajouta Harvey, sachant pertinemment qu'Osgood jugeait le diminutif offensant.

— Oui, oui, la troisième lettre de l'alphabet hébraïque. Mais c'est impossible, mon vieux. Ça ne se peut tout simplement pas. Le profane pourrait croire qu'il s'agit d'un *gimel*, mais c'est plutôt la signature de l'artisan. Sans doute un Esquimau ou, pour être plus décent, un Inuit. *Esquimau*, comme vous le savez, est un mot indien qui signifie "mangeur de viande crue". C'est péjoratif. »

Osgood sourit.

« Comme *youpin*, pour prendre un exemple au hasard », dit-il en essayant de saisir le harpon.

Harvey le lui arracha des mains.

« Je vais le conserver, si ça ne vous dérange pas.

— Un instant, Harvey. J'ai demandé à mon *amanuensis* de transcrire mes notes en prévision du prochain *souk* de Londres. La vente aux enchères de Sotheby's. Vous en voulez une copie ?

— Oui. Vous êtes bien brave.

— Harvey, euh… je n'arrive pas à mettre le doigt dessus, mais vous avez changé. Vous paraissez plus grand maintenant que…

— Ne jouez pas au plus fin avec moi, Walt. »

De retour au quarante et unième étage de la tour Bernard-Gursky, Harvey, tout bien considéré, ne fut pas surpris de trouver Mlle O'Brien dans le bureau de M. Bernard, où elle l'attendait. Elle avait encore cédé aux appels du scotch, la bouteille ouverte devant elle. Du Loch Edmond's Mist, le pur malt vieilli douze ans des Gursky. Le meilleur. Elle le buvait sec. « Prendrez-vous un verre d'adieu avec moi, monsieur Schwartz ? »

Des années auparavant, il lui avait demandé de bien vouloir l'appeler Harvey, mais elle avait refusé. « Je préfère vous appeler M. Schwartz. » Des années auparavant, elle n'avait qu'à s'engager dans le couloir sur ses jambes longues et fines, ses cheveux auburn flottant derrière elle, un crucifix logé irrésistiblement entre ses seins, pour que tous les hommes se retournent sur son passage. Presque tous, mais certainement pas Harvey, lui avaient fait des avances et avaient appris à leurs dépens ce qu'il en coûtait de flirter avec cette allumeuse. L'air suave, elle prenait un verre avec eux au Lantern et, parfois, acceptait même de manger en tête à tête au Café Martin, mais personne n'avait jamais mis les pieds dans son appartement de la rue de la Montagne.

Mlle O'Brien, Harvey devait en convenir, avait su garder sa taille de jeune fille. Mais elle ne faisait plus tourner les têtes. Il n'y avait qu'à regarder son cou, ses mains.

« Pourquoi "d'adieu" ? demanda-t-il, soulagé.

— C'est bien ce dont il s'agit, non ?

— Vous faites partie de la famille, mademoiselle O'Brien.

— Nous ne faisons pas partie de la famille. Ni vous ni moi. C'est une erreur que je n'ai jamais commise, monsieur Schwartz. Vous auriez intérêt à faire de même. »

Se hérissant devant l'effronterie de cette pute, qui laissait entendre qu'ils étaient dans le même bateau, elle et lui, il eut un sourire pincé et dit :

« Il serait bon que vous suiviez des cours d'informatique. Il faut vivre avec son temps. Mais vous êtes toujours la bienvenue ici. Une femme avec des talents comme les vôtres...

— Il avait l'habitude de dire : "Je parie qu'Harvey nous observe par le trou de la serrure." Le faisiez-vous, monsieur Schwartz ?

— En attendant, j'ai pour vous de bonnes nouvelles. M. Bernard ne vous a pas oubliée dans son testament. Un legs. Vingt mille dollars.

— N'étirons pas inutilement les choses, monsieur Schwartz. Je suis venue chercher l'enveloppe qu'il a laissée pour moi dans le coffre-fort. »

Harvey ouvrit le premier tiroir du bureau de M. Bernard, en sortit un dossier et le lui tendit sèchement.

« Voici, au cas où ça vous intéresserait, une liste détaillée, dûment notariée, de tous les articles que renfermait son coffre-fort.

— Étiez-vous là au moment de l'ouverture du coffre, monsieur Schwartz ?

— Il n'y avait pas d'enveloppe pour vous.

— M. Bernard ne m'aurait pas menti à propos d'une chose pareille. J'ai cinquante-trois ans, monsieur Schwartz.

— C'est fou comme le temps passe.

— M. Bernard avait raison à votre sujet. Vous êtes un avorton. Vous aurez de mes nouvelles. »

Vous aurez de mes nouvelles. Après le départ de Mlle O'Brien, Harvey ruminait la menace implicite et en soupesait les conséquences possibles lorsque l'entrechoquement de billes de snooker, un bruit d'outre-tombe, le fit sursauter. La porte de la salle de billard était entrouverte. Harvey s'approcha prudemment, mais il esquissa un large sourire en constatant qu'il s'agissait seulement du pitoyable M. Morrie. Un M. Morrie d'humeur nostalgique.

« Savais-tu, Harvey, qu'on m'a tiré dessus deux fois ? Je te parle du bon vieux temps, quand nous devions surtout nous méfier des détrousseurs. La seconde fois, j'ai chié dans mon froc. Bernie m'a taquiné à ce sujet comme ce n'est pas permis. Jusqu'au jour où Solomon l'a su. Alors, au départ du convoi suivant, il a attrapé Bernie par le col et l'a mis dans la cabine du premier camion et ça, *boychick*, c'était l'époque où "Nigger Joe" Lebovitz et Hymie Paul, les gars de la Little Navy, se faisaient talonner par le Purple Gang. Bernie tremblait comme une feuille. Un camion a pétaradé et Bernie s'est jeté par terre. Après, il n'a plus jamais fait allusion à mon humiliation. »

M. Morrie s'interrompit pour mettre du bleu sur sa queue de billard avant de tenter un coup difficile, qu'il rata.

« Hé, tu sais ce que je rêvais de faire quand j'étais jeune ? Ouvrir un bar. Morrie's. Un endroit classe dans un beau quartier. Des murs en lambris. Du bois ancien. Des artistes du coin auraient accroché leurs œuvres sans payer de commission. Pas de bretzels ni d'arachides toutes sèches sur le bar. Mais, à six heures du soir, j'y aurais aligné des bols de foie haché. Des œufs à la diable. Des petites saucisses épicées. J'aurais accepté les chèques personnels. J'aurais écouté les problèmes de tout un chacun. Quel chic type, ce Morrie, auraient dit les clients. Et il sert des verres dignes de ce nom.

— Évidemment, vous vous rendez compte, dit Harvey en tentant de cacher son désarroi, que ce n'est plus possible.

— Ça manquerait de dignité.

— Oui.

— Je suis le seul frère de Bernard Gursky encore en vie. À part ça, *boychick*, comment penses-tu t'en tirer avec la nouvelle génération ? Les Gursky homogénéisés. Les enfants de mon frère. »

C'était donc ça. Sans doute Morrie avait-il appris que lui, Harvey, n'aurait plus sa place au sein du conseil d'administration, première décision du nouveau PDG de McTavish.

« Lionel et moi sommes aussi proches que des frères. Demandez à n'importe qui.

— Tu sais ce que mon pauvre frère voulait plus que tout et n'a jamais eu ? Ce qu'il voulait, c'était qu'ils l'acceptent dans *leurs* cercles, qu'ils l'acceptent comme il était. Qu'ils le nomment ambassadeur, par exemple. Comme Joe Kennedy. À bien y penser, nous n'avons rien fait de pire qu'eux. Comment expliques-tu ça, Harvey?

— Quel que soit le point de comparaison qu'on utilise, M. Bernard était un être humain remarquable. Un géant.

— Tu es tellement futé, Harvey. Sincèrement. Je t'ai toujours admiré pour ça.

— Le compliment me touche beaucoup.

— Mais qu'as-tu fait de l'enveloppe?

— Il n'y avait pas d'enveloppe. Et je suis en mesure de produire des témoins qui confirmeront mes dires.

— Bernie m'a donné l'assurance qu'il avait pensé à Mlle O'Brien.

— Je jure qu'il n'y avait pas d'enveloppe. Il a oublié ou il lui a menti. Sans lui manquer de respect, il lui arrivait d'être dur, vous savez. Regardez comment il vous a traité pendant toutes ces années.

— Tu crois qu'il ne m'a pas adressé la parole pendant tout ce temps? *Oy*, Harvey, quand nous étions seuls, lui et moi... Tu veux que je te dise? Certains après-midi, avant qu'il cesse de venir travailler, il verrouillait la porte de cette pièce, il allait chercher des *popsicles* dans le congélateur, il prenait un jeu de cartes, on se mettait à quatre pattes pour jouer à la bataille, comme quand on était petits. Il a toujours eu la larme facile, comme tu le sais, mais, au cours des derniers mois, il pleurait sans arrêt. Solomon, pardonne-moi, Solomon. La vérité, c'est que seul Bernie avait ce qu'il fallait pour nous rendre si incroyablement riches. Moi, j'étais trop stupide, de toute évidence, et Solomon aurait détruit McTavish comme il détruisait tout sur son passage, y compris les gens. Lansky n'aurait pas dû faire de telles déclarations. Solomon était un bandit. Les armes à feu. Les putains. Les convois de l'autre côté de la rivière. La prohibition était faite pour lui. Seul Bernie était capable de bâtir ce que nous avons aujourd'hui. Mais vers la fin, tu sais, c'était surtout le bon vieux temps qui l'obsédait. Il a raconté pas mal de choses à Mlle O'Brien.

— Qui écouterait une vieille fille aigrie ? »

M. Morrie remit du bleu sur sa queue de billard et rentra une rouge sur le côté.

« Moses Berger, peut-être. »

Harvey se mit à faire les cent pas. Devrait-il interroger Morrie au sujet du harpon, du corbeau ? Nan, Morrie était à deux doigts de sombrer dans la sénilité. *Des* popsicles. *Jouer à la bataille. N'importe quoi.*

« Il n'y avait pas d'enveloppe, dit-il, les yeux emplis de larmes. Mais je pourrais peut-être en trouver une et la remplir d'argent.

— En voilà un garçon intelligent. Décidément, Harvey, tu penses à tout. »

Le lendemain matin, Harvey demanda à sa secrétaire de localiser Moses Berger, ce raté. Dans sa cabane des Cantons-de-l'Est, pas de réponse. Harvey lui fournit une liste de bars.

« Mais il n'est pas encore midi, protesta-t-elle.

— Pour lui, c'est déjà tard. »

Ensuite, Harvey transmit à sa secrétaire le numéro de téléphone d'un camp de pêche au saumon sur la Restigouche.

« On l'attend là-bas mardi. »

Il n'y eut aucun autre incident au cimetière, mais, une semaine après la mort de M. Bernard, Harvey fut chargé de désamorcer une autre crise. Le lundi suivant le décès de M. Bernard, ses enfants passèrent en revue les hebdomadaires pour y trouver mention de la disparition de leur père et, en proie à une seule et même indignation, conférèrent. De son perchoir au sommet de l'immeuble Gursky sur Fifth Avenue, Lionel téléphona à Harvey. « Il faut que tu viennes », lui dit-il.

Harvey fonça à l'aéroport, où il monta à bord d'un des jets des Gursky, un Lear. Son déjeuner, qu'il prit à vingt-huit mille pieds d'altitude, se composait d'une salade au fromage cottage, d'un bol de son et d'un sorbet à la compote de pruneaux, le tout arrosé d'une bouteille d'eau minérale. Pendant qu'il se passait le fil dentaire, Harvey réfléchit aux rapports financiers, mais il avait la tête ailleurs. Il savait que, ce soir-là, Lionel offrait une réception en l'honneur de Jackie Onassis. Au cas où, Harvey avait apporté son smoking en velours magenta. Aussitôt que l'appareil eut touché le sol à LaGuardia, un hélicoptère se posa et, après avoir englouti Harvey, s'éleva de nouveau avant de le déposer sur l'hélistation de l'immeuble Gursky, d'où Harvey courut jusqu'au bureau de Lionel. Ce dernier lui brandit au visage un hebdomadaire, ouvert à la page incriminée.

« As-tu une vague idée de notre budget publicitaire annuel avec *Time* et *Newsweek* ? »

Rassuré, Harvey téléphona au rédacteur en chef, tandis que Lionel, de son côté du bureau, écoutait la conversation sur l'autre ligne.

« M. Bernard est décédé lundi des suites d'une longue maladie.

— Oui. Nous sommes au courant. Veuillez transmettre nos condoléances à Lionel.

— C'était un être humain remarquable. Et je le dis du fond du cœur. Le fait que je sois un vieil ami de la famille n'y change rien.

— Personne n'en doute.

— De son vivant, j'ai reçu de nombreuses propositions de la part de concurrents qui m'offraient plus d'argent. Mais j'ai été aussi loyal envers lui qu'il l'a été envers moi. Ses enfants y sont sensibles. »

Le rédacteur en chef ne sut pas quoi répondre.

« À partir de rien, il a bâti une des plus grandes sociétés de spiritueux du monde. N'est-ce pas remarquable ?

— Absolument.

— Dans ce cas, pourquoi ne consacrez-vous que cinq lignes à son malheureux décès dans votre rubrique dédiée aux grands disparus de la semaine ? »

Pendant que le rédacteur en chef tentait d'expliquer qu'il y avait eu des révélations majeures dans la saga du Watergate, cette semaine-là, et qu'il avait donc fallu condenser les informations à la fin du numéro, Lionel ouvrit le magazine à une autre page, puis il gribouilla une note qu'il transmit à Harvey. « Interroge-le sur le nègre », avait-il écrit.

« Je comprends, dit Harvey au rédacteur en chef. Mais comment se fait-il que la mort d'un Afro-Américain ait droit à une pleine page ?

— Louis Armstrong était célèbre », répondit le rédacteur en chef.

La conversation s'enlisa dans les civilités, tandis que Lionel s'empressait de rédiger une autre note. S'en saisissant, Harvey déglutit avec difficulté et coupa la parole au rédacteur en chef.

« Mais, si je puis me permettre de réfléchir à haute voix, pourquoi ne corrigeriez-vous pas votre traitement cavalier du décès de M. Bernard en publiant un article sur l'arrivée au pouvoir de Lionel, qui est en soi un événement absolument merveilleux ? Je l'aime. Je l'aime comme un frère. Je n'ai pas honte de le dire. À mon avis, de nombreuses personnes seraient heureuses d'en apprendre plus sur lui, sur sa façon de penser et sur ce qu'il compte faire de McTavish. »

Une fois l'affaire conclue, du moins il l'espérait, Harvey raccrocha puis interrogea Lionel du regard, levant sur lui ses énormes yeux bruns sans expression.

Lionel, un sourire puéril aux lèvres, répondit en lui assénant une claque dans le dos. Harvey l'avait vu faire de même avec des manucures et des préposés au stationnement avant de glisser la main dans sa poche pour leur offrir un pourboire.

« Un verre ?

— Vas-y, toi. Pour moi, de l'eau minérale, s'il te plaît. »

Harvey, vidé, s'écroula dans un fauteuil en cuir, tandis que Lionel, ivre de joie, téléphonait à ses amis en laissant entendre que, malgré ses objections, l'hebdomadaire allait lui consacrer un article de fond. « Tu les connais, ils vont appeler tous mes amis. Tu ne leur parleras pas de la Roumanie, hein ? »

La Roumanie, se souvint Harvey en soupirant.

Un an plus tôt, Lionel, en compagnie de cinquante chefs

d'entreprises, s'était rendu en Europe de l'Est à bord d'un avion affrété par l'hebdomadaire. L'initiative visait à favoriser un rapprochement avec des dirigeants communistes. Gavés de caviar et de champagne, Lionel et deux ou trois autres magnats dans la quarantaine avaient commencé à pincer les fesses des hôtesses dès que le pilote avait autorisé les passagers à détacher leur ceinture. Si quelques filles s'étaient montrées accommodantes, la créature aux jambes interminables et aux cheveux couleur de paille sur laquelle Lionel avait jeté son dévolu s'était rebiffée. À Varsovie, elle avait rejeté ses roses rouges et son champagne. Elle l'avait giflé dans le hall de l'hôtel Metropol, à Moscou. Et, à Bucarest, un incident gênant était survenu. Selon l'hôtesse de l'air, Lionel, soûl, était entré de force dans sa chambre et avait essayé d'attenter à sa pudeur. Calomnie, avait riposté Lionel. Il avait simplement répondu à son invitation. De retour à New York, cependant, la fille avait consulté un avocat, on avait convoqué Harvey et le règlement à l'amiable avait fini par coûter un bras.

Même à McGill, les filles récalcitrantes ou indifférentes, mais dévorées par la cupidité, étaient le talon d'Achille de Lionel. Harvey, terrifié, avait eu le malheur d'être présent la première fois que l'une d'elles avait réclamé des dommages et intérêts, provoquant l'une des crises légendaires de M. Bernard, qui s'était mis à proférer des obscénités.

Se balançant sur ses talons minuscules devant le haut foyer en marbre, M. Bernard, alors dans la quarantaine, rageait. Assis sur le canapé, le jeune Lionel attendait, comme si de rien n'était, que la tempête passe, en souriant d'un air méprisant. Puis, sans crier gare, M. Bernard, exaspéré, s'était avancé vers lui, avait descendu sa fermeture éclair, avait sorti son pénis et l'avait agité devant les yeux de son fils. « Je veux que tu saches, espèce de débauché, que cette chose-là n'est entrée que dans ta mère, que Dieu la bénisse, dit-il en refermant sa braguette, les larmes aux yeux. Encore aujourd'hui, c'est la seule chatte assez bonne pour Bernard Gursky. Le respect. La dignité. Tu as encore beaucoup de choses à apprendre. Animal ! »

Mettant un terme à un autre appel, Lionel leva les yeux, surpris.

« Tu es encore là, Harvey ?

— Ouais, en fait, je me demandais si tu avais besoin d'autre chose.

— Non.

— Hé, fit Harvey en s'égayant. On dîne ensemble ?

— Désolé. Impossible.

— Occupé ?

— Crevé. Je me suis dit que je rentrerais de bonne heure, pour une fois. Tu as changé, Harvey. Qu'est-ce que c'est ?

— Je n'ai pas changé.

— J'aimais mon père, Harvey, mais c'était un véritable tyran, non ?

— Nous avons un problème, Lionel. »

Les attentes déçues de Mlle O'Brien. L'enveloppe.

« Bien joué, Harvey. Il y avait combien ?

— Tu étais là au moment de l'ouverture du coffre-fort. Il n'y avait pas d'enveloppe.

— Le vieux bouc se l'est enfilée pendant toutes ces années ?

— Non, mais ils avaient des rapports intimes d'une certaine nature.

— Merde, si c'est de ça qu'il avait envie, nous avions les moyens de lui trouver beaucoup mieux.

— Tout porte à croire qu'il lui a beaucoup parlé du bon vieux temps. Il serait peut-être prudent de découvrir une enveloppe contenant, je ne sais pas, moi, deux cent mille dollars, disons.

— Je ne veux pas en entendre parler.

— C'est exactement ce que j'ai dit à Morrie.

— Que vient faire cet imbécile dans cette affaire ?

— C'était son idée. Je lui ai déconseillé une telle démarche. Si on commence à payer, qui sait où ça va s'arrêter ?

— À propos de l'enveloppe, je ne me suis pas prononcé. Ni dans un sens ni dans l'autre. Tout ce que j'ai dit, c'est que je ne veux pas en entendre parler. Fais pour le mieux, Harvey. J'aime penser que je peux compter sur toi. »

Dans le bureau de Lionel, on voyait, dans un cadre doré, une copie du portrait d'Ephraim Gursky, rayonnant, qui trônait au-dessus du foyer de la salle du conseil de la tour Bernard-Gursky, à Montréal. Harvey le connaissait si bien qu'il ne l'avait pas regardé depuis des années, mais il se mit à le contempler de près. Quoique aussi petit que M. Bernard, Ephraim était, lui, tout en muscles noueux, manifestement prêt à bondir hors du cadre pour clouer Lionel et Harvey au sol. Il était représenté à côté d'un trou dans la glace, les pieds solidement ancrés sur la banquise, un air de défi sur le visage, une capuche sur la tête, son corps recouvert de peaux de phoque, moins pour repousser le froid, eût-on dit, que pour emprisonner sa chaleur animale, de crainte qu'elle ne fasse fondre la glace. Dans son poing, il tenait un harpon dont la lance était faite de bois de caribou. Un phoque gisait à ses pieds et, à l'arrière-plan, les trois mâts du funeste *Erebus* ainsi que la silhouette déchiquetée des icebergs qui s'élevaient contre le ciel noir de l'Arctique, éclairé par des parasélènes, les fausses lunes du Nord. Harvey, bouleversé sans raison apparente, détourna les yeux du dessin et indiqua la sculpture en os de baleine posée sur un guéridon, dans un coin.

« C'est esquimau, pas vrai ?

— Si tu la veux, elle est à toi.

— Non. Mais où l'as-tu trouvée ?

— Je ne me rappelle pas comment elle a atterri ici, mais je crois qu'elle appartenait à mon oncle Solomon. Pourquoi ?

— Comme ça. Je posais seulement la question », répondit Harvey en soulevant l'objet pour jeter un coup d'œil en dessous.

Là, il découvrit un symbole qui, pour le profane qu'il était, avait tout l'air d'un *gimel.*

Trois

Chaque fois qu'il atteignait le tronçon de la route 132 qui longeait le Saint-Laurent et s'y accrochait, épousant les méandres de la côte – passé Trois-Pistoles, au-delà de Rimouski –, Moses éprouvait un élan de joie. En pensée, il parvenait à oblitérer les Winnebagos qui peinaient dans les côtes, les hordes de motards bardés de cuir noir et les écriteaux sur le bord de la route : TARZAN CAMPING ICI… POULET BAR BQ CHEZ OCTAVE… 10 DANSEUSES NUES 10. Il chassait de son esprit les petits villages du littoral construits n'importe comment, avec leurs boutiques de souvenirs juchées sur des parpaings, où s'entassaient en vitrine des sculptures, produites à la chaîne, de charmants « habitants » à la barbe pointue. Il évitait de regarder les maisons ceintes d'ampoules colorées, les initiales du propriétaire tissées dans la contre-porte en aluminium. Des rennes en plastique figés en pleine cabriole sur des pelouses qu'enjolivaient déjà des géraniums plantés dans de vieux pneus blanchis à la chaux, la couronne du Québécois.

Se voilant les yeux pour ne pas voir ce que nous avions fait de notre patrimoine, il s'efforçait d'imaginer le paysage tel qu'il était apparu à Jacques Cartier et à son équipage de pêcheurs partis de Saint-Malo en 1534, épuisés par leur long voyage en mer. Cette année-là, ils s'étaient pour la première fois aventurés au-delà du golfe, avaient remonté l'estuaire et le fjord. Ils avaient jeté l'ancre à l'île Verte, où ils avaient chassé des lièvres pour leur pitance, et fait escale à l'île aux Coudres, où ils avaient secoué des arbres pour en faire tomber des noisettes sauvages. Ils avaient vogué sur les eaux du royaume du Saguenay, aux côtés des bélugas, des morses et de « *salar* le sauteur », nom autrefois donné au roi des poissons d'eau douce, qui nageait en bancs d'une incroyable densité. Même si le fleuve ne les avait pas conduits en Chine (à la grande déception de François Ier), ces Bretons pauvres et amaigris s'émerveillèrent sans doute de la corne d'abondance qui s'offrait à eux sur les deux rives. L'immensité virginale de la forêt vert foncé, la terre noire enrichie par le fleuve. Les orignaux, les cerfs, les castors, les oies et les canards. La morue. Et le saumon… le saumon. Le saumon argenté aux écailles vert océan frétillant sur les rides du fleuve et bondissant hors de l'eau, libre.

À Mont-Joli, pour une fois heureux d'être là où il se trouvait, même sans elle, Moses s'enfonça dans les terres en tournant à droite sur le tracé de la sinueuse route 132. De montées en descentes, il rejoignit la vallée de la Matapédia, dont les rives s'élevaient comme les parois d'un canyon. Les épinettes, les cèdres et les bouleaux semblaient moins être enracinés que cramponnés aux falaises, auxquelles ils ne tenaient qu'à la grâce d'une minuscule prise. Puis, à Pointe-à-la-Croix, il pénétra au Nouveau-Brunswick, traversa le pont qui conduisait à Campbellton et fonça tout droit vers le camp sur la Restigouche. Vince's Gulch se composait d'un restaurant, d'un gîte et d'un chapelet de dépendances, y compris un dépôt de glace.

Entrant dans le stationnement cahoteux au volant de sa Toyota peu après cinq heures de l'après-midi, Moses remarqua, déjà garées à l'ombre, deux voitures immatriculées en Caroline du Nord : une Cadillac et une Mercedes 450 SEL avec le lapin de *Playboy* collé sur le pare-chocs arrière. Gros et trapu, Jim Boyd, le chef guide, s'avança lentement vers Moses en lui tendant son énorme main, l'air troublé.

« Ils sont arrivés il y a environ une heure, dit-il. Barney Gursky et sa petite amie Darlene Walton en compagnie de Larry et Mary Lou Logan. Les Logan sont venus avec un adolescent. Rob. Une vraie larve. On ne lui avait pas dit qu'il n'y aurait pas la télé et il a des allergies. »

Jim laissa à Moses le temps de digérer ces informations. Puis il ajouta :

« Ils n'ont jamais pêché le saumon. Ils sont dans le meuble, du sérieux, et ils ont le projet de créer une nouvelle fabrique, peut-être deux cents emplois, en Ontario ou ici. Ils sont les invités du crétin qui passe pour notre ministre du Commerce et il tient énormément à ce qu'ils s'amusent comme des petits fous. Alors on ne veut surtout pas d'histoires, Moses. Où est Beatrice ?

— Nous ne sommes plus ensemble.

— T'es un bon à rien, Moses. Tu vas crever tout seul, comme moi, dans une cabane minable au milieu de nulle part. »

Moses lui tendit les mêmes cadeaux que d'habitude : une livre de thé Ceylon Breakfast de Twinings et une bouteille de Macallan Single Highland Malt.

« Tu as déjà reçu deux coups de fil, dit Jim, dont un d'Angleterre.

— Je ne suis même pas encore arrivé. »

Moses déballa ses affaires et sortit sur la terrasse pour admirer l'eau. La porte de la chambre voisine s'ouvrit brusquement et il vit sortir une poupée Barbie en chair et en os, âgée de trente ans peut-être, embaumée de parfum, les yeux bleus moins maquillés que surlignés à gros traits ; tout, chez elle, scintillait, étincelait, la confiance qu'elle exsudait quelque peu amoindrie par ses ongles rongés jusqu'au sang. Elle portait un haut de soie brute couleur maïs, un jean couture archi-moulant et un collier qui se terminait, dans le sillon de ses seins fermes, par un pentacle. Elle avait les pieds nus et du vernis noir sur les orteils.

« Sois béni, scanda-t-elle d'une voix rauque d'ivrogne. Je m'appelle Darlene Walton. Puis-je savoir quel est ton ascendant ?

— Eh bien, Mercure stationnaire, ascendant Poissons, je crois. »

Il essaya de lui prendre le bras pour l'aider à descendre de la terrasse, mais, à son contact, elle se dégagea brusquement.

« Il manque une marche », fit-il remarquer, irrité.

Elle haussa les épaules de charmante façon tout en plissant son mignon petit nez et en écarquillant les yeux, ses mises en garde aussi exagérées que celles d'une actrice de cinéma muet. Elle l'alertait de la présence d'un homme qui observait la scène depuis la terrasse du restaurant.

Barney Gursky aurait pu avoir quarante ou soixante ans. Difficile de se prononcer, car c'était le genre d'homme qui, passé quarante ans, se fige et ne vieillit plus. On aurait dit que ses cheveux noirs avaient été sculptés et non coupés. Il était grand et bronzé, sans la moindre rondeur, avec des yeux bleus impitoyables, une bouche revêche et calculatrice. Si Moses n'avait pas su à qui il avait affaire, il l'aurait pris pour un golfeur professionnel incapable de se qualifier pour le grand circuit ou pour l'animateur d'une émission matinale à la télé locale qui attendait toujours, en vain, un coup de fil du réseau. Darlene se hâta de présenter Moses et de se justifier :

« J'ai ouvert la porte moustiquaire et il était là. »

Ou bien Barney ne se rappelait pas Moses, ou bien il préférait ne rien laisser transparaître.

« On t'appelle Moe pour faire plus court ?

— Non.

— Eh bien, content de faire ta connaissance quand même, mon pote. »

Barney était la bête fabuleuse des Gursky. Une semaine après le premier mariage d'Anita, il s'était acheté une Lamborghini avant de se tirer en Californie, puis en Floride, où, selon la rumeur, il avait tour à tour investi dans une équipe de roller derby, la production de films, l'exploration pétrolière, le marché international des armes, une ligue de basketball mettant en vedette des filles en t-shirt mouillé (il aurait détenu les droits des Jigglers de Miami) et ainsi de suite.

Recherché par les autorités de la Floride, de la Californie, de l'État de New York et de la Colombie-Britannique pour divers motifs, notamment pour fraude et défaut de paiement de pension alimentaire, il n'avait même pas assisté aux funérailles de sa sœur Charna, en 1963. On l'avait découverte, à quatre heures du matin, noyée dans un trou d'eau près de la commune des Amis de la Terre, dans le nord-est du Vermont, vêtue seulement de bottes en peau de serpent.

Les Logan attendaient dans le salon qui, à la stupéfaction de Moses, était orné de roses rouges et pourvu d'un véritable barman. Du jamais-vu. Les Logan, d'âge mûr, donnaient l'impression d'être un couple mal assorti. Mary Lou, replète et heureuse de l'être, arborait des lunettes Harlequin dont les verres avaient pour effet d'agrandir et de voiler ses yeux. Larry, en revanche, était un oiseau décharné, au crâne chauve et au dentier étincelant. Eût-il été douanier, il aurait fouillé les sacs de toute personne qu'il aurait jugée impertinente ou plus jeune ou plus privilégiée que lui. Leur énorme fils, qui portait un t-shirt des Rolling Stones sur son ventre immense et un jean délavé surdimensionné, était assis à l'écart. Rob, son nez retroussé rouge cerise, tenait sur ses genoux une boîte de kleenex et deux grosses tablettes de chocolat Nut Milk de Lowney. Les Logan étaient habillés de façon décontractée, tandis que Barney Gursky était encore plus à la mode que sa ravissante copine : polo et jean Ralph Lauren, bottillons Tony Lama. Appelant le barman d'un claquement de ses doigts manucurés, il demanda à Moses :

« Je t'offre un verre ?

— Une eau minérale, s'il vous plaît, dit-il au serveur.

— Zut alors ! Nous voilà coincés avec un type qui ne boit pas, Larry. Apportez à cet homme admirable un verre d'eau de Seltz et à l'ex-Miss Sunset Beach ici présente, fit Barney en désignant Darlene, une vodka sur glace. Un seul verre avant le repas : elle surveille ses calories. »

Originaires de Chapel Hill, les Logan, expliqua Barney, étaient des fabricants de meubles, des piliers de l'industrie, qui avaient l'intention d'ouvrir une usine au Canada, projet de plus de vingt millions de dollars que le groupe d'investisseurs qu'il représentait comptait soutenir.

« Et la pêche sera excellente parce que Jimbo ici présent ne nous empêchera pas de dépasser la limite permise de deux malheureux saumons par jour. Pas vrai, *boy* ?

— Nous ne pouvons pas contrevenir aux lois, monsieur.

— Comme c'est touchant, dit Mary Lou. Vraiment touchant. On a sûrement dit à Jimbo ici présent que nous sommes des invités de marque, mais il refuse malgré tout de faire une entorse au règlement pour nous. Je trouve ça tout à fait admirable. D'où viens-tu, Moe ?

— Il n'aime pas qu'on l'appelle Moe, dit Darlene, qui se rapprochait du bar en décrivant des cercles de plus en plus serrés.

— N'y pense même pas, ma poule.

— Doux Jésus ! Je voulais juste déposer mon verre.

— De Montréal.

— Quand nous y sommes passés, nous avons logé au Château Champlain », dit Mary Lou.

Aussitôt que Moses commença à déballer un Montecristo, Rob bondit sur ses pieds et pointa vers lui un doigt boudiné et tremblant.

« Si tu as l'intention d'allumer cette chose, dit Mary Lou, tu vas devoir sortir d'ici et plus vite que ça. »

Jim Boyd, qui montait une mouche dans un coin, se piqua le doigt à un hameçon.

« Et, demanda Barney, dans quel domaine exerces-tu tes talents, Moe ?

— *Il préfère qu'on l'appelle Moses.* Il doit nous trouver *insupportables.*

— Ces temps-ci, pour être honnête, je ne fais pas grand-chose.

— En tout cas, quelque chose me dit que tu as tapé dans l'œil de l'ex-dauphine de Miss Cornouiller à fleurs, Berger.

— Et voilà ! fit Darlene. Encore la même dégaine.

— Rengaine. »

Habituellement, les repas servis au camp étaient un supplice. Des steaks durs comme de la semelle accompagnés de pommes de terre bouillies si longtemps qu'elles se désagrégeaient, et suivis d'une tarte aux pommes « maison » achetée au magasin général Delaney, le plus souvent encore gelée au centre. Ce soir-là, cependant, on avait fait venir le chef de la salle Tudor du Queen Victoria Hotel, à Chatham. Maïs sucré et homard bouilli au menu. Barney tendit la main pour soulager Darlene de son épi (« La dernière chose dont tu as besoin, c'est de plus de cellulite, mon chou ») avant de se commander un autre scotch. Larry se pencha pour que Mary Lou puisse nouer sa serviette derrière son cou. « *Mercy bowcoop,* Mummy », lança-t-il dans un français approximatif. Rob se jeta sur la corbeille à pain, empila quatre gros morceaux devant lui puis fit main basse sur le beurrier. Son bras dodu posé sur la table, il fit rempart devant son assiette, défendant jalousement son bien. Puis, tête baissée, comme pour lancer un assaut, il dévora un épi de maïs et attaqua aussitôt le suivant.

Jim expliqua que, au camp, les guides sortaient le matin et le soir. On ne pêchait pas l'après-midi. Au cours des trois prochains jours, tous les invités visiteraient à tour de rôle les différents trous à saumons. Il déposa ensuite dans un chapeau de petits bouts de papier sur lesquels figuraient les noms des guides et demanda à chacun des invités d'en piger un. Barney, le premier, tomba sur le jeune Armand ; Larry eut droit à Len, connu, tout le long de la rivière, sous le sobriquet de « Moulin à paroles » ; et Rob tira le nom de Gilles.

« Eh bien, dit Jim, il ne reste que M. Berger et moi.

— Avec le chef guide, c'est lui qui aura l'avantage, pas vrai, *boy* ?

— Ici, on n'appelle personne "*boy*". Par ailleurs, il ne s'agit pas d'une compétition. »

Barney accepta un généreux verre de cognac et fit tourner le liquide dans son verre.

« Je sais que tu ne bois pas, Berger, mais es-tu joueur ?

— Tu as quelque chose en tête ?

— Larry, toi et moi, on fait un chèque de mille dollars chacun et on le punaise au bar. Jeudi, le meilleur pêcheur remporte la cagnotte.

— Je suis un pêcheur expérimenté, Barney. C'est plus difficile qu'il n'y paraît.

— Il pêche à la mouche depuis des années, dit Darlene.

— Entendu. Pari tenu. »

De lourds nuages bouchaient le ciel tandis que les Logan, lestés de bouteilles d'insectifuge, d'appareils photo et d'un matériel vidéo visiblement hors de prix, s'engageaient sur le chemin de terre en se dandinant. Rob avait pris avec lui une petite radio, une boîte de kleenex et un gros sac de bonbons. Barney, lui, s'était muni d'une bouteille de cognac. Au moment où Darlene soulevait une de ses jambes fines et interminables pour passer du ponton au long canot – Armand lui tendant le bras, les yeux rivés sur sa poitrine pantelante –, Barney la déséquilibra en lui assénant une tape possessive sur le postérieur. « Ah ! C'est fou l'effet que me font ces fesses-là ! »

Laissant les autres prendre une longueur d'avance, Moses s'alluma un Montecristo et s'installa dans son canot aux côtés de Jim.

« Qu'est-ce que tu veux que je te dise, Moses ?

— "Ne viens pas cette semaine", voilà ce que tu aurais pu me dire. »

Couvrant le bourdonnement des hors-bord, la musique des Rolling Stones se répercuta sur les berges de la rivière, épouvantant les corneilles. Par chance, le trou de la Barre, où se dirigeait Rob, se trouvait à un bon mille en aval.

Une fois qu'ils eurent jeté l'ancre au premier site de pêche, loin des autres bateaux, Moses commença avec la Silver Doctor, essaya une Green Highlander, puis une Muddler, sans la moindre touche. Au deuxième endroit, il n'eut guère plus de chance. Au troisième, ils virent, à une trentaine de pieds, un gros saumon rouler et un autre sauter. Moses fit voler au-dessus de leurs têtes toutes les mouches auxquelles il put penser, mais les poissons les boudèrent. Puis on entendit un cri et un rire aigu en provenance du trou de la Clôture. « C'est probablement juste un madeleineau », dit Jim.

Une demi-heure plus tard, les mouches à chevreuil sortirent et il se mit à pleuviner. En visant les eaux vives au loin et en tirant vite sur sa ligne, Moses eut sa touche. Un gros poisson, d'une trentaine de livres peut-être, mordit si fort que Moses n'eut pas à le ferrer ; sa canne fut aussitôt pliée en deux. La ligne siffla et le poisson fonça vers l'aval, réussissant presque à la tendre avant de marquer une pause, dont Moses profita pour avaler le mou. Jim leva l'ancre et pagaya doucement en direction de la rive, l'épuisette à portée de main. Le poisson se rapprocha assez pour voir le canot et détala de nouveau vers l'aval. Au bout d'une cinquantaine de pieds, il jaillit de l'eau. Se retourna dans les airs. Dansa sur sa queue.

« Salut, Moses. Salut. »

Le poisson plongea et Moses l'imagina au fond de l'eau, hors de lui, frottant sa mâchoire endolorie contre les pierres dans l'espoir de décrocher l'hameçon. Lorsque sa tentative échoua, il céda à la mauvaise humeur, jaillit une fois de plus de l'eau tourbillonnante, secoua la tête avec rage et plongea de nouveau, puis se reposa, songeant peut-être à une nouvelle tactique. Après avoir lutté avec le poisson pendant encore vingt minutes, Moses entendit puis vit les autres canots revenir de leurs trous de pêche. À l'approche du trou de Vince, Gilles et Len ralentirent, comme l'exigeaient les règles de la courtoisie, mais pas Armand, à qui Barney avait ordonné d'accélérer en direction opposée avant de couper le moteur. La musique de Frank Zappa se réverbérait sur l'eau à Dieu sait combien de décibels. En jurant, Moses ramena le poisson. Manquant désespérément d'air, celui-ci gisait sur le flanc à la surface, mais il avait encore suffisamment de force pour tenter une dernière échappée. Moses hésita brièvement avant d'attirer le poisson exténué vers l'épuisette. Et c'est alors que Mary Lou se leva pour prendre des photos, le flash éclatant à répétition. Distrait, Moses ne remarqua pas que sa ligne s'était entortillée autour du bout de sa canne. Le poisson fila, raidissant le fil, et parvint à se décrocher. La canne de Moses se redressa, la ligne lâche.

« Comme le disent les pêcheurs expérimentés, ironisa Barney, c'est plus difficile qu'il n'y paraît. »

De retour au camp, Moses apprit bien assez tôt que Barney avait tué deux saumons pour un total de vingt-quatre livres, tandis que Larry avait capturé un madeleineau de cinq livres et que Rob avait perdu un poisson.

Le barman étant parti, Barney, d'humeur exubérante, prit sa place. Il autorisa Darlene à boire une seconde vodka et demanda à Moses s'il voulait son eau minérale nature ou avec des glaçons. Ha, ha, ha. Invoquant la fatigue, Moses déclara qu'il n'en prendrait qu'un seul verre avant d'aller lire dans son lit.

« Qu'est-ce que je t'avais dit, Mary Lou ? Moses est un vrai intello.

— Eh bien, cette année, j'ai moi-même lu toute une pile de romans ; certaines histoires étaient inventées, d'autres non. Je ne regarde jamais la télé.

— À mon humble avis, déclara Darlene, la télé est une vaste perte de temps. Moi, je ne regarde que PBS.

— Ouais, dit Barney. *Sesame Street.* »

Du bout de sa langue de lézard, Rob, tordu de rire, recueillit une coulée de morve traînant sur sa lèvre supérieure.

« Je vais me coucher, dit Darlene, au bord des larmes. Tu en as pour longtemps, Barney ?

— Je vais venir dans deux secondes, mais ça sera pas la même histoire une fois dans la chambre. Inutile de déballer ton vibrateur ce soir, ma poulette. »

Le téléphone sonna et Barney prit Jim de vitesse.

« C'est pour toi, Moe. »

Jim s'essuya les mains sur son pantalon.

« Tu peux aller dans la cuisine », dit-il.

On l'appelait de Londres.

« C'est toi, Lucy ?

— Oui », répondit une voix pâteuse, hachée par les grésillements.

Selon les calculs de Moses, il était trois heures du matin à Londres.

« C'est quoi, tout ce vacarme derrière toi ?

— Je déménage.

— À une heure pareille ?

— Quel rabat-joie tu fais, Moses.

— Pourquoi manges-tu tes mots ?

— C'est à cause de ma mâchoire. Elle est enflée. Le dentiste, hier. Ah oui, vous allez recevoir des photographies, Henry et toi. Je ne veux pas que vous ouvriez les enveloppes. Vous devez les brûler tout de suite. Compris ?

— Es-tu encore dans le pétrin, Lucy ?

— Voudrais-tu, pour une fois, faire ce que je te demande et ne pas me casser les pieds avec tes questions stupides ?

— Je vais jeter l'enveloppe dans le feu sans l'ouvrir. Tu as déjà parlé à Henry ?

— De toute évidence, tu te fais plus de souci pour lui que pour moi.

— C'est une âme sensible.

— Mais pas moi ?

— Non.

— Tu me trouves dégoûtante ?

— Oui », répondit Moses en raccrochant.

Puis il sortit deux pilules de sa poche et les avala à sec.

En s'approchant du gîte, une quinzaine de minutes plus tard, Moses vit des papillons de nuit voltiger dans la lumière qui filtrait de la chambre de Darlene. Celle-ci attendait derrière la porte moustiquaire, vêtue d'une robe de chambre du Four Seasons Hotel négligemment nouée sur un déshabillé noir et diaphane garni de dentelle rouge.

« Tu n'es pas du genre à ne pas boire, dit-elle. Tu as dû renoncer à l'alcool, mais tu nourris toujours un chagrin secret. Mon père était un ivrogne, lui aussi. »

Moses rit, sous le charme. Darlene fumait un joint. Ouvrant la porte moustiquaire, elle le lui tendit. Il inhala à fond avant de le lui rendre. Lui retenant la main, il l'attira vers lui pour lui susurrer une suggestion à l'oreille.

« Eh bien, Moses Berger, tu es un petit vilain, dit-elle, l'œil brillant. Mais s'il s'aperçoit que ta voiture est partie, il va comprendre et péter un plomb. »

Le claquement de la porte moustiquaire les alerta : Barney avait quitté le restaurant et s'approchait d'un pas chancelant. Darlene refila le joint à Moses, rectifia en vitesse sa tenue et se mit à vaporiser la chambre de désodorisant. Se retirant à son tour, Moses se laissa tomber sur son lit, heureux d'être encore capable d'éprouver un désir purement sexuel. Puis, dans la chambre voisine, une dispute éclata. « Je ne vais pas me lever pour me brosser les dents et me rincer la bouche encore une fois, cria Darlene avec une certaine véhémence. Si c'est ça que tu veux, trouve-toi une pute. »

Moses sortit marcher sur le chemin de terre pour évacuer sa rage. Il alla jusqu'à la route de Kedgwick avant de rebrousser chemin. De retour au camp, il ne regagna pas aussitôt sa chambre. Il se glissa plutôt dans le salon et composa le numéro de Clarkson à Montréal. Clarkson, il le savait, était à Toronto. Beatrice décrocha à la septième sonnerie.

« Je suis au camp de pêche.

— Il est une heure du matin, Moses, soupira-t-elle. Jim a demandé où j'étais ?

— Encore faudrait-il qu'il me voie tout seul.

— Tu veux dire que tu es là avec quelqu'un ? C'était notre endroit à nous.

— Monte dans ta voiture et roule sans t'arrêter. Tu seras ici demain matin.

— Épargne-toi ce genre d'humiliation, Moses. »

Piqué au vif, il ne rouvrit la bouche que quand il fut sûr de sa voix.

« Veux-tu bien me dire ce que tu lui trouves, pour l'amour de Dieu ?

— Il n'est pas obsédé par Solomon Gursky. Son obsession, c'est moi. Oh, et tu vas rire, mais il me trouve intelligente.

— Tu vas t'ennuyer avec lui, Beatrice.

— J'en ai assez de ne pas m'ennuyer. Ce que tu appelles "ennuyeux" me semble rafraîchissant. S'il sort s'acheter un paquet de cigarettes à dix heures du soir, je sais qu'il ne disparaîtra pas pendant une semaine ou dix jours sans donner signe de vie. Et, pendant que je me ronge les sangs, il ne risque pas de me téléphoner pour me dire qu'il est à Paris ou de retour à la clinique. C'est quelqu'un que je connais ?

— De quoi tu parles ?

— Au camp, là, avec toi.

— Oui. C'est quelqu'un que tu connais. Pourquoi pas quelqu'un que tu connais ? » demanda-t-il en raccrochant violemment.

Barney traînait au bar, un verre à moitié rempli de cognac à la main, les yeux brillants, le regard perdu.

« Une histoire de chatte ?

— Bonne nuit, Barney.

— Un conseil, mon pote. Tu ne devrais pas laisser tes cheveux grisonner comme ça. Fais-les teindre. On est ensemble depuis deux ans et elle ne sait toujours pas mon âge. Je cache mon passeport.

— Tu as vu ton père à Montréal ?

— Suis mon conseil et fais-les teindre. Et mets-toi au sport. Regarde-toi. Merde. »

Lorsque Moses entra dans le restaurant, tous les autres étaient déjà en train de prendre leur petit déjeuner.

« Moi, dit Barney, les yeux rougis, en finissant ses œufs et en repoussant sa chaise, je dis qu'il vaut mieux commencer de bonne heure, pas vrai, ma poule ?

— Ce matin, je reste ici. Il va y avoir des millions de moustiques et je suis fatiguée de décrocher des hameçons de mon chandail.

— Tu as trop peur que tes tétons fassent une crevaison, tout simplement.

— Pourquoi tu ne ferais pas une annonce dans les journaux ou à la télévision au cas où certaines personnes *ne seraient pas encore au courant* ? »

Mary Lou jeta sa serviette sur la table.

« Viens avec moi, Rob.

— Mes œufs sont pas cuits comme je les ai demandés, dit Rob. J'ai des piqûres partout. »

Il posa sa radio avec fracas sur la table.

« Et ma Sony marche plus. Je vous avais bien dit qu'il fallait prendre la Sanyo.

— Il y a des piles neuves dans la voiture, dit Larry.

— C'est pas les piles. Elle marche plus. Elle est cassée. Merde. Mon asthme. Faut pas que je m'énerve.

— Il y a un Radio Shack à Campbellton où ils pourraient probablement la réparer, dit Moses. Ce n'est pas très loin. »

Ce matin-là, sous la pluie, Rob perdit un autre poisson. Larry n'attrapa rien et Barney, qui avait dû se contenter d'un poisson qui avait l'air de peser neuf livres mais en faisait onze, attendit impatiemment sur le quai de voir comment Moses s'en était tiré. Mais Jim rentra seul dans son canot. Moses avait été invité à déjeuner par un de ses vieux amis, Dan Gainey, au Cedar Lodge, expliqua-t-il à Barney avant de lui faire admirer un saumon de vingt-six livres. C'est à ce moment que Darlene descendit la colline d'un pas léger.

« J'ai besoin des clés de la voiture », dit-elle.

Barney, la prenant par les fesses, l'attira contre lui.

« Je sais exactement ce dont tu as besoin, mais j'aimerais bien manger une bouchée avant.

— Pendant que tu fais la sieste, je vais aller faire réparer la radio de Rob à Campbellton.

— OK, OK », fit-il en lui lançant les clés, lestées d'un lourd disque en laiton portant les initiales B. G.

Quand il la déshabillerait, se dit Moses, il trouverait sûrement dans son dos un cordon avec un anneau au bout. Il n'aurait qu'à tirer dessus pour qu'elle batte des cils et couine : « Quoi de neuf, docteur ? » En attendant qu'elle arrive, il s'installa dans la salle Marie-Antoinette de l'Auberge des voyageurs, à Campbellton. Trois Micmacs abrutis par l'alcool regardaient un match de lutte à la télé. Une heure s'écoula. Moses était sur le point de renoncer lorsque Darlene entra dans la pièce en agitant les bras, ses yeux criant à l'aide, au feu, à l'abri, ses lèvres charnues formant un énorme O de stupéfaction.

« Surprise, surprise ! lança-t-elle d'une voix aiguë. Tu ne devineras jamais qui est là, MARY LOU ! »

Mary Lou, s'avançant d'un pas incertain dans la salle plongée dans la pénombre, ne parvint même pas à repérer Darlene. Puis, plissant les yeux, elle reconnut Moses.

« Tiens, si ce n'est pas l'intello en personne.

— Quelle COÏNCIDENCE ! s'écria Darlene, son regard nerveux se posant sur l'un et sur l'autre avant de s'arrêter sur Moses. Elle a besoin d'utiliser les toilettes *tout de suite.* »

Moses désigna la porte marquée COURTISANES et Mary Lou se dirigea docilement de ce côté. Darlene précipita ses explications.

« Ce matin, il a pris les clés de la voiture avec lui. *J'ai pensé mourir.* Puis il est revenu au bout de ce qui m'a semblé des

SIÈCLES. J'ai dit que je prendrais la voiture pour aller faire réparer la radio de Rob et elle a insisté pour m'accompagner. Mais elle ne va pas nous dénoncer. Nous appartenons à la même assemblée de sorcières, elle et moi. Dans une précédente incarnation, elle était mon fils et dans l'Antiquité, quand j'étais roi d'Égypte, elle était ma reine.

— Vous avez fait un bon bout de chemin ensemble.

— Ça, tu peux le dire. Mais qu'est-ce qu'on va faire maintenant ?

— Dans la chambre que j'ai louée ici pour l'après-midi, il y a une bouteille de vodka dans un seau à glace.

— Oh, tu es un *sacré* vilain ! dit-elle en l'enlaçant furtivement. Mais ça va trop loin pour moi. J'ai trop peur. Mary Lou est *très* sensible depuis que son premier mari, qu'il soit béni, s'est perdu dans le courrier. »

Moses n'était pas certain d'avoir bien entendu.

« Le coup a été rude. Elle aurait dû poursuivre le bureau de poste *pour une petite fortune*, comme je le lui ai dit. *Tu parles* d'un Noël. Toute la famille s'est réunie pour ouvrir les cadeaux, mais, sans Lyndon, ce n'était pas la même chose.

— Comment s'est-il perdu dans le courrier, au juste ?

— *Boucle-la !* » siffla-t-elle en lui assénant sous la table un coup de pied sur la cheville, assez fort pour le faire grimacer.

Mary Lou s'assit sur une chaise, retira ses lunettes et regarda Moses de ses grands yeux bleus, aussi vides que ceux d'Annie la petite orpheline.

« Je n'ai qu'à scruter ton troisième œil pour me rendre compte que tu es un homme très instruit, dit-elle, les lèvres pincées en signe de méfiance. Si tu veux mon avis, ta femme a bien de la chance.

— En fait, je ne suis pas marié. »

Prenant congé, Moses leur indiqua comment se rendre au Radio Shack. Il récupéra la camionnette Ford de Gainey et rentra à la cabane sur le bord de la rivière, d'où Gainey surveillait les trous de Shaunnessy. Puis il regagna Vince's Gulch en canot. Jim, debout sur la berge, l'accueillit d'un signe de tête sans conviction.

« Veux-tu bien me dire ce que tu lui trouves, Moses ?

— Elle me fait rire. Ce n'est pas rien, tu sais. »

Entrant dans le restaurant à la recherche d'un café, Moses trouva Larry et Barney en grande conversation avec un sous-ministre du Commerce du Nouveau-Brunswick, un jeune homme obséquieux vêtu d'un veston écossais et d'un bermuda jaune serin. Le sous-ministre s'était muni de données sur les terrains disponibles et les coûts de la main-d'œuvre. Larry, qui prenait des notes, voulait savoir quel genre d'incitations il pouvait espérer de la part du gouvernement provincial, du point de vue des investissements et de la fiscalité. Le sous-ministre lui donna l'assurance que le Nouveau-Brunswick saurait se montrer généreux, mais il n'était pas autorisé à donner de chiffres. Barney s'en offusqua.

« Le problème avec vous, les Canadiens, c'est que vous ménagez toujours la chèvre et le chou. Regarde les choses en face, mon pote : on n'attrape pas la chaude-pisse en s'astiquant le moine, mais c'est quand même moins drôle que de s'enfiler une bonne petite chatte.

— Je ne manquerai pas de relayer votre point de vue au ministre », dit le sous-ministre.

Puis il leur rappela que beaucoup de figures importantes les attendaient au country club et que, s'ils s'attardaient, ils ne seraient pas de retour à temps pour aller à la pêche.

Barney commanda un autre scotch.

« Nous attendons la future Miss Gros cul vieillissant. »

Lorsque Mary Lou la guida jusque dans le restaurant, Darlene n'était manifestement pas en état d'aller où que ce soit.

« Je pense qu'il vaut mieux que je m'étende, dit-elle.

— Merde.

— On y va ? » demanda le sous-ministre.

Barney dévisagea Moses, qui buvait son café dans un coin éloigné de la pièce.

« Vous serez de retour à dix-huit heures, monsieur. Promis. »

Moses regagna sa chambre dans l'intention de faire la sieste. Aussitôt que les voitures se furent éloignées, il fut surpris par un martèlement rythmique sur son mur. « Bou ! » fit Darlene.

Elle l'attendait sur la galerie. De nouveau pimpante, elle l'entraîna dans sa chambre à lui en se serrant contre son corps. Perplexe, Moses mettait en balance les deux cents emplois potentiellement en péril et la satisfaction de son désir jusque-là frustré lorsque la porte moustiquaire s'ouvrit derrière eux. Mâchouillant une barre Nut Milk de Lowney, Rob demanda :

« Vous l'avez fait réparer, au moins ?

— L'homme a dit que tu avais dû la frapper très fort contre quelque chose de dur parce que tout l'intérieur est bousillé. Il n'a rien pu faire.

— Oncle Barney a dit que vous vous sentiez mal et que je devais rester avec vous dans votre chambre jusqu'à son retour, au cas où vous auriez envie de vomir ou quelque chose du genre. »

Après leur départ, Moses opta pour le remède favori des adolescents boutonneux, une douche froide, et décida de ne pas manger avec les autres. Il avala plutôt un sandwich au rosbif froid dans la cuisine en compagnie du grisonnant Moulin à paroles. La femme de celui-ci tenait la boutique de fleurs que le couple possédait à Campbellton.

« L'été se passe bien ? demanda Moses.

— À merveille. Nous avons une moyenne de trois enterrements par semaine. »

De mauvaise humeur, lançant de manière saccadée, Moses perdit un gros poisson dans le trou de la Barre et ne ferra plus rien. Barney revint avec un saumon qui ne devait pas peser plus de dix livres, mais qui – selon le jeune Armand – en avait fait douze à la pesée.

Moses alla se coucher de bonne heure, mais il était trop agité pour dormir. Il se rhabilla, descendit au bord de l'eau, puis remonta au restaurant pour voir s'il restait une bouteille de Perrier dans le réfrigérateur. Barney se trouvait au bar. De nouveau ivre.

« Je travaille à un projet pour Warners. Dustin en est fou, mais je pense plutôt à Redford et à Fonda. C'est une histoire qui a rapport au baseball, la plus extraordinaire jamais racontée. Je n'ai pas vraiment le droit d'en parler, mais laisse-moi te raconter la scène finale. Redford est lanceur, tu vois, le plus grand gaucher depuis Koufax. Seulement, il a perdu son lancer du feu de Dieu. Des ennuis avec son bras. Cette saison-là, les frappeurs le massacrent chaque fois qu'il se présente au monticule. Alors l'entraîneur-chef, joué par Walter Matthau, lui fait réchauffer le banc. Là, c'est la Série mondiale, le match décisif, et c'est au tour du jeune as de l'équipe, Al Pacino, de lancer, mais il se met dans le pétrin. Son équipe mène 7 à 4, mais on est en fin de neuvième manche, les méchants ont rempli les buts et au marbre se présente un frappeur monstrueux, genre Reggie Jackson, *qui démolit les gauchers, même ceux qui sont au* top *de leur forme.* Que fait Matthau ? Il retire Pacino, se tourne vers l'enclos des releveurs et *se touche le bras gauche.* La foule murmure. Non, non. Il est fou ? Il fait entrer Redford dans la partie. Redford effectue ses lancers d'échauffement et Reggie s'installe dans le rectangle du frappeur. La tension est palpable. Reggie crache et Redford se contente de lui sourire. Il lance. Première balle. Reggie sort du rectangle, consulte l'instructeur au troisième but et reprend sa place. Le receveur donne le signal à Redford, qui secoue la tête. Deuxième balle. La foule hurle. Elle maudit Matthau. Redford se prépare. Il lance. Catastrophe ! *C'est une troisième balle.* Les spectateurs se déchaînent parce qu'ils savent que Redford n'a plus le choix : il doit lancer une prise. Au fil des ans, il leur a donné peut-être deux cents victoires, mais, là, il y a des salauds qui le huent. La caméra filme les gradins, où Jane Fonda est en pleurs. Elle est enceinte de huit mois, mais le bébé n'est pas de Redford. Il est de Reggie. Non seulement ça créera la controverse, mais en plus ça donnera au film une valeur sociale. On revient à Reggie. Imitant Babe Ruth, cet arrogant de négro montre du doigt le drapeau du stade, loin là-haut. Il va frapper un coup de circuit. Gros plan sur les yeux bleu clair de Redford, qui disent "T'as baisé ma femme". Ça y est. Nous y voilà. Le receveur quitte sa position derrière le marbre et s'avance au trot, puis il tend à Redford un autre gant, *et celui-ci l'enfile sur sa main gauche. Ce salaud a préparé un lancer spécial en plein pour une occasion comme celle-là.* IL EST AMBIDEXTRE ! DÉCIDÉMENT, IL SAIT TOUT FAIRE ! DU JAMAIS-VU DANS L'HISTOIRE DE NOTRE SPORT NATIONAL DEPUIS QU'ABNER DOUBLEDAY L'A INVENTÉ ! Sera-t-il à la hauteur ? Il y a soixante mille spectateurs dans le stade, mais on entendrait une mouche voler. Redford lance. PRIIIIIISE ! Reggie demande un temps d'arrêt et change de bâton. Grand bien lui fasse. DEUXIÈME PRIIIIIISE ! Reggie demande à voir la balle. Sifflets. Huées. Rires. Il s'installe de nouveau et, ce coup-ci, il va tout donner. Meilleure chance la prochaine fois. TROISIÈME PRIIIIIISE ! C'est terminé ! »

Barney, qui avait mimé toutes les séquences, se laissa choir sur le bar, épuisé, et se servit un autre verre.

« Ça va s'appeler *La Grande Substitution.*

— Tu avais quel âge quand l'avion de Solomon s'est écrasé ?

— J'étais assez vieux pour savoir que l'accident a bien arrangé quelqu'un. »

Barney s'étira. Il bâilla.

« Tu sais, Berger, j'ai fini par comprendre. Quand il a su que je venais ici, Lionel t'a envoyé. Il te paie pour m'espionner.

— Bonne nuit, Barney. »

Barney le suivit jusque sur la terrasse.

« Attends. Je détiens les droits exclusifs.

— De quoi tu parles ?

— Du film. Et n'oublie pas ce que je t'ai dit : fais-toi teindre. »

Moses avala sa pilule et se coucha. Il n'entendit pas Barney se mettre au lit. Il ne comprit qu'il avait dormi très profondément qu'en voyant Darlene, d'humeur sombre, entrer dans le restaurant pour le petit déjeuner après tous les autres, les yeux bouffis et la lèvre inférieure tuméfiée.

« À plus tard, dit Barney. Ce matin, je vais me prendre un gros poisson. »

Dehors, Moses tomba sur Jim.

« Un certain M. Harvey Schwartz a téléphoné trois fois de Montréal. Il sait que tu es là et il dit que c'est urgent. »

Il n'y avait pas un nuage dans le ciel et le soleil avait déjà dissipé le brouillard sur la rivière sinueuse lorsque Jim ancra le canot pour leur premier arrêt au trou du Point de croix.

Moses attrapa un madeleineau et un gros poisson avant midi. Pendant que Jim allait les peser, Moses fila dire quelques mots à Darlene.

Pendant le déjeuner, Jim déclara que Moses avait capturé un madeleineau de cinq livres et un saumon de vingt-quatre. Barney, lui, n'avait remonté qu'un petit poisson de neuf livres. Rob avait fait sa première prise, tandis que Larry n'avait même pas eu une touche. Moses était donc premier, mais de justesse.

« Ouais, dit Barney, mais il a atteint la limite permise pour aujourd'hui. Ce soir, j'ai la ferme intention d'attraper un monstre. »

Moses ne vint pas dîner.

« Où est passé notre pêcheur expérimenté ? demanda Barney.

— C'est vous-même qui l'avez dit : il a atteint sa limite. Je lui ai prêté mon canot et il est allé rendre visite à Gainey, en aval.

— En tout cas, j'espère qu'il ne nous a pas fait un chèque en bois. »

Moses attendit au bord de la route, exactement là où il l'avait promis. En l'apercevant, Darlene ralentit, s'arrêta et le laissa prendre le volant.

« Comment la poste l'a-t-il perdu ? demanda-t-il aussitôt.

— Oh ! lui… Doux Jésus ! »

Lyndon était mort dans un accident de chasse au Vermont et Mary Lou l'avait fait incinérer, mais elle avait exigé qu'on préserve le crâne pour le mettre sur le manteau de la cheminée pendant les fêtes de fin d'année.

« Ne serait-ce que pour le bien du petit Rob, dit Darlene. Mais la poste l'a perdu. L'entrepreneur de pompes funèbres a juré ses grands dieux qu'il l'avait mis dans une boîte faite sur mesure parce que le crâne ne rentrait pas dans les colis standards à cause des os qui dépassaient. Les flammes ne les avaient pas tous réduits en cendres. Il était baptiste, tu sais. »

Une larme glissa sur la joue de Darlene.

« Mary Lou a écrit au maître général des postes des États-Unis et a téléphoné je ne sais plus combien de fois à notre député au Congrès, mais on ne l'a jamais retrouvé. Alors le pauvre Lyndon croupit quelque part dans le sous-sol humide et miteux d'un bureau de poste, non réclamé après toutes ces années, à cause d'un affranchissement insuffisant ou d'un détail merdique du même genre. »

Moses engagea la Mercedes dans un étroit sentier cahoteux et, au bas d'une pente abrupte, l'immobilisa au milieu des arbres, là où on ne les verrait ni de la route ni de la rivière. Puis il entraîna Darlene jusqu'à l'endroit où il avait étendu une courtepointe.

« Tu es vraiment un *sacré vilain,* cria Darlene en posant son appareil photo.

Moses sortit la bouteille de vodka du seau à glace, y puisa quelques glaçons et lui en servit un verre généreux. Il s'assit et, le cœur serré, la regarda avec envie en avaler une longue gorgée. Puis, laissant rouler le verre, dont le contenu se déversa sur la couverture, elle s'arrangea pour tomber sur les genoux de Moses. Il pleurait toujours l'alcool gaspillé lorsque, à force de contorsions, elle parvint à s'extirper de son jean. Il lui enleva son chandail et se mit à lui caresser et à lui embrasser les seins.

« Mon Dieu, si tu savais l'effet que ça me fait », dit-elle en se balançant de gauche à droite.

Le pentacle frappa le nez de Moses.

« T'avais pas deviné, hein ? demanda-t-elle en agitant sa poitrine.

— Comment la poste avait perdu Lyndon ?

— *Nooon !* Que je les avais fait refaire pour le quarantième anniversaire de Barney.

— Tes seins ?

— Ce sont des implants, gros bêta. »

Troublé, Moses se dégagea puis il déballa un Montecristo et l'alluma d'une main tremblante.

« C'est lui qui a choisi la taille ?

— Pas *exactement,* mais disons qu'il m'a mise sur la piste en me montrant dans des magazines des photos de nichons qui l'excitaient. Je suis tellement idiote. Rien ne pouvait arriver. Je le savais, le médecin me l'avait bien dit, mais, pendant les premiers mois, je n'ai laissé personne les serrer trop fort et, au chalet de ski, je me tenais loin du feu parce que j'avais peur que... La chaleur, tu sais. »

Moses prit une profonde inspiration, regrettant de ne pas être ailleurs, de ne pas être seul. Sentant qu'il avait commencé à s'éloigner, Darlene, boudeuse, lui ôta sa chemise et partit à la pêche entre ses jambes.

« J'ai lu tous les manuels, dit-elle. Tu peux me dire toutes les cochonneries que tu veux. Me donner des ordres. »

Elle lui mordit l'oreille. Moses poussa un cri et lui rendit la pareille.

« Hé ! Doucement, cow-boy ! Ho ! s'exclama-t-elle en le repoussant avec une étonnante vigueur.

— Qu'est-ce qu'il y a ?

— C'est ma faute. J'aurais dû te prévenir : pas question de m'égratigner, de me mordre ni même de me pincer fort, mon chou. Tous les soirs, il m'examine de la tête aux pieds à la recherche de bleus. »

Elle l'aida à se débarrasser de son pantalon et s'interrompit juste avant de le prendre dans sa bouche, le visage soudain assombri.

« À ton âge, combien de fois tu peux jouir, mon chou ? C'est important que je le sache avant, sinon je risque de me priver d'orgasmes multiples. »

Peut-être, songea-t-il, qu'à Chapel Hill, où le meuble était roi, elle faisait du porte-à-porte pour réaliser des sondages.

« Hou hou, t'es encore là ? »

Se penchant pour dégager ses testicules, elle constata avec consternation qu'il n'en avait qu'un.

« Doux Jésus ! dit-elle, telle une consommatrice qui n'en a pas eu pour son argent.

— Tu t'attendais à quoi ? À en trouver une grappe ?

— GÉNIAL ! » s'écria-t-elle en faisant courir sa langue du sexe de Moses jusqu'à sa gorge, comme s'il était une enveloppe à sceller.

Mais l'appareil photo, coincé sous le dos de Moses, le faisait souffrir. Il le retira.

« Pourquoi as-tu apporté ce truc ?

— Parce que je me suis dit que tu aimerais prendre des photos cochonnes, gros bêta. En souvenir de moi. Regarde ! »

Se levant d'un bond, elle lui tourna le dos, se pencha pour saisir ses genoux, le cul bien en l'air, et fit glisser un doigt sous sa culotte noire, sur laquelle elle tira. Se redressant, toujours de dos, elle lui décocha par-dessus l'épaule un clin d'œil coquin, se lécha les lèvres puis, fourrant son pouce dans sa bouche, mima une fellation. Moses songea au calendrier de Goldberg Brothers Auto Parts punaisé au mur de la station-service Texaco, avenue Laurier. Incapable de se retenir, il fut secoué d'un rire rempli d'admiration.

« Oh ! Darlene. Tu es la perfection incarnée. Sincèrement.

— Dans ce cas, qu'est-ce que tu attends pour prendre des photos ? »

Elle prit une autre pose digne d'une Playmate, qui l'obligea à se rhabiller en partie.

« Vas-y, finis la pellicule, mais n'oublie pas de la prendre avec toi en t'en allant. »

Alors seulement elle remarqua qu'il s'était rhabillé, lui aussi.

Pour elle, espérait-il, il ne s'agirait pas de passion inassouvie ou, que Dieu nous vienne en aide, d'amour non partagé, mais juste d'un cours de gym annulé.

« Ça vaut peut-être mieux comme ça, dit-elle. Le fait que nous restions, tu sais, euh, des amis platoniques… mais, en venant ici, je pensais vraiment qu'on allait baiser comme des bêtes et je n'ai encore jamais couché avec un *vrai* intello.

— On devrait peut-être songer à rentrer.

— Pas encore. Jim Boyd dit que tu peux faire danser un saumon sur sa queue. Montre-moi, fit-elle avec des yeux railleurs. Montre-moi.

— D'accord, mais une fois dans mon filet, je vais le remettre à l'eau.

Elle le surprit en répliquant :

— Comme moi. »

Il l'aida à descendre jusqu'au bas de la berge où il avait laissé le canot de Gainey, près d'un des trous de Shaunnessy.

« Si Barney nous surprend, dit-elle, il va nous massacrer.

— Il est de l'autre côté du camp, en amont.

— Heureusement pour toi. »

Prenant la canne de Gainey au fond de l'embarcation, Moses fit passer sa colère sur ses lancers, fouettant la ligne avec une force inutile, et visa l'autre rive avant même d'avoir exploré les eaux alentour. Quelques minutes plus tard, il avait ferré un gros poisson, mais celui-ci, au lieu de foncer vers l'aval ou de crever la surface de l'eau, alla se réfugier au fond, d'où il ne bougea plus. Moses resserra sa ligne, secoua sa canne, la tira vers la droite, puis vers la gauche.

« Tu ne finis donc jamais ce que tu commences ? fit Darlene.

— C'est un boudeur. Passe-moi tes clés de voiture.

— Pour quoi faire ? »

Il glissa sa ligne dans l'anneau du trousseau alourdi par le disque de laiton.

« Pour lui donner un gros coup sur la tête.

— AVEC LES CLÉS ? demanda-t-elle, les yeux écarquillés, en voyant le trousseau s'enfoncer dans l'eau.

— Tu n'as rien à craindre. »

Il les récupérerait au moment de relâcher le poisson dans les eaux peu profondes, près de la rive.

« Et c'est parti. »

Sa ligne grinça et le saumon argenté aux écailles vert océan jaillit à une soixantaine de pieds de l'embarcation. Se tortillant. Se contorsionnant. Il cassa le bas de ligne. Les clés se détachèrent et réfléchirent un instant le couchant avant de disparaître dans les profondeurs. Plouf.

« J'ai bien peur que nous ayons un problème, dit Moses en remontant la ligne.

— *Un problème ?* Doux Jésus ! Espèce de trou du cul ! C'est pas *croyable* ! Pincez-moi, quelqu'un. *Je rêve.* Tu sais ce que va faire Barney ? Il va me tuer *et ensuite il va encore faire annuler toutes mes cartes de crédit.*

— Mais pas nécessairement dans cet ordre.

— Moi, à ta place, au lieu de jouer au plus malin, je me demanderais si je suis couvert par la Croix-Bleue. Et comment !

— En ce moment, je me fais du souci pour Jim plus que pour moi. »

Il ne le lui pardonnerait jamais.

« Les deux cents emplois. La fabrique de meubles.

— Tu es fou, mais en plus, t'as beau être un intello, tu remportes la palme des cruches. »

Elle lui expliqua.

« Qu'est-ce que tu dis de ça, Moe ? »

Moses ne répondit pas tout de suite. Il déballa un Montecristo, en arracha le bout d'un coup de dent et lui sourit.

« Je vais te dire exactement quoi faire. »

Barney aurait pourtant dû exulter. Il avait remporté le concours. Le saumon qu'il avait capturé, sans être un monstre, lui avait permis de dépasser de cinq livres le total de Moses. Mais seuls les Logan et les guides avaient assisté à la pesée qui avait confirmé le triomphe de Barney, et ce détail semblait troubler Jim. Barney n'était pas étonné que Moses, de toute évidence mauvais perdant, ne soit pas encore rentré, mais il commençait à se faire du souci pour sa voiture. Il avait oublié que Miss Calculatrice avait encore les clés. Elle n'aurait jamais dû prendre la voiture sans sa permission.

« Il faudrait peut-être que quelqu'un parte à sa recherche », fit Mary Lou.

Du revers d'une manche, Rob essuya la morve de son nez.

« Papa fume. »

Larry écrasa sa cigarette d'un coup de talon.

« Où peut-elle bien être ? demanda-t-il.

— Au bar le plus proche, dit Barney. Si elle prend le volant après avoir bu, elle risque de percuter un arbre. Vous avez une idée de ce que m'a coûté cette voiture ? »

Larry tendit sa flasque à Barney. Ses yeux rougeoyaient.

« À mon avis, elle est avec Berger.

— Tu racontes n'importe quoi, Larry.

— C'est ce que tu as dit la dernière fois.

— Bon, bon, on y va. On prend ta voiture. »

Lorsque Moses toucha terre à bord du canot, Jim l'attendait.

« Comment as-tu pu me faire un coup pareil, Moses ?

— Elle n'est pas encore rentrée ?

— Au contraire, elle est là. Avec une histoire à dormir debout.

— Qu'est-ce qu'elle dit ?

— Elle est sortie faire un tour et s'est arrêtée sur le chemin de Kedgwick, puis, laissant les clés sur le contact, elle est descendue au bord de la rivière pour prendre des photos du coucher de soleil. À son retour, elle a constaté que des vauriens de Micmacs avaient pris la voiture. Nom de Dieu, Moses, j'espère que tu t'es bien amusé parce que moi, ça risque de me coûter mon poste, sans parler des deux cents emplois perdus pour les habitants de la région.

— Il n'y a jamais eu d'emplois en jeu. Ils n'ont jamais eu l'intention d'ouvrir une fabrique ici ou en Ontario, c'était seulement pour se faire offrir un séjour de pêche gratuit avec tout le tralala. L'année dernière, ils ont eu recours au même stratagème au Mexique. Résultat ? Une semaine de pêche à l'albula, tous frais payés. Où sont-ils ?

— Le petit gros est avec sa mère dans le restaurant et les hommes sont partis à la recherche de la voiture. Darlene est avec eux.

— Sur la route, ils vont tomber sur Gainey, qui va leur indiquer où ces vauriens de Micmacs ont abandonné la voiture après s'être offert une virée. Mais il y a un problème. Pas de clés. Barney va devoir la faire démarrer avec les fils.

— Oh, j'oubliais. Il a gagné le concours. Les poissons de ce salaud pèsent cinq livres de plus que les tiens.

— On va vérifier ça ?

— Et comment ! »

Ils se faufilèrent dans le dépôt de glace, où les prises de Barney reposaient sur ce qu'il restait des neiges de l'hiver précédent. Jim palpa le ventre de chacun des poissons.

« Je vais devoir congédier Armand », dit-il.

Les voitures revinrent au camp, la Cadillac suivie de la Mercedes. Darlene en descendit promptement et, sans regarder à droite ni à gauche, fonça vers sa chambre, Barney sur les talons.

« Il va la battre ? demanda Jim.

— Il va seulement vérifier si elle a des bleus. »

Dans le restaurant, Mary Lou se servit une bière.

« Ils n'ont rien volé, rien abîmé. Même l'appareil photo de Barney était resté sur le siège avant. C'est gentil de leur part, non ? »

Moses se laissa attirer par la radio. Les nouvelles de dernière heure. Encore et toujours le Watergate. La bande magnétique mystérieusement effacée. En conférence de presse, le général Haig laissait entendre qu'une ombre planait sur la Maison-Blanche. Moses y réfléchissait encore, après avoir rejeté sa première intuition, qu'il jugeait complètement folle – ou à tout le moins improbable –, lorsque Barney entra en trombe.

« Le meilleur a gagné, dit-il. Tu es au courant ?

— Félicitations.

— Va chier », dit Barney.

Lorsque le téléphone sonna, il se précipita sur le combiné.

« Ouais, évidemment. Bien sûr qu'il est là. Depuis des jours. C'est pour toi, Moe. C'est ton patron qui attend ton rapport sur mes activités. Ce que je peux voir clair dans ton jeu ! »

Moses prit l'appel dans la cuisine.

— Moses ? Harvey Schwartz à l'appareil. M. Bernard est mort. Quoi que tu en penses, c'était un être humain remarquable. Et je le dis du fond du cœur. Le fait que je sois un vieil ami de la famille n'y change rien. »

Harvey lui raconta l'incident du cimetière. Le corbeau, le harpon.

« À ton avis, c'est Henry qui a fait ça ?

— Henry ne s'abaisserait jamais à une chose pareille.

— Sinon Henry, qui ?

— Henry te citerait une phrase de Ben Sira : "Ne cherche pas ce qui est trop difficile pour toi, et ne scrute pas ce qui dépasse tes forces." Il y avait un *gimel* gravé sur le harpon ?

— Oui. Dis-moi, qui pourrait faire une chose aussi obscène ?

— Tu ne comprendrais pas, Harvey », répondit Moses en raccrochant.

Puis, le cœur battant à tout rompre, Moses alla faire

ses valises. *Les corbeaux se rassemblent. Une ombre plane sur la Maison-Blanche. Un* gimel. Je suis fou, songea Moses. Mais il avait déjà décidé de s'envoler pour Washington. Comment pouvait-il faire autrement ?

Le lendemain matin, Moses et Jim, debout devant la fenêtre du restaurant, un café à la main, regardèrent Barney se faire prendre en photo sous tous les angles avec ses prises.

« Il fait partie d'une sorte de club sportif, chez lui, à Chapel Hill, expliqua Jim, dont les membres se rencontrent une fois par mois. À son retour, il montre ses diapos aux autres. Cette fois-ci, il va se vanter d'avoir été le meilleur, même s'il pêchait le saumon pour la première fois. Le moins que tu puisses faire, c'est d'annuler ton chèque. »

Moses quitta Vince's Gulch après le petit déjeuner et s'arrêta à Campbellton pour poster un paquet à Chapel Hill.

« Vous devez remplir une déclaration douanière, annonça le commis. C'est lourd, dites donc !

— Le colis devrait peser exactement cinq livres.

— Qu'est-ce qu'il y a, là-dedans ?

— Des cailloux.

— Des cailloux ?

— Des cailloux. »

Quatre

Harvey, qui avait toujours souffert d'insomnie, dormait maintenant sur ses deux oreilles. Il ne s'agissait pas d'une perte de temps pure et simple. Au moment même où il s'assoupissait, ronflant comme un moteur au ralenti, ses actions, elles, tournaient à plein régime. Ses actions d'Acorn et de Jewel toujours plus précieuses. Son portefeuille privé chaque jour plus dodu.

La journée d'Harvey débuta sous d'heureux auspices. Pendant le petit déjeuner, Becky ne lui fit pas une seule remarque désobligeante. À table, saisissant le premier cahier de la *Gazette*, il constata qu'il n'y en avait que pour le Watergate. Fidèle à son habitude, Harvey attendit d'être au bureau pour lire le cahier des sports. Mauvais présage. Alors qu'il s'apprêtait à consulter les résultats de la veille, son regard fut attiré par un article de la page en regard :

UN HOMME SOUTIENT
AVOIR ÉTÉ INCARCÉRÉ
PAR ERREUR

Un homme de Montréal-Ouest jeté en prison au moment où il allait verser la caution de son beau-frère a intenté un procès de deux cent mille dollars contre trois policiers de la Communauté urbaine de Montréal, un agent de la Police provinciale, la CUM elle-même et le Solliciteur général du Québec.

Après une arrestation qu'il estime illégale et plus de quarante-huit heures passées derrière les barreaux, Hector Lamoureux engage des poursuites pour dommages moraux, humiliation, privation de liberté, anxiété et angoisse. Ses ennuis ont débuté lorsque…

Mlle Ingersoll l'appela : Lionel Gursky lui téléphonait de New York.

« Mon père est enterré depuis une semaine à peine, dit Lionel, et ça recommence.

— Pas nécessairement.

— Des actions dont la valeur se chiffre en millions de dollars, toutes achetées à Montréal, cette fois-ci, par l'intermédiaire de Clarkson, Frost & McKay. Tom Clarkson n'est pas un de tes voisins ?

— Si.

— Dans ce cas, tu as intérêt à déterminer qui est son client et ce qu'il mijote. J'attends ton coup de fil. »

Harvey vivait dans sa maison des hauteurs de Westmount depuis assez longtemps pour s'être familiarisé avec sa rue. Ses rythmes, ses humeurs. À huit heures du matin, au moment où son chauffeur sortait sa Mercedes du garage, sous la neige comme sous la pluie, des Jamaïcaines pleines de ressentiment, les yeux bouffis de sommeil, entreprenaient d'un pas lourd l'ascension de la côte. Une brigade de femmes de ménage moroses marchaient à la queue leu leu, les bras chargés de paquets. Et les jours où il se mettait en route plus tôt, Harvey tombait invariablement sur les jardiniers italiens, une horde féroce qui, au volant de leurs camionnettes, klaxonnaient compulsivement en allant de maison en maison, déblayant la neige en hiver, plantant des massifs d'impatientes et de pétunias en été. Malgré l'heure matinale, ils s'interpellaient bruyamment au-dessus du vrombissement de leurs tondeuses à gazon ou de leurs souffleuses à neige.

Plus bas habitait un des résidents les mieux considérés du chemin Belvedere, Tom Clarkson, avec sa seconde femme, une fille appelée Beatrice qu'il avait épousée, à la surprise générale, un mois plus tôt. Grand et mince, presque frêle, Tom avait des cheveux blond-roux et des yeux bleus perçants. Il avait les manières d'un homme qui, au lieu de se mettre en colère contre un maître d'hôtel qui ne lui attribue pas la meilleure table, se montre déçu. Il siégeait au conseil d'administration de l'orchestre symphonique et d'un musée parce que c'était sans contredit son devoir. Il était collectionneur : le jade, la porcelaine du XIXe siècle.

Ce soir-là, Tom avait un problème sur les bras. Depuis trois jours, il avait omis de répondre à quatre appels de Lionel Gursky et, à présent, Harvey, le cobra apprivoisé de la famille, venait à la maison. Beatrice l'avait invité spontanément. Elle n'avait pas vraiment eu le choix, remarquez. Le lundi, elle était tombée sur lui chez Dionne, et Harvey s'était présenté à elle en expliquant qu'ils étaient désormais voisins. « Je parie que vous aimez les Expos. Vous pouvez utiliser ma loge quand vous voulez. »

Le mardi, au Ritz, elle avait pris un verre avec Honor Parkman. Lorsqu'elle demanda l'addition, on lui apprit que quelqu'un l'avait déjà réglée, ce qui la déconcerta, jusqu'au moment où Harvey, se levant brusquement, agita frénétiquement la main.

Sortie promener le corgi, le mercredi, Beatrice tomba sur Harvey, posté en embuscade.

« J'ai entendu dire que vous attendiez un grand nombre d'invités, vendredi soir. Nous organisons pas mal de fêtes, nous aussi. D'ailleurs, il faudra que vous veniez dîner à la maison, Tom et vous, dès que vous serez installée.

— Merci.

— Quoi qu'il en soit, je voulais juste vous dire que vous pouvez diriger autant de voitures que vous le voulez vers chez nous. Nous ne sortons pas vendredi soir. Ne vous gênez donc pas pour bloquer les portes du garage. »

Beatrice, que les vieux amis de Tom s'inquiétaient de ne presque pas connaître, était nettement plus jeune que lui. Le soir où la Volvo des Clarkson était tombée en panne sur le pont Champlain, elle avait estomaqué tout le monde en sortant de la voiture, malgré les protestations de Tom, puis en jetant un coup d'œil sous le capot. Après avoir réclamé un chiffon et une clé à molette, elle avait réussi à tout réparer. Laura Whitson l'avait un jour vue marcher dans la rue Sherbrooke en mangeant une pomme. Sans pouvoir mettre le doigt sur la cause exacte, Betty Kerr la jugeait, en un sens, trop « expérimentée » pour son âge. Quelque chose en elle – l'impression qu'elle donnait de s'être élevée jusqu'à sa situation présente à la force du poignet, au lieu d'y avoir été préparée par son éducation – suscitait un certain malaise chez les autres femmes, mais pas encore assez pour qu'elles se mettent à la critiquer ouvertement. Comme elles n'étaient pas allées à l'école avec elle, elles ne savaient pas à qui elles avaient affaire, ce qui n'arrangeait rien. Sans compter que leurs maris, après qu'elle leur eut été présentée, disaient sans raison la trouver un tantinet vulgaire. Mais ne pourrait-on pas les inviter à dîner bientôt, ne fût-ce que pour le bien de ce pauvre Tom ?

Sa coiffure bouffante fraîchement retouchée se dressant sur sa tête pareille à un casque noir laqué, ses doigts gonflés par des bagues aussi lourdes que des coups-de-poing américains, Becky enfila en se trémoussant le fourreau lamé d'argent qu'elle avait acheté spécialement pour cette occasion.

Le salon des Clarkson était rempli d'inconnus qui bavardaient entre eux, de ceux sur qui ne pleuvent que des gains en capital. Les hommes, le ventre rebondi, exsudant la confiance, leurs femmes, langoureuses, charmantes, avec des manières et des vêtements sobres, aimables entre elles, mais promptes à flairer une intruse. Tom accueillit Harvey avec un sourire forcé.

« Heureux que vous ayez pu vous libérer à la dernière minute, tous les deux.

— Nous parlerons plus tard », dit Harvey en poursuivant sa route.

Tom se tourna vers Beatrice.

« Je croyais qu'il venait avec sa femme et non avec une hôtesse du Ruby Foo's.

— Allons, allons, c'est une création de Saint Laurent. »

Un photographe morose dans son sillage, l'omniprésente Lucinda, du cahier « Mode de vie » du *Star,* passa en coup de vent devant Harvey, manifestement en quête d'une meilleure prise. Coquine, les yeux brillants, elle butinait d'un groupe à l'autre, un calepin à la main. Elle jeta finalement son dévolu sur Nathan Gursky, qui se figea aussitôt, tel un écureuil pris dans le halo des phares en tentant de traverser l'autoroute.

« Ma chronique de demain prendra la forme du jeu le plus amusant, monsieur Gursky.

— Ah bon ?

— Si Hollywood décidait de faire un film sur votre vie, qui choisiriez-vous pour jouer Nathan Gursky ?

— Euh… »

Nathan soumit la question à Harvey.

« George Segal, suggéra Harvey.

— Et que penses-tu de… euh… Dustin Hoffman ?

— Je me le garde. »

Si Tom Clarkson tolérait la présence de Nathan Gursky et de la Lucinda du *Star,* c'était uniquement parce que la réception, tenue peu avant les élections fédérales, servait en réalité à collecter des fonds pour un important ministre issu de Westmount. Une activité au demeurant des plus discrètes, personne ne faisant allusion au montant du chèque qu'il apportait et le ministre faisant comme si aucune enveloppe n'avait changé de mains. L'homme ressemblait à un chien efflanqué. Sa femme était une MacGregor. Aux Bermudes, l'un des oncles de Tom, Jack, possédait la maison voisine de la sienne. Adossé au manteau de la cheminée, le ministre esquivait adroitement les questions portant sur l'opportunité d'un gel des prix et des salaires. Puis Becky s'avança, les coudes en avant, comme si elle avait de nouveau dix-sept ans et qu'elle resquillait une table au restaurant Miss Montreal.

« Je m'appelle Rebecca Schwartz. Je suis un auteur publié. Ce soir, mon mari fait une contribution personnelle de dix mille dollars à votre campagne. Pouvez-vous me dire si le gouvernement a l'intention de conclure de nouvelles ententes sur le blé avec la Russie, au moment où tant de Juifs, faussement accusés, croupissent dans les prisons de ce pays ? »

Nom de Dieu. Avant que le ministre ait pu répondre, Harvey se retira dans une autre pièce, agrippant Moffat au passage et lui expliquant quelles informations il devait dénicher.

« Bon sang, Harvey ! Cet homme est la discrétion même. Comment diable veux-tu que je m'y prenne ? »

Puis Harvey, ayant reconnu Jim Benson (PDG de Manucorp), s'immisça dans son cercle. Depuis la dernière fois qu'il l'avait vu, Benson avait dû perdre une trentaine de livres. Frottant sa modeste panse, Harvey dit :

« Dis donc, j'aurais bien besoin de suivre ton régime. Comment tu as fait, Jimmy ? »

Un silence consterné se fit et le cercle se disloqua. Harvey resta en rade. Aussitôt, Becky se matérialisa à ses côtés.

« McClure est là, dit-elle. Il a dit que j'étais très élégante. »

Le large sourire de Becky fissura la croûte de maquillage sur son visage.

« Ah oui ! J'ai aussi entendu dire que Jim Benson faisait de la chimio. Les médecins lui donnent six mois. Au mieux. »

McClure sourit à Beatrice par-dessus ses lunettes à double foyer.

« Je dois admettre que Tom a superbement tiré son épingle du jeu. Mais j'espère que les enfants, qui sont tellement attachés à la pauvre Charlotte, ne vous poseront pas trop de problèmes. Charlotte est une Selby. Son grand-oncle Herbert était mon parrain. Son père et moi avons servi ensemble dans le Black Watch. Vous êtes de Montréal ?

— Non.

— C'est ce que je me disais. De Toronto, alors ?

— Non plus.

— Mais, très chère, même une créature aussi charmante que vous vient forcément de quelque part.

— Yellowknife. J'étais une enfant de la Raven.

— Je ne comprends pas.

— À l'époque, dans la vieille ville, on appartenait à l'une des deux mines : la Raven ou la Giant. C'est ainsi qu'on désignait les enfants à Yellowknife.

— Et c'est comme ça que vous avez rencontré Moses Berger ?

— Oh là là, on peut dire que vous êtes curieux, vous.

— Si je pose la question, c'est parce que ma femme, dans son testament, lui a laissé une lettre et une table en cerisier. Vous ne sauriez pas où je pourrais le trouver ?

— Essayez le Caboose.

— Qu'est-ce que c'est ?

— Son club privé », répondit-elle en s'éloignant.

Le corpulent Neil Moffat finit par coincer Betty Kerr.

« Mercredi, ça t'irait ? demanda-t-il.

— Je t'ai dit de ne pas m'adresser la parole ici.

— Ce serait encore plus louche si je t'ignorais. »

Becky était ici, là, partout. Occupée à retourner les lampes pour en déchiffrer l'estampille. À faire tinter ses ongles sur les objets en porcelaine. À caresser la surface des dessertes. À retourner les tableaux sur les murs pour noter le nom du marchand.

Joan St. Clair embrassa Beatrice sur les deux joues.

« Tom ne m'était pas apparu si jeune et si en forme depuis des années. Vous êtes la meilleure chose qui lui soit arrivée. Je crois comprendre que vous êtes originaire d'Ottawa ?

— Non.

— Mais c'est là que vous vous êtes rencontrés ?

— Oui.

— Quelle chance pour vous.

— Pour nous deux, vous voulez dire ? »

Becky vogua jusqu'à un groupe dont faisait partie la Lucinda du *Star.*

« Bonjour, je m'appelle Becky Schwartz. Entre écrivains, nous sommes faites pour nous entendre. Je trouve vos chroniques d'une merveilleuse impertinence. Si Hollywood tournait l'histoire de ma vie, j'aimerais être jouée par Candice Bergen. »

Coin coin coin. Harvey, qui avait suivi Tom Clarkson toute la soirée, le trouva enfin seul et fondit sur lui.

« Ah, fit Tom, excuse-moi, mais j'aperçois Beatrice. »

S'approchant d'elle par-derrière, Tom passa ses bras autour de sa taille. Il l'embrassa dans le cou.

« Tu n'es pas particulièrement aimable avec mes amis.

— Si tu veux parler de McClure, c'est un casse-pieds.

— Il est si seul, désormais, chérie. Sa femme était une Morgan. La cousine de ma tante Hattie. »

Harvey trouva la porte des toilettes déverrouillée, mais Moffat était assis sur le siège, la tête renversée, un mouchoir taché de sang sur le nez. Betty Kerr se penchait sur lui.

« Sors d'ici, sale commère », lança-t-elle à Harvey.

Joan St. Clair se réfugia dans un coin du vestibule avec Laura Whitson.

« Elle a beau être une déesse sous les draps, l'enfant parle par monosyllabes et elle n'a pour ainsi dire pas d'antécédents familiaux. »

Et Harvey finit par coincer Tom dans la cuisine.

« Lundi, ta société a transmis une énorme commande pour des actions de McTavish.

— Je ne vois pas passer tous les bordereaux.

— Des millions et des millions de dollars. Je veux savoir qui est votre client.

— Ce sont des renseignements confidentiels, Harvey. »

À trois heures du matin, le ventripotent Neil Moffat, dernier des invités à la réception des Clarkson, entama un chant funèbre, déplorant le sort de leur ville, de leur patrimoine.

« La fête est terminée, mon vieux Thomas. Montréal, Piquiou, n'est plus dans le coup. Il n'y en a plus que pour Toronto, l'affreuse ville de "Turrono", comme ils disent. Le séparatisme politique n'a plus d'importance, car nous aurons droit au séparatisme *de facto*. Dans le nouvel ordre des choses, nous serons Boston. Peut-être même Milwaukee. »

Puis, submergé par la nostalgie, Moffat se remémora le bon vieux temps, l'époque où la fonction publique leur appartenait encore. Avant qu'elle soit administrée de travers par des Canadiens français tout frais émoulus de la London School of Economics ou de la Harvard Business School. Ou de petits Juifs arrivistes venus du North End de Winnipeg. Regarde McGill à présent. La bonne vieille Université McGill. Ou le club Mont-Royal. Du temps de mon père, on a refusé trois fois la candidature de l'importun M. Bernard. Là, Nathan, le fils du vieux *bootlegger*, avec ses minauderies, en est devenu membre. L'année dernière, à Noël, ce petit crétin timoré a envoyé au portier une caisse de Crofter's Best. Meilleurs vœux. Personne ne savait quoi dire. Ni où regarder.

Sur ses doigts dodus et roses, Moffat se mit à faire le décompte des départs possibles de Montréal. Tous les sièges sociaux dotés de plans d'urgence, prêts à partir sur la pointe des pieds, dans l'hypothèse où le Parti québécois prendrait le pouvoir.

« J'ai entendu dire que les Gursky abandonnent le navire, mutent des éléments clés à Hogtown. Et on sait bien que ces garçons, ces brillantes souris sémites, sentent les bilans jusque dans leur fond de culotte. Ça remue le sphincter des Juifs. Comme le sexe pour nous, pas vrai, Thomas ? »

Tom bâilla. Beatrice commença à vider les cendriers.

« Remarque, poursuivit Moffat, maintenant que le vieux salaud est mort, McTavish est vulnérable. Je ne serais pas étonné d'assister à une tentative de rachat. »

Tom consulta ostensiblement sa montre.

« Même avant la mort du vieux, ajouta Moffat, quand il a

commencé à battre de l'aile, il y a six ou sept ans, notre bureau a reçu un énorme ordre d'achat.

— Tiens, c'est intéressant. Tu te souviens de la part de qui?

— Un Britannique. Un certain Sir Hyman Kaplansky. C'est ton client?

— Le mien est un fonds *offshore* dont le siège social est à Genève. Corvus Investment Trust.

— Occupé à monter une attaque en règle, sans doute.

— Ne sois pas ridicule, Neil. Il faudrait des milliards pour déloger la famille.

— À condition que tous ses membres se serrent les coudes. »

Moffat, le nez gorgé de sang et la vessie sur le point d'exploser, consentit enfin à se laisser guider vers la porte en faisant pleuvoir des bénédictions sur la tête de Tom et de sa ravissante nouvelle épouse.

« Tom, espèce de vieux matou… »

Tom trouva Beatrice dans le solarium. Perdue dans ses pensées, elle arrosait les plantes vertes en se penchant en avant, les seins fermes. Il alla en vitesse chercher son appareil et se mit à la prendre en photo, comme il l'avait fait pendant qu'elle lisait, se peignait, descendait l'escalier en robe du soir.

« Ce que je donnerais pour que tu arrêtes de faire ça… »

Il tira une bouteille de montrachet d'un seau dans lequel flottaient des glaçons, des bouchons de liège ainsi que des mégots et lui en tendit un verre.

« Je me suis laissé dire qu'on peut trouver Moses Berger dans un bar appelé le Caboose.

— Tout ira bien entre nous, Tom. Je t'assure. Je n'ai aucune envie de revoir Moses. »

De retour à la maison, Harvey apprit que M. Gursky avait téléphoné deux fois en son absence. En le fusillant du regard, Becky retira une mule lamée d'argent et la jeta contre un mur.

« Espèce de *shmuck*. Pourquoi tu ne m'as pas dit que les autres invitées n'allaient pas se mettre sur leur trente et un ? »

Le téléphone sonna de nouveau.

« C'est sûrement le grand chef qui rappelle, dit-elle. Va répondre, *boy.* »

Mais c'était Moffat.

« Ça ne m'est d'aucune utilité, fit Harvey. Il faut que tu en apprennes plus. »

Harvey se retira dans son bureau, s'assit à sa table de travail et prit un dossier dans le dernier tiroir. Il y avait quelque part un requin tueur qui, tous les six ou sept ans, se déchaînait, pris d'une faim dévorante, puis disparaissait inexplicablement. Un prédateur rusé et d'une patience infinie qui, tôt ou tard, porterait un coup fatal, planterait ses dents dans la jugulaire de Lionel. Eh bien, se dit Harvey en songeant à ses propres intérêts dans McTavish, lui-même saurait peut-être tirer un joli profit d'une éventuelle offre publique d'achat.

Le lendemain matin, Harvey attendit jusqu'à dix heures pour téléphoner à Lionel.

« Il n'y a aucun souci à se faire », dit-il.

Puis Harvey téléphona à son banquier à Genève.

« Je veux savoir qui se cache derrière le Corvus Investment Trust.

— Vous n'êtes pas le seul », répondit le banquier.

Cinq

« Voici, au cas où ça vous intéresserait, avait-il dit, une liste détaillée, dûment notariée, de tous les articles que renfermait son coffre-fort.

— Étiez-vous là au moment de l'ouverture du coffre, monsieur Schwartz ?

— Il n'y avait pas d'enveloppe pour vous. »

C'est ainsi que Kathleen O'Brien, chargée de transcrire les bandes que M. Bernard avait enregistrées avec Harvey, glissa l'ensemble des documents dans son fourre-tout avant de quitter pour la dernière fois la tour Bernard-Gursky, boulevard Dorchester.

Tim Callaghan l'emmena déjeuner au Café Martin et écouta son histoire avec intérêt.

« Mais qu'est-ce que cette enveloppe était censée contenir ? demanda-t-il.

— Un chèque certifié. Des actions. Je ne sais pas combien. Toutes ces années de ma vie... Dieu du ciel. »

Elle alluma une nouvelle cigarette avec celle qu'elle venait de terminer.

« Vous ne comprenez pas, Tim. Je me fiche de l'argent.

— Je n'ai jamais pensé le contraire.

— J'adorais cette vieille fripouille. Allez-y, riez.

— Vous n'avez presque rien mangé et vous buvez beaucoup trop.

— Au cinéma, nous nous tenions la main. Une fois par an, l'été, nous filions en douce au parc Belmont. Le palais des illusions. Les autos tamponneuses. La maison hantée... »

Sa voix se brisa. Callaghan attendit.

« Il y avait tout un côté de lui que les autres ne connaissaient pas.

— Seulement vous.

— Oui. Seulement moi. Bon Dieu.

— Doucement, doucement.

— Il ne m'aurait pas menti. Quelqu'un a pris l'enveloppe. L'avorton, probablement. Il ne vous aimait pas.

— Schwartz, pour l'amour du ciel.

— Non, M. Bernard. Parce que vous étiez l'homme de Solomon, disait-il. Il était hanté par la mort de son frère.

— Je me demande bien pourquoi.

— Je veux savoir ce que mijote Moses Berger là-bas, dans les bois.

— Il se débat avec ses démons, les Gursky. Il tente de justifier les actions des hommes auprès de Dieu.

— Il fourre son nez un peu partout, à la recherche de ragots sur la famille.

— Il aimerait vous parler.

— Jamais de la vie. »

Kathleen téléphona à M. Morrie, qui l'invita chez lui. Il la reçut dans le jardin, d'où, il le savait, Libby pouvait l'observer de la fenêtre de sa chambre.

« Je veux savoir si vous avez assisté à l'ouverture du coffre, monsieur Morrie.

— Je suis peiné de vous le dire, fit M. Morrie, la main sur le cœur, mais il n'y avait pas d'enveloppe.

— Harvey aurait-il pu l'en retirer avant ?

— Il n'avait pas la combinaison.

— Monsieur B. n'a peut-être pas eu le temps de mettre l'enveloppe dans le coffre. Elle se trouve peut-être toujours parmi ses effets personnels.

— Vous croyez que je n'ai pas regardé ?

— C'est peut-être Libby qui l'a.

— Kathleen, dit M. Morrie, dont les yeux se gonflèrent de larmes, pardonnez-moi, mais je ne supporte pas de vous voir souffrir comme ça. Il faut que je vous dise quelque chose qui va vous faire du mal. Il avait aussi promis une enveloppe à une jeune femme du bureau de New York.

— Mon œil.

— Désolé.

— Bon Dieu.

— J'ai tellement honte.

— Qui ?

— Je ne peux pas vous le dire. J'ai donné ma parole. »

Elle se mit à sangloter. M. Morrie la prit dans ses bras.

« Bernie, qu'il repose en paix, était un homme compliqué.

— C'était Nora Weaver ?

— Vous vous faites du mal pour rien.

— Merde.

— Vous voulez que je vous dise ? Demain, à la maison, je vais encore passer en revue toute sa paperasse. Je vais remuer ciel et terre. Et je parie que je vais découvrir l'enveloppe. Exactement comme il l'avait promis.

— Lionel avait-il la combinaison du coffre ?

— Quel idiot je suis. Pourquoi n'y ai-je pas pensé ? Je lui téléphone demain.

— Pas la peine.

— Laissez-moi au moins essayer.

— Il n'y a jamais eu d'enveloppe. Et même s'il y en avait une, je n'en voudrais plus, à présent.

— Je comprends ce que vous ressentez, dit M. Morrie en la resservant.

— J'ai cinquante-trois ans.

— On vous en donnerait à peine quarante. »

Elle éclata de rire. Elle se moucha et sécha ses larmes.

« Et vous, qu'allez-vous faire, maintenant que Lionel vous a supplanté ?

— Que diriez-vous d'ouvrir un bar avec moi ? Rue Crescent ? Chez Kate et Morrie.

— Sans blague.

— Je peux vous confier un petit secret ?

— Je vous en prie.

— Après toutes ces années, mon Barney est passé me voir alors qu'il faisait route vers les Maritimes. Il allait à la pêche au saumon. À l'invitation du ministre du Commerce. Ça en impose, non ?

— J'espère qu'il n'est pas venu vous emprunter de l'argent.

— Barney est un homme remarquable. Ce garçon a tellement d'idées que...

— C'est ce que je me suis laissé dire, oui...

— Il est dans le meuble en Caroline du Nord. Du sérieux. Maintenant que la glace est brisée, j'espère qu'il se joindra à moi pour des projets dans le pétrole et d'autres investissements dont je ne peux pas encore parler. Venez travailler pour nous. Votre prix sera le nôtre.

— Merci, dit Kathleen en l'embrassant sur la joue, mais ça m'étonnerait.

— Hector vous raccompagnera. Vous êtes ici chez vous, j'espère que vous le savez. Quand vous avez un coup de déprime, vous n'avez qu'à monter dans un taxi et venir dîner. »

Quelques minutes plus tard, le téléphone sonna dans le bureau de M. Morrie.

« Qu'est-ce qu'elle voulait ? demanda Libby.

— J'espérais me débarrasser d'elle avant que tu la voies.

— De l'argent ?

— Une lettre de recommandation.

— Si tu lui en fais une, il faut que ce soit pour un poste de tenancière de bordel.

— Tu crois vraiment que je ne sais pas ce que tu ressens ?

— Je ne veux plus jamais la voir ici.

— Entendu. Tu veux venir regarder *Coup de filet* avec nous, ce soir ?

— Ce ne serait plus la même chose », fit-elle en raccrochant.

M. Morrie déverrouilla le tiroir du haut de son bureau et en sortit son carnet d'adresses personnel. Il joignit Moses au Caboose.

« La pauvre Kathleen O'Brien est très déprimée, dit-il. Tu serais gentil de l'inviter à déjeuner. »

Six

Moses savait que Sam et Molly Birenbaum l'auraient volontiers hébergé chez eux, à Georgetown, mais, optant plutôt pour l'intimité, il descendit au Madison. Une heure plus tard, il prit un taxi jusqu'à Georgetown.

Sam, ses yeux caramel étincelants de joie, serra Moses dans ses bras.

« Moishe. Moishe Berger. Je t'offre à boire ?

— Je prends de l'Antabuse.

— Heureux de l'entendre. Du thé, alors ?

— S'il te plaît. »

Déterminé à raviver les braises du passé, Sam évoqua la table recouverte d'une nappe au crochet de l'appartement sans eau chaude de la rue Jeanne-Mance. Il passa ensuite à leur période londonienne, leur âge d'or, et commença à raconter une histoire à propos de Lucy Gursky. Puis, se rappelant à qui il avait affaire, il s'interrompit.

« Du calme, Sam. Rien ne t'empêche de mentionner Lucy. Mais parle-moi plutôt de Philip et des deux autres, évidemment. »

Il y avait trois enfants. Marty, Ruth et Philip. Ruth faisait un échange d'un an à la Sorbonne. Ni l'un ni l'autre des garçons, touchons du bois, n'était au Viêtnam. Marty étudiait au MIT et Philip, après avoir mis ses études en veilleuse et passé deux années à travailler comme barman à San Francisco, fréquentait les bancs de Harvard.

« Il est en visite chez nous.

— Super. Où est-il ?

— Sorti.

— Ah bon ?

— Il est gay », dit Sam d'un air de défi.

Il attendit la réaction de Moses, le regard suppliant.

« Eh bien, il n'est pas le seul.

— S'il s'agissait du fils d'un autre homme, je pourrais faire preuve d'un libéralisme de bon ton, mais chez le mien, je trouve que c'est une abomination.

— Je comprends.

— Non, tu ne comprends pas. Je n'ai pas de préjugés contre les tapettes, c'est juste que je ne les aime pas. »

Sam se servit un autre scotch. Une généreuse rasade.

« Il refusait de venir passer le week-end ici sans son petit chéri de l'université. Que voulais-tu que je dise ? Nous ne l'avions pas vu depuis des mois. J'étais résolu à bien me tenir. Je ne ferais pas de remarques à propos de la boucle d'oreille de son ami ni de sa chemise de soie noire déboutonnée jusqu'au *pupik* à l'heure du petit déjeuner. Ce matin, nous nous sommes disputés. Rien ne les oblige à se baigner tout nus dans la piscine. Quand elle les voit par la fenêtre, Molly a le cœur brisé.

— Vous avez une piscine ?

— Tiens-toi bien. Une piscine, la domestique noire que tu as déjà vue, une cuisinière, des stock-options, un condo à Vail et un système d'évasion fiscale auquel je ne comprends rien, mais qui, j'en suis sûr, me mènera un jour en prison. C'est comme ça, Moishe. »

Soudain, Molly entra dans la pièce.

« Ce que tu peux être injuste, Moses. Tu ne réponds pas à nos lettres, mais, une fois tous les cinq ans, tu débarques dans nos vies avant de disparaître de nouveau. »

Ils mangèrent au Sans Souci, où des sénateurs, des membres

du Congrès et d'autres personnages désireux de passer sur le réseau aux heures de grande écoute s'arrêtèrent à leur table pour faire la révérence à Sam, à l'oreille de qui ils chuchotèrent les derniers commérages sur le Watergate. *Il va être destitué. Non, il va démissionner. Il n'a plus toutes les cartes en main. C'est Henry qui me l'a dit. Je le tiens de Len. Kay m'en a donné l'assurance.* Sam, sentait Molly, était moins heureux qu'inquiet devant un tel étalage de son importance. Il redoutait le jugement de Moses. Plus celui-ci gardait le silence, plus Sam buvait. L'alcool, comme toujours, le rendait idiot. Trois éditeurs, laissa tomber Sam, tentaient de le convaincre d'écrire un livre sur le Watergate. Moses hocha la tête.

« Je ne suis donc pas devenu le Tolstoï de ma génération, dit Sam, l'air abattu.

— Et toi, Moses ? »

Moses fit non de la tête.

« Tu écris encore des nouvelles ? demanda Molly.

— Le Canada n'a pas besoin d'un autre artiste de seconde zone.

— Gerald Murphy, dit Molly à la volée.

— Futée, la Molly.

— Hé, nous avons fait les quatre cents coups ensemble, plaida Sam. Nous sommes entre amis. Qu'est-ce qui t'amène à Washington ? Tu ne nous as rien dit. »

Moses expliqua qu'il souhaitait voir les bandes originales des images tournées pendant les audiences du Watergate et les conférences de presse de Nixon, tout ce qu'avait le réseau. Il était intéressé non pas par les images diffusées, mais par les scènes coupées au montage, en particulier les vues panoramiques des spectateurs.

« Je cherche quelqu'un.

— Qui ?

— Même si je te le disais, tu ne saurais pas de qui il s'agit. »

Sam invita Moses à revenir à la maison avec eux : ils commençaient à peine à bavarder. Il lui ferait entendre ses disques de music-hall yiddish : Molly Picon, Aaron Lebedeff, Menasha Skulnik, Mickey Katz. Moses, invoquant la fatigue, demanda plutôt qu'on le dépose à son hôtel.

De retour chez lui, Sam se servit un verre de Rémy Martin.

« Dieu sait pourtant que ça ne te ressemble pas, dit Molly, mais tu as passé la soirée à te vanter. Pourquoi sens-tu le besoin de te justifier à ses yeux ?

— À vingt et un ans, Moses a trouvé une faute dans l'*Oxford English Dictionary*. Une première attestation. Il a écrit aux éditeurs et on lui a répondu en le remerciant et en promettant de corriger l'erreur dans la nouvelle édition.

— Tu n'as toujours pas répondu à ma question.

— J'y ai répondu, seulement tu ne t'en rends pas compte. Bon, bon, d'accord. L'*emes*, c'est que je l'envie.

— Tu l'envies, lui ? Il est alcoolique, le pauvre. Il mange tellement ses mots que c'est à se demander combien de calmants il prend. Vois les choses en face, Sam : il n'a rien fait de sa vie.

— Et moi… Ho ! Ah ! Sam Burns, né Birenbaum, appelle Howard Cosell par son prénom. Quand Mike Wallace me voit, il me salue de la main.

— La vérité, c'est que c'est un raté.

— Pour ça, oui, c'est un raté total. Un raté monumental, un ratage tragique, tandis que moi je ne suis qu'un journaliste minable qui inspire confiance, un *mavin* branché dont la gueule apparaît entre des annonces de Préparation H et de Lightdays. »

Sam se dirigea vers la salle de bains en se cognant à des objets, ouvrit la pharmacie, en sortit le pot de vaseline et l'examina à contre-jour.

« Qu'est-ce que tu fais ?

— Avant d'aller au restaurant, j'ai marqué le niveau à l'aide d'un crayon.

— Tu es dégoûtant, Sam.

— Je suis dégoûtant, moi ? Quand ils seront partis, brûle les draps. »

Il secoua le poing en direction du plafond.

« Ce qu'ils font là-haut, c'est une *averah*. Qu'ils aient les *makkes* ! Le *choleria* ! *Faygelehs ! Mamzarim !*

— Je t'en prie, Sam. Philip n'est pour rien dans les événements de ce soir. Baisse le ton.

— Il s'épile les sourcils. Je l'ai vu faire. Tu n'aurais peut-être pas dû prendre ton bain avec lui.

— Il avait trois ans, à l'époque.

— D'accord, d'accord.

— De quoi avez-vous parlé, Moses et toi, quand j'étais aux toilettes ?

— De choses et d'autres.

— C'est ton plus vieil ami. Vous vous connaissez depuis vos neuf ans. De quoi diable a-t-il été question entre vous ?

— Des Mets. Moses pense qu'ils peuvent battre Cincinnati en séries éliminatoires. Pete Rose. Johnny Bench. Tony Perez. Il ne sait pas de quoi il parle.

— Des bandes originales… Qu'est-ce qu'il cherche, à ton avis ?

— Tout ce que je sais, c'est qu'il arbore cet air complètement fou que je lui connais. »

Et alors Sam, rompant une vieille promesse, raconta une histoire à Molly en lui faisant jurer de ne jamais en parler à Moses.

« C'était au printemps 1962, je crois, et je prenais un verre à l'Algonquin avec Mike, peu après ses débuts au *New Yorker*. Bientôt, deux ou trois autres rédacteurs se sont joints à nous. Ils ont plaisanté entre eux à propos d'un phénomène qu'ils appelaient le syndrome de Berger. Je leur ai demandé de quoi il s'agissait. Eh bien, au début des années 1950, un jeune Canadien du nom de Berger leur avait fait parvenir une nouvelle que tout le monde avait aimée et souhaitait publier. On lui a donc écrit pour lui demander quelques corrections mineures et il a renvoyé une lettre complètement démente dans laquelle il affirmait que le *New Yorker* publiait n'importe quelle merde, du moment que c'était l'œuvre de leurs amis, que les responsables ne sauraient pas distinguer Pouchkine d'Ogden Nash et qu'il retirait son texte. Le lendemain après-midi, j'ai retrouvé Moses au Costello et, en prenant mon courage à deux mains, je l'ai interrogé à ce sujet. Il a répondu que non, ce n'était certainement pas lui. Mais il mentait. En le voyant, je l'ai tout de suite su. J'ai cru qu'il allait perdre connaissance.

— Pourquoi est-ce que Moses aurait fait une chose pareille ?

— Parce qu'il est fou. »

En s'assoyant au bord du lit, vanné, Sam demanda :

« Je me suis vraiment vanté, ce soir ?

— Un peu », dit-elle en se penchant pour l'aider à enlever son pantalon.

Le corsage de Molly bâilla. Sam jeta un coup d'œil et ce qu'il vit était encore très, très joli.

« Tu as déjà couché avec Moses ? demanda-t-il en se redressant brusquement.

— Philip est son fils. Tu sais tout, maintenant. J'ai vendu la mèche. »

Se sentant esseulé, les yeux humides, Sam dit :

« Je veux connaître la vérité.

— Tu te souviens de l'époque où tu travaillais à la *Gazette* ? Nous n'avions pas assez d'argent et je t'ai dit que je donnais des cours de français.

— Oui.

— Des leçons de français, tu parles. Moses et moi tournions des films pornos ensemble. On dort, maintenant ? »

Mais il fut incapable de dormir. Il avait soif. Il avait le vertige. Son cœur battait à tout rompre. Son estomac gargouillait.

« On peut tout me prendre. Tout. Je me serais satisfait d'écrire "Les morts". *Guerre et Paix, Les Frères Karamazov,* oublions ça. C'est trop demander ? Absolument pas. Rien que "Les morts" de Samuel Burns né Birenbaum.

— "Faire contre mauvaise fortune bon cœur, récita-t-elle

en espérant bien se souvenir des mots, est tout ce que nous pouvons faire – sauf les saints, bien entendu.”

— Je ne plaisantais pas pour les draps, tu sais. Je veux qu'ils soient brûlés. Et je veux que la chambre soit désinfectée.

— C'est notre fils, Sam. Nous n'avons d'autre choix que d'accepter la situation.

— Molly, Molly, fit-il en sanglotant, couché sur sa poitrine, où est passé le plaisir ? »

Tôt le lendemain matin, Molly débarqua au Madison sans y avoir été invitée. Elle entraîna Moses de force jusqu'au restaurant de l'hôtel et posa violemment sur la table son fourre-tout aux couleurs de PBS.

« Depuis que tu as téléphoné pour annoncer ton arrivée, il est survolté. Vous alliez prendre la ville d'assaut, tous les deux ! Il a examiné tous nos livres pour être sûr qu'aucun best-seller compromettant ne se trouvait sur les tablettes. Il a caché dans un tiroir les photos signées où il apparaît aux côtés de Kennedy. Il a rangé dans une armoire ses diplômes honorifiques. Il a dressé et rayé au moins huit listes d'invités à une réception en disant : “Non, Moses n'approuverait pas ces gens-là.” Il a acheté une caisse de Macallan. Notre réfrigérateur est rempli de saumon fumé. Puis tu débarques et tu lui tombes dessus parce qu'il a une piscine. On peut toujours compter sur Moses. Pas une seule fois tu ne lui as dit qu'il était doué et qu'il inspirait confiance à la télé… On dirait que c'est au-dessus de tes forces. Tu ne t'es même pas donné la peine de l'encourager à écrire son livre sur le Watergate, alors qu'il en meurt d'envie, mais il a la trouille. La présence de Philip avec ce garçon dans sa chambre lui brise le cœur. Je l'ai surpris en train de sangloter dans les toilettes, mais toi tu ne trouves rien à dire pour le rassurer. Je pourrais tordre ton misérable cou, espèce de salaud égocentrique. Puis hier soir, il se soûle, encore pour plaire à Moses, et il me demande si nous avons déjà couché ensemble, toi et moi. Il a le cœur si pur qu'il ne se rend même pas compte qu'il vaut cent fois mieux que toi. C'est quoi, ces coupures dans tes paumes ?

— Il y en a qui grincent des dents dans leur sommeil. Moi, je serre les poings, une vilaine habitude.

— Lis ton journal et ne me regarde pas. Dans une minute, ça ira mieux. »

Moses commanda encore du café pour eux deux et mit cinq cuillerées de sucre dans sa tasse.

« Tu cherches à te tuer ou quoi ?

— J'ai des envies de sucre irrépressibles, en ce moment. Arrête de pleurer, s'il te plaît.

— D'accord, d'accord.

— La dernière fois que je suis allé à la clinique, il y avait une magnifique jeune fille que je n'arrive pas à me sortir de la tête. Vraiment magnifique. Un faon. Elle avait peut-être dix-neuf ans, pas plus. Elle entrait dans ma chambre, enlevait cette affreuse chemise de nuit en coton amidonnée et faisait une arabesque, une pirouette, un tour en l'air. Elle ne sautait pas, elle volait. Puis elle souriait d'un air coquin, s'accroupissait et chiait par terre. Je lui disais : "Ce n'est rien. Ça ne me dérange pas." Elle a dansé et chié dans ma chambre tous les jours pendant une semaine, puis elle a disparu. Nous n'avions pas droit à des couverts, mais elle a mis la main sur une fourchette et c'est tout ce dont elle a eu besoin pour arriver à ses fins. Je ne sais pas pourquoi je te raconte ça. Si j'avais une raison, je l'ai oubliée.

— Tu as essayé les AA ?

— Oui.

— Parce que l'Antabuse ne va pas marcher. Tu peux arrêter d'en prendre n'importe quand, non ?

— Futée, la Molly.

— Quand Marty est en ville, il invite ses amis, des garçons vraiment brillants, et Sam adore boire de la bière et faire l'andouille avec eux. Mais ils ne savent pas qui était Henry Wallace ou Jack Benny ou Hank Greenberg. Les disques de music-hall yiddish de Sam les laissent indifférents. Ça le rend fou. Il va bientôt avoir cinquante ans. Il a les joues flasques. Il mange trop. À cause de la pression, tu sais, de tous ces déplacements. Son nouveau producteur, qui a seulement trente-deux ans – il danse le disco et passe la moitié de son temps à sniffer de la coke –, veut que Sam se fasse ravaler la façade. Il a fait des sondages auprès des téléspectateurs, des études démographiques. Qu'il moisisse en enfer. Sam lui a dit : "Au *Times,* j'ai été en lice pour un prix Pulitzer grâce à mes reportages sur la Corée. Alors va te faire foutre, mon garçon." Mais, selon les rumeurs, on fait l'essai de présentateurs plus jeunes et je ne crois pas que son contrat sera renouvelé.

— Il devrait l'écrire, ce livre sur le Watergate.

— Sam collectionne toujours les 78 tours. Tu ne devineras jamais avec quoi il est rentré, l'autre soir. *Chickery chick, cha-la-cha-la, Check-a-la romey in a bananika,* chantonna-t-elle.

— Il a de la chance, Molly. Tu es une bonne personne.

— Bonne, mauvaise, peu importe. Je l'aime.

— Moi aussi.

— Hé ! s'écria-t-elle, laissant entrevoir sa désinvolture et sa logique tordue d'antan. Dans ce cas, nous devrions peut-être avoir une aventure, toi et moi.

— Gardons plutôt ça pour nos vieux jours, d'accord ?

— Viens dîner à la maison », dit-elle en se sauvant, consciente qu'elle allait se remettre à pleurer.

Après le travail, Sam se hâta de rentrer chez lui, se changea sans perdre de temps et fonça vers la piscine. Philip et son petit ami prenaient un bain de soleil sur la terrasse en buvant du champagne. Le champagne de Sam.

« Alors comme ça, on célèbre, les garçons ?

— Tu es vraiment trop mignon, papa », dit Philip en lui tendant un verre.

Le regrettant aussitôt, mais incapable de se retenir, Sam dit :

« Avant que ceux de votre espèce se l'approprient, *gai* était un mot parfaitement convenable. Nos cœurs étaient jeunes et gais. Le gai hussard et tout ça. *Gai* veut dire enjoué, joyeux, pétillant. Selon mon dictionnaire, c'est le contraire de triste, sinistre, morne. Qui vous a autorisés à passer un tel jugement sur l'amour hétérosexuel ? Sacrée *chutzpah*, si vous voulez mon avis.

— À propos des hussards, papa... À l'époque de l'Empire austro-hongrois, la loi interdisait aux officiers occupant un rang inférieur à celui de colonel de se maquiller.

— Comment ta famille supporte-t-elle cette situation, Steve ?

— En ne la supportant pas. »

Moses passa les quatre jours suivants dans une petite salle de visionnement mal aérée à regarder des séquences des audiences du Watergate, encerclant des portions de certaines images et les faisant agrandir par le labo, en vain. Puis, au cours de la cinquième journée, il apparut, juste derrière Maureen Dean, arborant son sourire si particulier, une canne en malacca à pommeau d'or entre les genoux. Moses courut à la salle de bains, où il s'aspergea le visage d'eau froide. Il sortit marcher. Il mangea un hamburger. Puis il revint à la salle de visionnement et, pendant presque une heure, il fixa l'écran, ruisselant de sueur.

De retour dans sa chambre d'hôtel, Moses se laissa tomber sur son lit et passa le reste de l'après-midi à fumer cigarette sur cigarette. *Une fois dans l'air*, se souvint-il, *et une fois dans l'eau.* Il lava le sang de ses paumes. Il avait commencé à faire ses bagages lorsque le téléphone sonna. C'était la réception.

« Vous nous quittez aujourd'hui, monsieur Berger ?

— Oui. »

Le directeur adjoint avait une lettre à lui remettre.

« Un gentleman très distingué l'a laissée ici pour vous. Il a dit que vous finiriez par venir, tôt ou tard.

— Pourquoi avoir attendu pour me la remettre ?

— Ses instructions étaient on ne peut plus claires. Nous ne devions vous donner la lettre qu'au moment de votre départ. »

Moses décacheta l'enveloppe dans le bar.

Si l'Église catholique a survécu au pape Innocent IV, aux autodafés et à Savonarole, pourquoi le marxisme ne survivrait-il pas au séminariste géorgien et à ses acolytes ? Soit dit en passant, ce n'est pas moi qui ai effacé la bande.

Lorsqu'un serveur s'avança vers sa table, Moses commanda un Macallan. Double. Sec.

Sept

Le lendemain matin, Sam alla trouver le monteur qui avait travaillé avec Moses.

« Il paraît que tu as rendu un fier service à mon ami. Maintenant, montre-moi ce qu'il voulait voir. »

Barry projeta donc la chute en question : une vue panoramique des spectateurs assistant aux audiences du Watergate, où figuraient de nombreux visages familiers, y compris celui de Maureen Dean et, juste derrière elle, celui d'un vieil homme serrant, entre ses genoux, une canne en malacca à pommeau d'or.

« C'est soit Mo Dean, soit le vieux type assis derrière elle qui l'a allumé, expliqua Barry. Il a bondi de sa chaise pour regarder de plus près, puis il est sorti d'ici comme s'il venait de prendre feu.

— Sors-moi des agrandissements du visage du vieillard. Avec le plus de précision possible. »

Sam déjeuna à son bureau en examinant les photos apportées par Barry. Je connais cet homme, se dit-il. Mais il ne savait pas en quelles circonstances il l'avait aperçu.

Plus tard, de retour chez lui, il s'enferma dans la bibliothèque avec les photos, mais le visage, pourtant familier, restait hors d'atteinte et continuait de le tourmenter. Aussi se mit-il à sortir les albums que Molly avait constitués, malgré ses objections, et à consulter les articles de journaux qu'il avait pondus au fil des ans, sur quatre continents, dans l'espoir qu'un détail lui rappellerait le visage. En vain. Au contraire, ses efforts ne firent que le confondre : le visage devint encore plus insaisissable et il se coucha en se demandant s'il avait fait erreur en croyant reconnaître l'homme.

Incapable de dormir, il joua à un jeu qui avait déjà fait ses preuves. Il n'avait qu'à penser à autre chose, n'importe quoi, pour que les circuits de l'hémisphère droit de son cerveau forment tranquillement de nouveaux liens et finissent par accoler un nom au visage. Il revit la balle de Ralph Branca que Bobby Thomson avait expédiée dans les gradins et il s'imagina éliminer Thomson sur trois prises. Une fois de plus, il savoura l'attrapé réussi par Ron Swoboda en neuvième manche du quatrième match de la Série mondiale de 1969. Puis, au moment où il sombrait dans le sommeil, d'autres images s'imposèrent à son esprit. Moses disant :

« Allez, jetons un coup d'œil.

— Je ne pense pas que ce soit une bonne idée.

— C'est probablement le nouveau Bonnard qu'il a acheté. »

Soulevant le drap, il révéla ce qui, à première vue, avait toutes les apparences du plus conventionnel des portraits, du genre qu'apprécie l'Académie royale. Une jeune bourgeoise pleine de charme assise dans un fauteuil en osier. De longues nattes blondes, des joues rouges. Elle portait un chapeau de paille à larges bords muni d'une boucle rose, une robe de mousseline à volants, ornée elle aussi d'une boucle rose, et tenait entre ses mains un bouquet d'œillets de poète. Mais le portrait avait quelque chose d'inusité. Les yeux de la jeune femme étaient de deux couleurs différentes. L'un brun, l'autre bleu.

Huit

Le Nord. C'était là, qu'il le trouverait, Moses le savait.

Mais où exactement ?

Loin.

À son retour de Washington, Moses monta dans sa Toyota à Dorval et fonça vers sa cabane des Cantons-de-l'Est pour y récupérer son matériel pour le Grand Nord. Ensuite, il alla prendre son courrier au Caboose et, après avoir passé deux ou trois heures à boire avec Strawberry, il rentra à Montréal, où il louait depuis peu un pied-à-terre, rue Jeanne-Mance. Dans son appartement, il ne trouva que des bouteilles vides. Il prit donc un taxi jusque chez Winnie, avant de faire un saut chez Big Syl. À la fermeture des bars, Moses se rabattit sur le Cercle des journalistes. Là, flottant entre les tables, il se dirigea vers un coin sombre et s'endormit presque aussitôt.

« Moses ? »

Émergeant du sommeil, il fut accueilli par une créature aux cheveux aussi noirs qu'un corbeau et au parfum suave, dont la silhouette indistincte se précisait avant de s'estomper de nouveau. Son sourire, teinté de bienveillance, irrita Moses.

« Beatrice ?

— Oui. Tu es content ? »

Dans un bruissement de soie, la silhouette aux cheveux aussi noirs qu'un corbeau, peut-être Beatrice, s'assit délicatement dans un fauteuil.

« Ne me laisse pas me rendormir.

— D'accord.

— Dis-moi ton nom.

— Beatrice.

— Imagine… Beatrice. »

À contrecœur, il plissa les yeux et se concentra pour que les multiples seins, tous aussi ravissants les uns que les autres, ne forment plus qu'une paire, et que les trois drôles de bouches se fondent en deux lèvres plus sensuelles.

Incapable de soutenir le regard béat de Moses, elle dit :

« Tu me trouves comment ?

— Plus dure.

— On peut toujours compter sur Moses.

— C'est toi qui as posé la question.

— Oui.

— Je ne crois pas que j'arriverai jusqu'au bar, fit-il avec une certaine fourberie en montrant son verre vide. Tu veux bien y aller, toi ? »

Ainsi, il put observer Beatrice, sa bien-aimée, se diriger vers le bar, goûtant de toute évidence l'émoi que suscitait sa présence parmi les hommes aux complets lustrés qui s'y trouvaient. Elle mit trop de temps. La tête de Moses s'affaissa et il sombra une nouvelle fois dans le sommeil.

« Moses ?

— Va-t'en. »

Puis, reconnaissant Beatrice, qui lui tendait un verre, il sourit de nouveau.

« Il faut que je te pose une question très personnelle.

— Ne commence pas, Moses.

— Tu portes des collants maintenant ? »

Elle fit non de la tête, toute rouge, mais amusée.

« Tu es restée fidèle aux jarretelles ? J'en étais sûr. Ah, Beatrice. »

Satisfait, il se rendormit en souriant sereinement.

« Moses ?

— Quoi ?

— Tu as dit que tu ne voulais pas t'assoupir. »

Lentement, précautionneusement, il ralluma son cigare, très fier d'un tel exploit.

« Strawberry dit que tu pars au nord du soixantième parallèle.

— Demain après-midi. Je peux voir un bout de jarretelle ?

— Je t'en prie, Moses.

— Juste un petit bout ?

— Où est-ce que tu loges en ce moment ?

— Ça alors, madame Clarkson, je vous trouve bien entreprenante.

— Arrête de dire des bêtises.

— Je loue un appartement.

— Je t'y conduis et nous pourrons parler. C'est trop déprimant, ici.

— C'est mon club.

— Tu as déjà eu des clubs plus sélects.

— Et une femme plus sublime.

— On y va.

— Seulement si tu me montres un petit bout de jarretelle.

— Pas ici. Allez. En route. »

Il lui donna son adresse avant de sortir avec elle d'un pas titubant. Puis il s'effondra dans sa Porsche et s'endormit une fois de plus. Quelques coins de rue plus loin, il se mit à trembler.

« Arrête, arrête ! »

Inquiète, elle freina. Moses peina à tirer la poignée, sortit en vitesse et, sans rien y voir, avança en chancelant au milieu de la rue Sherbrooke.

« Moses ! »

Décrivant un cercle, il parvint tant bien que mal jusqu'au trottoir et, s'agenouillant près d'une borne d'incendie, fut pris de haut-le-cœur. Beatrice se gara à côté de lui et attendit qu'il ait terminé. Elle portait une robe neuve. Givenchy.

« Tu te sens mieux ?

— Pire. »

Pendant que Moses prenait une douche, elle fit du café et déambula dans l'appartement. Des fenêtres en saillie. De gros radiateurs à l'ancienne. Le tapis persan, usé jusqu'à la corde en son centre, lui rappela si vivement la maison où elle avait grandi qu'elle se surprit à chercher le meuble radio RCA en noyer et la bouteille collante de soda Peer qui tenait la fenêtre à guillotine ouverte. Puis, débarrassant la table de la salle à manger des journaux qui l'encombraient, elle aperçut pour la première fois la nappe au crochet. Elle mettait ses lunettes à monture d'écaille pour mieux l'examiner lorsque Moses, en robe de chambre, sortit de la salle de bains.

« Où as-tu trouvé ça ? demanda-t-elle en caressant la nappe.

— C'est ma mère qui l'a faite il y a longtemps.

— Pourquoi ne l'as-tu jamais sortie quand nous étions ensemble ?

— Je la gardais pour tes vieux jours », dit-il en acceptant une tasse de café noir et en y ajoutant deux doigts de cognac.

Puis il arracha le bout d'un Montecristo avec ses dents et l'alluma.

« Dire que j'ai été assez fou pour croire que tu serais celle, comme l'a dit l'autre, qui "m'aiderait à supporter cette longue maladie qu'est ma vie". »

C'était, elle en était consciente, sa façon à lui de la rabaisser. Elle était censée savoir de qui était la citation.

« Tu me prends pour une crétine, dit-elle.

— Évidemment que tu es une crétine, mais, dans les milieux que tu fréquentes, maintenant que tu es riche à vomir, c'est sans importance.

— Je ne me suis pas mariée avec lui uniquement pour ça.

— Je veux voir tes jarretelles maintenant.

— Va au diable.

— Juste un petit, un tout petit coup d'œil. Qu'est-ce que ça peut bien te faire ?

— Pourquoi tiens-tu tellement à me traiter comme une pute ?

— Tu n'en es pas une ?

— Je t'ai aimé, Moses, mais je n'en pouvais plus. Quand tu es ivre, tu es insupportable, tu n'as pas idée. "Juste un petit, un tout petit coup d'œil." Va te faire foutre.

— Au moins, je n'ai pas changé, moi.

— Ça, je te l'accorde.

— En fait, moi, à ta place, je me serais quitté bien plus tôt. Tu as raison, je suis vraiment impossible à vivre.

— Tu vas dans le Nord pour voir Henry ?

— Quelque chose me dit que les corbeaux se rassemblent. Merde, Beatrice, pourquoi tu m'as largué ? Et qu'est-ce que tu me veux maintenant ?

— J'avais besoin de quelqu'un à qui parler. Quelqu'un de confiance.

— Eh bien, tu t'es trompée d'adresse. Je ne suis plus ce quelqu'un.

— Tom est à voile et à vapeur. Il a un amant. Je ne devrais pas être au courant, mais ils sont ensemble à Antibes en ce moment.

— Dans ce cas, lorsque tu décideras qu'il est temps de monter un peu plus haut dans l'échelle sociale, tu auras droit à un règlement de divorce encore plus généreux que tu l'avais escompté.

— Laisse-moi t'accompagner dans le Nord.

— Certainement pas.

— Je peux passer la nuit ici ?

— Oui. Non. Laisse-moi réfléchir.

— Salaud.

— Non.

— Pourquoi ?

— Parce que, dit-il en s'effondrant dans un fauteuil, en

parfait imbécile que je suis, je me surprends parfois à courir jusqu'à la porte de ma cabane en me disant que j'ai entendu un bruit de moteur et que c'est peut-être toi. »

Il renversa sa tasse de café, à moitié remplie de cognac.

« Va-t'en, Beatrice. Laisse-moi tranquille », la supplia-t-il.

Puis sa tête s'affaissa et il se mit à ronfler.

Beatrice alla dans la cuisine et lava la vaisselle. C'est alors que la lumière se fit dans son esprit. Sortant de son sac un stylo et un bout de papier, elle écrivit : « L'autre, c'est Alexander Pope. Tu es plus suffisant, pompeux et odieux que jamais. » Elle laissa le mot sur la table de la salle à manger. Puis elle se planta devant lui, retroussa sa robe, révélant ses jarretelles, et sortit de l'appartement en pleurant. Dehors, elle s'immobilisa, jura et revint sur ses pas, décidée à reprendre le mot. Mais la porte était verrouillée.

Neuf

Isaac, qui avait autrefois suivi son père partout où il allait, accroché à l'ourlet de son parka, l'évitait à présent. Se dérobait à ses études talmudiques, prétextant des maux de tête. Refusait de se joindre à lui pour la prière après le repas. Laissait tomber ses leçons d'hébreu. « Qui parle hébreu, ici ? Tu es le seul. »

Nialie s'attendait à ce qu'Henry soit profondément blessé, mais celui-ci prétendait ne pas s'en formaliser. « Ils passent tous par ce stade. Ne t'en fais pas. »

À seulement douze ans, Isaac avait déjà le visage couvert de vilains boutons rouges. Il se rongeait les ongles. Sa voix muait. Autrefois, il était toujours fourré avec ses amis, à mijoter quelque mauvais coup, mais il les fuyait désormais, eux aussi.

« Qu'est-il arrivé à tous tes copains ? » demanda Nialie.

Haussement d'épaules.

« Je t'ai posé une question.

— Et alors ?

— Réponds-moi.

— Ils passent leur temps à me demander de l'argent.

— Pourquoi ?

— "T'en as plein les poches, pas vrai ?" qu'ils disent. »

En faisant le ménage dans la chambre de son fils, Nialie ne sut que penser des changements. Sur le mur, les posters de joueurs de hockey (Guy Lafleur, Yvan Cournoyer, Ken Dryden) avaient fait place à une rangée d'étiquettes de produits McTavish, soigneusement décollées de bouteilles qu'il avait fait tremper dans l'évier, et à une photo de l'immeuble McTavish sur Fifth Avenue, découpée dans le dernier rapport trimestriel.

« C'est quoi, un "ajustement de dividende" ? demanda-t-il à la table du sabbat.

— Aucune idée, admit Henry.

— "Amortissement de biens incorporels et d'autres actifs intangibles" ?

— J'ai bien peur que, en ces matières, ton père soit un *klotz* de première.

— Une "alliance" ?

— Ah ! Là, tu parles un langage que je comprends. Nous sommes *Am Berit*, "le peuple de l'Alliance". L'Alliance, c'est l'accord que *Riboyne Shel O'lem* a conclu avec nous sur le mont Sinaï en choisissant les Juifs parmi tous les peuples de la terre, en nous libérant de l'esclavage en Égypte. Comment dit-on "Égypte" en hébreu ?

— Je ne m'en souviens pas.

— Allons.

— *Eretz Mitzraim.*

— Oui. Excellent. Au sein de chaque génération, chacun devrait avoir le sentiment d'avoir été libéré d'*Eretz Mitzraim,* ainsi qu'il est écrit : "Tu diras alors à ton fils : C'est en mémoire de ce que l'Éternel a fait pour moi, lorsque je suis sorti d'Égypte." »

Hypocrite, songea Isaac, qui, pour toute réponse, se contenta d'esquisser un petit sourire narquois. Hypocrite, hypocrite.

« Ne fais pas cette tête à ton père.

— C'est la tête que j'ai. Je n'y peux rien.

— Ouste ! Dans ta chambre ! »

Henry tritura distraitement ses papillotes pendant une heure avant d'aller trouver Isaac dans sa chambre.

« Quelque chose ne va pas, *yingele* ?

— Non.

— Si tu as un problème, je suis là pour t'aider.

— Je viens de te dire que ça allait. »

Mais lorsque, à l'heure du coucher, Henry se pencha sur lui pour l'embrasser, Isaac s'esquiva.

« Tu crois que je devrais acheter un téléviseur ? demanda Henry.

— Seulement si nous en avons les moyens. »

Nialie trouva Henry dans le salon. Elle lui apporta une tasse de thé au citron.

« Il a encore été méchant avec toi ?

— Non.

— Tu as une mine épouvantable.

— Ça va. S-s-s-sincèrement. »

Quelques jours plus tard, Nialie surprit Isaac à fouiller dans les papiers d'Henry sur le bureau à cylindre.

« Qu'est-ce que tu cherches ? demanda-t-elle.

— Un crayon, répondit-il en faisant un bond en arrière.

— Il y en a plein dans ta chambre.

— Tu sais combien il donne aux *yeshivas* de Jérusalem, sans parler de son *rebbe* ?

— C'est son argent.

— Des millions et des millions.

— Honte à toi.

— Ouais, je sais. File dans ta chambre. J'y vais, ne t'en fais pas. »

Puis, l'oreille collée à la porte, Isaac entendit sa mère dire à son père :

« Tu devrais fermer ton bureau à clé.

— Qu'est-ce que j'ai à cacher ? » demanda-t-il.

Plein de choses, songea Isaac. Si seulement elle savait. Mais il se refusait à le lui dire. Il n'en avait pas le courage. Henry, que tout le monde prenait pour un saint homme, voire un saint tout court, cachait des photos cochonnes dans son bureau. Des photos plus osées que toutes celles qu'Isaac avait vues dans *Playboy*. Elles étaient venues d'Angleterre dans une enveloppe anonyme : on y voyait une femme nue au corps squelettique faire des choses à peine croyables avec un homme et parfois avec deux.

Pendant le petit déjeuner, le lendemain matin, Nialie prit son fils à partie. « Comment peux-tu te montrer aussi impoli avec ton père ? » demanda-t-elle.

Parce que c'est un hypocrite, songea-t-il. Mais il ne dit rien. Il se contenta de lancer à sa mère un regard furieux.

Dix

Condamné à passer une nuit à Edmonton avant d'attraper un vol pour Yellowknife, le lendemain matin, Moses se trouva une chambre au Westin puis s'installa sur un tabouret du bar. Sean Riley était à la télé. Il était de passage à Vancouver pour promouvoir *Pilote de brousse*, livre relatant ses aventures hautes en couleur au pays du soleil de minuit. Les civilités ne durèrent pas longtemps. L'intervieweuse, ex-miss des Lions de la Colombie-Britannique, prit une profonde inspiration, qui souleva sa poitrine, et se mit à interroger Riley sur son célèbre accident aérien de l'hiver 1964. Son passager, un ingénieur des mines, avait péri sur le coup. Un mois plus tard, Riley, qu'on tenait lui aussi pour mort, était sorti de la toundra en boitant et avait fait irruption au Mackenzie Lounge, à Inuvik.

« Vous savez sans doute qu'une rumeur a couru à Yellowknife, à l'époque, selon laquelle vous auriez, pour survivre à votre terrible épreuve, eu recours… euh… au cannibalisme, fit-elle en rougissant. Et, sérieusement, qui sommes-nous pour affirmer que nous n'aurions pas fait pareil ? À supposer, évidemment, que les choses se soient bien passées ainsi. J'ai devant moi un homme qui a vécu une aventure hors du commun, pas vrai ? »

Puis, consultant brièvement l'une de ses fiches, elle ajouta :

« Ce qui m'intéresse, c'est la manière dont cette expérience extraordinaire a changé votre vie et votre vision des choses.

— Dites, c'est pas tous les jours que je passe à la télé. Vous permettez que je dise bonjour à Molly Squeeze Play de Yellowknife ?

— Quoi ?

— Coucou, Molly. On se voit au Gold Range demain. Entre-temps, croise les jambes, ha, ha, ha.

— Vous en rêvez la nuit ? demanda Shirley Anne.

— Vous parlez de Molly ?

— Du cannibalisme.

— Ben, disons que ça vous passe le goût de la côte de bœuf. C'est une viande si bonne, si tendre, presque sans nerfs. »

Le bar débordait d'hommes et de femmes qui parlaient bruyamment, des pédagogues des quatre coins du continent, dûment identifiés par un porte-nom, venus se demander « Où va le village planétaire ? ». Au moment où Moses attaquait son quatrième double scotch, la plupart d'entre eux s'étaient déjà dispersés, et il ne restait plus sur les lieux qu'une poignée de buveurs invétérés. Puis, une dame entra en coup de vent dans le bar, tout essoufflée, manifestement en retard pour la fête. Elle se jucha sur le tabouret voisin de celui de Moses et commanda une vodka avec des glaçons.

« *Prosit* », dit-elle.

JE M'APPELLE CINDY DUTKOWSKI portait une robe moulante en laine et un énorme sac en bandoulière. Féroce, les cheveux noirs hirsutes, menue, quarante ans peut-être. Elle donnait le cours « Communications 101 » à l'Université du Maryland.

« Dites, j'ai la berlue ou je vous ai aperçu la semaine dernière à Washington en train de bavarder avec Sam Burns au Sans Souci ?

— Vous vous trompez.

— Je parie que vous êtes une personnalité, vous aussi, et que je devrais savoir comment vous vous appelez.

— Désolé.

— Vous pouvez me dire votre nom. Je ne mords pas.

— Moses Berger », dit-il en signant l'addition et en se laissant glisser du tabouret.

Elle l'obligea à se rasseoir.

« Vous êtes drôlement timide, vous. C'est une forme d'arrogance, vous savez ? C'est aussi une façon de se prémunir contre tout rejet dans le contexte d'interactions sociales très tendues. J'ai fait ma majeure en psychologie. »

Son mari et elle formaient un couple libre, expliqua-t-elle, ce qui leur permettait d'exploiter pleinement leur potentiel sexuel.

« Ça a l'air rudement commode pour vous.

— Allons, allons. Il faut que je vous fasse un dessin ? Je suis partante si vous l'êtes. »

JE M'APPELLE CINDY DUTKOWSKI saisit son énorme sac et ils montèrent dans la chambre de Moses parce qu'elle partageait la sienne avec une vraie coincée, une femme du Montana qui se déshabillait dans la salle de bains.

« Je veux bien me prêter à ton fantasme préféré, à condition que ce ne soit pas trop pervers.

— Je n'en demande pas tant », dit Moses, intimidé.

Dans ce cas, elle avait un menu à lui proposer.

« Je suis une prof du secondaire décontractée, mais secrètement cochonne, et toi un petit ado boutonneux. Je t'ai convoqué dans mon bureau sous prétexte de te parler de ton dernier travail, mais, en réalité, c'est parce que je t'ai vu regarder sous ma jupe quand je me suis assise sur ton pupitre, ce matin, et que ça m'a excitée. Sors dans le couloir et ne frappe à la porte de mon bureau que quand je te le dirai. D'accord ?

— Je ne suis pas certain de savoir ce que je dois faire.

— Eh bien, disons que tu ne connais rien à rien. En gros, t'es le parfait Canadien.

— Pigé », dit-il en sortant de la chambre.

Puis, à pas de loup, il se dirigea vers les ascenseurs et monta dans un taxi devant l'hôtel. « Conduisez-moi jusqu'à un bar où la musique n'est pas trop forte. »

Assis sur un énième tabouret, Moses réfléchit au mot déconcertant que Beatrice lui avait laissé. Il était trois heures du matin, à Montréal, mais il lui téléphona quand même.

« Tu écris que l'autre, c'est Alexander Pope. Qu'est-ce que ça signifie ?

— Tu veux dire, fit-elle sur un ton dur, que tu ne t'en souviens pas ? »

Il se mit à suer à grosses gouttes.

« Tu veux dire que je suis restée là à pleurer, incapable de dormir à l'idée du mal que te ferait mon mot, *et que tu ne te souviens même pas de ce qui s'est passé la nuit dernière ?* »

Mort de honte, Moses raccrocha. À l'hôtel, un autre problème l'attendait. Sa valise, ouverte par terre, était à moitié vide. Elle n'avait rien volé pour autant. Par contre, il trouva ses chemises, ses chaussettes et ses sous-vêtements dans la salle de bains, flottant dans la baignoire.

À l'Industrial Airport, le lendemain matin, Moses comprit, sans avoir à le demander, où se trouvait la porte d'embarquement du vol de la PWA à destination de Yellowknife. Les laissés-pour-compte du Nord s'y agglutinaient déjà. Une petite bande de jeunes Esquimaux trapus, leurs cheveux lissés en arrière, portaient des blousons de cuir cloutés, des jeans moulants et des bottes western en vinyle. Les femmes, coiffées en choucroute et affublées de gros manteaux, trimballaient des sacs en plastique remplis d'articles achetés chez Woodward. Il y avait aussi un groupe de travailleurs qui, leur congé terminé, regagnaient les plates-formes pétrolières ou les stations radar de la ligne DEW. Après avoir flambé leurs gages au bordel, ils étaient confortés dans leurs certitudes : les femmes, c'était de la merde ; la vie, c'était de la merde ; tout était de la merde. Ils étaient bouffis, le visage amoché, l'un d'eux arborant même un vilain œil au beurre noir.

À Yellowknife, Moses se fit tout de suite déposer au Gold

Range, où il était sûr de trouver Sean Riley. Sean commanda deux bières mélangées avec du jus de tomate, Moses un café noir.

« Sérieusement, t'en es rendu là ? demanda Riley.

— Oui. Et ton livre ?

— Quand j'étais petit et que le paternel me prenait à mentir, je finissais toujours par recevoir une bonne raclée. Aujourd'hui, on me paie. »

Moses posa une photo sur la table.

« J'aimerais savoir si tu as vu ce vieillard par ici, la semaine dernière. Il cherchait peut-être à louer un avion.

— M. Corbeau ? Le naturaliste de la Californie ?

— Exactement.

— Je pense que Cooney l'a déposé sur l'île du Roi-Guillaume, mercredi dernier. Il s'est dit que le vieux croûton ne devait pas avoir toute sa tête. Aller camper là-bas... Mais il avait quelque chose de particulier, ce type. D'après Cooney, il s'est construit un igloo en un rien de temps. Il était super bien équipé.

— Tu m'y emmènes ?

— Au besoin, je saurais le trouver.

— Demain matin ?

— Je prends dix dollars le mille pour l'Otter et six pour le Cessna, à condition que tu m'aides à piloter.

— Va pour l'Otter. Et nous passerons la nuit à Tulugaqtitut pour prendre des nouvelles d'Henry. »

Henry et Nialie, informés à la dernière minute qu'ils auraient l'honneur d'accueillir des invités à leur table du sabbat, ce qui leur permettrait de célébrer la *mitsva* de l'hospitalité, *Hachnasat Orechim*, passèrent gaiement la majeure partie de la nuit à préparer des mets fins. *Challah. Gefilte fish.* Poulet rôti. *Tsimmes. Lokshen kugel* aux raisins secs. Gâteau au miel. On couvrit la table de la plus jolie nappe et, par égard pour Moses, une bouteille d'un cognac de cinquante ans d'âge fut posée sur une desserte. Isaac reçut l'ordre de prendre un bain, de mettre une chemise blanche, une cravate et un pantalon bien repassé avant de sortir avec son père accueillir l'Otter, les papillotes d'Henry dansant au vent.

« *Sholem aleichem,* dit Henry en serrant Moses dans ses bras.

— *Aleichem sholem.* »

Sean Riley, ne souhaitant pas s'interposer entre deux vieux amis qui ne se voyaient pas souvent, accepta de prendre un verre chez Henry, mais déclina l'invitation à dîner.

« Je suis un peu fiévreux, dit-il. Je vais peut-être aller consulter Agnes McPhee.

— *Abei gezunt* », dit Nialie.

Après qu'elle eut béni les bougies, ils s'attablèrent puis Henry posa les mains sur la tête de son fils et prononça la bénédiction traditionnelle :

« *Yesimecha Elohim keEfrayim vechiMenasheh.* Dieu te rende tel qu'Éphraïm et que Manassé, qui ont perpétué l'existence de notre peuple. »

Henry attendit, plein d'espoir, mais Isaac, boudeur, ne répondit qu'à l'instigation de Nialie.

« *Harachaman hu yevarech et avi mori baal habayit hazeh veet imi morati baalat habayit hazeh.* Dieu de miséricorde, bénis ma mère et mon père bien-aimés qui guident notre foyer et notre famille. »

Isaac, presque hostile au début du repas, se surprit bientôt à ricaner en réponse aux taquineries que Moses adressait à Henry, sidéré que quiconque puisse se permettre de faire des blagues irrévérencieuses sur le *rebbe,* stupéfait de voir son père boire plus qu'un verre de cognac. Au grand plaisir d'Henry, Isaac accompagna même les deux hommes lorsqu'ils se mirent à chanter des chants du sabbat en tapant sur la table pour battre la mesure.

« Tu sais, dit Moses, la première fois que j'ai vu ton père, il avait à peu près ton âge, et nous nous sommes assis par terre dans sa chambre pour reconstituer la bataille de Waterloo avec des soldats de plomb. »

Puis, dans un moment de distraction, Moses alluma un Montecristo. Nialie allait protester contre cette profanation du sabbat, mais Henry lui imposa le silence d'un geste de la main. Isaac, cependant, ne put se retenir.

« Pourquoi oncle Moses est-il autorisé à fumer le cigare ici, pendant le sabbat, alors que je n'ai pas le droit, moi, de jouer au hockey ni même de regarder la télévision sans me faire traiter de mauvais juif ?

— Moses n'est pas un mauvais juif, dit Henry. Il est seulement un peu délinquant.

— Je vais l'éteindre, dit Moses.

— Non, fit Henry. »

Se tournant vers Isaac, il ajouta :

« Qui plus est, il n'est pas mon fils. N'oublie pas : c'est une *mitsva* d'initier son enfant au Talmud et à la Torah, car il est écrit : "Et ces commandements, que je te donne aujourd'hui, seront dans ton cœur. Tu les inculqueras à tes enfants, et tu en parleras quand tu seras dans ta maison, quand tu iras en voyage…"

— Tout est écrit, dit Isaac en refoulant ses larmes. C'est même écrit que je dois m'emmerder parce que, si ce n'est pas *Shabbes*, c'est *Tishah b'Av* ou *Chavouot* ou le jeûne de Guedalia ou le dix-septième jour du mois de *Tammouz* ou une autre fête de merde sortie de l'âge de pierre. Je sais. Ouste ! Dans ta chambre ! Je vous laisse. Bonne nuit à tous.

— *Oy vey*, fit Henry, qui minimisa l'esclandre d'Isaac en laissant entendre un rire nerveux. Quel âge difficile pour un garçon ! Pardonne-lui, Moses. Il n'avait pas l'intention de se montrer grossier. Excuse-moi un instant. »

Nialie attendit qu'Henry soit entré dans la chambre d'Isaac et qu'il ait refermé la porte pour prendre la parole.

« Il vole, dit-elle.

— Henry est au courant ?

— Tu ne dois rien lui dire.

— Pourquoi ?

— Ne dis rien. »

Et Henry revint, les bras chargés de cartes météorologiques, d'autres documents et d'un livre récent, dont plusieurs passages étaient soulignés.

« Selon Morton Feinberg, remarquable climatologiste, nous sommes foutus. La nouvelle ère glaciaire, qui est imminente, mettra un terme à la civilisation de l'hémisphère Nord telle que nous la connaissons.

— Dieu soit loué, dit Moses en tendant la main vers la bouteille de cognac.

— Dans cinquante ans, peut-être moins, les pays équatoriaux domineront la planète.

— Henry, dit Moses, irrité, de la même façon qu'il y avait autrefois l'école de Hillel et l'école de Shammaï, on trouve aujourd'hui des experts qui nous croient condamnés à un jugement dernier d'un tout autre genre. Selon eux, toutes les données signalent un réchauffement progressif de la planète, à cause de l'augmentation de la quantité de dioxyde de carbone dans l'atmosphère, ce qui a pour effet d'emprisonner une bonne partie de la chaleur de la Terre. Mais qu'ils aillent tous au diable. Tu aurais peut-être intérêt à te soucier moins de la fin du monde et plus d'Isaac.

— Je veux que tu voies ces g-g-graphiques, dit Henry.

— Il existe de meilleurs endroits où élever un garçon qui s'apprête à entrer dans l'adolescence. »

Henry attendit que Nialie soit dans la cuisine.

« J'espère qu'il fréquentera la *yeshiva* de Crown Heights.

— Et s'il n'est pas fait pour être un *yeshiva bucher* ?

— Regarde ces graphiques, supplia Henry, en larmes, et dis-moi que la Terre se réchauffe. »

Avant de repartir avec Riley, le lendemain matin, Moses emmena Isaac au Sir Igloo Inn Café pour le petit déjeuner.

« Je peux avoir du bacon avec mes œufs ? demanda Isaac.

— Ne me casse pas les pieds, s'il te plaît.

— Toi, t'as le droit, mais pas moi. C'est ça, hein ? »

Riley arriva sur ces entrefaites, les yeux injectés de sang.

« Si nous ne décollons pas dans dix minutes, le mauvais temps risque de nous clouer au sol pendant des jours.

— Qu'est-ce que tu dirais si on s'écrivait, Isaac ? Tu pourrais peut-être même me rendre visite pendant tes vacances scolaires », dit Moses, qui regretta aussitôt l'invitation.

Puis, se tournant vers Riley, il dit :

« J'arrive. Mais il faut d'abord que je dise au revoir à Henry et à Nialie. »

Isaac se dirigea vers un groupe de jeunes garçons assis à une autre table. Serrant immédiatement les rangs, ils ne lui firent pas de place.

« Vous voyez le vieux croûton qui s'en va ? demanda Isaac.

— Ouais, et alors ?

— Il a fait boire mon père comme un trou, hier soir.

— Mon cul, ouais. »

Les garçons se levèrent un à un.

« Quand il vivait à Londres, il baisait ma tante, dit Isaac.

— Et alors ? »

Leur bloquant la sortie, Isaac exhiba un billet de cent dollars.

« Il m'a donné ça, dit-il.

— Tu dis n'importe quoi. Tu l'as piqué, oui.

— Il me l'a donné, dit Isaac en rougissant.

— Alors on se retrouve ici après l'école et c'est toi qui nous invites.

— J'allais justement vous le proposer. »

Trouver le campement de M. Corbeau dans l'île du Roi-Guillaume fut chose facile. À Victory Point, à environ soixante-cinq milles de l'endroit où l'*Erebus* avait été vu pour la dernière fois, une sorte de piste d'atterrissage avait été déblayée. Au moment où l'Otter amorçait sa descente, Moses distingua un igloo sur le rivage. Aussitôt que Riley eut immobilisé l'appareil, Moses ouvrit la portière de la cabine, sauta sur la glace et courut jusqu'à l'igloo. S'agenouillant pour se glisser dans le tunnel d'entrée, il s'emmêla le pied dans un fil et déclencha un magnétophone.

Moses entendit un coup de tonnerre. Un feu crépitant, puis un autre coup de tonnerre. Enfin, une voix de baryton d'une grande prétention :

« Moïse ! Moïse ! N'approche pas d'ici, ôte tes souliers de tes pieds, car le lieu sur lequel tu te tiens est une terre sainte. »

Fumier. Salaud.

« Mais moi je ne suis plus là. »

Moses, qui avait aperçu dans la neige les traces laissées par les patins de quatre traîneaux, aurait dû s'en douter. Cependant, il l'avait sûrement manqué de peu. Il faisait encore bon dans l'igloo chauffé par un poêle Coleman. Sur le sol était étendue une peau de caribou, à la façon d'un tapis, sur laquelle on avait posé une bouteille de Dom Pérignon, une boîte de caviar de béluga, du pain noir, deux volumes des journaux intimes de Solomon et un mot : « Si ce n'est pas moi, alors qui ? Si ce n'est pas maintenant, alors quand ? »

CINQ

Un

Dès son arrivée à Londres, Ephraim fut accosté dans Regent Street par une fille à la peau bistre. Jeune et impertinente, elle portait un feutre rond surmonté d'une coquette plume rouge ainsi qu'une mante brune et une jupe à crinoline aux lourds volants. En d'autres circonstances, Ephraim eût volontiers suivi la jeune femme jusqu'à sa pension et risqué un face-à-face avec la brute épaisse qui s'y terrait sûrement, mais, en ce premier jour à Londres, le tumulte des rues lui suffisait. Le chahut, l'effervescence. Le fracas des omnibus, des coupés de ville, des cabriolets bruyants, des voitures de louage et des chevaux de selle. Il vit des garçons en haillons se démener comme des diables pour balayer les passages piétonniers afin que des élégantes, toutes de soie et de satin vêtues, puissent traverser la rue sans marcher dans le crottin. Il semblait y avoir partout des hommes à la mine sévère, leurs hauts-de-forme noirs dodelinant sur leurs têtes. Chaque fois que l'un d'eux émergeait d'un pub, le visage rougeaud, un vieux mendiant émacié accourait et lui proposait, de ses mains tremblantes, des allumettes et des bâtonnets de cire à cacheter.

Ephraim chercha un coin isolé dans Hyde Park et, à l'abri des hauts buissons, creusa un trou profond à l'aide de sa truelle. Il y enterra la sacoche en cuir renfermant sa montre en or, son châle de prière, ses phylactères et tout son argent, sauf dix shillings. Il glissa cependant les chandeliers sous sa chemise dans l'intention de les vendre à un prêteur sur gages de Whitechapel ou de Spitalfields.

Ephraim se perdit brièvement dans la fourmilière miséreuse bordant le Strand et déboucha juste à côté de St. Paul. Une puanteur inconnue le guida jusqu'à la gueule béante d'un abattoir souterrain, dont les murs recouverts d'une croûte épaisse suintaient la graisse et le sang. Au moment où il s'arrêta pour contempler la scène, il fut bousculé par des hommes qui jetaient des moutons rétifs dans la fosse, où ils se brisaient les pattes avant d'être assaillis par les couteaux des bouchers, déjà enfoncés jusqu'aux chevilles dans un tas gluant de viscères et d'excréments. À deux pas, d'autres hommes, indifférents aux mouches qui bourdonnaient et aux rats d'égout qui couraient en tous sens, faisaient bouillir de la graisse, fabriquaient de la colle, grattaient des tripes.

Se méfiant des pickpockets et des *ganefs*, se remettant prestement en marche dès qu'il apercevait un sergent de ville, Ephraim arriva enfin dans Whitechapel. Devant une distillerie de gin, deux marins abrutis par l'alcool baignaient dans leur pisse. L'un d'eux avait un œil au beurre noir, l'autre le nez fracturé et ensanglanté. Et soudain, Ephraim vit des étals, d'innombrables étals.

Dans Petticoat Lane, on trouvait des pommes et des huîtres, des bijoux de pacotille, des bottes, des jouets, des buccins, des harengs, des couverts et du bois de chauffage. Ephraim poursuivit sa route jusqu'au Earl of Effingham Theatre, où il se fondit dans la foule bruyante regroupée à l'intérieur. Enveloppée de gaze pailletée, Jenny O'Hara, dont les énormes nénés fardés de rouge menaçaient à tout instant de sortir de son corsage, s'assit sur une balançoire et chanta :

> Bet Mild était servante,
> Elle avait dégoté une place
> Chez deux dames charmantes
> Qui s'appelaient Salace.

Bet avait un certain talent,
De ses mains savait tout faire,
Et la nuit pour ces dames gaiement
Elle usait d'une bougie d'enfer.

Descendant de son perchoir, Jenny s'approcha des spectateurs en minaudant et poursuivit :

Betty, elle avait un petit ami,
C'était Ned, le valet de pied.
Un soir il se glissa sous leur lit,
Après dans leur chambre être entré ;
Et là il les vit en train de batifoler.
Séance tenante se réveilla son outil,
Et il se dit : « J'ai à leur proposer
Bien mieux qu'une pauvre bougie. »

La somme que le premier prêteur sur gages lui proposa laissa Ephraim de glace ; il refusa également l'offre dérisoire que lui fit le deuxième charlatan qu'il rencontra. Au moment où il sortait d'une autre échoppe, hélas, un sergent de ville lui mit la main au collet.

Éclatant en sanglots, Ephraim se laissa choir dans la rue et battit des jambes dans l'espoir d'attirer la sympathie des passants. Il était orphelin, protesta-t-il, réduit par l'indigence à mettre en gage les chandeliers de sa grand-maman chérie, mais on ne se laissa pas berner. Ephraim passa sa première nuit à Londres sur la Tamise, enfermé dans les entrailles pestilentielles d'un ponton pourrissant. Moins d'une semaine plus tard, il fut condamné à six mois de réclusion dans la tristement célèbre prison de Coldbath Fields, surnommée « la Steel » (par homophonie avec la Bastille).

À son arrivée, les détenus le jaugèrent d'un coup d'œil et se dirent que, quand le sergent Walsh se serait lassé de lui, il serait séquestré dans le harem jusqu'à ce que les choses s'arrangent et qu'il se trouve un protecteur. Cependant, Ephraim refusa obstinément de se déculotter pour le bon plaisir du sergent Walsh. Tous les matins, il fut donc forcé, dans une chaleur étouffante, d'actionner la trépigneuse, cette roue munie de vingt-quatre marches qui s'enfonçaient sous ses pas à une cadence infernale. Comme ce supplice manqua de produire l'effet escompté, le sergent Walsh le condamna à une semaine d'exercices dans la cour. Il vint grossir les rangs des prisonniers, tous espacés de neuf pieds. Lorsque le sergent Walsh en criait l'ordre, chacun devait soulever un boulet de canon de vingt-quatre livres et le transporter jusqu'à l'endroit où se trouvait son voisin, puis se hâter de revenir à sa place, où l'attendait le boulet laissé là par l'autre voisin. La séance durait en général une heure, parfois un peu plus, selon l'envie que le sergent Walsh avait de boire une bière. Après avoir une fois de plus repoussé ses avances, Ephraim eut droit à la manivelle. Elle servait à faire tourner un tonneau rempli de sable, dont les révolutions étaient comptabilisées par un mécanisme d'horlogerie. Il fut fouetté à répétition. Puis, un matin, on trouva le sergent Walsh accroupi dans les latrines, la gorge tranchée d'une oreille à l'autre. Des enquêteurs fondirent sur la prison, coupèrent les rations de moitié, flagellèrent à tort et à travers, sans parvenir à découvrir le coupable. Ephraim comptait parmi les principaux suspects, mais Izzy Garber lui fournit un alibi en jurant que, la nuit du crime, le garçon, fiévreux, avait dormi à ses côtés.

Impudent et incroyablement débrouillard, Izzy Garber était une sorte de magicien velu et baraqué, un chapardeur de première pour qui rien n'était impossible, même derrière les murs sinistres de la Steel. Au moment opportun, l'ample chemise d'Izzy révélait des saucissons, des *kishkas,* des fromages ou des poulets rôtis obtenus Dieu sait où et comment. Il n'était jamais à court de tabac, de gin, de hachisch et de baumes pour guérir les lacérations qui s'entrecroisaient dans le dos d'Ephraim. Les autres prisonniers et même les geôliers traitaient Izzy avec déférence et faisaient appel à ses services pour arracher des dents, rebouter des os ou suturer des estafilades en toute discrétion. Izzy, qu'on ne voyait jamais sans sa kippa, sur laquelle étaient brodés les mots « Tu feras du sabbat un mémorial, un jour sacré », était l'homme le plus fier d'être juif qu'Ephraim ait rencontré de sa vie. « Regarde leur Dieu, ou leur fils de Dieu, comme ces couillons se plaisent à le dire. Tends l'autre joue... Heureux les débonnaires, car ils hériteront la terre... Foutaises ! Des délires de tapette ! Notre Dieu, lui, c'est un vrai Dieu vengeur, dit un jour Izzy en tendant son *siddour* à Ephraim. Alors dis tes prières du soir. Il ne faut surtout pas contrarier Jéhovah, cette vieille bourrique de juif. »

En plus de rencontrer Izzy, Ephraim acquit des talents des plus précieux au cours de son séjour à la Steel. Les faux-monnayeurs qui exerçaient leur métier du côté des taudis du Holy Land, dans St. Giles, lui apprirent à transformer une imitation grossière en une pièce acceptable. Avec des jeunes de son âge, il s'initia à l'art du vol à la tire ; bientôt, on le jugea assez adroit pour faire les poches, bien qu'il n'eût aucune envie, à sa sortie, de se mettre sous la protection d'un chef de bande.

« *Nischt fur dich* », décréta Izzy Garber.

Un des dandys des Seven Dials lui apprit tout ce qu'il devait savoir sur le garrottage. Mais ce furent les enseignements d'Izzy qui se révélèrent les plus utiles. Un jour, il lui dit qu'il était autrefois allé de village en village en se faisant passer pour un prêtre qui recueillait des fonds pour les sauvages de la Côte d'Or. « Voici, le jour de l'Éternel arrive, jour cruel, jour de colère et d'ardente fureur, qui réduira la terre en solitude, et en exterminera les pécheurs. » Un autre soir, Izzy se remémora l'époque où il avait fait de mendiant sa profession. Selon ce qu'il raconta à Ephraim, il avait l'habitude de se poster devant une église et, à la sortie des chrétiens, de se jeter par terre : il feignait d'être en proie à des convulsions et, grâce à des morceaux de savon glissés sous sa langue, faisait mousser de l'écume sur ses lèvres pour apitoyer un peu plus son monde. Puis, dès que s'étaient attroupés quelques paroissiens attendris, il sortait le document suivant :

LA PRÉSENTE VISE À CONFIRMER à qui de droit que l'*EXEMPLAR*, commandé par le capitaine Staines, rentrait au port de Liverpool après un voyage aux Canadas, chargé de peaux de castor en provenance de la Terre de Rupert, et que ledit navire, après avoir rencontré des GRANDS VENTS et des ICEBERGS prodigieux au large des bancs de Terre-Neuve, démâta et s'échoua sur la glace. Que le vaisseau susmentionné sombra corps et biens et que seuls le commandant en second et trois membres d'équipage, porteurs des présents certificats, échappèrent à une sépulture en mer. Ces survivants furent charitablement recueillis par le brick *GLORIANA*, commandé par le capitaine Wescott, et débarqués au port de Tilbury. Que nous, douanier en chef et juge de paix de Sa Majesté pour ledit port, accordons et octroyons audit ISRAEL GRANT la présente attestation solennelle et l'autorisons à produire et à utiliser le présent certificat pour une période de vingt-huit jours à compter de la date de sa délivrance de même qu'à obtenir toute l'aide temporelle dont il aura besoin pour retrouver sa femme et ses enfants dans les Hébrides extérieures. En outre, le présent certificat atteste qu'il ne peut être interrompu dans ledit voyage par les forces de l'ordre ou tout autre représentant de l'autorité, sous réserve qu'il ne porte atteinte à l'ordre public ni ne commette une autre infraction.
Les témoins,
Magnus McCarthy, douanier en chef 1 £
Archibald Burton, juge de paix 1 £
Délivrée au port de Liverpool en ce 27e jour du mois de janvier 1831.

QUE DIEU PROTÈGE LE ROI

Étant donné sa maîtrise de la calligraphie et du latin, sans oublier les contacts qu'il avait établis à la Steel, Ephraim songea à se faire écrivain public une fois qu'il aurait purgé sa peine. Izzy se déclara satisfait de son protégé.

« Il ne conviendrait pas à un jeune Yiddish de détrousser les gens ou de roulotter des voitures. N'oublie pas, *tsatskeleh,* que nous sommes le peuple du Livre.

— Comment vais-je te retrouver à ma sortie ?

— Ne t'en fais pas, dit Izzy. C'est moi qui te retrouverai. »

Libéré, Ephraim tira son argent de sa cachette dans Hyde Park, se procura les plumes, les encres et les parchemins requis et s'installa dans une pension de Whitechapel. Au bout de quelques mois à peine, ses affaires prospéraient. À la nuit tombée, il visitait les débits de boissons, les bordels et les maisons de jeu à la recherche d'Izzy Garber, mais en vain. Le jour, il travaillait sans relâche. Il écrivait des lettres pour des pasteurs ruinés. « Milady, j'ai participé à la campagne d'Espagne en qualité de capitaine. Je me donne grand mal depuis que j'ai été réformé en raison de blessures invalidantes, mais hélas… » Étudiant de près la chronique nécrologique du *Times,* il envoyait une catin bien accoutrée, un oreiller noué sur le ventre, frapper à la porte de la famille d'un gentilhomme décédé depuis peu. Elle était porteuse d'une lettre indiquant que, séduite par le défunt et enceinte de ses œuvres, elle se trouvait sans ressources, rejetée par les siens. Elle ne souhaitait pas ébruiter la situation, mais…

Ces lettres à la calligraphie exquise, émaillées de plaidoyers émouvants, d'expressions latines joliment formulées et de citations bibliques choisies avec soin, étaient signées par des capitaines au long cours, des pasteurs, des généraux de division ou des lords du royaume.

Bientôt, la plume inventive d'Ephraim fut si recherchée qu'il put s'offrir un chapeau claque, un gilet blanc, une élégante tabatière et un mouchoir de soie. On le présenta à un producteur de théâtre, qui lui offrit un poste dans ses nombreux bordels. Ephraim déclina la proposition, mais accompagna l'homme à un combat de boxe où il vit Ikey Pig, un Juif, se faire salement amocher. Cependant, cet avant-goût suffit à le rendre accro. Il était de nouveau avec le producteur lorsqu'un nègre américain, esclave en fuite, eut l'effronterie de se battre pour le titre convoité de champion d'Angleterre. Comme l'écrivit Pierce Egan à propos de ce match : « Qu'un ÉTRANGER eût l'audace de vouloir faire tomber le CHAPEAU DE CHAMPION de la tête d'un Britannique, sans même parler de porter ledit chapeau, ou de l'enlever à la Grande-Bretagne, une telle idée, aussi improbable fût-elle, n'aurait jamais pu s'immiscer dans le cœur d'un Anglais. »

Ephraim, qui désespérait de retrouver Izzy, compta bientôt parmi les habitués de la Laurent's Dancing Academy dans Windmill Street, des Argyll Rooms et, bien sûr, de la maison close de Kate Hamilton, où il devint l'un des favoris de Thelma Coyne, qu'il songea à installer dans un appartement de Holborn pour en faire sa poule de luxe.

Un soir qu'il déambulait dans Piccadilly, une affiche de théâtre attira son regard. Ce fut son premier contact, fallacieux par ailleurs, avec le Canada.

EGYPTIAN HALL
Piccadilly
DES INDIENS
du Canada en Amérique du Nord
NOUVELLEMENT ARRIVÉS !

Représentations dans la salle susmentionnée
à deux heures de l'après-midi et à huit heures du soir.
Un grand conseil indien
se tiendra devant le wigwam, où toute la tribu
apparaîtra en COSTUME AUTHENTIQUE,
avec son attirail de guerre.
LE CHEF
tirera sur une pomme posée sur la tête d'un garçon !
Une victime sera scalpée (simulation) !
Jamais exécutée sur ces terres,
LA DANSE DE LA GUERRE,
où les Indiens feront montre

de la FOLLE RAGE qui les anime
à la veille d'un conflit.
ON ENTERRERA LA HACHE DE GUERRE ET ON FUMERA
LE CALUMET (OU LA PIPE) DE LA PAIX.

Un bandeau collé en travers de l'affiche disait :

À cause de RITES ABORIGÈNES *sacrés,*
il y aura relâche
le mercredi 8 octobre et le jeudi 9 octobre.

Électrisé par le spectacle du Egyptian Hall, mais nourrissant des soupçons tenaces à l'endroit du chef, Ephraim se faufila dans les coulisses après la représentation. Dans la loge du chef, des voix s'élevèrent :

« *Paskudnyak ! Mamzer !*

— *Hok mir nit kayn tchynik.*

— *Ver derharget !* »

Heureux de voir ses doutes confirmés, Ephraim ouvrit la porte d'un coup de pied. Aussitôt, le chef velu et baraqué plongea derrière un paravent. Hors d'elle, sa plantureuse épouse s'empara d'un tomahawk.

« Sors de là, Izzy !

— C'est toi, Ephraim ? »

Les deux ex-prisonniers s'enlacèrent.

« Je t'avais bien dit que je te retrouverais », fit Izzy.

Se tournant vers sa femme, il ajouta :

« Ce garçon reboute les os presque aussi bien que moi. Ces choses-là ne s'enseignent pas : on a le doigté ou on ne l'a pas. »

Dans un brouillard graisseux, ils gagnèrent une cuisine souterraine de Soho, saturée de fumée et d'effluves d'ail. L'établissement accueillait, jusque tard dans la nuit, les membres de la troupe et d'autres noctambules plus ou moins louches. Vêtues de chemisiers décolletés et tachés, des serveuses bien en chair naviguaient parmi la clientèle tapageuse, soulevaient bien haut des chopes de bière tout en tapant sur les mains baladeuses, leurs jurons noyés dans une cacophonie de yiddish, de grec et d'italien. Dans un coin éclairé par une lampe à gaz, un vieux bijoutier, une loupe vissée à l'œil, négociait avec un sikh moustachu à l'air grave. À la table d'Izzy, le foie haché et le hareng *schmaltz* furent suivis de plateaux fumants de tripes farcies, de *flanken* bouilli, de kacha baignant dans la graisse de poulet et de *kreplach* aux pommes de terre. Hurlant pour se faire entendre dans le brouhaha, Ephraim félicita Izzy d'avoir fait salle comble au Egyptian Hall, puis lui demanda pourquoi il n'y aurait pas de représentations le mercredi et le jeudi suivants.

Offensé, Izzy répondit :

« Il serait tout à fait inapproprié d'exécuter la danse de la guerre pendant le Yom Kippour.

— *Gottzedank* », confirma Mme Garber.

Ce fut, selon un motif récurrent dans sa vie, un dangereux mélange de vanité, de concupiscence et de témérité qui précipita la chute d'Ephraim. La nuit, il lui arrivait souvent de recevoir dans sa mansarde deux Irlandaises particulièrement coquines, les sœurs Sullivan. Les deux aimables jeunes femmes, qui habitaient le même immeuble que lui, filoutaient le jour et se prostituaient la nuit. À l'occasion, Ephraim, d'humeur à faire la noce, leur offrait une soirée à l'Eagle et se permettait même d'y retenir une loge. Pour la beauté du geste plus que pour le peu de profit qu'il en retirait, Ephraim allait parfois avec elles à la chasse aux dupes. Les sœurs, postées sous une lampe à gaz, appâtaient un ivrogne bien pourvu, de préférence un plouc, et le persuadaient de leur offrir un verre dans un débit de boissons, où attendait Ephraim. Serrée contre le bar bondé, Dotty le caressait et lui léchait l'oreille en chantant doucement :

Dis-moi ce que je vois,
Mon doux Johnny, dis-moi
Ce qui pend le long de ta cuisse,
Mon doux Johnny, dis-moi,

Sacrée enflure que tu as là,
Mon doux Johnny, dis-moi.

Pendant ce temps, Kate lui faisait les poches et, en général, les choses en restaient là. Mais si la victime flairait l'arnaque et faisait des histoires, Ephraim sautait dans la mêlée. Feignant l'indignation, il se frayait un chemin jusqu'à l'homme, qu'il défendait avec véhémence en lui donnant l'assurance qu'il avait vu toute la scène. Puis, dès que Kate lui avait refilé le butin, il sortait en trombe, sous prétexte d'aller chercher un sergent de ville. En réalité, il se hâtait de rentrer chez lui, où il attendait les filles, une bouteille de bordeaux débouchée sur la table de chevet. Au besoin, celles-ci se prêtaient à une fouille inutile dans le débit de boissons, en protestant de leur innocence et en dénonçant à grands cris pareille injure. Humiliée, la victime s'enfuyait alors dans le brouillard.

La chasse aux dupes devint un tel fléau qu'il en fut question au Parlement. Des citoyens irrités écrivirent au *Times* pour dénoncer l'incompétence de Scotland Yard. Et, évidemment, un beau soir, les sœurs finirent par jeter leur dévolu sur un inspecteur de police, accompagné lui aussi d'un complice. Ce dernier, un autre policier, sortit du débit de boissons à la suite d'Ephraim et l'attrapa devant son immeuble. Malgré tout, Ephraim s'en serait peut-être tiré avec une autre peine de six mois de prison si le policier n'avait pas insisté pour visiter son logis.

« Vous ne comprenez pas, monsieur, argua Ephraim. Je ne vis pas ici, parmi les semblables d'Ikey Pig, et je ne savais pas que ces filles avaient glissé dans ma poche la bourse de ce gentleman.

— Pourquoi vous êtes-vous arrêté ici, dans ce cas ?

— Vous allez vous faire une mauvaise idée de moi, monsieur, mais je suis venu attendre ces ribaudes chez elles. Mon père a perdu la vie à Trafalgar et cette histoire va finir d'achever ma pauvre veuve de mère. Je suis victime de mon désir. »

Procédant à une fouille plus approfondie du gilet

d'Ephraim, le policier découvrit une des cartes de visite qu'il avait eu l'imprudence de faire imprimer : l'adresse était la même. Le policier et Ephraim montèrent à la mansarde. Sur la table, des lettres quémandant de l'argent étaient prêtes à être remises à des clients. Dans le placard, on découvrit une trousse de cambrioleur qu'Ephraim gardait pour un type en libération conditionnelle. S'y trouvaient un vilebrequin équipé d'une grosse mèche ajustable, une pince-monseigneur ainsi qu'un jeu de crochets à serrure et de pinces coupantes. Un des tiroirs du bureau était rempli de faux cachets officiels. Dans un autre se trouvait une flopée de mouchoirs en soie, propriété des sœurs Sullivan, mais qu'importe. Lorsque le policier se mit à prendre des notes, Ephraim se jeta sur lui, le renversa et dévala l'escalier pour finir dans les bras de l'autre policier, qui venait d'entrer dans l'immeuble, les sœurs Sullivan dans son sillage.

« C'est lui, cria Dotty, le maquereau qui nous oblige à mener une vie de péchés !

— Et qui nous prend tous nos sous ! » hurla Kate.

Deux

Le gros mollasson de la station de la ligne DEW lui proposa vingt dollars, qu'Isaac refusa. Il préférait ne rien changer. En échange de cinq dollars, une fois par semaine, il retrouvait l'homme dans les toilettes du Sir Igloo Inn Café et tirait sur son machin jusqu'à ce qu'il gicle. Cette fois, cependant, l'homme lui donna en plus deux cigarettes roulées à la main. « C'est un tabac spécial, petit. Si ça te plaît et que t'en veux encore, on pourra peut-être reparler de l'autre marché. »

Isaac ne pouvait pas dépenser son argent au cinéma, car il n'y en avait pas. Il n'y avait rien à Tulugaqtitut. En proie à l'ennui, irrité, Isaac déambula dans le village en le maudissant. Il s'arrêta à son poste d'observation habituel, celui d'où il voyait la fenêtre de la chambre d'Agnes McPhee. Elle fermait rarement les rideaux et, plus d'une fois, Isaac l'avait vue s'en donner à cœur joie avec l'un des pilotes de brousse, ses jambes nues et frissonnantes tendues vers le plafond. Mais ce jour-là, il ne la vit même pas se déshabiller. Il entra donc dans le poste de traite de la Baie d'Hudson, où Ian Campbell, immédiatement sur ses gardes, écarta ses livres de comptes pour mieux l'observer.

« Hé, Isaac, lança-t-il surtout à l'intention des autres clients, ton père a-t-il choisi son bateau ? »

Tous les habitants du village, sauf Nialie, savaient que son père était fou.

« Mêle-toi de tes affaires ! hurla Isaac.

— Si je pose la question, petit, c'est parce qu'on dirait qu'il va pleuvoir. »

Chaque avion-courrier apportait à Henry d'élégants coffrets envoyés par de grands constructeurs de bateaux : C. van Lent & Zonen Kaag, Abeking & Rasmussen, S. E. Ward & Co., Hitachi Zosen. Chacun était accompagné d'éloges de la part de clients satisfaits : cheiks, marchands d'armes internationaux et nababs hollywoodiens. Il y avait des photos en couleurs, des plans de pont complexes et, invariablement, une lettre personnelle du concepteur.

Aucun d'eux ne comprenait. Pourtant, Henry ne demandait pas la lune. Il n'espérait pas une arche en bois résineux, dit *gopher* en hébreu ; il ne s'attendait pas à ce qu'elle fasse trois cents coudées de longueur, cinquante de largeur et trente de hauteur. Cela dit, les moteurs Twin de MTU ou les D-353 U25 HP de Caterpillar ne l'intéressaient pas. Le moment venu, il savait pertinemment que ses descendants n'enverraient pas une colombe – ou un corbeau, oiseau plus indiqué pour les héritiers d'Ephraim –, mais il n'aurait pas pour autant besoin d'une hélistation pour un Bell Jet Ranger III. Comme il n'y aurait vraisemblablement plus de pétrole, ils devraient s'en remettre au vent pour naviguer. Henry songeait donc plutôt à un trois-mâts inspiré des goélettes du tournant du siècle, ou encore à un grand voilier ou à un navire gréé en carré tel qu'on en construisait autrefois dans les Maritimes.

« Ne fais pas ça, s'il te plaît, dit Isaac.

— Pourquoi pas, *yingele* ?

— Ne fais pas ça !

— Donne-moi une raison.

— Tout le monde se moque déjà de nous. Ça te suffit, comme raison ?

— Tu as honte de moi ?

— Plutôt deux fois qu'une », lança Isaac en s'enfuyant.

Assis devant son bureau à cylindre troué de deux impacts de balle, enfoui sous les dépliants et les devis, Henry chercha refuge dans son Pentateuque. Se balançant au-dessus du livre, il lut : « Et l'Éternel dit : J'exterminerai de la face de la terre l'homme que j'ai créé, depuis l'homme jusqu'au bétail, aux reptiles, et aux oiseaux du ciel ; car je me repens de les avoir faits. »

Bien sûr, cela ne se reproduirait plus. Dieu avait établi une alliance. Il avait placé son arc dans la nue. Mais la situation présente – la méchanceté des hommes – était aussi terrible qu'à l'époque de Noé. Le châtiment de Dieu, Henry en était persuadé, prendrait la forme d'une nouvelle ère glaciaire. Ensuite viendrait le déluge, et un bateau bien équipé serait essentiel à la survie. Entre-temps, Henry continuait à lire dans les entrailles.

Les auteurs d'un rapport de la CIA prédisaient des changements catastrophiques qui ramèneraient le climat mondial aux conditions qui prévalaient de cent à quatre cents ans plus tôt. Le rapport, qu'on avait divulgué au *Washington Post,* annonçait des famines à brève échéance.

> Le refroidissement de la Terre se traduira par des tentatives de plus en plus désespérées de la part de nations puissantes, mais affamées, pour se procurer des céréales. Des migrations massives, parfois forcées, feront l'actualité, tandis que l'instabilité politique et économique se généralisera.

Le dossier d'Henry comprenait également un article récent découpé dans le *Edmonton Journal.*

> C'est Reid Bryson, professeur de météorologie et de géographie à l'Université du Wisconsin, qui a défendu avec le plus d'éloquence l'hypothèse selon laquelle la planète se refroidirait.
> Entre 1880 et 1940, la température mondiale médiane s'est élevée d'un degré Fahrenheit. Depuis, elle a diminué de près d'un demi-degré.
> Bryson soutient que la période de 1930 à 1961 a été marquée par un climat extraordinairement clément qu'on a pris à tort pour la normale. Selon lui, la diminution de la température ter-

> restre et l'ensemble des données historiques laissent croire que le climat, au cours des prochaines années, sera plus imprévisible que jamais, ce qui pourrait avoir des conséquences dévastatrices.

Une fois ses parents au lit, Isaac, dans sa petite chambre, alluma l'une des cigarettes roulées et mit une cassette dans le magnétophone.

Un vent violent se déchaînait sur l'Arctique.

« La semaine dernière, quand nous l'avons quitté, commença le narrateur, le capitaine Allan Cohol gisait dans un filet à poissons, à deux doigts de la mort. Effrayés par l'étranger aux cheveux d'or sorti de son cercueil de glace après des siècles d'ensevelissement, les hommes du village esquimau sont parvenus à le maîtriser et s'apprêtent maintenant à transpercer le cœur du géant d'un coup de harpon.

"Non ! cria Kirnik. Emmenons-le en traîneau chez le Dr Fantom. Il a des pilules qui font dormir. Lorsque l'étranger sera assoupi, nous appellerons la police."

Les hommes du fjord aux Poissons, poursuivit le narrateur, réussissent à mettre le puissant étranger, cette merveilleuse masse de muscles toujours empêtrée dans les mailles du filet, sur un traîneau. Leur destination ? Le sinistre repaire du Dr Fantom, criminel qui exerce ses talents infâmes de médecin dans les confins du Grand Nord. Fantom pose les yeux sur le géant pris dans le filet.

"Je suis le capitaine Allan Cohol, matricule intergalactique 80321. J'exige le respect de mes droits.

— Du calme, mon petit, dit le docteur en produisant un petit rire malveillant. Je m'appelle Frederick Fantom, je suis médecin. Vous pouvez m'appeler Fred. De mon côté, je vous appellerai Al. N'est-ce pas amusant, messieurs ? Je vous présente notre nouvel ami, Al Cohol. Quel plaisir enivrant de vous rencontrer ! À présent, votre bras, mon ami. Vous ne sentirez rien du tout.

— N'approchez pas cette seringue de moi, médecin de l'enfer. C'est de la torture, dit Al Cohol, déjà étourdi.

— Le moment est venu de vous donner une bonne dose de stimulant. Du rhum particulièrement redoutable. Ordre du médecin, Al. Maintenant, soyez gentil et ouvrez la bouche." »

Bruits de lutte. Gargouillis, crachotements, glougloutements.

« "Regardez ! crie Kirnik, alarmé. Regardez ses yeux ! Regardez son visage se transformer !

— Crevez ! Je vais vous tuer, tous ! Grrrr ! Aaaaah !" rugit le capitaine Al Cohol. »

On entendit alors des sons terrifiants : des déchirures, des lacérations. Au moment où le capitaine Al Cohol se rua sur eux, les Esquimaux se mirent à crier, à hurler.

« Que se passe-t-il? demanda le narrateur. Un verre de rhum a-t-il mené à la folie le capitaine Al Cohol, héros de la flotte intergalactique ? »

Une autre voix proclama alors : « Les tribulations du capitaine Al Cohol sont une adaptation radiophonique, signée par E. G. Perrault, d'une série de bandes dessinées créées par Art Sorensen pour le programme de lutte contre l'alcoolisme du gouvernement des Territoires du Nord-Ouest. »

La cassette terminée, Isaac prit sous son matelas la chemise renfermant des photos de New York, découpées dans les pages du *Time*, de *Newsweek* et de *People.* Des photos du monde extérieur, où l'arrivée de l'Otter en provenance de Yellowknife ne constituait pas l'attraction principale, et où le soleil ne disparaissait pas sous l'horizon pendant des mois, tous plus glaciaux les uns que les autres. Des photos de vedettes de cinéma, d'hommes d'affaires importants et de mannequins. Il avait écrit à son oncle Lionel pour lui rappeler sa visite et lui proposer de revenir. « Votre admirateur, Isaac », avait-il signé. En réponse, il avait reçu un train électrique avec une carte signée par le secrétaire particulier de Lionel.

Le lendemain soir, à l'heure du repas, Isaac, sa décision

prise, ravit son père en récitant la prière avec lui et en lui demandant s'ils pouvaient reprendre leurs études talmudiques. Une semaine à peine s'était écoulée lorsque, à table, Isaac fondit en larmes.

« Qu'est-ce qu'il y a, *yingele* ?

— Je t'en supplie, ne m'envoie pas à l'école à Yellowknife. Je veux aller à la *yeshiva* du *rebbe*, à Brooklyn. »

Henry, rayonnant, saisit son fils et dansa avec lui en chantant : « *Shteht oif shteht oif, l'avoidas haBoiray.* » Réveille-toi, réveille-toi pour faire la volonté du Créateur.

Nialie les observait d'un air impassible, inquiète pour l'un comme pour l'autre.

Trois

Septembre 1916. Solomon, petit pour dix-sept ans, sec, la peau couleur noisette tannée par le soleil des prairies, était perché sur la barrière du corral, derrière le Queen Victoria Hotel, en compagnie de Bernard et de Morrie. Le grassouillet Bernard, qui se coiffait avec la raie au milieu et possédait déjà un trois-pièces en serge bleue ainsi qu'un chapeau mou et des demi-guêtres, suçait un caramel. Morrie, fidèle à son habitude, taillait un bout de bois; il était aux aguets depuis que Solomon, chose exceptionnelle, les avait rejoints sur la barrière, car il savait que son frère ne pouvait s'empêcher de faire sortir Bernard de ses gonds. Chassant les mouches et plissant les yeux pour se protéger du soleil, les frères Gursky attendaient le début de la vente. Aaron avait acheté à Hardy (au prix fort, encore une fois) des mustangs sauvages, qui s'ébrouaient et s'agitaient dans le corral. Il espérait les revendre à des fermiers qui, pour la plupart, devaient déjà de l'argent au magasin. Les Gursky s'étaient établis en ville et vivaient à l'étage de l'établissement appelé

A. GURSKY & FILS,
MARCHANDS GÉNÉRAUX,
importateurs de TISSUS ET D'ARTICLES DE MERCERIE
chics et de qualité
Distributeurs exclusifs

des célèbres PILULES TONIFIANTES et PURGATIVES
du Dr COLBY, sans pareilles
pour faciliter le transit.

Devant le corral, Aaron, en nage, multipliait les cajoleries et les plaisanteries avec les fermiers, s'esclaffant à chacune de leurs blagues débiles. Feignant l'indifférence, ces derniers attendaient la tombée du jour, moment où le Juif, à cran, baisserait ses prix.

Aussitôt qu'il avait vendu un cheval et réalisé un petit profit, Aaron invitait l'acheteur au bar de l'hôtel pour trinquer. Au contraire d'Aaron, le fermier ne commandait pas une bière. Après avoir craché sur le sol couvert de sciure, il faisait un clin d'œil au barman et exigeait un verre de spiritueux, un double, en disant : « Mes deux fils se sont déjà enrôlés. Les tiens ne bougeront pas, je suppose ? »

Puis Aaron, à bout de souffle, regagnait le corral en comptant les croupes luisantes qui restaient et en calculant les pertes auxquelles il s'exposait. Il se mêlait de nouveau aux fermiers, offrait à leurs femmes et à leurs enfants des rubans de couleur. En fin de journée, pris de panique, il bradait la marchandise.

Solomon donna un coup de coude à Bernard.

« Toi qui es maintenant un homme d'affaires aguerri, inscrit à des cours par correspondance en plus, que penses-tu de tout ça ?

— Ce que j'en pense, c'est mes affaires.

— Pourquoi ne serions-nous pas comme les trois mousquetaires ? demanda Morrie. Tous pour un et un pour tous. Les frères Gursky.

— Eh bien, fit Solomon, je vais vous dire ce que j'en pense, moi. Pendant que papa lèche les bottes de cette bande de fermiers, le bar fait plus de profits que lui. Ce que papa devrait faire, c'est acheter l'hôtel, vendre de l'alcool et laisser quelqu'un d'autre s'occuper des chevaux. »

Sur ces mots, Solomon, devant un Morrie pétrifié, sauta de

la barrière et se glissa parmi les chevaux nerveux et sauvages qui couraient dans le corral. Solomon, l'élu d'Ephraim.

Bernard ne prêtait aucune foi aux récits de son frère sur son expédition jusqu'à la mer Polaire avec leur grand-père. Mais, peu importe ce qui était vraiment arrivé là-bas, Solomon était revenu empreint d'une certaine grâce, d'un calme intérieur. Et en le regardant, si à l'aise parmi les mustangs sauvages, Bernard eut une certitude : si c'était lui qui avait sauté dans le corral, où il aurait sans doute boulé dans la poussière, les chevaux auraient senti sa peur, se seraient cabrés et ébroués en tentant de le mordre. Pour la première fois, Bernard se rendit compte qu'il n'était qu'un rustre, un petit homme grassouillet au regard sournois, et qu'il lui faudrait griffer, mordre, tricher pour obtenir ce qu'il voulait dans la vie, beaucoup en l'occurrence, tandis que Solomon attendrait tranquillement que le monde vienne à lui. Et le monde l'obligerait. Bernard regarda Solomon traverser le corral, étouffé par l'envie et la haine, et pourtant il ne pouvait s'empêcher de chercher son approbation. Mais Solomon gâcha tout en s'arrêtant pour le railler.

« Suis-moi, Bernie, je t'offre une bière, cria-t-il.

— Va au diable !

— Voyons, vous deux, fit Morrie. Hé, tu pleures ?

— Mais non. Il s'en va *shtupper* Minnie Pryzack. »

Minnie, confortablement installée au Queen Victoria Hotel depuis des années, n'avait que dix-sept ans lorsqu'elle avait découvert l'Ouest pour la première fois : elle travaillait dans les wagons de première classe qui faisaient l'aller-retour entre Winnipeg et la côte.

« Il va *shtupper* Minnie, puis il va jouer au poker.

— Personne ne va le laisser prendre part à la grande partie d'automne. D'ailleurs, il est à sec.

— Je n'avais pas peur de descendre dans le corral, mais il aurait fallu que tu me suives et tu aurais pu te prendre un mauvais coup. C'est vrai qu'il n'a plus un sou ?

— Il s'est fait lessiver jeudi dernier. »

Aaron, affalé sur la table de la cuisine, empestant le fumier, les oreilles et le nez bouchés par la poussière, le dos en compote, compta et recompta son argent. Selon ses calculs, il réaliserait un profit de cinquante-cinq dollars, à condition que deux des fermiers remboursent le prêt qu'il leur avait consenti.

Morrie se pencha pour enlever les bottes de son père puis lui apporta un verre de thé au citron et un bol de pruneaux.

« Si tu veux mon avis, papa, lui dit Bernard, tu travailles trop pour trop peu.

— Tu es un bon petit, dit Aaron. Morrie aussi. »

Pour éviter de tout miser dans le feu de l'action, Solomon confia à Minnie sa valise, son billet de train et cinq coupures de dix dollars qui l'aideraient à voir venir, en cas de coup dur. Puis il traversa la cuisine du Queen Victoria Hotel, gravit l'escalier du fond jusqu'au troisième étage et frappa à la porte du grenier : trois coups longs, deux brefs et un long.

McGraw tira le verrou.

« Pas question que tu joues. Pas ce soir. »

Solomon ne broncha pas.

« Ce soir, les règles sont différentes, petit. Tu es au courant. »

Sans compter Solomon, ils étaient cinq hommes réunis pour la partie de poker automnale. Les enchères atteignaient de tels sommets qu'on ne pouvait l'organiser qu'une fois l'an. McGraw, propriétaire de l'hôtel et de la boutique de forge, une acquisition récente ; George Kouri, le Libanais, ancien propriétaire du 5-10-15 et d'une boutique qui vendait des bogheis et des chariots ; Ingram, l'homme de Sifton, qui distribuait des terres ferroviaires à des Slaves vêtus de manteaux en peau de mouton ; Charley Lin, ancien propriétaire de la blanchisserie et de la boucherie qui, depuis la partie de l'automne précédent, ne possédait plus que deux pensions aux lits infestés de punaises ; et Kozochar, barbier et chef des pompiers. Sur une desserte étaient posées des viandes froides, de la salade de pommes de terre ainsi que des bouteilles de whisky et de vodka. Dans une pièce adjacente se trouvaient deux lits de camp, au cas où l'un d'eux aurait besoin de faire un petit somme ou souhaiterait faire monter une fille dans l'espoir de voir la chance lui sourire enfin.

La grande partie de l'année précédente avait pris fin dans l'acrimonie après quarante-huit heures. Avaient changé de mains l'une des pensions de Charley Lin, la boutique de forge, deux prés, six génisses, quatre prostituées – trois polonaises et une indienne – ainsi qu'une somme de quatre mille cinq cents dollars. Les participants savouraient le prestige que leur conférait l'ampleur de leurs pertes ou de leurs gains. La partie, véritable malédiction pour les femmes des joueurs, avait un jour été interrompue par trois d'entre elles. Depuis, on se réunissait chaque année dans un lieu différent. Le sous-sol du 5-10-15 de Kouri. L'arrière-salle de la caserne de pompiers. Et, cette fois-là, le grenier du Queen Victoria Hotel. Des semaines avant que les hommes s'assoient autour de la table, tout le monde en ville y allait de sa prédiction sur l'issue de la partie et le révérend Ezekiel Shipley, qui en imputait la faute aux catins des environs, la dénonçait vertement du haut de la chaire.

McGraw n'en démordait pas.

« Ce serait immoral de te faire une place », dit-il.

Dès le départ, McGraw s'était opposé à ce que Solomon participe à leurs parties hebdomadaires. Il n'avait rien d'un homme richement pourvu, contrairement à eux. Ce n'était qu'un morveux. Du reste, McGraw aimait bien Aaron, une andouille, peut-être, mais un Juif honnête et travailleur. Kouri n'avait pas d'opinion, mais Ingram était contre, lui aussi. Quant à Kozochar, il s'y refusait catégoriquement.

« J'aurais l'impression de piquer des bonbons à un enfant.

— Son argent vaut autant que le vôtre ou le mien », disait Charley Lin avec appétit.

À les en croire, c'était pour lui donner une bonne leçon que les hommes avaient fini par admettre Solomon ; ce garçon, ils n'auraient su dire pourquoi, les agaçait. Mais il y avait une autre raison. Ils tenaient à l'impressionner avec leur argent et leur cran, le petit fils de pute.

Son grand-père avait couché avec des squaws, son père était colporteur et, malgré tout, ce gamin, ce minus d'à peine dix-sept ans, ce Juif, se pavanait dans les rues en se donnant des airs de prince héritier, promis à un brillant avenir. Comme il était prévenant et d'une politesse à toute épreuve, on avait du mal à le prendre en défaut. Si un incendie se déclarait à quatre heures, par une nuit glaciale, il allait aussi aider à passer des seaux. Lorsque Mlle Thomson tomba malade, terrassée par un de ces maux typiquement féminins, Solomon prit l'école en main, au grand plaisir des enfants. Le révérend Shipley, qui savait reconnaître l'empreinte du malin chez un bébé d'un an né pour forniquer, allait voir Solomon pour discuter avec lui des Saintes Écritures. Dans la réserve, il était, plus que tout autre, le bienvenu, et il lui arrivait de partir avec des Indiens, Dieu sait où, dix jours d'affilée. Mais il y avait chez lui quelque chose qui irritait les hommes et leur donnait envie de lui enfoncer le nez dans une merde de chien encore fumante.

Contrairement à Bernard, cet arrogant, et à Morrie (un garçon poli, gentil), Solomon ne daignait pas travailler au magasin de son père. Mais c'était parce qu'il s'y trouvait de temps à autre que des hordes de filles envahissaient A. Gursky & Fils et rougissaient s'il les saluait. Quand il en invitait une à faire une balade en boghei, c'était tout juste si elle ne tombait pas en pâmoison. Étonnamment, les autres jeunes hommes, au lieu d'être jaloux, se disputaient les faveurs de Solomon et le privilège de l'avoir comme compagnon de chasse ou de beuverie.

Un jour, Solomon, dans son boghei, était tombé sur McGraw, dont le chariot s'était enlisé dans la boue. Aussitôt, il avait mis pied à terre et proposé son aide. « Non, non, tu vas te salir », avait protesté McGraw, à genoux dans la boue, l'épaule contre la roue. Puis McGraw avait blêmi, surpris par ses propres paroles : il n'aurait dit chose pareille à personne d'autre en ville.

À sa première partie, Solomon apporta deux cents dollars, l'argent qu'il avait gagné au billard, et en fut promptement dépouillé. Mais il ne le prit pas mal. Il ne se plaignit pas. Il alla jusqu'à plaisanter. « Mon droit d'entrée », dit-il.

Ainsi, lorsqu'il revint, les hommes l'accueillirent chaleureusement et ressortirent de vieilles histoires de chasse et des récits enjolivés de leurs prouesses sexuelles, résolus à montrer au jeunot que, loin de n'être qu'une bande de ploucs bedonnants, ils étaient de joyeux drilles.

Ce jour-là, Solomon se tira plutôt bien d'affaire, jusqu'au moment où il tenta bêtement de bluffer Kouri, qui avait un brelan de dames, avec rien de mieux qu'une paire de huit et une paire de deux. La troisième et la quatrième fois, il perdit de nouveau. Et voilà qu'il était de retour et exigeait de participer à la partie d'automne. McGraw voyait sa participation d'un très mauvais œil. Si les hommes le plumaient, on leur reprocherait d'avoir profité d'un enfant ; s'il gagnait, ce serait encore plus gênant.

« J'ai dû laisser quelque chose comme cinq cents dollars sur cette table, dit Solomon. Vous me devez une place.

— On ne te doit rien du tout, dit Ingram.

— Pas d'avance, ce soir. Si tu veux jouer, dit McGraw, sûr de mettre ainsi un terme à la discussion, tu dois avoir en main au moins mille dollars. »

En guise d'appât, Solomon posa aussitôt son argent devant Charley Lin.

« Qu'est-ce que je te sers, mon garçon ? » demanda celui-ci.

Bernard apporta à son père un morceau de gâteau au miel.

« J'ai une idée, papa. »

Aaron, étourdi par la fatigue, la peau irritée par les morsures de mouches à cheval, n'écoutait que d'une oreille.

« Le vendredi soir, on pourrait faire venir un violoneux. Saler les bretzels un peu plus. Créer une ligue de fléchettes. Je sais où trouver des chopes au fond plus épais pour économiser sur la bière en fût. Morrie tiendrait la caisse.

— Et où trouverait-on la mise de fonds ?

— McGraw achète sa bière chez Faulkner. Si on changeait de fournisseur et qu'on signait un contrat avec Langham, il nous prêterait de l'argent. La banque aussi.

— La banque… mais bien sûr…

— On n'est plus en Russie, papa.

— Ce n'est pas non plus le *Gan Eden.* »

Muni de son argent, Aaron se dirigea vers un coin de la cuisine, souleva une latte du plancher, sortit son coffre, le déverrouilla, poussa un cri et tomba à la renverse, abasourdi. Fanny, penchée sur les marmites qui mijotaient sur le poêle à bois, se précipita.

« Aaron ! »

Le regard vide, il ne réussit qu'à émettre un croassement.

« L'argent a disparu.

— Il y en avait à moi, là-dedans ! » hurla Bernard en retournant le coffre et en le secouant.

En tombèrent des documents de citoyenneté, une licence de mariage, des certificats de naissance. Mais on avait pris l'argent et le titre de propriété du magasin général.

« Faut-il que je prévienne la police ? balbutia Aaron.

— Seulement si tu veux que ton fils finisse en prison, répondit Bernard.

— Comment peux-tu être sûr que c'est lui ? fit Morrie.

— Je vais lui faire la peau », dit Bernard en sortant au pas de course, Morrie sur les talons.

Lorsqu'il s'arrêta devant Boyd, le réceptionniste porcin du Queen Victoria Hotel, Bernard était tout rouge et essoufflé.

« Où se déroule la partie de poker, nom de Dieu ? »

Boyd, se fendant d'un large sourire empreint de malice, montra l'écriteau fixé derrière son bureau : il était strictement défendu de blasphémer, de cracher et de s'adonner à des jeux de hasard.

« Écoute, petit merdeux, si tu ne me dis pas où je peux trouver Solomon, je vais essayer toutes les chambres, une par une.

— Vas-y, nabot, mais n'oublie pas qu'il y a des types bâtis comme des armoires à glace qui logent à l'hôtel et que certains d'entre eux sont en galante compagnie. »

Morrie, en larmes, s'interposa.

« Je vous en prie, monsieur Boyd, il faut à tout prix que nous trouvions Solomon.

— Si je le vois, je lui dirai que vous le cherchez. »

Toute la nuit, les Gursky attendirent le retour de Solomon. Tandis que Fanny gémissait, Aaron, assis sur une chaise, les mains jointes, était plongé dans ses pensées. « Je suis trop vieux pour repartir de zéro », dit-il à la cantonade.

Le soleil se levait lorsque Bernard se glissa dans la chambre qu'il partageait avec ses frères. Il constata que deux des tiroirs de Solomon étaient vides et que sa valise avait disparu. Qu'il gagne ou qu'il perde, Solomon ne rentrerait pas.

« J'ai vu des hommes morts qui avaient meilleure mine que toi.

— Des vents contraires, dit Solomon à Minnie dans la pièce adjacente. Combien as-tu apporté ?

— Tes cinquante dollars, le billet de train, huit cents dollars à moi et mes bagues.

— Et si je perds tout ça aussi ?

— Tu dois promettre de m'épouser.

— Minnie, fit-il, d'humeur généreuse, tu dois avoir au moins trente ans.

— C'est à prendre ou à laisser.

— C'est du chantage, dit-il en saisissant l'argent.

— Voilà ce que j'appelle une belle demande en mariage. »

C'était l'heure d'ouvrir le magasin.

« Il faudrait louer des voitures, dit Bernard, et mettre notre stock en lieu sûr. Ce soir, le magasin ne sera peut-être plus à nous.

— Il est mineur, dit Morrie.

— Crétin, va. S'il cède le titre de propriété et que nous refusons d'honorer sa dette de jeu, ils vont mettre le feu à la baraque. »

Bernard se dit que Solomon ne s'en irait pas sans dire au revoir à Lena Bas-Verts. Prenant le boghei, il fonça vers la réserve. Des enfants au visage couvert d'escarres se chamaillaient dans la poussière ; l'un d'eux souffrait de rachitisme. Devant le magasin de George Deux-Haches, un ivrogne était avachi contre un arbre, et des poules maigrichonnes picotaient ses vomissures. Il y avait des mouches partout. Des corneilles voletaient au-dessus des entrailles d'un chien mort, puis repartaient avec des morceaux visqueux.

Bernard entra dans la cabane aux murs recouverts de papier goudronné. Furieux, il constata qu'elle était remplie d'articles qui ne pouvaient qu'avoir été piqués chez A. Gursky & Fils, marchands généraux. Du thé. Du sucre. En hauteur, sur une étagère, un sac de farine de dix livres ouvert. Il la trouva dans la cour, assoupie dans un fauteuil en osier au siège cassé.

« Lena ! »

Pas de réponse.

« Lena, Solomon est parti si vite qu'il a oublié de me laisser sa nouvelle adresse. »

Lorsqu'elle leva enfin le visage, aussi fripé qu'une noix, il s'aperçut qu'elle n'avait plus de dents.

« C'est important », dit Bernard en sortant une bouteille de rhum de la poche de son veston et en l'agitant devant elle.

Lena sourit. Les souvenirs affleurant, elle dit :

« Tiens, si c'est pas le garçon aux deux nombrils.

— Nom de Dieu ! L'enfant de pute ! Merde ! On a tous l'air de ça quand on sort de l'eau ! »

La tête de Lena retomba.

« Ta cabane est remplie de biens volés. Si je te dénonce, on viendra t'arrêter. »

Lena chassa une mouche.

« Où est-ce qu'il va ?

— Il part explorer le monde. »

Traversant de nouveau la cabane, Bernard s'arrêta un moment, le temps de laisser des traces de son passage, puis il alla voir Minnie. Il entra par le bar pour éviter de croiser de nouveau Boyd.

« J'ai un message pour Solomon, dit-il. Lena Bas-Verts m'a dit où il comptait se rendre.

— Pourquoi tu es couvert de farine ?

— Si mon père refuse de prévenir la police, je n'hésiterai pas à le faire, moi. Fais-le-lui savoir. »

Solomon rentra à trois heures du matin, le lendemain, et se dirigea immédiatement vers l'évier de la cuisine pour se passer la tête sous l'eau froide. Il se retourna juste à temps pour voir Bernard se ruer sur lui, les bras tendus, les doigts recourbés, prêts à griffer. Solomon le repoussa d'une claque, puis alla trouver son père et laissa tomber sur ses genoux le titre de propriété du magasin général ainsi qu'une liasse de billets de banque retenus par un élastique.

« Une partie de l'argent que tu as volé m'appartenait », dit Bernard.

Vidant ses poches une à une, Solomon empila les billets sur la table de la cuisine, plus d'argent que les Gursky n'en avaient jamais vu d'un seul coup.

« Tu penses nous impressionner ? fit Bernard. Tu as eu de la chance, pour une fois, c'est tout. »

Morrie alla faire du café et Bernard s'assit pour compter l'argent.

« Nous sommes les nouveaux propriétaires du Queen Victoria Hotel, de la maréchalerie de la Prince Albert Street et d'une pension sur Duke. L'hôtel est grevé d'une hypothèque de huit mille dollars, qu'il nous faut rembourser. Vendez la pension. En cas d'incendie, c'est une véritable souricière. La boutique de forge, c'est pour André Ciel-Clair.

— Je ne vois pas le titre de propriété de l'hôtel », dit Bernard.

Solomon mit la main dans la poche de son veston et jeta les documents sur la table.

« Tu es un bon garçon, dit Aaron.

— Mon cul, oui. Il avait l'intention de s'enfuir. C'est moi qui l'ai arrêté. »

Solomon attendit que sa mère sorte de la pièce.

« Je veux qu'on me réveille à temps pour le train de midi. Je pars pour Winnipeg. Je m'enrôle dans l'armée. S'il vous plaît, ne dites rien à maman. Je tiens à le faire moi-même. »

À la gare, Bernard, furibond, se tint à l'écart tandis que tout le monde était aux petits soins pour Solomon. Minnie et les autres putes, Lena, des filles de ferme dont il ne connaissait même pas le nom, McGraw, ivre, et Fanny Gursky, éplorée. Ensuite, Bernard déjeuna avec son père.

« Je mets l'hôtel à mon nom, car c'est moi l'aîné. »

Affublé de son chapeau mou, de son complet trois-pièces et de ses demi-guêtres, Bernard se rendit chez le notaire, puis il échangea quelques mots avec Morrie.

« Tu connais Boyd, le gros réceptionniste de l'hôtel ?

— Ouais, évidemment.

— Va lui dire qu'il est viré. C'est toi qui le remplaces. »

Ensuite, il retourna à l'hôtel et fit monter une boîte de chocolats et un gramophone à la chambre douze, puis il entra dans le bar et s'assit à la table de Minnie.

« Je ne me souviens pas de t'avoir invité à t'asseoir, dit-elle.

— Si tu veux continuer à travailler ici, tu as intérêt à me parler gentiment. C'est moi le patron, à présent.

— C'est l'hôtel de Solomon.

— Mon petit frère m'a laissé les commandes. Va m'attendre dans la douze. »

Lorsque Bernard entra dans la chambre, Minnie l'attendait.

« Prends un chocolat, dit-il. Je te les offre. Toute la boîte. Il n'y en avait pas de plus grosse.

— Merci.

— Tu lis les bandes dessinées dans le journal ?

— Je regarde les images, dit-elle en rougissant.

— Mon préféré, c'est Krazy Kat, mais j'aime aussi Abie Kabibble. Comment tu trouves le chocolat ?

— Très bon.

— Ça me brise le cœur, mais l'armée n'a pas voulu de moi. J'ai les pieds plats. Tu peux le répéter aux autres filles, ça ne me dérange pas. Mais si tu parles de ce qui se passe dans cette chambre, tu ne remettras plus les pieds dans le bar. Qu'est-ce que tu préfères ? La valse ou le ragtime ?

— Le ragtime. »

En sueur, les mains tremblantes, Bernard parvint néanmoins à mettre le disque sur le gramophone : *Alexander's Ragtime Band.*

« On danse d'abord ? demanda Minnie.

— Toi seulement. En enlevant tes affaires. Mais pas ton porte-jarretelles ni tes bas. Et tu ne dois pas me regarder, dit-il en prenant une serviette. Même pas un petit coup d'œil. »

Le disque avait fini de tourner qu'il y était encore.

« Qu'est-ce que je fais, maintenant ? » demanda-t-elle.

Il mit un autre disque : *I Love My Wife, But, Oh, You Kid.*

« Tu peux te rhabiller, et n'oublie pas tes chocolats.

— Tu ne veux pas le faire, mon chou ?

— Pas de "mon chou" qui tienne. Pour toi, je suis M. Gursky.

— M. Gursky.

— Faire quoi ?

— M'habiller.

— Merde, tu ne sais pas lire, mais, à ton âge, tu es quand même capable de mettre tes vêtements toute seule, non ?

— Désolée.

— Non, attends. Pour le soutien-gorge, je ne dirais pas non.

— Vous savez, monsieur Gursky, le chocolat me donne des boutons, mais j'adore les parfums français et les savons parfumés et tout ce qui est en soie. »

Dès qu'elle fut sortie, Bernard se lava les mains avec du savon et de l'eau et les sécha avec une serviette propre. Puis il se recroquevilla sur le lit, brûlant de honte. Plus tard, il saisit la serviette incriminée entre deux doigts et la laissa dans la chambre quatorze, qu'il savait inoccupée. Et il décida de se punir pour le petit plaisir qu'il s'était accordé. Jusqu'à la fin de la semaine, quand il irait retrouver Morrie au Susy's Lunch à seize heures, selon son habitude, il mangerait sa tarte aux bleuets sans crème glacée.

Quatre

Durant la Première Guerre mondiale, tandis que Solomon combattait outre-mer, Bernard acquit des hôtels à Regina, à Saskatoon, à Portage la Prairie, à Medicine Hat, à Lethbridge et à Winnipeg. Il avait l'intelligence de suivre le prolongement du chemin de fer et d'acheter des hôtels à proximité des gares. À six heures du matin, les hôtels offraient aux cheminots de la bière et le petit déjeuner et, lorsqu'ils rentraient le soir, leur journée terminée, un réconfort mieux adapté aux besoins de célibataires. Pour se faire une idée de la fortune grandissante des Gursky, il n'y avait qu'à voir l'augmentation de leurs mises de fonds, consignées avec soin par Morrie : elles passèrent de dix mille à trente-cinq mille avant d'atteindre cent cinquante mille dollars, somme versée à un certain Bruno Hauswasser pour le New Berlin Hotel de Winnipeg. Équipé d'un téléphone dans chacune de ses cent chambres et d'un ascenseur qui s'arrêtait à tous les étages, cet établissement était, hélas, affligé non seulement d'un restaurant qui se spécialisait dans le *Wiener Schnitzel* et la *Sauerbraten*, mais aussi d'un bar dont les affaires tournaient au ralenti depuis que le Kaiser avait marché sur la Belgique. Bernard fit paraître une réclame dans la *Tribune* pour dévoiler le nouveau nom de l'hôtel, The Victory, et annoncer que les nouveaux propriétaires, des Canadiens, ardents patriotes, offriraient tous les soirs une bière gratuite aux infirmières.

Les Gursky vendirent le magasin général et s'établirent à

Winnipeg. Le Manitoba, à cette époque, avait déjà prohibé toutes les boissons alcoolisées, exception faite de la bière de tempérance et de l'alcool utilisé « à des fins médicinales, scientifiques, mécaniques, industrielles ou sacramentelles ». Par chance, il y avait une faille commode dans la loi. Puisque le commerce interprovincial des spiritueux restait permis, Bernard acheta une maison de vente par correspondance basée dans une petite ville de l'Ontario, et Morrie devint distributeur d'un produit nommé Remède contre la toux Rock-a-Bye, qui connut, comme de raison, une immense popularité.

Scandalisés, les partisans de la prohibition accentuèrent leurs pressions sur Ottawa. De retour d'un voyage en Angleterre auprès des troupes canadiennes, un pasteur presbytérien déclara que « des garçons innocents étaient corrompus par l'alcool britannique et l'immoralité infâme de Londres ». Le révérend Sidney Lambert subodorait une iniquité encore plus grande au pays. « Je préférerais être témoin de la victoire de l'Allemagne, affirma-t-il, que de voir ces parvenus enrichis grâce aux spiritueux imposer leur loi et condamner les jeunes Canadiens à la perdition. »

En 1917, les Gursky essuyèrent non pas un, mais bien deux revers. Ottawa introduisit l'impôt sur le revenu, tracasserie que Bernard choisit d'ignorer. Puis, à la veille de Noël, un décret interdit jusqu'à la fin de la guerre l'importation de boissons enivrantes titrant à plus de 2,5 % d'alcool. À peine trois mois plus tard, soit en mars 1918, un autre décret abolit le commerce interprovincial des spiritueux.

Les mémoires de Morrie restaient singulièrement évasifs, même pour lui, sur les années qui suivirent, mais surprenaient par quelques touches poétiques : « Je ne veux surtout pas faire le récit de nos malheurs, écrivait-il, mais, au moment où nous nous extirpions de la prairie et du dur labeur de la glèbe pour accéder enfin au pays de cocagne et mordre à belles dents dans le substantifique rosbif de la vie, Solomon et Bernie commencèrent à se quereller âprement et je dus m'interposer en maintes occasions. C'est dans ce sol acide que furent semées les graines de ma future dépression nerveuse. »

Solomon rentra au printemps 1918, vêtu d'un uniforme d'aviateur, boitant légèrement et s'appuyant sur la première de ses cannes en malacca. Bernard le prit à part et l'informa de tout ce qu'il avait accompli en son absence. La famille possédait désormais neuf hôtels, dit-il, et deux maisons de vente par correspondance, l'une dans une petite ville de l'Ontario et l'autre à Montréal. Puis il leva les yeux vers lui, avide de louanges et certain de les mériter, mais il n'eut droit qu'à un geste impatient de la tête. « D'accord, rugit Bernard, tu veux que je te résume la situation ? J'ai beau travailler seize heures par jour, les maisons de vente par correspondance, depuis l'introduction de la nouvelle loi, ne valent plus un clou. Et tu sais à quoi sont bons ces maudits hôtels, à présent ? À y mettre le feu pour toucher les assurances. »

Solomon fit venir des copies des décrets, les étudia au lit et, le lendemain matin, convoqua Bernard et Morrie. « Nous nous lançons dans la vente de médicaments en gros », dit-il.

Portant son uniforme, Solomon reçut le collecteur de fonds du Parti libéral du Manitoba à dîner, au Victory. « Comme je vous envie ! s'écria ce dernier. J'aurais donné n'importe quoi pour rejoindre mon régiment, mais le premier ministre a décidé que je serais plus utile à l'effort de guerre en restant à Ottawa. »

On mit une fille à la disposition du collecteur de fonds, on lui versa un tribut considérable et le permis requis ne tarda pas à être délivré. On fit l'acquisition d'un entrepôt abandonné et la Royal Pure Drug Company of Canada vit le jour. Quelques semaines plus tard, elle produisait notamment les élixirs suivants : Ginger Spit, Dandy Bracer, Dr. Isaac Grant's Liver & Kidney Cure, Raven Cough Brew et Tip-Top Fixer. On mélangeait du sucre, de la mélasse, du jus de tabac, du vitriol bleu et de l'alcool pur dans des bassines et on laissait le tout reposer pendant une nuit. Le lendemain matin, après avoir repêché les rats morts à l'aide d'une épuisette, on remuait la solution avec une rame, puis on la filtrait avant de la teindre de différentes couleurs et de la mettre en bouteille.

Puis Solomon découvrit une autre lacune dans la loi. Un grossiste en médicaments titulaire d'un permis pouvait importer d'Écosse autant de whisky qu'il le voulait, à condition qu'il soit conservé dans un entrepôt sous douane et destiné à la réexportation. On pomponna et on parfuma une autre fille à l'intention du collecteur de fonds, de nouvelles sommes d'argent furent jetées dans la gueule vorace du Parti libéral, et on fit coup sur coup l'acquisition d'entrepôts au Manitoba, en Saskatchewan, en Ontario et au Québec. On importa du whisky écossais par wagons entiers.

Solomon eut alors une autre idée. « Pourquoi vendons-nous les spiritueux des autres alors que nous pourrions produire les nôtres ? »

On envoya donc Morrie acheter des cuves de brassage et du matériel d'embouteillage ; Solomon s'attaqua à la confection des étiquettes et retint les services d'un imprimeur. Highland Cream, Crofter's Delight, Bonnie Brew, Pride of the Highlands, Balmoral Malt, Vat Inverness, Ivanhoe Special Brand. Bernard, armé d'un livre qu'il avait volé dans une bibliothèque, insista pour se charger du brassage, qui s'effectuerait dans des cuves de mille gallons en bois de séquoia, et Solomon, amusé, y consentit. Le premier wagon rempli d'alcool éthylique titrant à soixante-cinq degrés qui arriva à l'entrepôt de Winnipeg présentait toutefois un problème, et ce n'était que le premier des nombreux chargements attendus. Cet alcool, s'il devait servir à la fabrication de spiritueux, était frappé d'une taxe de 2,40 $ le gallon ; si, en revanche, on s'en servait pour faire du vinaigre, la taxe d'accise n'était que de 0,27 $ le gallon. L'affable Lloyd Corbett, le courtier en douane obèse de Winnipeg, leur exposa la situation.

« Quelle heure est-il, mon bon ami ? demanda Bernard.

— Onze heures vingt-trois.

— Viens », fit Bernard.

Le prenant par le bras, il l'entraîna vers la fenêtre et lui montra le grand, l'infini ciel bleu de la prairie.

« Je dois avoir perdu la boule, mais je te parie mille dollars qu'il va pleuvoir avant midi. »

Lloyd Corbett se rassit, replaça ses testicules et alluma sa pipe.

« Bon Dieu, Bernie, je dois être encore plus fou que toi, parce que je suis prêt à parier deux mille dollars qu'il ne tombera pas une goutte avant treize heures. »

Pour tuer le temps, Bernard sortit une bouteille de scotch du tiroir de son bureau et en servit à Corbett une grande rasade. Quand ils étaient ensemble, il n'était jamais trop tôt.

« Je pars à la retraite le mois prochain. Je m'installe à Victoria. J'en ai assez de ces maudits hivers.

— C'est Frobisher qui te remplace ? demanda Bernard, soudain alerte.

— Non. Il va à Ottawa. On nous a déjà envoyé quelqu'un. Un gamin. Smith. Bertram Smith.

— Bon, donne-moi son adresse et je lui ferai livrer une caisse de Johnnie Walker Red pour lui souhaiter la bienvenue dans notre ville.

— À ta place, je ne ferais pas ça, Bernie.

— Et pourquoi ?

— Il est contre l'alcool.

— Marié ?

— Non.

— Je gage que j'ai en plein la fille qu'il lui faut.

— C'est un fervent pratiquant, Bernie. Il est chef scout, en plus. »

Bert Smith ne se présenta à l'entrepôt que trois semaines plus tard. À première vue, Bernard le prit pour un autre garçon de ferme désœuvré en quête d'une journée de travail : il marchait sans faire de bruit et semblait très peu sûr de lui-même. Maigrichon, Smith avait des cheveux bruns secs et séparés au milieu, le teint aussi blême qu'une poule plumée, des yeux gris aux pupilles comme des têtes de clou, un nez en lame de couteau parsemé de points noirs, des lèvres quasi inexistantes, guère plus qu'une ligne, et un menton fuyant. Son costume, trop grand pour lui, était repassé avec soin et ses chaussures en cuir noir brillaient. Au cours des présentations, Bernard comprit pourquoi Smith ouvrait si peu la bouche. Ses dents serrées n'étaient pas qu'irrégulières : elles partaient dans tous les sens. Ses gencives gonflées, d'un vilain rouge. Et son haleine, chaude et fétide.

« Je suis le nouveau courtier en douane, dit-il.

— C'est très aimable à vous de passer nous dire bonjour. Que diriez-vous d'aller prendre un café et une pointe de tarte aux bleuets au Regent ? »

Ils s'installèrent dans un box.

« D'où venez-vous ?

— De Saskatoon.

— Ma ville préférée !

— Je suis venu me renseigner sur les quatre wagons de whisky sous douane qui attendent sur une voie d'évitement.

— Vous avez un héros, Bert ? À part Jésus ?

— Jésus n'était pas un héros, monsieur Gursky. Il est notre Sauveur.

— Bon Dieu, mais vous avez tout à fait raison ! Je ne voulais surtout pas lui manquer de respect.

— Seuls ceux qui l'acceptent entreront au Royaume des Cieux. »

Ou au Manitoba Club, espèce de sale rat d'égout, songea Bernard, mais qu'à cela ne tienne.

« La vie est sacrément risquée, dit-il. Et la mort aussi, si je vous comprends bien.

— Oui.

— Moi, mon héros, c'est Baden-Powell. Vous savez, j'ai passé chez les scouts les plus belles années de ma vie, et je suis peiné de constater que les scouts d'ici n'ont même pas de salle de réunion digne de ce nom. Nous aimerions bien mettre la main à la poche, nous, les Gursky, et nous serions honorés si, en qualité de trésorier, vous acceptiez de gérer les fonds mis à la disposition du comité.

— J'aimerais savoir si le whisky sous douane est vraiment destiné à la réexportation. Le cas échéant, je dois voir les documents qui confirment sa destination finale.

— La paperasse, toujours la paperasse ! Dans ce domaine, vous avez devant vous le dernier des cancres ! Donnez-moi deux ou trois jours, et je vais vous les trouver, ces documents.

— Je repasserai mercredi prochain », dit Smith en se levant.

Il régla sa propre addition avant de sortir.

Bernard, flairant les ennuis, était dans ses petits souliers. Puis, de retour au bureau, il passa en revue les relevés bancaires du mois, et son malaise se transforma en fureur. Fonçant au Victory, il arracha Solomon à la table de poker et lui mit les preuves sous le nez.

« Je t'ai pris la main dans le sac ! hurla-t-il en agitant des chèques opposés que Solomon avait endossés. Regarde-moi ça. Trois mille dollars pour Billy Sunday. Trois mille cinq cents dollars pour la Ligue anti-saloon. Et celui-là ! Deux mille cinq cents dollars à l'ordre d'Alfonso Alva Hopkins. C'est un nom que tu as inventé. Avoue !

— Sache que M. Hopkins est un écrivain et un éditorialiste de la plus grande distinction. En 1915, il a fait campagne pour changer le nom de la rougeole allemande, plus connue sous le nom de rubéole : il voulait l'appeler la rougeole de la victoire ou de la liberté. Et aujourd'hui, il s'oppose avec encore plus de vigueur à la racaille abrutie par l'alcool (des gens comme nous, Bernie) venue d'Europe dans l'intention de corrompre la belle jeunesse chrétienne de ce continent autrefois pur.

— Si tu veux mon avis, aucun de ces chèques n'a servi à ce que tu dis. Je parie que tu as utilisé l'argent pour éponger tes dettes de jeu, ici même, à l'hôtel.

— Je retourne à ma partie.

— Mon cul, oui. Veux-tu bien me dire ce qui se passe, à la fin ?

— Nous investissons dans l'avenir. »

Deux jours plus tard, le Nebraska devint le trente-sixième État à ratifier le dix-huitième amendement. La prohibition y entrerait en vigueur l'année suivante. « Bernard, espèce de sale rapace, dit Solomon. Bernard, tu vas être plus riche que dans tes rêves les plus fous. »

Dans son enthousiasme, Bernard oublia de parler à Solomon de Bertram Smith, de lui dire qu'il repasserait la semaine suivante.

Cinq

Les documents promis par Bernard pour le whisky sous douane ne se matérialisèrent pas, et Smith n'eut d'autre choix que de signaler l'infraction au bureau de Regina. On lui reprocha son zèle. Puis, un soir qu'il patrouillait une route frontalière, Smith aperçut deux Studebaker « Whisky Six » qui fonçaient vers le sud, la suspension écrasée sous le poids d'une pleine cargaison d'alcool. Les *bootleggers* allumèrent les projecteurs fixés à la lunette arrière dans l'intention d'aveugler leur poursuivant, mais Smith les dépassa et leur coupa le chemin juste avant la frontière. Il s'agissait, en l'occurrence, de trois ouvriers de la construction au chômage, des fauteurs de troubles venus du Dakota du Nord. À la vue du maigrichon qui les avait appréhendés, avec ses dents mal alignées, ils rigolèrent.

« Dis, petit, tu vas quand même pas nous tirer dessus, hein ? »

Smith établit que les trois Américains avaient traversé illégalement la frontière la veille. Par conséquent, ils seraient détenus jusqu'au paiement de frais de douane doubles, soit environ mille huit cent cinquante dollars, somme qui leur serait remboursée à leur retour aux États-Unis.

« Hé, sois gentil et emmène-nous en ville. Les Gursky sauront te faire entendre raison. »

Bernard organisa une rencontre avec Smith, dans le bureau

de l'entrepôt. Solomon et Morrie y assistèrent également, ainsi que Tim Callaghan.

« Merci d'être venu, monsieur Smith, dit Solomon. Je vous offre un verre ?

— Il ne boit pas.

— Quel bon petit, fit Morrie.

— C'est un *putz*, oui, comme toi, dit Bernard.

— Vous désirez autre chose ?

— Non.

— De l'argent, par exemple, chantonna Bernard. Une tonne d'argent. »

Ouvrant le coffre-fort, il jeta des liasses de billets de banque sur le bureau.

« Tu pourrais te faire arranger les dents. T'acheter un costume à ta taille. Une voiture. Une maison, même. Pense à toutes les filles que tu pourrais t'offrir. Le bonheur !

— De combien d'argent parlons-nous ? demanda Smith.

— Dix mille dollars », répondit Bernard, réjoui.

Smith sortit sa plume et nota quelques mots dans son carnet.

« Mais si je recomptais, il y en aurait peut-être quinze mille.

— J'ai l'intention de vous faire jeter en prison, vos frères et vous.

— Vous en tireriez un quelconque plaisir ? demanda Solomon.

— Il est grand temps que les gens comme vous sachent que tout le monde n'est pas à vendre.

— Tu sais ce que tu vas avoir, hein, monsieur le chef scout à la noix, cria Bernard, monsieur l'insignifiant à dix-huit dollars par semaine ? Des ennuis. Voilà ce que tu vas avoir. De gros, gros ennuis.

— J'ai l'intention de rapporter vos menaces mot pour mot, dit Smith en griffonnant de nouveau dans son carnet.

— Vous avez entendu ça ? Des menaces ! Rien que ça. Va chier, avorton. Je ne menace pas les coquerelles, moi, je les écrase, comme ça, s'emporta Bernard en faisant tourner son talon sur le sol.

— Monsieur Callaghan, vous avez été témoin d'une tentative de corruption et de menaces contre ma personne. Je compte sur vous pour en témoigner devant le tribunal.

— Le patron de Tim, c'est moi, *cacker*, pas toi. Bon Dieu, pourquoi tu t'es jamais fait arranger les dents ? Non mais regardez-le, les gars, fit Bernard, la poitrine soulevée par le rire. Je gage qu'il n'a même pas encore trempé son pinceau.

— Vous êtes dégoûtant. »

Solomon dit souhaiter s'entretenir avec M. Smith en tête à tête. À contrecœur, Bernard sortit, Morrie sur ses talons. Callaghan fit mine de les suivre.

« Je m'en vais aussi, dit Smith, à moins que M. Callaghan reste.

— Vous voulez un témoin ? demanda Solomon.

— Oui. »

Callaghan resta donc dans le bureau.

« Je tiens à vous donner l'assurance, en présence de M. Callaghan, que rien ne va vous arriver, même si vous décidez de témoigner contre nous.

— Je n'ai pas peur.

— Et vous avez toute mon admiration. Vraiment. Mais les dés sont pipés contre vous. Vos supérieurs, nettement sous-payés, n'ont pas vos scrupules. Loin de louer vos efforts, ils vont tout faire pour vous anéantir. Ne témoignez pas, Smith.

— On vient à l'instant de me menacer et de m'offrir un pot-de-vin.

— Oui, mais les circonstances m'obligeront à tout nier en bloc et Callaghan mentira pour me protéger.

— Mais il sera sous serment !

— Il aura juré sur la Bible ?

— Oui, monsieur », dit Smith.

Il s'en voulut beaucoup d'avoir dit « monsieur », mais il y avait chez Solomon quelque chose d'impérieux.

« Smith, si c'est la justice que vous cherchez, ne comptez pas la trouver ici-bas. Attendez plutôt d'être là-haut. J'en ai déjà assez sur la conscience sans vous. Acceptez l'argent ou refusez-le, c'est comme vous voulez, mais, de grâce, ne courez pas de risques inutiles. »

Après le départ de Smith, Solomon se servit un verre de scotch et tendit la bouteille à Callaghan.

« Tu savais, Tim, que Calvin avait fréquenté à Paris la même école que Rabelais ? Le Collège de Montaigu.

— Et si je n'ai pas envie de mentir à la barre des témoins après avoir juré sur la Bible ? Juste pour sauver ta peau ?

— Les choses risquent de se corser. »

Bernard était de retour, suivi de Morrie.

« La méthode douce a échoué, pas vrai ?

— C'est un homme de principes.

— Alors quelqu'un va s'occuper de lui ?

— Je lui ai promis que rien ne lui arriverait.

— C'est très noble de ta part, mais je n'ai rien promis, moi. Lansky accepterait de nous donner un coup de main. Little Farvel nous doit une faveur. Ou on pourrait faire appel à Longy.

— Pas question.

— Bon, c'est très bien. On ira en prison et on apprendra à coudre des sacs postaux ou à estamper des plaques d'immatriculation. Pourquoi ce seraient toujours les mêmes qui se payent du bon temps ? *Dis quelque chose, Morrie !*

— Comme quoi ?

— Dis que tu ne veux pas aller en prison.

— Je ne veux pas aller en prison.

— Avec un frère comme lui, qui a besoin d'un perroquet ? Bon sang, Solomon. Il faut que quelqu'un s'occupe de lui.

— Qu'as-tu pensé de Smith, Tim ? »

Callaghan haussa les épaules. Il semblait préoccupé.

« Et si c'était à ça que ressemblaient les saints, de nos jours ? Des dents gâtées. Un cou plein de furoncles. Animé d'une haine dévorante. »

Morrie s'approcha de Solomon.

« Il est dangereux, à ton avis ?

— Oui.

— Regardez, dit Bernard. Il va courir aux toilettes. »

Morrie s'immobilisa au milieu de la pièce.

« Tu vas faire quoi, là ? Pisser dans ton froc parce que je prends les choses en main ? Vas-y, pour l'amour du ciel. »

Puis Bernard se tourna vers Callaghan.

« Si ça ne te dérange pas, j'aimerais dire un mot à mes frères.

— Bien sûr, fit Callaghan en sortant.

— Tim risque de témoigner contre nous pour sauver sa peau.

— Tu ne le ferais pas, toi, à sa place ?

— Parle à Lansky. Il faut que quelqu'un s'occupe de Smith. »

Solomon se servit un autre verre.

« Tu crois que ce n'est pas contre ma nature à moi aussi ? » demanda Bernard.

Six

Parmi les piles de documents relatifs aux Gursky qui encombraient la cabane de Moses et y accumulaient la poussière se trouvait un numéro du *Cunarder* de mai 1933. Au nombre des reportages figuraient « La Havane, gaie capitale de Cuba » et « Allégresse hivernale en Tchécoslovaquie ». Une double page montrait également des « personnalités transatlantiques » posant sur le pont du *Berengaria*, de l'*Aquitania*, du *Caronia* et du *Mauretania*. Il y avait notamment la duchesse de Marlborough, l'ex-miss Consuelo Vanderbilt, Mme Luisa Tetrazzini, vedette de la Metropolitan Opera House de New York, et Mme George F. Gould, « parfaite incarnation de l'expression *Filiae pulchrae, matre pulchrior* ». Une photo de Solomon Gursky était accolée à celle de Mme Gould. « En ce moment, rien n'est d'une actualité plus brûlante que la fin possible de la prohibition aux États-Unis. On voit ci-dessus un important distillateur canadien étroitement lié au déferlement d'alcool qui menace d'inonder l'Amérique. Il sourit, adossé au garde-corps du pont de l'*Aquitania*, où, à l'occasion d'un récent voyage en Angleterre, il a accepté de se faire photographier. »

Sur une fiche attachée à la photo par un trombone, Moses avait noté que, quelques mois plus tôt, le 27 février 1933 pour être précis, la Chambre des représentants et le Sénat des États-Unis avaient adopté une résolution visant à abroger le dix-huitième amendement. La résolution devait être ratifiée par un vote majoritaire de trente-six États. Franklin Delano Roosevelt, grand pourfendeur de la prohibition, devint le trente-deuxième président des États-Unis le 4 mars et, début avril, on autorisa la vente de bière à 3,2 %. H. L. Mencken goûta un verre du nouveau produit au bar du Rennert Hotel de Baltimore. « Pas mal du tout, déclara-t-il. Un autre, s'il vous plaît. »

En mai, Solomon embarqua pour l'Angleterre, prétendument en route vers Édimbourg, où il devait conclure un partenariat pour le marché américain avec les puissants McCarthy Distillers Limited de Lochnagar, juste au-dessus de Balmoral. Mais au cours des trois mois suivants, on n'eut plus de ses nouvelles, à part les cartes postales moqueuses qu'il envoyait de loin en loin. En provenance de Berlin, de Munich, de Londres, de Cambridge et, enfin, de Moscou. Pendant ce temps-là, M. Bernard, furibond, ne resta pas les bras croisés. Il fit l'acquisition d'une distillerie en Ontario et d'une autre au Tennessee. Solomon rentra à Montréal début octobre.

« Comment ça s'est passé en Écosse ? demanda M. Bernard, les yeux exorbités.

— Tu sais très bien que je n'y ai pas mis les pieds. Vas-y donc, toi, Bernie.

— Parce que j'ai besoin de ta permission, peut-être ? Mon cul, oui. »

M. Bernard fit le voyage fin octobre et se rendit vite compte que, maintenant qu'on allait mettre un terme à la prohibition, les barons écossais des spiritueux ne voyaient plus en lui la personne la plus apte à représenter leurs intérêts en Amérique. En fait, ils semblèrent plutôt amusés par sa présomption. Irrité, M. Bernard séjournait au Savoy, à Londres, lorsque l'Utah devint le trente-sixième État à se prononcer en faveur de la fin de la prohibition. C'était désormais officiel. On était le 20 novembre et, à la une de l'*Evening News*, on pouvait lire la manchette suivante :

LA PROHIBITION EST MORTE
LES MORMONS L'ONT ENTERRÉE
YOUPI !
C'EST LE RETOUR DES BEAUX JOURS !

Solomon, au grand étonnement de M. Bernard, ne se moqua pas de lui en le voyant rentrer les mains vides. Il avait équipé son bureau d'une radio à ondes courtes et d'un lit de camp. Toutes sortes de crapules au regard fuyant, vêtues de drôles de costumes à la mode européenne et essaimant de la cendre de cigarette à gauche et à droite, venaient l'y voir et repartaient les poches bourrées de billets de banque.

« Qu'est-ce qu'on achète ? demanda M. Bernard.

— Du juif.

— Tu as bientôt fini de te payer ma tête ? »

Solomon avait déjà effectué le premier d'une série de voyages – tous aussi exaspérants les uns que les autres – à Ottawa, cette fois pour rencontrer Horace MacIntyre, le sous-ministre de l'Immigration. MacIntyre, célibataire et membre du conseil de son église, était connu dans l'ensemble de la fonction publique pour sa droiture. S'il envoyait une lettre personnelle de son bureau, il avait soin de donner deux cents pour couvrir les frais de poste.

MacIntyre écouta avec une certaine impatience le plaidoyer de Solomon en faveur des réfugiés.

« Ne nous cachons pas derrière des euphémismes, monsieur Gursky. Par "réfugiés", vous entendez "Juifs".

— On m'avait dit que vous étiez un homme à la fois perspicace et direct.

— On classe en général les Juifs dans la catégorie des "immigrants non privilégiés", non pas en raison de leur race, préjugé que je trouve répugnant, mais du fait qu'ils dédaignent le travail agricole et minier.

— Mon grand-père a travaillé dans les mines d'Angleterre

avant de venir ici, en 1846, et mon père a été agriculteur dans les prairies.

— Je crois comprendre que vous avez trouvé depuis une occupation plus rentable. »

Solomon esquissa un sourire satisfait.

« Si nous ne pouvons pas ouvrir les vannes, c'est parce que votre peuple, composé de citadins convaincus, s'arrogerait des emplois que pourraient occuper des personnes nées ici ou des immigrants venus de la mère patrie.

— Les Juifs comptent pour moins de 1,5 % de la population actuelle du pays », dit Solomon.

Il décrivit ensuite certaines des scènes dont il avait été témoin en Allemagne.

« Il se trouve, dit MacIntyre, que j'admire les écrits de M. Walter Lippmann, un de vos coreligionnaires, bien qu'il ne le clame pas sur tous les toits. Il est d'avis que la persécution des Juifs sert une fin utile dans la mesure où elle satisfait l'appétit de conquête des Allemands. Après avoir mûrement étudié la question, il y voit même une sorte de paratonnerre apte à protéger l'Europe. Évidemment, c'est embêtant, monsieur Gursky, mais il n'y a pas lieu de céder à la panique. »

L'été venu, M. Bernard était dans tous ses états. La rumeur courait que le premier ministre avait l'intention de mettre les frères Gursky en prison et de jeter la clé. Chaque soir, en attendant que le gouvernement engage des poursuites et les accuse, notamment, de ne pas s'être acquittés des droits de douane sur de l'alcool de contrebande, M. Bernard réunissait ses avocats, furieux de voir Solomon rester silencieux pendant leurs conciliabules, apparemment indifférent au sort qui les attendait. À présent, c'était M. Bernard qui faisait l'aller-retour entre Montréal et Ottawa, une, voire deux fois par semaine, transportant de grosses sommes d'argent dans sa mallette et rentrant avec des tableaux de Jean-Jacques Martineau, qu'il entassait dans un placard. Son agitation était telle qu'il mit un mois à s'apercevoir de l'absence de Morrie.

Un matin, il déboula dans leurs premiers bureaux montréalais, rue Sherbrooke, en ouvrant les portes à coups de pied, et fouilla les toilettes.

« Où est mon frère ? demanda-t-il.

— Du calme, monsieur Bernard », dit Tim Callaghan.

Soûlon d'Irlandais. Adorateur du Christ.

« Ah ouais ? Et pourquoi ?

— Parce que, au train où vous allez, ces jours-ci, vous risquez de vous donner un ulcère.

— Les ulcères, c'est moi qui les donne. Maintenant, vous avez intérêt à me dire où est Morrie. »

On envoya chercher Solomon.

« Tu lui as vraiment balancé un cendrier à la tête ? demanda Solomon.

— Il n'avait qu'à se pencher, cet imbécile.

— Morrie en a assez de toi. Il en a assez de vomir son petit déjeuner tous les matins. Il s'est retiré à la campagne avec Ida et les enfants. »

M. Bernard fondit sur la secrétaire de Morrie. Terrifiée, elle dessina une carte qui l'aiderait à trouver la maison de son frère dans les Laurentides. Sous la menace, elle lui parla de son atelier. Essuyant injures et crachats, elle révéla qu'il y fabriquait des meubles. M. Bernard la renvoya. « Prenez votre sac et votre lime à ongles – le bruit me rend fou –, votre parfum de chez Kresge à dix cents le gallon et votre boîte de Kotex, et foutez le camp. » Ensuite, il fit venir sa limousine et mit le cap sur Sainte-Adèle.

Morrie, qu'on avait prévenu, attendait dans le salon, la tête sur les genoux d'Ida. Puis il sortit de sa torpeur et alla se poster à la fenêtre en faisant craquer ses jointures. Lorsque la limousine s'immobilisa enfin au bout de la longue allée, M. Bernard bondit hors du véhicule, mais il ne prit pas tout de suite la direction de la grande ferme rénovée sur la colline dominant le lac. Surpris, Morrie le vit plutôt se diriger tout droit vers le potager. Arracher des plants de tomates. Piétiner des carrés de laitue. Déraciner des choux à coups de pied. Écrabouiller des aubergines en sautant dessus. Tirer une fourche d'un tas de fumier et s'en servir pour maltraiter des plants de maïs. Puis il courut jusqu'à la porte, qu'il martela de ses poings.

« Regarde mon costume ! Regarde mes chaussures ! Je suis couvert de merde. »

Il se rua dans la salle à manger, tira sur la nappe de lin qui recouvrait la table (le vase rempli de roses se fracassa sur le sol) et essuya la chair d'aubergine de ses mains et de ses chaussures.

« Dis-lui que tu ne remettras pas les pieds là-bas ! hurla Ida.

— Ton père, c'était qui ? Un petit Juif qui possédait une épicerie avec une balance réglée pour donner quatorze onces à la livre et qui vivait dans une cabane où il n'y avait même pas de toilettes. Quand on sortait chier dans les latrines, on devait protéger ses couilles contre les bourdons. Aujourd'hui, tu portes des diamants et des visons que je te paie au risque de ma vie. File dans ta chambre. J'ai à parler à mon frère. »

Ida s'enfuit. En haut des marches, juste avant de claquer la porte de sa chambre et de la verrouiller de l'intérieur, elle cria :

« Hitler !

— Loin de moi l'idée mais, si c'était ma femme, je lui apprendrais les bonnes manières, c'est moi qui te le dis. Combien as-tu payé pour cette bicoque ? »

Morrie le lui dit.

« Quelle superficie ?

— Trente acres.

— Pff. Si je voulais m'installer à la campagne, j'aurais au moins cent acres, une maison plus grande, située sur la rive ensoleillée du lac, et des planchers qui ne grincent pas. »

Il fut secoué de rire.

« Ils t'ont vu venir, espèce de *putz*.

— Probablement. »

M. Bernard s'approcha de la fenêtre.

« Et là, fit-il en montrant du doigt une bâtisse recouverte de bardeaux, manifestement neuve, c'est l'atelier où tu fabriques tes meubles ?

— Oui.

— Il paraît que tu fais des bibliothèques sur commande et qu'une boutique de Sainte-Adèle vend même tes créations. »

M. Bernard s'empara d'une délicate desserte.

« C'est toi qui as fait cette toute petite table de merde ?

— Oui.

— Tu en demandes combien ?

— Dix dollars.

— Je t'en donne sept, dit M. Bernard en comptant les billets, parce que tu me la vends directement. Tu n'as donc rien à verser au revendeur, au *goy* de Sainte-Adèle. »

Puis il renversa la desserte et se mit à lui sauter dessus.

« Tu es mon frère, espèce de brouteur de minou ! Et si les riches antisémites de Sainte-Adèle achètent la merde que tu fabriques, c'est seulement pour pouvoir dire : "Hé, tu sais qui m'a fait cette petite table bancale à la noix qui m'a coûté dix dollars ? Le frère de M. Bernard." Tu ne peux pas me faire ça. Je veux te voir au bureau demain matin, à huit heures. Sinon, je le démolis à coups de hache, ton atelier. »

Morrie ramassa les vestiges de sa desserte et les déposa à côté du foyer.

Hors d'haleine, M. Bernard s'effondra sur le canapé et s'épongea le visage avec un mouchoir.

« Qu'est-ce qu'il y a pour dîner ?

— Des côtes de veau.

— Et ?

— Des pommes de terre rôties.

— C'est ce que j'ai mangé hier. Elle ne pourrait pas me faire du kacha, à la place ?

— Je peux lui demander.

— Mieux vaut que tu dises que c'est pour toi. Hé, tu te souviens des *kishkas* de maman ? Elle me gardait toujours le plus gros morceau. Il faut dire que j'étais son chouchou, hein ?

— Oui.

— Et comme entrée ?

— Il reste du bortsch d'hier soir. »

M. Bernard bâilla. Il s'étira. Il souleva une fesse et laissa fuser un pet.

« Eddie Cantor joue ce soir. Tu as la radio ?

— Dans les montagnes, la réception n'est pas toujours très bonne.

— On pourrait jouer au gin… Bah, pas la peine. Je mangerai mieux chez moi. Mais je ne dirais pas non à un *popsicle.* Tu n'en aurais pas dans la glacière, par hasard ?

— Je t'attendais, non ? »

Morrie revint avec deux *popsicles* et chiffonna les emballages.

« Hé, qu'est-ce que tu fais ? s'écria M. Bernard en les récupérant et en les lissant. On peut gagner une bicyclette en remplissant le coupon au dos. À quelle heure je t'attends au bureau, demain matin ? »

Morrie se remit à faire craquer ses jointures.

« Sois raisonnable, pour une fois, Morrie. Sans toi, comment veux-tu que je trouve un terrain d'entente avec Solomon ? J'ai besoin de ton appui pour pouvoir le battre à la régulière.

— J'en ai assez d'être pris en étau entre vous deux.

— C'est bien. Dis-lui ! » hurla une voix du haut des marches.

Outré, M. Bernard bondit sur ses pieds, les bras tendus, les doigts recourbés, prêts à griffer.

« Et le jour où je te ferai du kacha, espèce d'*oysvorf,* il sera saupoudré d'arsenic », cria Ida avant de battre en retraite.

Cette fois, elle poussa la commode contre la porte.

« Tu ne peux même pas imaginer l'attitude de Solomon en ce moment, notre cinglé de frère, dit M. Bernard en se laissant tomber de nouveau sur le canapé. On était mieux lotis quand il courait après les jolies filles. Maintenant, il passe ses nuits au bureau, parfois avec Callaghan. Ils sifflent une pinte chacun. Solomon écoute la radio à ondes courtes, joue toute la nuit avec le cadran. Il se tape tous les discours d'Hitler.

— Je ne remettrai plus les pieds au bureau, dit Morrie.

— Je te donne jusqu'à lundi, mais c'est tout. »

M. Bernard rentra à la nuit tombée, mais il ne se donna pas la peine de téléphoner au domicile de Solomon. Il n'y était jamais. Le lendemain matin, il découvrit que son frère était retourné à Ottawa, où il soulevait des remous au moment où les Gursky n'avaient surtout pas besoin d'ennemis en haut lieu.

Solomon dit à MacIntyre :

« J'ai acheté deux mille acres de terres agricoles dans les Laurentides ainsi que…

— Où ça, dans les Laurentides ? demanda MacIntyre.

— Près de Sainte-Agathe. Pourquoi cette question ?

— Ah, Sainte-Agathe, fit MacIntyre, soulagé. Depuis des années, je passe mes vacances d'été et d'hiver au Chalet Antoine, à Sainte-Adèle. Vous connaissez ?

— Non. J'ai acheté deux mille acres ainsi qu'un troupeau de bœufs et de vaches laitières, et j'ai en main une liste de personnes qui ont promis de s'établir là-bas.

— Êtes-vous vraiment en train de me demander d'accueillir plus de Juifs dans la province de Québec, monsieur Gursky ?

— Pourquoi pas ? »

MacIntyre demanda qu'on lui amène un dossier.

« Jetez un œil là-dessus, voulez-vous ? »

C'était un éditorial du *Devoir* dans lequel il était écrit que le Juif qui possédait une boutique boulevard Saint-Laurent ne faisait rien pour accroître les ressources naturelles du pays. Puis MacIntyre lui tendit la copie d'une pétition déposée devant le Parlement par Wilfred Lacroix, député libéral. Elle avait été signée par plus de cent vingt mille membres de la Société Saint-Jean-Baptiste opposés « à toute forme d'immigration, en particulier l'immigration juive », au Québec.

« Pour faciliter les choses, je serais disposé à acheter des terres en Ontario ou dans les Maritimes.

— Je suis ébahi par l'importance de vos moyens, monsieur

Gursky, mais un problème se pose. Votre race a ceci de différent qu'elle a, comment dire, une propension exaspérante à s'organiser mieux que les autres. Arrêtez de vous démener dans l'intention d'inonder le pays d'amis, de parents et de pseudo-agriculteurs. J'ai les mains liées. Je suis navré. »

À son arrivée dans le vieil immeuble de McTavish, le lendemain matin, Solomon trouva M. Bernard, qui l'attendait.

« Comment ça s'est passé ? demanda Solomon.

— Morrie n'a pas voulu entendre raison.

— Laisse-le tranquille, Bernie.

— Écoute, le procès est imminent. Bert Smith se met à table. Si je suis appelé à témoigner, il y a des gens qui vont trouver que je n'ai pas une tête honnête. Toi, tu seras si arrogant que le juge va te prendre en grippe. Morrie est adorable. Tout le monde l'aime. Mais il faut lui dire quoi faire. Alors ressaisis-toi et ramène-le ici.

— Je dois aller à Sainte-Adèle mercredi prochain. Je passerai voir Morrie, mais je ne te promets rien. »

En fait, Solomon devait se rendre au Chalet Antoine, l'hôtel le plus élégant de Sainte-Adèle, sis au sommet d'une colline, au milieu des pins, des cèdres et des bouleaux argentés, d'où on avait une vue sur le lac Renaud que les dépliants touristiques qualifiaient d'enchanteresse. Sur un panneau accroché au portail, on lisait :

CLIENTÈLE RESTREINTE SEULEMENT

Solomon s'y présenta vers la fin d'un bel après-midi d'automne. Il alla tout droit au bar, décoré avec goût : pin naturel, plafond aux poutres apparentes. Il y avait un tableau montrant Howie Morenz qui se faufilait vers le but. Et aussi des photos de Red Grange, Walter Hagen et Bill Tilden. Une porte-fenêtre s'ouvrait sur une terrasse dallée et bordée de massifs de glaïeuls, qui surplombait les courts de tennis et le lac. Six clients se trouvaient dans le bar. À une table, une femme et un homme corpulents, d'âge mûr, revenaient manifestement du terrain de golf. Elle portait une jupe à carreaux et lui des *knickerbockers.* Un homme, sans compagnie, épluchait les pages boursières du *Star.* Un couple occupait une autre table. Lui contemplait le vide d'un œil froid ; elle se concentrait sur son exemplaire d'*Anthony Adverse.* Et il y avait aussi une adorable jeune femme, assise seule, qui buvait un verre de vin blanc en écrivant une lettre sur une feuille de papier de riz, du genre qu'on devait faire venir d'outre-mer. Ses cheveux blond miel étaient retenus par une barrette en ivoire. Ses lèvres, maquillées de rouge, étaient charnues mais sévères. Elle portait un haut rayé, une jupe plissée bleu marine et des chaussures de tennis. Des magazines jonchaient sa table. *Vanity Fair, Vogue.* Lorsque Solomon entra, elle leva le regard – en plissant légèrement les yeux, signe qu'elle était myope – et retourna à sa lettre. L'intrus avait été jugé sans intérêt.

Solomon s'assit, déplia un journal en yiddish et appela le serveur. « Du whisky, s'il vous plaît. Glenlivet », demanda-t-il en français.

L'homme qui regardait le vide se pencha pour dire quelques mots à l'oreille de sa femme. Elle posa son livre et mit son sac en sécurité sur ses genoux. La détresse balaya la table des golfeurs, tel le vent avant un violent orage. Quant à la jeune femme assise seule, elle continua d'écrire sa lettre.

Paul, le serveur velu et baraqué, alla chercher le gérant et l'accompagna à la table de Solomon. M. Raymond Morin. Un chapon avec une moustache en guidon.

« Ah, dit Solomon, le patron. »

Il répéta sa commande.

« Je dois vous demander de partir.

— Ne soyez pas stupide, Raymond, dit la jeune femme assise seule. Servez-le et qu'on en finisse.

— Il y a d'autres bars…

— Dépêche-toi, mon vieux », dit Solomon.

Puis l'homme qui épluchait les pages boursières du *Star* dit :

« Je comprends que la politique de l'hôtel puisse vous sembler odieuse, mais je ne conçois pas qu'un homme veuille s'installer là où il n'est pas le bienvenu.

— L'argument n'est pas sans fondement, admit Solomon.

— Appelle la police, Paul.

— Inutile, monsieur Morin. La police est en route, dit Solomon avant de répéter une nouvelle fois sa commande.

— Nous avons pour politique de ne pas servir les gens de votre espèce.

— Vas-y, dis-lui, Ray, fit la femme du golfeur.

— J'ai acheté cet hôtel hier après-midi.

— Ne me faites pas rire.

— Quant à ces deux-là, dit Solomon en désignant le golfeur et sa femme, vous me les flanquez à la porte avant le dîner.

— Quel toupet ! »

La jeune femme assise seule posa son stylo.

« Ah ! Je vois. La politique de l'hôtel n'a pas changé : seule la nature de la clientèle prohibée est différente. »

Sur ces mots, elle réunit ses affaires et sortit sur la terrasse.

Le lecteur des pages boursières sourit.

« Vous êtes avocat ? demanda Solomon.

— J'ai bien peur de m'être engagé à représenter la partie adverse, monsieur Gursky.

— C'est une loi ridicule.

— Mais qu'avons-nous, sinon la loi ? Et il reste encore un ou deux meurtres à expliquer.

— Mais pas celui de Bert Smith. N'était-ce pas aimable de ma part ?

— Stupide, plus vraisemblablement.

— Ce pays n'a pas de branche maîtresse. Il a Bert Smith. Son essence même. »

Sur ces entrefaites, deux agents de la police provinciale arrivèrent. Côté et Pinard.

« Que pouvons-nous faire pour vous, monsieur Gursky ?

— C'est moi le gérant de cet établissement, protesta M. Morin.

— Évitez de vous couvrir de ridicule, Raymond, dit l'avocat. Si M. Gursky affirme qu'il a fait l'acquisition de cet éléphant blanc, je suis sûr que c'est vrai. En somme, il s'est fait avoir.

— Votre sollicitude me touche, mais cet hôtel affiche complet à compter de vendredi après-midi.

— À votre service. Au fait, je m'appelle Stuart MacIntyre. Vous connaissez mon frère Horace, je crois.

— Et comment !

— Il viendra me rejoindre ici vendredi. »

Solomon sortit sur la terrasse. Elle était assise à la table la plus éloignée, où le soleil caressait ses cheveux et ses bras nus.

« Vous avez vraiment acheté l'hôtel ?

— Oui. Vous permettez que je m'assoie ?

— Vous avez les moyens d'acheter tous les hôtels à clientèle restreinte des Laurentides ?

— Laissez-moi me présenter.

— Je sais qui vous êtes et ce que vous êtes, monsieur Gursky. Je m'appelle Diana Morgan. Pas la peine de me dévisager ainsi. Vous n'avez pas la berlue. J'ai un œil bleu, l'autre brun. Vous irez en prison ?

— J'en doute.

— Ne sous-estimez pas Stu MacIntyre.

— Vous le connaissez, évidemment.

— Il est marié à une Bailey. Ma tante. Stu et mon père vont à la chasse au canard ensemble.

— Vous restez longtemps à l'hôtel ?

— Je suis là pour suivre des cours de tennis. Nous avons un chalet pas très loin d'ici.

— Dînez avec moi. »

Elle déclina l'invitation d'un signe de tête.

« Votre frère me fabrique une bibliothèque. Quel homme charmant. »

Se levant, Solomon dit :

« Toutes mes excuses pour la scène dont vous avez été témoin.

— Vous espériez provoquer une rixe, là-dedans, n'est-ce pas ?

— Oui, admit-il, surpris.

— Mauvais calcul. Ces personnes assommantes, mais sympathiques, détestent les esclandres plus encore qu'elles détestent les Juifs.

— Je me moque bien de ces gens-là.

— Y a-t-il une chose dont vous ne vous moquez pas ?

— Je suis à la recherche du royaume du prêtre Jean », dit-il en rentrant dans l'hôtel.

Le prêtre Jean. Elle voulait qu'il revienne. Restez, songea-t-elle à lui lancer, parlez-moi encore un peu, monsieur Solomon Gursky. Mais ce satané Stu était dans le bar. Il allait sûrement tout raconter à son père. Pas de chance. Bah, se dit-elle, en me dépêchant de rentrer, j'aurai le temps de nager avant le repas.

Solomon, debout près de la fenêtre, la vit se diriger vers sa voiture, un phaéton sport Biddle & Smart vert foncé. Il la suivit des yeux jusqu'à ce qu'elle ait disparu.

« Vous n'êtes arrivé à rien avec elle, pas vrai, Gursky ? »

Se tournant vers la salle, Solomon se trouva face à face avec le golfeur, dont les yeux pétillaient de méchanceté.

« Comment oses-tu me parler sur ce ton ? » dit Solomon.

Il bondit, saisit l'homme par la gorge et le plaqua contre le mur.

Plus de cent ans après que Maïmonide eut écrit Le Guide des égarés, *tes ancêtres, trinquant à leur santé réciproque avec des tasses remplies de leur sang, vivaient dans de vilaines huttes de terre et dormaient à même le plancher, enveloppés dans des plaids crasseux.*

« Lâchez-le ! » cria la femme du golfeur.

Lorsque Spinoza publia son Éthique, *tes ancêtres faisaient encore porter à leurs enfants des amulettes contre le mauvais œil et tournaient autour de leurs vaches avec du feu pour les prémunir contre d'éventuelles blessures.*

« Je vous en prie, monsieur Gursky. Il étouffe. »

Solomon tira le golfeur vers lui, puis le repoussa violemment. Sa tête heurta le mur. Sa femme cria de nouveau. Les deux agents de la police provinciale intervinrent et obligèrent Solomon à lâcher prise.

« Hé, ça suffit, dit Pinard. Ça suffit. »

Sept

La grassouillette, la ridicule Ida, maquillée à l'excès, lui ouvrit. Solomon apportait des cadeaux. Pour elle, un flacon de parfum. Pour Barney, un énorme ours en peluche. Il offrit à Morrie un jeu complet de pierres à aiguiser dans un coffret en cèdre, un ensemble de râpes et de riflards importé d'Angleterre, ainsi qu'une demi-varlope en hêtre rouge.

« Il ne retourne pas au bureau », dit Ida.

Solomon la berça dans ses bras, posa un baiser sur ses joues charnues.

« Mon Dieu, Ida, tu as rajeuni de dix ans. Si tu n'étais pas mariée à mon frère, je te courrais après sans plus tarder.

— On n'a qu'à lui donner une pièce de vingt-cinq cents et à l'envoyer au cinéma.

— Tu restes longtemps ? demanda Morrie.

— Quelques jours, peut-être.

— Merveilleux », fit Morrie, effrayé.

Solomon leur parla de la canicule qui sévissait à Montréal, où il devenait difficile de dormir.

« Franchement, dit-il, vous êtes beaucoup mieux ici.

— Tu aurais dû emmener Clara et les enfants », dit Ida, curieuse.

King Kong, avec Fay Wray, passait au Palace, raconta Solomon, et le nouveau film avec Jean Harlow était à l'affiche du Loew's. Tout le monde fredonnait le succès du dernier spectacle de Moss Hart et Irving Berlin. Solomon, qui avait apporté le disque, le posa sur le gramophone :

She started a heat wave,
By letting her seat wave.
And in such a way that the customers say,
That she certainly can can-can.

Ida remit le disque et dansa le shimmy au son de la musique.

« Personne ne danse avec moi ? demanda-t-elle.

— Non », répondit Morrie.

Pendant le repas, Ida interdit à Solomon de tremper ne fût-ce que son petit orteil dans le lac. Il n'avait pas été mis en quarantaine comme la rivière du Nord à Prévost. La situation était nettement moins catastrophique qu'à Montréal, où tous les camps de jour pour enfants avaient été fermés. Mais on avait déjà confirmé neuf cas de polio à Sainte-Agathe et six à Sainte-Adèle.

« Ne te brosse même pas les dents avec l'eau du robinet. Demain matin, je t'en apporterai de la fraîchement bouillie dans ta chambre.

— Solange peut s'en charger.

— Hé, Barney Tartempion, c'est de mon beau-frère qu'il s'agit, non ? »

Solomon remplit le verre de vin d'Ida et exigea ensuite de visiter l'atelier. Morrie hésita.

« Moi, en tout cas, dit Ida, je n'ai pas peur de ce qui risque de m'arriver dans le noir. Je l'emmène, si tu veux.

— Reste ici.

— Des secrets, lança Ida à leur suite. Des blagues cochonnes, peut-être. Tu penses vraiment que je n'ai pas envie de rire un bon coup, moi aussi ? »

L'atelier était alimenté par une chaudière à bois. L'établi – en hêtre étuvé, la surface traitée à l'huile – était fait selon la mode européenne. Il y avait un étau et des trous pour un valet à l'avant, un renfoncement pour ranger les outils à l'arrière. Solomon se dirigea au fond, fit courir sa main sur les planches empilées avec soin sur des chariots en métal. Pin, chêne, cèdre, noyer cendré, cerisier. Il alla ensuite admirer les outils accrochés méticuleusement à des panneaux perforés ou posés sur des tablettes. Maillets, mouchettes, riflards et petits rabots, ciseaux à épauler ou à dégarnir, gouges à ébaucher, scies à archet et à découper, gabarits à goujonner et goupilles, nécessaire à fileter.

« Je sais qu'il faut que je témoigne au procès, dit Morrie. Ne t'inquiète pas. Je ferai tout comme il faut.

— C'est toi qui as fait ça ? »

Une chaise de cuisine. Solomon s'y assit.

« Tu en as assez vu. Allons-y.

— Et cette bibliothèque aussi ? demanda Solomon en passant sa main sur le côté légèrement raboteux.

— Une commande d'une cliente. Rentrons, maintenant. »

Solomon s'assit à l'établi et joua avec l'étau.

« Elle va passer la prendre ou c'est toi qui vas la livrer ?

— Elle doit venir vendredi de la semaine prochaine avec le gardien de sa propriété. Ils ont une camionnette.

— Invite-la à prendre le thé.

— Je savais bien que tu avais une idée derrière la tête. Écoute-moi bien, monsieur le coureur de jupons, il se trouve qu'elle est la petite-fille de Sir Russell Morgan. Je t'en prie, Solomon. »

Morrie fit craquer ses jointures et soupira.

« Tu viens à peine d'arriver et j'ai déjà des palpitations. D'accord, d'accord, je vais l'inviter à prendre le thé, mais à condition que tu me promettes de te tenir tranquille.

— Tu me laisserais essayer de fabriquer quelque chose ici ?

— Tu rigoles ? Ce n'est pas fait pour les débutants. Et plusieurs de mes outils sont très délicats. »

De la fenêtre de la cuisine, Ida beugla : « Je pue et même mes meilleurs amis refusent de me le dire, c'est ça ?

— Je prendrai soin de tes outils. »

Tôt le lendemain matin, Morrie conduisit Barney aux écuries du comte Gzybrzki, où il devait monter un poney shetland. Parfumée et poudrée, Ida grimpa en vitesse dans la chambre de Solomon.

« Prêt ou pas prêt, j'arrive avec un broc plein d'eau, lança-t-elle en riant. Mais pas de trucs olé olé, d'accord ? »

Le lit était désert.

Lorsque Morrie revint, Ida broyait du noir devant son troisième café, accompagné de pain grillé tartiné de confiture de fraises.

« Je le croyais avec toi, dit-elle.

— Tu ne vas pas me croire, mais Solomon est dans l'atelier, où il tente de fabriquer un meuble. Il faudra lui dire que c'est très beau, peu importe le résultat.

— Je vais lui apporter à manger.

— Ni toi ni moi ne devons nous approcher. Il a pris les clés. Il dit que c'est une surprise.

— Pour moi ?

— Ne sois pas ridicule.

— Ne sois pas ridicule toi-même. Je vois bien qu'il me déshabille des yeux, cet homme-là. »

Solomon, au travail dès six heures et demie, avait commencé par allumer la chaudière. Puis il avait cherché des équerres, sélectionné des maillets et des ciseaux ainsi que d'autres outils essentiels. Dans un gros seau, il trouva quatre poignées de tiroir en laiton mélangées à d'autres articles du même genre. Elles étaient encastrables, en plein ce qu'il voulait. Passant les planches en revue, il faillit se laisser tenter par de l'érable piqué, mais il opta en fin de compte pour du cerisier. Difficile à travailler, mais robuste. D'un brun clair, il avait, en son cœur, une teinte ambrée qui foncerait avec le temps, les pores suivant le contour des anneaux de croissance. Il tria les planches, les huma et les caressa, puis les examina de près, à la recherche de gerces et de gauchissements. Il y avait bien assez de bois. Encore heureux, puisque Solomon prévoyait beaucoup de perte. Mis à part les poignées des tiroirs, pas une vis ni un clou ne viendraient gâcher son travail. Des rainures et des languettes ou des tenons et des mortaises serviraient à assembler le meuble. Il avait en tête une coiffeuse. Elle conserverait dans un tiroir son journal intime, truffé de rêveries de jeune fille, et dans un autre les bijoux avec lesquels il l'éblouirait. Il y aurait sûrement un sachet parfumé dans chacun des tiroirs. Dessus, un chandelier en argent, un bol en cristal rempli de pot-pourri, ses brosses et son miroir à main. Les soirs d'été, la fenêtre ouverte pour laisser entrer la brise venue du lac, elle s'y assoirait pour coiffer sa chevelure blond miel, comptant les coups de brosse.

Solomon était résolu à finir la table avant vendredi midi, mais, le premier jour, il se contenta d'équarrir le bois, d'en aplanir les bords avec un rabot à retoucher.

Il avait croisé le père de la jeune femme une seule fois. Toute une pièce d'homme. Je m'appelle Russell Morgan, Jr., c. r. Contemplez mon héritage, ô puissants, et désespérez. Très actif au sein de l'Empire League, il était colonel dans le Black Watch. C'était l'associé principal du cabinet Morgan, MacIntyre & Maclean. Incompétent et porté sur la bouteille, il était toléré de ses deux jeunes associés en raison du prestige de son nom et de ses précieux contacts au sein de la bonne société du Golden Square Mile. Il était d'un snobisme notoire. En toute justice, il avait aussi quelque chose d'un don Quichotte. Deux fois, il s'était présenté aux élections fédérales sous la bannière des conservateurs et, deux fois, il avait mordu la poussière. Un jour, un perturbateur libéral qui assistait à l'un de ses discours lui posa une question en français. Russell Morgan, Jr. tenta de la balayer d'un geste de la main, mais l'homme insista.

« Est-il possible que vous ne parliez pas français, vous dont la famille est ici depuis si longtemps ?

— Je n'ai pas plus besoin de parler français, mon bon monsieur, que j'aurais besoin de comprendre le chinois si je vivais à Hong Kong. »

M. Bernard, terrifié par les rumeurs selon lesquelles le brillant Stuart MacIntyre représenterait le gouvernement devant le tribunal, avait eu l'imprudence d'entrer directement en contact avec le cabinet. Russell Morgan, Jr. n'avait jamais été témoin d'une telle outrecuidance. Aussi M. Bernard tenta-t-il de les séduire avec des chiffres, mais il ne fit qu'aggraver son cas.

« N'est-ce pas la meilleure, celle-là, les gars ? »

M. Bernard joua alors son va-tout.

« Je me demande si vous savez que votre grand-père et le mien ont déjà brassé des affaires ensemble. La New Camelot Mining & Smelting Company, ça vous dit quelque chose ?

— Mlle Higgins va vous raccompagner jusqu'à la sortie, Gursky, aussi sûrement que Stu MacIntyre va vous faire mettre derrière les barreaux, vos frères et vous. C'est tout ce que vous méritez. Je vous souhaite une bonne journée. »

La lumière du jour déclinait lorsque Solomon, se glissant dans la cuisine, trouva Ida, aigrie, qui l'attendait.

« Ida, tu es ravissante. »

Ses cheveux permanentés, qui lui arrivaient aux épaules, étaient remontés en un chignon plat. Elle portait une robe Chanel en dentelle noire, dont les coutures menaçaient d'éclater.

« Ça ? C'est une vieillerie », dit-elle en rentrant le ventre.

Lorsque Ida servit le repas à la chandelle, Barney, qui avait déjà mangé, était au lit. Morrie, d'excellente humeur, dit :

« Je devrais peut-être le prendre comme apprenti. Qu'en dis-tu, Ida ? »

Le matin, Solomon sortait à six heures et demie et ne rentrait qu'à la nuit tombée. Mais il ne passait pas tout son temps dans l'atelier. Il allait aussi se promener. Une fois, il l'aperçut de loin. Sereine au milieu de son jardin de roses, où elle coupait des fleurs pour décorer la table. Elle portait un chapeau de paille à larges bords agrémenté d'un ruban rose. *Sur la table, elle gardera le livre qu'elle lit. Il sera dans une liseuse en cuir repoussé avec un signet en soie rouge.* Raison et sentiments, *disons, ou encore* Vies des poètes anglais les plus célèbres, *du Dr Johnson. Le soir, il lui fera la lecture. Il lui parlera d'Ephraim en terre de Van Diemen et à bord de l'*Erebus, *de son grand-père à elle qui l'avait retenu prisonnier dans un hôtel de Sherbrooke.*

« Dis, lança Ida, tu veux que je donne un coup de balai, là-dedans ? C'est trente sous de l'heure, mais bas les pattes, compris ?

— C'est une surprise. Je te l'ai déjà dit, fit Morrie. Il ne veut pas nous y voir.

— Au fait, tu n'as pas oublié, Morrie ? demanda Solomon.

— Quoi donc ? demanda-t-elle.

— Mlle Diana Morgan vient prendre le thé, répondit Morrie en détournant les yeux.

— Dites donc, j'habite ici, moi aussi. Pourquoi n'ai-je pas été prévenue ?

— Il te prévient maintenant.

— Si tu crois que tu vas la baiser, mon vieux, tu te fourres le doigt dans l'œil jusqu'au coude.

— Ida ! s'écria Morrie.

— Ida, mon cul ! Blablabla. Quand Solomon est dans une pièce, même une pinte de lait est en danger. Pauvre Clara, je ne dirai que ça. »

Ida repoussa sa chaise et, d'un pas lourd, se dirigea vers la porte de la salle à manger, mais elle s'arrêta dans l'embrasure.

« Elle ne va pas venir, Solomon. À la dernière minute, elle va décider que son canasson a besoin d'un shampoing ou qu'elle doit aller à confesse. Pardonnez-moi, mon père, mais, samedi dernier, sur une charrette de foin, Harry McClure m'a embrassée sur la bouche et a glissé sa main sous ma jupe. Décrivez-moi ça en détail, mon enfant.

— Elle n'est pas catholique, dit Morrie.

— Et alors ? Moi non plus.

— Et qui est Harry McClure ? demanda Solomon.

— Un des nombreux *jeunes* hommes qui lui courent après. Tu parles d'une bande de *naches*. C'est la petite-fille de Sir Russell Morgan, après tout. Si je ne les connaissais pas, ces gens-là, je m'entraînerais déjà à faire des révérences, mais je sais qu'elle ne mettra pas les pieds ici. À voir la tête que fait son père quand il me croise sur la route… On dirait qu'il a marché dans une crotte de chien. »

La table en cerisier fut terminée le vendredi midi. Solomon la recouvrit d'un drap, ferma la porte à clé, puis alla prendre un bain et se changer. À l'heure dite, soit quatre heures trente pile, une camionnette Ford s'engagea dans la longue allée sinueuse qui conduisait à la maison. Émile Boisvert, le gardien de la propriété des Morgan, venait chercher la bibliothèque. « Mlle Morgan vous présente ses excuses, dit-il. Elle est souffrante. »

Solomon fonça tout droit dans l'atelier, s'empara d'une hache et, évitant la table au dernier instant, l'enfonça dans le sol. Puis il transporta le meuble, toujours couvert, dans la maison.

« Ma surprise ! » s'écria Ida en trépignant.

Solomon annonça qu'il était attendu à Montréal et qu'il ne pourrait pas rester pour dîner, puis il tira sur le drap pour révéler la table.

« Ça, c'est de l'ébénisterie », dit Ida.

Morrie promena sa main sur la surface. Il se pencha pour caresser les pieds. Il ouvrit et referma un tiroir.

« Dis quelque chose, fit Ida en lui donnant un petit coup de coude.

— C'est magnifique. »

Tôt le lendemain matin, Morrie se traîna jusqu'à son atelier, s'assit devant l'établi, se prit la tête entre les mains et pleura. Il emballa ses outils, recouvrit son établi et son tour à pédale d'un linge, puis cadenassa la porte, résolu à ne jamais y remettre les pieds.

Ida avait apporté son pain grillé et sa confiture dans le salon, où elle pouvait admirer la table tout en grignotant.

« Nous rentrons à Montréal », dit Morrie.

Ida essuya ses doigts collants sur une serviette de table et remit le disque sur le gramophone.

She started a heat wave,
By letting her seat wave.
And in such a way that the customers say,
That she certainly can can-can.

Elle dansa le shimmy. Il la regarda faire.

Huit

Lorsque Moses se rendit au Chalet Antoine par un après-midi du printemps 1968, l'hôtel avait changé de mains plusieurs fois. Dans sa plus récente incarnation, il était devenu une maison de retraite, et des septuagénaires prenaient le soleil sur la terrasse dallée où Solomon avait un jour parlé à Diana du royaume du prêtre Jean. Sans s'attarder, Moses fila tout droit à la maison sur le lac, qui appartenait toujours à M. Morrie. Par chance, le gardien canadien-français, vieil homme de bonne compagnie, accepta de manger avec lui une crêpe aux pommes arrosée de quelques bières, au village, avant de lui faire faire le tour de la propriété et de la résidence.

« La famille ne vit plus ici, expliqua-t-il, mais M. Morrie veille au grain. Ça lui arrive de ne pas venir pendant des mois, puis il débarque deux fois dans la même semaine. »

Des draps recouvraient les meubles.

« Que fait-il quand il vient ?

— Parfois, il reste assis pendant des heures sur la balançoire, sous l'érable, perdu dans ses pensées. »

L'atelier était verrouillé.

« Vous avez la clé ? demanda Moses.

— Désolé, monsieur Berger, mais je suis le seul à avoir le droit d'y entrer.

— Je ne comprends pas.

— Eh bien, il faut huiler les machines, vous savez, nourrir

et polir le bois, chasser les indésirables, comme les écureuils et les mulots.

— M. Morrie s'en sert encore ?

— C'est drôle que vous me posiez la question. Une fois, je l'ai vu regarder par la fenêtre et j'aurais juré qu'il pleurait. Hé, un instant, monsieur Morrie, je cours chercher la clé. Non, non, il a répondu. Pas maintenant. Mais peut-être un jour. »

Puis Moses poursuivit sa route jusqu'à ce que les habitants du coin appelaient encore avec fierté le domaine de Sir Russell Morgan, où l'insaisissable Diana avait enfin accepté de le recevoir. Empruntant une grande allée sinueuse, Moses longea lentement une petite pommeraie, un bosquet d'érables à sucre, des écuries, une grange, un court de tennis, une immense serre, un cabanon de rempotage, une planche d'asperges, un carré de framboises et de nombreuses autres parcelles labourées, séparées par des murets de brique, où poussaient déjà des fleurs et des fruits qu'il ne pouvait qu'imaginer. Des jonquilles ici, là, partout, avant d'arriver à la résidence principale. Bardeaux blancs. Grande galerie. Porte en chêne massif, butoir en laiton poli. Une domestique conduisit Moses au solarium, où Diana McClure était assise dans un fauteuil en osier, au milieu des plantes vertes. Un œil brun, un œil bleu.

« Je peux vous offrir autre chose que du thé, monsieur Berger. Une boisson plus revigorante, par exemple.

— Du thé, ça ira très bien, merci beaucoup.

— En vous voyant venir, j'ai remarqué que vos pneus avant étaient dangereusement mous. Sur le chemin du retour, il faut absolument que vous vous arrêtiez au garage de M. Laurin pour lui demander de vérifier la pression. La première rue à gauche avant d'arriver au bas de la côte. S'il montre peu d'empressement, dites-lui que c'est moi qui vous envoie.

— Je n'y manquerai pas, dit Moses avant de marmonner quelques mots flatteurs au sujet des jardins.

— C'est une forme de tyrannie. Je me l'impose, certes,

mais c'est une tyrannie quand même. Je n'ose pas m'absenter à ce moment-ci de l'année, où tout s'apprête à éclore avec urgence.

— Y compris les mouches noires.

— Vous jardinez, vous aussi ?

— Je suis novice et peu doué.

— Dans ce cas, je vous recommande de ne pas lire trop de livres. Ils ne feront que vous décourager et semer la confusion dans votre esprit. Procurez-vous un exemplaire du livre de Vita Sackville-West, *A Joy of Gardening*, et suivez ses conseils.

— Entendu. Merci.

— Vous ne notez rien ?

— Si, bien sûr, dit Moses en cherchant son stylo. C'est très gentil à vous de me laisser vous importuner de la sorte, madame McClure.

— Ce n'est rien. Mais je doute que je puisse vous être utile. Vous permettez que je vous pose une question sans détour ?

— Je vous en prie.

— Dans votre lettre, vous m'avez dit travailler à une biographie de Solomon Gursky. J'admire votre ténacité, monsieur Berger. Mais, après toutes ces années, qui s'intéresse encore à ce sujet ?

— Moi.

— Et c'est la seule raison valable pour entreprendre un tel projet. À présent, dites-moi pourquoi.

— Oh là là, c'est une histoire longue et compliquée.

— Si vous n'êtes pas pressé, moi, j'ai tout mon temps. »

Inquiet, Moses se rendit compte qu'elle le mesurait à l'aune de ses intuitions, dont il ignorait tout. Soudain, il se mit à vider son sac à la manière d'un écolier un peu cruche. Il lui parla de la fête d'anniversaire de Lionel. D'Ephraim Gursky. De sa relation avec Lucy. D'Henry dans l'Arctique. Puis, soudain, il s'interrompit, étonné de son audace.

« La famille collabore ?

— Non.

— Il est vrai que Solomon et M. Bernard se détestaient cordialement.

— Pourquoi dites-vous ça ?

— Allons donc, monsieur Berger. Cette question n'est pas digne de vous », dit-elle en riant, non sans coquetterie.

Moses rougit.

« Au risque de vous paraître présomptueuse, je pense que vous pourriez vous inspirer d'*À la recherche du baron Corvo,* d'A. J. A. Symons. Brillant, selon moi.

— Oui.

— Vous avez un éditeur ?

— Hum, non. Disons que c'est encore un peu prématuré.

— La maison McClelland & Stewart est la plus audacieuse du lot, à mon avis, bien que ses campagnes promotionnelles me semblent un tantinet vulgaires. Cependant, elle serait probablement plus intéressée par une biographie du pauvre M. Bernard.

— Pourquoi "pauvre" M. Bernard ? demanda Moses en se raidissant.

— J'imagine, dit-elle en souriant, que vous pensez que je suis mal disposée envers lui parce qu'il est juif.

— Non, mentit Moses.

— Vous ne trouvez pas ça exténuant ?

— Pardon ?

— Moi, ça m'épuiserait.

— Je ne suis pas sûr de vous suivre.

— Être juif. Ce statut, en dépit des avantages qui l'accompagnent, colorait toutes les réactions de Solomon. Comme vous, il se dressait toujours sur ses ergots. Je ne suis pas antisémite, monsieur Berger, et je ne considère pas la contrebande d'alcool comme une honte. Au contraire. C'était terriblement futé et, franchement, c'est à peu près la seule chose intéressante dans la vie de M. Bernard. Si j'ai utilisé les mots "pauvre M. Bernard", c'est parce qu'il n'attendait, de cette bande de minables qui forment notre prétendu establishment, qu'un siège au

Sénat. Une requête somme toute raisonnable. Pour ma part, je me serais fait une joie de lui en donner deux.

— À propos de Solomon.

— Et de moi ?

— Oui.

— On vous a dit que nous avions eu une aventure, dit-elle, le désarçonnant.

— Oui. Mais je ne veux surtout pas m'immiscer dans votre vie privée, protesta-t-il maladroitement.

— Bien sûr que si, jeune homme. Sinon, qu'êtes-vous venu faire ici ?

— Désolé. Vous avez tout à fait raison.

— La discrétion n'est certainement pas le trait dominant de notre époque, monsieur Berger. J'ai vu à la télévision le président des États-Unis soulever sa chemise et baisser son pantalon pour nous montrer les cicatrices sur son ventre. Les personnalités publiques, qu'il s'agisse d'ivrognes, de coureurs de jupons ou même d'escrocs, semblent toutes ressentir le besoin d'écrire des best-sellers torrides dans lesquels elles s'apitoient sur leur sort et battent leur coulpe par simple appât du gain. Ce que je veux dire, ajouta-t-elle en s'adoucissant un peu, c'est que, malgré mon désir de vous être utile, je ne peux pas vous faire de confidences qui pourraient porter préjudice à M. McClure ou à mon fils.

— Au risque de vous sembler impoli, je me demande pourquoi vous avez accepté de me recevoir.

— C'est une question sensée. Et tout à fait légitime. Laissez-moi y réfléchir. Je suis peut-être une vieille dame qui s'ennuie et qui a laissé sa curiosité prendre le dessus. Attendez. Il y a autre chose. Je lis les recensions de livres que vous publiez à l'occasion dans le *Spectator* ou dans *Encounter,* et votre intelligence ne me laisse pas indifférente. Il m'a semblé que vous étiez un jeune homme sensible et je ne m'étais pas trompée. »

Moses, aux anges, se demanda s'il risquait de passer pour un arrogant en mentionnant avoir obtenu une bourse Rhodes. Il décida de tenir sa langue.

« J'ai besoin de temps, monsieur Berger. Je dois réfléchir à toute cette histoire. »

Avant son départ, elle demanda au jardinier de lui apporter un panier d'asperges.

« Ne jetez pas l'eau dans laquelle vous les aurez fait cuire – jamais plus de douze minutes, comme vous le savez sans doute, sans mouiller les pointes – et vous aurez la base d'un bouillon des plus nourrissants. Et n'oubliez pas, je vous prie, de faire vérifier la pression de vos pneus, sinon je vais me faire du mauvais sang à l'idée de vous savoir sur la route.

Sur le chemin de Montréal, Moses éprouva un certain bien-être, un sentiment inhabituel pour lui.

> Dites que je suis las, dites que je suis triste,
> Dites que je suis malade et pauvre,
> Dites que je suis vieux, mais ajoutez :
> Jenny m'a embrassé.

Bon, pas tout à fait. Mais Diana McClure, née Morgan, a dit de moi que j'étais un jeune homme intelligent et sensible. Pas mal, songea-t-il.

Neuf

Au lieu de retourner directement à sa cabane des Cantons-de-l'Est, Moses se rendit à Montréal et s'arrêta chez Tim Callaghan. Inévitablement, ils se mirent à parler de Solomon.

« Solomon plaisantait toujours aux dépens de quelqu'un, dit Callaghan, et il ne se souciait guère des conséquences. Prends le tour qu'il a joué en achetant le Chalet Antoine, à Sainte-Adèle. Loin d'être ravis, les gens de Fancy Finery ont été intimidés dès qu'ils sont descendus des autocars loués pour l'occasion et qu'ils ont vu dans quel genre d'établissement ils allaient loger. Courts de tennis. Terrains de boulingrin. Croquet. Canots. Pas de bouteille d'eau de Seltz sur les tables, mais un serveur snob qui leur a présenté une carte des vins et un menu en français auquel ils ne comprenaient rien. Pâté de foie gras. Ris de veau. Tournedos. Deux ou trois maris plus dégourdis que les autres se sont entassés dans une camionnette et ont foncé à Prévost, d'où ils ont rapporté un sac rempli de poulets et de poitrine de bœuf casher, des marinades dans des bocaux d'un gallon, des miches de pain de seigle et j'en passe, puis leurs femmes se sont emparées de la cuisine. Mais après, des salauds se sont regroupés dans des embarcations pour regarder, bouche bée, les grosses dames qui se faisaient bronzer en soutien-gorge et en culotte bouffante et les hommes qui jouaient à la belote en sous-vêtements. Les bénéficiaires des largesses de Solomon, pour l'essentiel confinés dans l'hôtel, ne rêvaient que de la tabagie du coin et de leur perron. Si tu as faim, Moses, il y a des œufs dans le frigo. Mme Hawkins met un X sur ceux qui sont cuits dur. »

Moses rouspéta.

« Bon, la prochaine fois que tu m'honoreras d'une visite-surprise, je m'arrangerai pour avoir un garde-manger bien garni. Passe-moi la bouteille.

— Tiens.

— S'il devait y avoir un point tournant, je pencherais pour Sainte-Adèle plus que pour le procès. Après Sainte-Adèle, tout a changé entre les frères. Ce sont de pures conjectures de ma part, mais j'ai l'impression que c'est à ce moment-là seulement que Bernard a compris qu'il devait se débarrasser de Solomon pour survivre. Quant au pauvre Morrie, il aurait été plus charitable de le castrer purement et simplement que de l'humilier devant sa femme en dévoilant cette superbe table en cerisier. Et Solomon, l'insatiable Solomon, a finalement eu ce qu'il méritait. “Je sais qui vous êtes et ce que vous êtes, monsieur Gursky.”

— Je suis allé la voir cet après-midi à Sainte-Adèle.

— Diana McClure ? Et qu'as-tu appris ?

— Que je suis amoureux.

— Sérieusement.

— C'était incroyable. C'est elle qui m'a interviewé, et non l'inverse. Elle a été extrêmement polie, mais elle n'a rien voulu dire. Par égard pour son fils. Son mari.

— Le fils est un bon à rien et Harry McClure un rustre. Il prend régulièrement part à ces épouvantables repas au Beaver Club. Moustache, bouc, redingote et chapeau de castor. Excuse-moi, dit Callaghan en se levant, mais ma vessie n'est plus ce qu'elle était. »

À son retour, Callaghan prit place dans son fauteuil, saisit la bouteille et dit :

« Voici comment je vois les choses. Le Canada, c'est moins un pays qu'un ramassis des descendants mécontents de peuples vaincus. Les Canadiens français, qui s'apitoient sur leur sort ; les enfants des Écossais qui ont fui le duc de Cumberland ; les Irlandais, la famine ; et les Juifs, les Cent-Noirs. Puis il y a les paysans venus d'Ukraine, de Pologne, d'Italie et de Grèce, bien commodes pour faire pousser le blé, extraire le minerai, taper du marteau et faire tourner les restaurants, mais que, autrement, il vaut mieux garder là où ils sont. La plupart d'entre nous s'entassent toujours le long de la frontière, le nez collé à la vitrine du magasin de bonbons, effrayés par les Américains d'un côté et par l'immensité sauvage de l'autre. Et maintenant que nous sommes ici, que nous prospérons, nous faisons de notre mieux pour exclure les nouveaux arrivants, si mal élevés qu'ils nous rappellent trop nos viles origines, qu'il s'agisse de la boutique du marchand de nouveautés à Inverness, du *shtetl* ou de la tourbière en Irlande. Où en étais-je, déjà ?

— Solomon.

— Ah oui. Solomon. S'il y a une chose que même un homme de génie ne peut pas surmonter, ce sont ses origines. Il n'était pas du même monde qu'elle. D'accord, le grand-père de cette femme était un escroc, mais, en récompense de ses efforts, on l'a fait chevalier. Tout comme Sir Hugh Allan. Si les Jésuites ou les rabbins avaient mis la main sur Diana, elle s'en serait mieux tirée : elle aurait eu de grands mystères à élucider, de vrais obstacles à franchir. Mais elle a fréquenté la Miss Edgar's & Miss Cramp's School, où on lui a appris à ne pas croiser les jambes, à ne pas rire fort au cinéma et à ne jamais manger en public. En vertu de l'éducation qu'elle a reçue, une dame ne doit voir son nom publié dans le journal que trois fois : au moment de sa naissance, de son mariage et de son décès. Et voilà qu'apparaît un beau jour ce Juif extraordinaire à la réputation sulfureuse et qui ne s'avoue jamais vaincu. Elle était à la fois fascinée et terrifiée. Elle n'a pas assisté au procès et il ne le lui a jamais pardonné. Et cette femme n'est qu'une des épaves que Solomon a semées dans son sillage. Maudit soit-il.

— Mais je croyais qu'il était ton ami.

— Tu ne comprends rien. Je me considère comme chanceux d'avoir côtoyé un homme animé d'une telle fougue. Je l'adorais. »

Moses prépara les asperges en posant les pointes sur une boule de papier d'aluminium pour éviter qu'elles trempent dans l'eau, puis il demanda à Callaghan s'il avait un récipient vide à lui prêter.

« Pour quoi faire ?

— L'eau de cuisson fera un bouillon des plus nourrissants. »

Dix

La seconde lettre de Diana McClure, remise à titre posthume, se lisait comme suit :

Après une première lettre où j'ai longuement divagué et où je me suis quelque peu apitoyée sur mon sort, je le crains, au moment de vous dire adieu, voici que je prends de nouveau la plume.

Pardonnez-moi.

Je l'ai inventé, le garçon qui passait avec sa canne à pêche, en route vers le ruisseau, et qui a détourné les yeux avec pudeur devant mon crâne d'œuf. J'ai cru que c'était une liberté acceptable, une jolie touche littéraire. Imaginez la scène : tandis qu'une vieille dame assise dans son fauteuil roulant attend la mort en pleurant ce qui aurait pu arriver, Huck Finn passe avec sa canne à pêche. La vie continue. À la réflexion, c'est une image plus larmoyante qu'originale. Mensongère, en tout cas.

Vous vous êtes enquis de ma première rencontre avec Solomon au Chalet Antoine, lorsque j'étais jeune et sotte, mais plutôt jolie, et qu'il était porté par une telle insolence, un tel appétit et, par-dessus tout, une telle rage.

À ce moment-là, je croyais fermement avoir quitté le bar parce que je ne souhaitais pas assister à la scène violente que l'intrusion de Solomon ne manquerait pas de provoquer.

Encore un mensonge. Je flirtais, je lui envoyais un signal. Je dési-

rais qu'il me suive sur la terrasse. Mais je voulais d'abord qu'il me suive de ses yeux de braise, me voie marcher à grands pas sur des jambes qui ne m'avaient encore jamais trahie et sur lesquelles je croyais pouvoir compter pour toujours. Regarde, Solomon Gursky. Regarde, regarde. Diana Morgan n'est pas comme les autres. Elle n'est pas seulement intrigante, avec son œil brun et son œil bleu, mais aussi plutôt intelligente. Les choses qu'on se rappelle avec la sénescence… La malédiction du souvenir. J'avais deux magazines avec moi, Vogue et Vanity Fair ; je les ai cachés, pour qu'il ne me juge pas trop frivole, et j'ai regretté de ne pas avoir pris mon exemplaire d'Ulysse, qui l'aurait impressionné. Alors pourquoi, lorsqu'il est venu me retrouver sur la terrasse, ai-je refusé son invitation à dîner ? Parce que j'avais peur du qu'en-dira-t-on, de ce que raconteraient les autres s'ils découvraient le pot aux roses, en particulier Stu MacIntyre. Mais, par-dessus tout, j'avais peur du bouillonnement que Solomon suscitait en moi.

Aussitôt rentrée au chalet, j'ai lu l'article de l'Encyclopedia Britannica consacré au prêtre Jean. Puis je suis allée me baigner dans ce lac qui finirait par entraîner ma perte.

Par un marchand de Sainte-Adèle, j'ai appris que Solomon n'était pas retourné à Montréal et qu'il séjournait chez son frère. Lorsque Morrie m'a invitée à prendre le thé, j'ai tout de suite compris et j'ai commencé à compter les heures, réfléchissant à la tenue que j'allais porter, imaginant notre conversation, peaufinant des tournures de phrases qui sauraient me faire briller. À table, j'ai eu une affreuse dispute avec mon père et Stu MacIntyre. Mon père, je dois le préciser, était à juste titre d'humeur massacrante. La veille de l'invitation de Morrie, il avait dû rentrer à Montréal parce que, en son absence, notre maison avait été dévalisée. Il ne savait pas encore que, moins d'une semaine plus tard, la police récupérerait tous les objets volés, sauf un portrait de moi. À mes yeux, la perte n'avait rien de bien terrible.

Selon Stu MacIntyre, Solomon était non seulement un bootlegger notoire, mais aussi un assassin qu'il avait la ferme intention de

faire emprisonner. Mon père m'a rappelé que son propre père, Sir Russell Morgan, s'était fait escroquer par le grand-père de Solomon, Ephraim.
« Ce Juif lui a vendu des terrains dans les Cantons-de-l'Est qui, prétendait-il, regorgeaient d'or, puis il s'est évanoui dans la nature. »
En fin de compte, la fièvre s'est abattue sur moi et j'étais incapable de bouger, sans parler d'aller prendre le thé. Émile Boisvert, qui s'occupait de notre propriété, a expliqué que j'étais souffrante, mais Solomon ne l'a pas cru. Profondément offensé, il a bien failli démolir la table qu'il avait fabriquée pour moi. Je suppose que vous l'avez reçue et que vous la traitez à la cire d'abeille comme je vous l'ai recommandé.
Les premiers jours du procès n'ont fait qu'aggraver le malentendu. Tous les matins, Solomon parcourait la salle des yeux, déçu que je ne sois pas venue, à tout le moins par simple curiosité. Puis il a discuté avec Stu MacIntyre, qui lui a appris que la polio avait fait de moi une invalide. Solomon a envoyé une voiture à mon domicile et nous nous sommes rencontrés dans une suite de l'hôtel Windsor, qu'il louait sous un nom d'emprunt. Nous nous sommes revus le lendemain; le surlendemain, nous sommes devenus amants. Solomon a été sidéré par ce que les draps lui ont révélé. Non seulement j'avais les yeux de deux couleurs différentes, mais, en plus, j'étais vierge. Cela a suscité chez lui un élan de tendresse, peut-être un peu forcé, et j'ai pour la première fois entrevu son côté vulgaire, sa tendance à fanfaronner un tant soit peu.
Nos rencontres clandestines dans cette suite, agrémentée de roses rouges et noyée sous des flots de champagne, présentaient de multiples difficultés. En ville, Solomon était un visage connu, c'est le moins qu'on puisse dire, et mon état ne passait guère inaperçu. Mon père et ses acolytes étaient des habitués du bar de l'hôtel, au même titre qu'Harry McClure, avec qui j'étais plus ou moins fiancée. Je ne pouvais jamais passer la nuit avec Solomon. Il s'en offensait tellement que j'ai fini par m'en prendre à lui :

« Comment est-ce que tu t'en tires si facilement, toi, avec une femme et deux enfants ?
— Ils ne signifient rien pour moi. »
Je lui ai reproché d'être sans cœur.
« Je suppose. Oui. Mais c'est la vérité. »
Il a balayé d'un revers de la main mes inquiétudes à propos du procès.
« À tout prendre, a-t-il un jour dit en riant, des procès plus importants se déroulent en ce moment même à Moscou. »
Mais, tout en faisant les cent pas dans la suite, il fustigeait ses accusateurs.
« Vous autres… Ah, vous autres… Mon grand-père est venu ici aux côtés de Franklin et il a traversé l'Arctique à pied. Enfant, je suis rentré seul de la mer Polaire. De quel droit osez-vous me juger ? MacIntyre. R. B. Bennett. De pauvres idiots. Seul Smith n'est pas hypocrite. »
Ses moqueries envers Bernard, qu'il abhorrait, offraient un spectacle désolant, mais la seule fois que j'ai osé critiquer son frère, Solomon m'a prise à partie.
« En Angleterre, il y a trois cents ans, peut-être même cent, voire cinquante – ou dans la France de l'Ancien Régime –, les pérégrinations de mon futé de frère auraient valu à la famille un titre de noblesse, et non des accusations criminelles. Vous autres… Ah, vous autres… Il suffit de creuser un peu dans le passé de n'importe quelle famille noble pour découvrir son Bernard. Le fondateur aux mains sales. L'assassin. Des gens certainement pas mieux et peut-être bien pires que mon frère. D'ailleurs, Bernard est béni. Il est assez idiot pour croire que tout ce qui est important pour lui est important. »
Nous avons donc eu nos moments d'intimité, quelques soirées – si peu – du seul véritable amour que j'aie connu, moi qui, au moment où j'écris ces lignes, ai soixante-treize ans. Triste confession, sans doute. Mais la plupart des gens ont dû se contenter de beaucoup moins.
Oui, mais pourquoi ne me suis-je pas enfuie avec lui, comme il me

l'a demandé, en me suppliant presque ? Pourquoi n'ai-je pas couru vers une nouvelle vie remplie de dangers ? Ces questions, je les retourne sans cesse dans ma tête depuis lors.

« Je passerai te prendre à six heures, demain matin. Nous laisserons tout derrière nous. Nous voyagerons sans bagages. »

Oui, oui, ai-je dit, mais, à cinq heures du matin, je lui ai téléphoné dans sa suite pour lui demander pardon, lui dire que c'était impossible.

« J'en étais sûr », a-t-il dit en raccrochant, en me réprouvant, juste avant de prendre l'avion qui le conduirait à sa mort.

La mienne aussi, en un sens, même si je vais m'attarder ici-bas pendant encore quelques mois.

Il m'est resté la table en cerisier et les photos que j'ai découpées dans les journaux du lendemain et que je regarde encore presque tous les jours. Solomon en uniforme d'aviateur, posant à côté de son Sopwith Camel, sur une piste d'atterrissage, « quelque part en France ». Solomon assis en compagnie de « Legs » Diamond dans cette boîte de nuit au nom ridicule, le Hotsy-Totsy Club.

Je pense que c'est la dernière soirée que nous avons passée ensemble à l'hôtel Windsor qui m'a décidée à ne pas partir. Ce soir-là, en boitant vers la salle de bains, j'ai senti ses yeux se poser sur ma jambe difforme, ses yeux de braise qui me jugeaient, et un frisson m'a traversée, un frisson comme je n'en avais jamais connu et n'en connaîtrais plus jamais. Tout d'un coup, j'ai compris qu'il y avait quelque chose de sombre en lui, quelque chose des Gursky, et qu'il finirait par me reprocher mon imperfection, que la passion qu'il éprouvait pour moi se transformerait en pitié. Il me serait impossible de vieillir dignement en compagnie d'un homme désireux de découvrir d'autres femmes, d'un homme qui avait besoin d'être dans l'œil du cyclone. J'avais le cœur brisé, mais, à maints égards, j'étais aussi calculatrice et au fait de ma propre nature que Solomon. Autrement dit, je savais que je parviendrais à endurer les inévitables infidélités d'un Harry McClure, mais que Solomon Gursky me détruirait.

Ma jambe tordue m'a empêchée d'amorcer une nouvelle vie rem-

plie de dangers et consacrée à la recherche du royaume du prêtre Jean ou, au contraire, elle m'en a sauvée. Il m'était impossible de voyager sans bagages, ainsi qu'il me l'avait demandé.
Voyons les choses en face, Moses.
Croyez-vous que Pâris aurait enlevé Hélène si elle avait boité ou que Ménélas, s'il avait été aveugle, n'aurait pas dit « bon débarras » ? Troie aurait alors été épargnée. Prenez l'exemple de Calypso. Si elle avait souffert d'une infirmité comme la mienne, Ulysse, au lieu d'être fait prisonnier, aurait ramé comme un fou. Imaginez les malheurs que deux familles auraient évités si Roméo avait vu Juliette s'avancer en claudiquant sur le fameux balcon, son orthèse faisant clic, clic, clic à chaque pas.
Les infirmes n'inspirent aucune histoire d'amour.
Quand on y pense, seul Lord Byron, affligé d'un pied-bot, fait exception à la règle, mais c'est parce que, chez un homme, un tel défaut est considéré comme une curiosité, voire une provocation, et non comme une monstruosité. Les femmes sont soumises à une norme plus impitoyable.
Dans le langage d'aujourd'hui, évidemment, je suis non plus une infirme, mais bien une personne handicapée. Si j'étais plus jeune, je pourrais participer à des épreuves olympiques en fauteuil roulant. Suivant ce nouvel idiome, Solomon, qui affichait davantage sa judéité que toute autre personne que j'aie connue, serait membre d'une « minorité invisible ». Solomon invisible. Imaginez.
Puisque je suis une femme réaliste (et peut-être lâche), j'ai choisi ma bibliothèque, ma musique, mon jardin, Harry McClure et les enfants que nous aurions ensemble. Avec Solomon, de toute évidence, j'aurais volé bien plus près du soleil. Mais la chaleur m'aurait certainement consumée depuis longtemps déjà.
Harry entretient une maîtresse dans un appartement de la rue Drummond et, faute d'imagination, y voit un péché plutôt qu'une banalité. Mais il reste un mari attentionné et il me regrettera sûrement quand je ne serai plus là. Harry a eu sa part de malchance en affaires et a dû me demander de l'aide en plus d'une occasion, ce

qui explique peut-être la fille rue Drummond. Un jour, il a risqué la majeure partie de nos économies dans un projet inopportun de lotissement en banlieue. Nous aurions probablement tout perdu s'il n'avait réussi à refiler le projet aux représentants d'un investisseur britannique, un certain Sir Hyman Kaplansky, qui, fort heureusement, n'avait aucune idée de la situation du marché immobilier au pays. Plus récemment, il a vécu une véritable humiliation quand son statut d'associé au sein de la firme de courtage fondée par son père a été remis en question. Puis, par chance, une société d'investissement suisse (anonyme, évidemment) a choisi Harry pour essaimer ses millions sur la scène locale. Je suis seule à savoir qu'il ne peut rien acheter sans l'aval de Zurich, mais ces gens ont un tel flair qu'Harry est désormais considéré comme un courtier des plus habiles. J'ose espérer qu'il ne s'agit pas de fonds de la mafia.

Assez.

Mes exécuteurs testamentaires vous feront suivre cette lettre, après les faits, en quelque sorte. Je me demande si Solomon dirait que j'ai causé mon cancer en lui disant non. Dans ce cas, pourquoi n'est-il pas venu m'enlever de force ? Pourquoi n'a-t-il pas insisté ?

Il me semble que nos vies sont faites d'innombrables années perdues, entrecoupées de quelques moments éclatants. J'ai laissé passer ma chance. J'aurais dû dire oui. Bien sûr que j'aurais dû dire oui.

Avec mes meilleurs souvenirs,
Diana

P.-S. – Parmi les livres de jardinage récemment publiés, The Well-Tempered Garden, *de Christopher Lloyd, est le meilleur. Je vous aurais envoyé mon exemplaire, mais j'ai écrit dans les marges.*

SIX

Un

1973. Après son passage éclair à Washington et son voyage frustrant au nord du soixantième parallèle, Moses, fatigué, retourna à sa cabane dans les Cantons-de-l'Est. Strawberry, constata-t-il, était en piteux état. Il avait consacré dix jours à repeindre l'église catholique de Mansonville, mais il n'avait toujours pas touché un sou. En plus de son salaire, on lui devait la peinture et les cinquante dollars qu'il avait avancés de sa poche pour louer un pistolet. Le nouveau prêtre, un jeune homme au teint cireux, l'avait rassuré :

« Ton argent est en sécurité. Dans le coffre-fort.

— Parfait. Allons le chercher.

— Il y a un petit problème. La femme de ménage a jeté le bout de papier sur lequel était indiquée la combinaison.

— Personne d'autre ne la connaît ?

— Pas depuis mon prédécesseur, le père Laplante. »

Le père Laplante était détenu à la prison de Cowansville.

« Ne t'en fais pas, Straw. J'ai écrit aux braves gens qui ont installé le coffre-fort en 1922. En attendant, ton argent est en sécurité. »

Legion Hall se pointa au Caboose, s'approcha du bar, précédé de son ventre imposant, et demanda à Gord de lui servir une chope de bière.

« C'est toi qui régales ? » demanda Strawberry.

Sans se donner la peine de se retourner, Legion Hall souleva une de ses fesses grasses et molles du tabouret et péta.

« J'ai de bonnes nouvelles pour toi, Straw. Je viens de livrer du gravier à l'église de Mansonville. Le père Maurice est dans tous ses états. L'entreprise qui a installé le coffre a fait faillite en 1957. »

Moses n'écoutait plus. Il était plongé dans la lecture d'un article du *Time*, sur lequel il était tombé par hasard :

LE GLACIER VÉLOCE DE L'ALASKA
Un mur de glace bouche un fjord
et menace les villages environnants

Le guide Mike Branham, quarante ans, solide gaillard de six pieds qui, chaque printemps, emmène des chasseurs d'ours dans une crique du fjord Russell, au sud-est de l'Alaska, à bord de son hydravion, a été le premier à signaler l'anomalie. Cette année, a-t-il remarqué, quelque chose avait changé : le glacier Hubbard s'avançait au rythme très peu glaciaire de quarante pieds par jour. « Nous avons vu le glacier se déplacer comme jamais auparavant », affirme Branham. C'était en avril. Quelques semaines plus tard, la partie antérieure du glacier obstruait l'embouchure du fjord, transformant du même coup la crique d'une longueur de trente-deux milles en un lac qui monte rapidement et dans lequel sont emprisonnés des marsouins et des phoques ainsi que les poissons d'eau salée et les crabes dont ils se nourrissent.

Le danger immédiat, explique Larry Mayo, glaciologue de l'USGS, c'est que le lac, dont les eaux s'élèvent actuellement d'un pied par jour, déborde du côté sud et se déverse dans la rivière Situk, où fraye le saumon, véritable poumon économique de la région de Yakutat. « Dans cinq cents ou mille ans, dit Mayo, le glacier Hubbard risque de recouvrir la baie Yakutat, comme vers 1130. »

« Ramène-moi à la maison, Straw », dit Moses en se levant avec difficulté.

Moses se recroquevilla sur son lit et dormit pendant dix-huit heures d'affilée. Se réveillant peu avant midi, le lendemain, il calma son estomac avec une bière agrémentée de deux doigts de Macallan. Il prit une douche, se rasa avec son rasoir à main, ne se coupant que deux fois, moulut des grains et but six tasses de café noir, le corps parcouru de frissons qui se calmèrent peu à peu. Puis il fit décongeler deux bagels, les mit dans le four et se prépara son premier repas en trois jours : une énorme portion d'œufs brouillés avec du saumon fumé ainsi que des pommes de terre et des oignons rissolés. Plus tard, il se refit du café et s'installa à sa table de travail. Dépoussiérer sa pile de copies ronéotypées du *Prospector* et les classer par ordre chronologique constituerait un bon point de départ, songea-t-il. Le *Prospector* (un hebdomadaire qui se vendait dix cents) fut le premier journal de Yellowknife. Dans le numéro du 18 février 1939, Moses lut que *Mountain Music*, mettant en vedette Bob Burns et Martha Raye, passait au Pioneer Theatre. Les Filles du soleil de minuit avaient prévu une soirée de danse au Squeeze Inn.

Moses trouva ce qu'il cherchait dans le numéro du 22 février 1938. En une, on annonçait :

LA RAVEN CONSOLIDATED
COULE SON PREMIER LINGOT

> C'est en grande pompe que l'usine de la Raven Consolidated a coulé son premier lingot d'or dans les champs aurifères de Yellowknife. On estime la valeur du lingot, qui pèse soixante-dix livres, à environ 39 000 $.
>
> Quelques représentants de l'entreprise ainsi que des invités venus de loin étaient présents au banquet organisé mardi soir pour célébrer l'événement. Parmi les plus éminents invités, mentionnons le principal actionnaire de Raven, le banquier d'affaires britannique Hyman Kaplansky…

Aucun diablotin penché sur une canne en malacca n'apparaissait dans la biographie de Cyrus Eaton, et Moses n'avait trouvé aucune allusion à un tel personnage dans la vaste documentation qu'il avait réunie sur Armand Hammer, autre magnat qui avait accumulé ses premiers millions à l'époque de la prohibition en vendant du sirop contre la toux.

Des fragments. Des indices alléchants. Des bandes magnétiques, des revues, des transcriptions du procès. Mais tant de pièces manquaient au casse-tête Gursky. Prenez le cas d'Aaron Gursky, par exemple. Moses s'était fréquemment rendu dans l'Ouest dans l'espoir de trouver des vieillards qui avaient connu Aaron, mort en 1931.

Un bon Juif.

Un sacré bon gars.

Dur à l'ouvrage.

Pour ce que Moses avait pu en découvrir, Aaron n'avait été qu'un trait d'union entre la génération d'Ephraim Gursky et celle de Bernard, Morrie et Solomon. Une présence spectrale, un homme inhibé d'emblée par les moqueries de son père et, plus tard, par les querelles entre ses fils.

Et le problème posé par Ephraim restait entier. Hormis l'entrée dans le calendrier de Newgate, Moses n'avait trouvé que très peu d'indices de son passage à Londres et de son voyage avec le malheureux Franklin.

Dans le Londres des années 1830, il était impossible qu'Ephraim se soit senti à son aise. À propos de ce lieu et de cette époque, Henry Mayhew écrivait : « Ikey Solomons, le receleur juif, achète au plus bas et vend au plus cher. » Parmi les pauvres de Londres, il distinguait deux races : les marchands ambulants irlandais, nombreux et singuliers, « le front bas, les lèvres longues et saillantes, les colporteurs les plus vils, confinés aux transactions les plus simples », et ensuite, évidemment, les Juifs. S'il déplorait le préjugé voulant que les Juifs ne soient que « des grippe-sous, des usuriers, des extorqueurs, des receleurs, des tricheurs et des tenanciers de bordels », Mayhew concédait que bon nombre de ces accusations n'étaient pas dénuées de tout fondement. Le jeu, observait-il, était le principal vice des Juifs, de la même façon qu'un amour extrême de l'argent était leur principale caractéristique. Mais ils étaient aussi connus pour leur esprit communautaire, ajoutait-il. À ce titre, ils contribuaient généreusement aux œuvres de bienfaisance juives, à telle enseigne que pas un Juif ne mourait dans un hospice de pauvres. « Remarquable, concluait-il, compte tenu de leur indéniable cupidité. »

À l'époque où il vivait encore avec Lucy, Moses l'avait emmenée à Westminster Abbey pour lui faire voir le mémorial consacré à l'intrépide benêt de Franklin. L'épitaphe avait été composée par son neveu Alfred, Lord Tennyson :

Not here: the white North has thy bones; and thou
Heroic Sailor Soul!
Art passing on thy happier voyage now
Toward no earthly Pole[1].

Moses n'avait eu besoin que d'un après-midi dans la bibliothèque de Sir Hyman Kaplansky pour établir que l'*Erebus* et le *Terror* n'étaient pas entièrement dépourvus de certains articles de luxe. Chacun des navires de Franklin était équipé d'un limonaire pouvant jouer cinquante airs, dont dix psaumes ou hymnes. Il y avait des fournitures scolaires destinées aux marins analphabètes ainsi que des bureaux en acajou pour les officiers. L'*Erebus* possédait une bibliothèque de mille sept cents livres, tandis que celle du *Terror* en comptait mille deux cents, y compris des volumes reliés du magazine *Punch*.

---

1. Pas ici : le Nord blanc a tes os, et toi / Âme de l'héroïque navigateur ! / Tu entreprends ton plus heureux voyage / Vers un pôle qui n'a rien de terrestre. *(N.d.T.)*

Pour traverser le passage du Nord-Ouest, les officiers s'étaient munis de tenues de soirée. En revanche, contrairement aux autochtones, ils n'avaient pas de peaux d'animaux, lesquelles, portées en couches superposées, favorisaient l'évaporation et évitaient que la sueur ne gèle sur leur dos. Au cours d'une escale dans la baie de Disko, sur la côte ouest du Groenland, ils ne se donnèrent pas la peine d'acquérir des chiens de traîneau. Ils ne firent pas non plus monter d'interprète ni de chasseur, même si aucun des membres de l'équipage ne savait capturer un phoque ou un caribou. En dernier recours, les hommes de Franklin durent donc se résoudre à faire bouillir la chair de leurs camarades. Et tout indique qu'aucun d'entre eux, à l'exception d'Ephraim, ne survécut à l'épreuve du Grand Nord.

Au-dessus du lit de Moses était accroché un avis publié dans le *Globe* de Toronto, le 4 avril 1850 :

EXPÉDITION DE SIR JOHN FRANKLIN
L'Amirauté a fait suivre
aux autorités du Canada
des copies de l'avis suivant :
Le gouvernement de Sa Majesté
VERSERA UNE RÉCOMPENSE DE
20 000 £
à quiconque, groupe ou individu,
portera un secours efficace aux membres de l'équipage
DES NAVIRES D'EXPLORATION
commandés par
SIR JOHN FRANKLIN.

1. Tout groupe ou individu qui, de l'avis
du Conseil de l'Amirauté, découvre et vient en aide
aux membres d'équipage des navires de Sa Majesté *Erebus* et *Terror*
recevra la somme de
20 000 £

OU

2. Tout groupe ou individu qui, de l'avis
du Conseil de l'Amirauté, découvre et vient en aide
à une partie des membres d'équipage des navires
de Sa Majesté *Erebus* ou *Terror*,
ou fournit des informations qui permettent de prêter secours
à l'ensemble ou à une partie des membres d'équipage,
recevra la somme de
10 000 £

OU

3. Tout groupe ou individu qui, de l'avis
du Conseil de l'Amirauté, parvient en premier
à établir le sort de ceux-ci
recevra la somme de
10 000 £

Le secrétaire de l'Amirauté,
W. A. B. HAMILTON
À l'Amirauté, le 7 mars 1850.

Pourquoi, se demandait Moses en ressassant l'énigme, Ephraim n'avait-il pas raconté son histoire et réclamé les dix mille livres de récompense ? Pourquoi, devant McNair, avait-il nié être au courant du sort qu'avaient connu l'*Erebus* et le *Terror* et prétendu s'être enfui d'un baleinier américain ?

Un autre détail clochait.

Ni Ephraim Gursky ni Izzy Garber ne figuraient aux rôles d'équipage de l'*Erebus* et du *Terror* (documents consultables aux archives de l'Amirauté). Mais Moses savait qu'ils étaient à bord, ça oui, aucun doute là-dessus : Ephraim Gursky avait été du voyage, et Izzy Garber aussi.

Deux

Après son arrestation, conséquence de sa virée malheureuse avec les sœurs Sullivan, Ephraim fut envoyé à Newgate. C'est dans ce trou noir et fétide – ainsi qu'il l'avait raconté à Solomon quelque soixante-dix ans plus tard, un corbeau perché sur l'épaule, alors qu'ils se réchauffaient sous l'arc mouvant d'une aurore boréale, au bord du Grand lac des Esclaves – qu'il avait rencontré l'homme qui avait rencontré celui qui les conduirait, lui puis Solomon, à cet endroit. Ephraim, ratatiné mais toujours vigoureux, dit : « C'était un vieux marin des Orcades, un borgne avec un œil tout blanc, une barbe grise et spongieuse, et il m'a remué comme jamais en me faisant le récit de son voyage sur les rivages de la mer Polaire avec le lieutenant John Franklin, ainsi qu'on l'appelait dans ce temps-là. »

Tout avait commencé bien innocemment, expliqua Ephraim, le jour où il avait maudit le geôlier qui leur avait une fois de plus apporté des saucisses rances. L'esclandre avait tiré de sa torpeur ce qui, à première vue, aurait pu passer pour un sac d'os jeté dans un coin de la cellule collective, dans l'aile des criminels. Le sac se mit alors à tousser et à prendre la forme d'un homme de grande taille, émacié, avec des lèvres crayeuses, des cheveux emmêlés et une barbe crasseuse qui ne l'était pas moins.

« Mon garçon, dit le marin, tu as devant toi un homme qui a autrefois avalé avec gratitude les os putrides réduits en poudre et les bois d'un cerf dont les loups blancs et les corbeaux noirs de la toundra s'étaient déjà repus.

— Raconte au gamin ce qui t'a conduit ici, Enoch. Dis-lui pourquoi tu t'apprêtes à faire le grand saut dans l'inconnu.

— Ma fille, une vraie Jézabel, a fait un faux témoignage contre moi.

— Je croyais que c'était pour avoir braconné dans la Tweed, lança une autre voix.

— Braconner, oui, fit quelqu'un d'autre, mais pas dans la Tweed.

— En fait, c'était dans la fente de son gendre. »

Faisant fi des rires lascifs, le marin glissa une saucisse dans sa bouche presque entièrement édentée.

« Et puis, quand la tripe de roche a fini par manquer, nous avons fait bouillir des bouts de cuir arrachés à nos bottes en remerciant le Tout-Puissant de les avoir mis à notre disposition. Et il faisait si froid que le rhum, à l'époque où nous en avions encore, gelait dans le tonneau. Oui, et pendant ce temps-là, nous devions avoir à l'œil les voyageurs canadiens, de fieffés voleurs, ceux-là, et aussi ce païen iroquois, le sournois Michel Teroahauté. Mais le pire, c'est que nous ne savions pas si le pauvre M. Back, qui convoitait cette catin indienne, avait péri durant son équipée ou s'il reviendrait avec des provisions. »

Prenant Ephraim par le bras et tournant son visage de côté pour le voir de son bon œil, il lui raconta comment les loups blancs s'y prenaient pour abattre un cerf.

« Ces féroces prédateurs, expliqua-t-il, se réunissent là où paissent les cerfs. Ils s'approchent en silence du troupeau et ils ne se mettent à courir et à hurler qu'après avoir coupé toute possibilité de fuite dans la plaine. Prises de panique, les proies détalent dans la seule direction possible : le précipice. Rien de plus facile que de faire tomber dans le vide des bêtes qui filent à toute vitesse. Alors les loups, les mâchoires dégoulinantes de bave, descendent et dévorent les carcasses mutilées. »

Levés vers le ciel, les yeux du marin cillèrent et, soudainement, il s'endormit, la bouche grande ouverte.

Ephraim le secoua pour le réveiller.

« Dis-m'en plus.

— Tu as du tabac?

— Non.

— Du gin?

— Non.

— Va au diable, dans ce cas. »

Le lendemain matin, Ephraim, en réponse à ses questions, n'eut droit qu'à un regard furieux. Le vieillard se concentrait sur les poux de sa barbe, qu'il jetait dans la flamme d'une bougie.

Sorti faire un peu d'exercice dans la cour des hommes, Ephraim, sans se soucier des autres détenus, allait et venait en examinant les murs de granit de l'enceinte. Il soupira à la vue des chevaux de frise installés près du sommet, à quelque cinquante pieds au-dessus du sol. Il ne réussirait pas, supputa-t-il, à se glisser entre ces pieux en fer et la maçonnerie. Et même s'il y parvenait, ces fourbes retors avaient prévu un autre obstacle : du haut du mur poisseux s'élevait une rangée de dents aiguisées et recourbées vers l'intérieur. Impossible, se dit-il.

Plus tard dans la même journée, Izzy Garber, mort d'inquiétude, gagna Newgate en vitesse et s'arrangea pour rencontrer deux geôliers au George. Complètement rond, l'aumônier de la prison, le révérend Brownlow Ford, était déjà là, paressant sur le canapé en compagnie du bourreau, Thomas Cheshire. À la vue d'Izzy, Old Cheese, comme on l'appelait, leva son verre, les yeux pleins de rancœur, et récita :

Nœud coulant, potences et glas,
À la revoyure dans l'au-delà !

Ne faisant aucun cas de lui, Izzy régala les geôliers d'histoires grivoises et leur remplit les poches de guinées. Le soir même, on jeta à Ephraim une paillasse et il découvrit qu'il disposait désormais d'une ardoise au débit de boissons de la prison. Il s'empressa de délier la langue du vieux marin avec du gin et du tabac pour sa pipe.

D'une voix éraillée, le marin des Orcades déplora devant Ephraim la dépendance fatale des Cris aux spiritueux. Leur goût immodéré pour cet alcool si nocif les avait avilis, condamnés à vivre sans les consolations que la religion chrétienne ne manque jamais d'offrir. Une race vaine, capricieuse et indolente, dit-il, dont l'objectif principal consiste à séduire la femme de son voisin.

Le marin, pris de frissons, manifestement fiévreux, s'assoupissait de temps à autre, puis il se réveillait brusquement et, après avoir exigé plus de gin, reprenait son récit comme s'il ne l'avait jamais abandonné. « J'ai vu des rennes en nombre incalculable, le troupeau s'étirant jusqu'à l'horizon, et j'ai appris à manger crue la chair de ces animaux. » Pendant le voyage, leur régime de base se composait de pemmican, de la viande de bison séchée et mélangée à de la graisse fondue. Mais, parfois, admettait le marin, la volaille et le poisson abondaient. Saumons de rivière, brochets, laquaiches aux yeux d'or, un poisson superbe et singulier qu'on capturait au filet à Cumberland House une fois le printemps venu. Il y avait aussi des lagopèdes, des tétras du Canada, des colverts, des cygnes sauvages.

Ephraim, n'ayant jamais entendu parler de telles merveilles, était avide de détails, mais il n'osait interrompre la logorrhée du vieux marin irascible.

S'il désapprouvait les sauvages, le vieil homme les plaignait aussi, son mépris implacable étant réservé aux « voyageurs » canadiens, une bande de gueulards et de fainéants qui se plaignaient sans cesse et n'hésitaient pas un instant à passer l'hiver dans les forts de traite avec des épouses indiennes de douze ans, qu'il leur arrivait souvent de refiler pour une saison à l'un de leurs rustres compagnons.

« Puis, lorsque le froid s'atténue, ce que, dans ton ignorance, tu prends peut-être pour une bénédiction, et que le soleil brille jour et nuit sur la toundra, les moustiques débarquent en force, t'entrent dans la bouche et les oreilles, c'est un tourment infernal, et la seule solution consiste à faire un feu, à l'étouffer et à enfumer ta tente. C'est, à n'en pas douter, la terre que Dieu a donnée à Caïn.

— Pourquoi, dans ce cas, avoir entrepris un voyage si ardu ?

— Comment voulais-tu que je le sache ?

— Très juste.

— Malheureusement pour moi, de tous les hommes réunis chez M. Geddes en ce 14 juin 1819, j'ai été l'un des quatre à accepter de prendre part à l'expédition, tenté par la promesse de l'aventure et d'un salaire de quarante livres par année, sans oublier un retour gratuit aux Orcades. J'avais été très impressionné par la foi chrétienne de M. Franklin. Il avait avec lui une version de l'Évangile selon saint Jean traduite dans le jargon des Esquimaux et imprimée par la Société moravienne de Londres. Il avait également apporté des cadeaux capables d'apaiser les sauvages que nous risquions de croiser : miroirs, colliers, perles de verre, clous, bouilloires et ainsi de suite. »

Dans cette cellule suffocante, où grouillaient les poux, les blattes et les rats d'égout, qui empestait les excréments et l'urine, et où résonnaient les quintes de toux des hommes atteints du typhus, Ephraim rêvait d'un pays blanc et froid, où le soleil ne se couchait jamais en été et où les troupeaux de rennes s'étendaient jusqu'à l'horizon. Il s'éveilla en sursaut à l'approche d'un des persécuteurs du vieil homme, qui feignait d'être le sonneur de cloches faisant sa tournée à la veille d'une exécution. Ephraim se jeta sur lui et lui agrippa la main. Alors même que l'homme poussait un cri, Ephraim la tordit davantage, apparemment déterminé à lui déboîter le bras.

« Dis-moi le nom de ton compagnon installé là-bas, dans le coin.

— Larkin.

— Il était avec moi à la Steel. Il pourra te parler de moi. »

Le lendemain matin, après une autre promenade décourageante dans la cour, Ephraim offrit du gin au vieil homme pour le réveiller et lui bourra sa pipe de tabac.

« Je veux les saucisses des sodomites lorsqu'elles arriveront, dit le vieux.

— Et tu les auras. Maintenant, dis-m'en plus.

— Une paillasse me ferait le plus grand bien.

— Prends la mienne. »

Toussant, dégageant ses poumons des mucosités qui les obstruaient, le vieil homme lui raconta qu'ils avaient aperçu leur premier iceberg à quelque quatre-vingt-dix milles de la côte du Labrador. Le lendemain, les coruscations des aurores boréales leur étaient apparues.

« Ce n'est qu'après avoir quitté York Factory pour l'intérieur des terres, à bord d'une petite embarcation, que nous avons rencontré des difficultés. Il était impossible d'avancer à la voile sur cette satanée rivière Steel. Comme le courant était trop fort pour utiliser les rames, nous n'avons eu d'autre choix que de commencer à remorquer.

— Je ne comprends pas.

— Tu as bien de la chance. Ce que je veux dire, c'est que nous avons dû, à partir de la rive, tirer le bateau en nous y harnachant comme des bêtes de somme. Dans les meilleures circonstances, c'est déjà difficile, mais là, les conditions étaient très mauvaises – sauf peut-être pour une chèvre des montagnes – à cause de l'inclinaison prononcée des berges, du sol mou et glissant. Oui, nous nous estimions heureux de progresser de deux milles à l'heure. Tu vas finir au bout d'une corde, toi ?

— Je suis trop jeune. Et après, que s'est-il passé ?

— Et après, les eaux de la rivière Hill étaient si basses que nous avons dû nous y jeter, même si elles étaient glacées, plusieurs fois par jour, pour porter le bateau sur nos épaules. Ensuite, il y a eu de la végétation et nous passions la journée à descendre du bateau et à y remonter, nos vêtements mouillés, malgré le grand froid. Si je comprends bien, tu es un "quatre par deux" ?

— Oui. »

Le vieil homme gloussa.

« Le gin. Le tabac. La tourte au bœuf et aux rognons. Les geôliers tout mielleux. J'en étais sûr.

— Vraiment ? »

Le vieil homme tendit son verre pour se faire resservir du gin.

« Tu en as eu assez.

— J'en veux plus, petit.

— Dans ce cas, dis-m'en plus. »

C'était le long retour vers la côte qui avait vraiment exorcisé le marin, périple où ils avaient dû affronter une famine et un froid effroyables, le vol de leurs rations par les « voyageurs » canadiens et l'innommable trahison de Michel Teroahauté.

« Nous avons mangé la peau et les os des cerfs, et des tempêtes faisaient rage au-dehors comme au-dedans. Tu ne vois donc pas ? M. Franklin n'avait pas le choix.

— De faire quoi ?

— De les séparer. Hood et Back. De charger Back d'entreprendre une longue équipée.

— Pourquoi ?

— Comment peux-tu être aussi bête ?

— Je n'étais pas là.

— Hood avait déjà fait un enfant à une sauvagesse de Fort Enterprise et il convoitait à présent une petite catin couteau-jaune – appelée Bas-Verts – qui ne pouvait pas avoir plus de quinze ans. Mais Back, un fornicateur encore plus vil, en était lui aussi tombé amoureux. Cette effrontée se baignait dans les ruisseaux glacés, exposant sa chatte à la vue des officiers postés sur la rive, pour les chauffer. Elle couchait avec l'un et l'autre, tour à tour. Ils la prenaient par-derrière, comme une chienne en chaleur.

— Et tu sais ça comment, toi ?

— Eh bien, sans moi, les deux hommes se seraient battus en duel. Après avoir consulté le Dr Richardson, j'ai déchargé leurs pistolets. C'est alors que M. Franklin a envoyé Back au loin pour l'hiver.

— Tu épiais la fille.

— Jamais de la vie. Une fois, remarque, je suis tombé sur elle pendant qu'elle forniquait dans un buisson. Oui, et c'était dégoûtant. Peut-être pas pour toi et pour ceux de ton espèce, qui avez tourné le dos au Christ. Mais sache que mon éducation chrétienne m'a toujours soutenu, même quand j'étais très loin de la civilisation.

— Mais pas nécessairement quand tu l'as réintégrée.

— Je suis faussement accusé par ma fille et le tribunal verra bientôt clair dans son jeu. J'ai besoin de dormir, à présent. »

Le lendemain matin, sillonnant la cour et maudissant les chevaux de frise, Ephraim s'attarda une fois de plus sous la citerne qui faisait saillie juste au-dessous des pieux en fer, dans un coin de la cour. Et, une fois de plus, il constata que les geôliers ne la surveillaient pas en permanence. De retour dans sa cellule, il eut recours au gin et au tabac pour tirer le vieux marin du sommeil et le supplia de poursuivre son récit.

« Où en étais-je, déjà ?

— M. Back était parti chercher des provisions et le reste d'entre vous en était réduit à manger de la peau de cerf.

— Oui, car nous avions été abandonnés par l'infâme Akaitcho et sa bande de païens. Et, à cette époque, une vue basse, des étourdissements et d'autres symptômes du péché incommodaient fortement le pauvre M. Hood, et nous devions faire des haltes fréquentes. T'ai-je dit qu'on avait laissé Bélanger et Ignace Perrault dans une tente avec un fusil et quarante-huit balles, parce qu'ils étaient incapables de continuer ?

— Non.

— C'est pourtant ce qui s'est passé. Puis, un matin, Michel Teroahauté a dit avoir vu un cerf passer près de sa couche et il est parti à sa recherche. Il ne l'avait pas trouvé, a-t-il raconté à son retour, mais il était tombé sur un loup éventré par un cerf et il en avait rapporté des morceaux au camp. C'est seulement après les avoir mangés que nous avons compris qu'il s'agissait sans doute de la chair de Bélanger ou de Perrault, que le sauvage avait massacrés avant de débiter leurs cadavres gelés à la hache. »

Le marin, à bout de forces, entra dans un tel état d'agitation que la suite de son récit s'embrouilla, au point qu'Ephraim n'y comprit pas grand-chose. Il retint néanmoins que, les jours suivants, le vent souffla impitoyablement. Apparemment, Teroahauté, laissé seul dans une tente avec M. Hood, avait tué ce dernier d'un coup de pistolet. Le priapique M. Hood mourut près du feu de camp, *A Scripture Help* de Bickersteth à côté de son corps, comme si le livre lui avait échappé à l'instant de sa mort. Enragé, Teroahauté déversa ensuite son mépris sur le reste de la compagnie. Le Dr Richardson, inquiet de le voir désormais armé de deux pistolets, en plus d'une baïonnette indienne, profita d'un moment opportun pour tuer Teroahauté d'une balle dans la tête.

Son œil valide exorbité, le marin empoigna soudainement Ephraim et, après avoir poussé un râle, retomba, agonisant, son récit inachevé. En le fouillant, Ephraim trouva un portrait souillé et déchiré d'une magnifique Indienne dénudée. C'était, apprendrait-il longtemps après, la fille de Kesharrah, Bas-Verts, l'objet de convoitise qui avait fait de Hood et de Back des ennemis jurés.

Des années plus tard, lorsqu'il se serait à son tour familiarisé avec la toundra, Ephraim découvrirait que c'était l'infâme Akaitcho et sa bande d'Indiens qui, en fin de compte, avaient sauvé les membres affamés de l'expédition en leur apportant de la viande séchée, un peu de graisse et quelques langues de cerf.

Avant de quitter les survivants de l'expédition Franklin, Akaitcho, à qui on avait refusé les biens promis en guise de récompense, déclara : « Le monde va mal, tous sont pauvres, vous êtes pauvres, les négociants semblent pauvres et mes hommes et moi sommes également pauvres ; et comme les biens ne sont pas arrivés, nous ne pouvons pas les avoir. Je ne regrette pas de vous avoir fourni des provisions, car un Indien couteau-jaune ne peut pas laisser des hommes blancs souffrir de la famine sur ses terres sans leur venir en aide. J'ose cependant croire que, l'automne prochain, nous recevrons, ainsi que vous le dites, notre dû ; et, quoi qu'il en soit, c'est la première fois que les Blancs sont redevables aux Couteaux-Jaunes. »

Quelques heures après la mort du vieux marin des Orcades, son cadavre fut jeté dans une charrette et emporté au St Bartholomew's Hospital, où il fut disséqué à l'abri des regards.

Dans la cour, le lendemain matin, Ephraim constata que le mur voisin de la citerne n'était toujours pas gardé. Adossé contre les pierres rugueuses, il gravit péniblement le mur en ondulant, ainsi que le lui avait appris un petit ramoneur. Agrippant la citerne, il se hissa au sommet. Le dos méchamment tailladé, il saisit ensuite la barre rouillée soutenant les chevaux de frise et la suivit lentement jusqu'aux immeubles entourant le Press Yard. Là, il risqua un saut de neuf pieds, atterrit sur le toit et se foula la cheville, mais il réussit quand même à s'éloigner en boitant de Newgate et des édifices jouxtant la prison. Aboutissant sur le toit incliné d'une maison dans une rue voisine, il se reposa un moment, caché derrière une cheminée, serrant dans ses mains sa cheville endolorie. Puis, à l'aide d'un tuyau d'écoulement, il se laissa glisser jusqu'à la rue et se dirigea tout droit vers la maison d'Izzy Garber, dans Wentworth Street, où il était sûr de trouver un baume pour son dos lacéré, un feu pour se réchauffer, des tourtes à la viande, du vin et des histoires grivoises.

Trois

LE CALENDRIER DE NEWGATE
EN VERSION AMÉLIORÉE
consistant en
D'INTÉRESSANTS MÉMOIRES
de
PERSONNAGES CÉLÈBRES
reconnus coupables d'infractions
AUX LOIS DE L'ANGLETERRE
depuis le XVIIe siècle jusqu'à aujourd'hui,
présentés dans l'ordre chronologique ;
NOTAMMENT DES :

traîtres
meurtriers
incendiaires
ravisseurs
mutins
pirates
faux-monnayeurs

bandits de grand chemin
roulottiers
cambrioleurs
émeutiers
extorqueurs
tricheurs
faussaires

pickpockets
faillis frauduleux
arnaqueurs
imposteurs
et voleurs
de tout acabit

AVEC
des remarques occasionnelles sur les crimes et les châtiments,
des anecdotes originales, des réflexions et des observations morales

sur des cas particuliers, des explications des lois pénales,
les discours, les confessions et
LES DERNIÈRES PAROLES DES SUPPLICIÉS.

EPHRAIM GURSKY

Reconnu coupable à maintes reprises, emprisonné une fois à Coldbath Fields et une fois à Newgate et, enfin, le 19 octobre 1835, déporté en terre de Van Diemen.

Peut-être ne vit-on jamais de talents naturels plus pervertis que ceux de ce Juif notoire, Ephraim Gursky, dont le *Weekly Dispatch* et le *People's Journal* ont célébré l'audacieuse évasion. Même dans ce triste catalogue du crime, nous eûmes du mal à croire qu'un jeune homme maîtrisant le latin, le russe, l'hébreu et le yiddish (patois de son peuple) ait pu s'avilir au point de devenir un contrefacteur de lettres et de documents officiels, un violeur, un souteneur et un gentleman-pickpocket.

Ephraim Gursky vit le jour à Liverpool. Selon ses propres dires, son père, Gideon Gursky, était un Juif d'origine russe. À Moscou, il fit une brillante carrière de chanteur d'opéra jusqu'au jour où une aventure avec la baronne K., l'une des favorites du tsar, provoqua un scandale : les amants durent s'enfuir pour sauver leur vie. Ephraim se dit le fruit de cette union malheureuse. Lorsque sa mère mourut en couches, il fut élevé dans la religion juive par la seconde femme de son père, dont le nom de jeune fille était Katansky. Gideon Gursky gagna sa vie comme chantre dans une synagogue de Liverpool. Malgré ses faibles moyens, il envoya Ephraim à l'école. Ephraim fit des progrès médiocres et se signala très rapidement par son tempérament hardi et malicieux. Si des écoliers préparaient quelque espièglerie, Ephraim prenait les devants et donnait de sa personne pour qu'elle se réalise. Las des flagellations que lui infligeait sa cruelle belle-mère, qui lui reprochait sans cesse sa bâtardise et son sang chrétien, Ephraim s'enfuit de la maison à l'âge de douze ans. Il travailla dans les mines de charbon de Durham et arrondit ses revenus en livrant des journaux dans un village des environs. Là, un gentil instituteur, M. William Nicholson, le remarqua, le prit sous son aile et l'initia au latin et à la calligraphie. Pour remercier M. Nicholson de sa générosité, Ephraim déguerpit avec ses chandeliers en argent fin, ce qui conduisit Mme Nicholson à déposer une plainte au premier poste de police.

Peu après son arrivée à Londres, le jeune Gursky fut arrêté alors qu'il tentait de vendre les chandeliers dérobés et fut condamné à six mois de travaux forcés à Coldbath Fields. Une fois libéré, il s'établit dans Whitechapel, parmi les plus basses classes de la métropole, et se fit contrefacteur de lettres et de documents officiels. Il était dans sa dix-huitième année. Ni beau ni grand, il devint pourtant le favori de jeunes femmes dépravées aux mœurs légères. Il corrompit deux sœurs à la conduite jusque-là irréprochable qui habitaient le même immeuble que lui, où elles exerçaient le métier de couturières. Il s'agissait de Dorothy et Catherine Sullivan, fraîchement arrivées du comté de Kilkenny, où le policier chargé d'enquêter sur leur moralité n'entendit que des éloges à leur endroit. Perverties par le jeune Gursky, les sœurs devinrent des chasseuses de dupes ; leurs crimes, cependant, leur rapportaient peu puisqu'elles devaient céder leur butin à leur protecteur. À la suite de leur arrestation, les sœurs Sullivan furent condamnées à trois années de travaux forcés à Newgate, tandis que Gursky, en attente d'une peine plus lourde, réussit son audacieuse évasion.

En fuite désormais, il prit le nom de Green et devint ce qu'on appelle un gentleman-pickpocket, affectant les manières et la superbe d'un élégant. Dans cette entreprise, il bénéficia pendant un moment de l'aide de Mlle Thelma Coyne, courtisane et filoute du même acabit que lui. Cette femme intrépide fut trois fois jugée à l'Old Bailey : elle fut acquittée à deux reprises ; la troisième fois, on la condamna à deux ans d'emprisonnement à Newgate. Vers la fin de sa peine, elle attrapa la fièvre des prisons et mourut deux semaines après sa remise en liberté – rendant ainsi son dernier souffle en parfaite conformité avec la tristement célèbre nature de son existence.

Mais auparavant, notre héros pickpocket et sa fidèle complice avaient visité les stations balnéaires les plus célèbres, en particulier Brighton, en se faisant passer pour frère et sœur. Gursky, qui feignait d'être un gentleman fortuné issu d'une grande famille, se fit remarquer par des hommes de la plus haute distinction. Il déposséda ainsi de sommes considérables le duc de L. et Sir S., qui n'y virent que du feu ; il prit également un collier à Lady L., mais les circonstances et le lieu du crime avaient été tels qu'elle refusa de porter plainte.

Tandis que la justice le déclarait hors-la-loi et que les policiers s'employaient à le capturer, Gursky échappa à leur vigilance en se déplaçant sous divers déguisements et identités d'emprunt dans les comtés du sud du royaume. Il en visita les villes à titre de faux médecin, de faux clergyman, etc. De retour à Londres, il devint un pickpocket encore plus téméraire. Le jour de l'anniversaire de la reine, il se rendit au palais déguisé en clergyman et trouva le moyen de faire quelques poches, certes, mais aussi, au cours d'une promenade dans les jardins avec la vicomtesse de W., de soulager cette dernière d'un insigne en diamant, avant de repartir sans éveiller de soupçons.

Il fut enfin appréhendé à l'église St. Sepulchre au moment où le Dr Le Mesurier, dans son sermon, prêchait la charité en recommandant l'octroi de pâturages pour les vieux chevaux de trait qui, sinon, risquaient d'être vendus en France comme provende. Un policier, Herbert Smith, vit Gursky mettre la main dans la poche de Mme Davenport puis, à sa sortie de l'église, le suivit et finit par l'arrêter au bout de Cock Lane, du côté de Snow Hill.

Après avoir conduit le prisonnier au poste de police de St. Sepulchre et avoir trouvé en sa possession une montre à répétition en or et d'autres articles, il retourna à l'église pour s'entretenir avec Mme Davenport, que le prisonnier avait tenté de voler sous ses yeux ; elle déclara catégoriquement que rien ne lui manquait. Son mari, lui, était très insatisfait. Au poste de police, M. Davenport, courroucé, affirma que le prisonnier devait être fouillé plus minutieusement. À ces mots, Mme Davenport s'évanouit inexplicablement et dut être conduite à l'extérieur. On demanda à Gursky d'ôter son chapeau. De son bras gauche, il souleva le couvre-chef avec précaution, et une montre en métal, une broche de perles et une jarretelle écarlate tombèrent par terre. À la vue du dernier objet, M. Davenport voulut frapper le prisonnier avec sa canne et dut être retenu de force.

On engagea des poursuites contre Gursky et son procès à l'Old Bailey attira un nombre surprenant de dames du beau monde et du demi-monde qu'on avait plus l'habitude de voir sur Rotten Row dans Hyde Park. Plus surprenante encore fut l'apparition de M. William Nicholson, qui témoigna en faveur de l'accusé. Le gentil instituteur, susnommé, était veuf à présent, sa femme, atteinte de démence, s'étant pendue un mois après avoir donné naissance à leur unique enfant. L'homme élevait ce dernier avec l'aide d'un jeune neveu au visage des plus agréables, qui accompagna M. Nicholson devant le tribunal. Le prisonnier, déclara M. Nicholson, n'avait pas volé les chandeliers : en fait, il les avait reçus en guise de cadeau d'adieu au moment de son départ pour Londres. La plainte pour vol déposée par Mme Nicholson fut la première manifestation de la folie qui allait la conduire à sa fin tragique. En outre, ajouta M. Nicholson, la vie d'Ephraim Gursky, élève des plus prometteurs, aurait pu prendre une direction autrement plus louable s'il n'avait pas été accusé à un âge si tendre avant d'être incarcéré à tort à Coldbath Fields.

Le prisonnier s'adressa ensuite à la cour avec un entrain considérable. Faisant montre d'une grande éloquence, il s'étendit sur ce qu'il appelait la force des préjugés et alla jusqu'à insinuer qu'en raison de la foi de son père il était, depuis l'enfance, l'objet de calomnies.

« Messieurs, au cours de ma vie, j'ai beaucoup souffert et j'ai été victime de bon nombre de revers de fortune. Aujourd'hui mes expériences passées m'ont persuadé que, somme toute, il n'est de joie qui ne naisse de la pratique de la vertu, laquelle procède de la félicité d'un esprit tranquille et d'un cœur bienveillant.

« Messieurs les membres du jury, si je suis acquitté, je prendrai sans délai le chemin de la Terre du Prince Rupert, où je professerai la religion de ma mère aux sauvages qui souillent la toundra, condamnés à vivre sans les consolations que la religion chrétienne ne manque jamais d'offrir. Si on épargne ma vie, je partirai pour cette terre lointaine, où mon nom et mes infortunes seront inconnus, où des mœurs innocentes m'exonéreront de toute accusation et où aucun préjugé ne saura déformer la vérité. Et je vous donne l'assurance, messieurs les membres du jury, que je me réjouis, même en ce moment fatidique, à l'idée de conduire le reste de ma vie de manière à susciter l'estime et les acclamations aussi sûrement que je suis aujourd'hui le triste objet de l'opprobre et de la suspicion. »

Le jury le déclara coupable.

Le jeudi 19 octobre 1835, Ephraim Gursky comparut devant le tribunal.

Le juge : Ephraim Gursky, la cour vous condamne à être conduit, pour une période de sept ans, au-delà des mers, dans un lieu désigné par Sa Majesté, sur l'avis du conseil privé.

Quatre

Ephraim montra à Lady Jane les lettres louant les talents et la piété chrétienne d'Isaac Grant.

« Le médecin dont je parle est aussi un naturaliste reconnu, dit-il en produisant encore une autre lettre, celle-ci signée par Charles Robert Darwin. M. Grant admire Sir John depuis longtemps et serait prêt à tous les sacrifices pour l'accompagner dans cette périlleuse aventure. Quant à moi, qui vous serai éternellement redevable, vénérable dame, je me ferai un devoir de servir Sir John. »

Lady Jane, enchantée de revoir le jeune repenti, se serait fait une joie de plaider sa cause, mais elle expliqua qu'il était, hélas, trop tard.

« À moins, ajouta-t-elle avec un enthousiasme grandissant, que vous ne vous rendiez directement au port de Stromness.

— Telle était mon intention. Et si vous souhaitez écrire une épître à Sir John, dit-il, je serais fort aise d'attendre. »

Lettre en main, Ephraim se hâta de rentrer à Whitechapel, où Izzy, désespéré, se terrait.

« Nous partons pour les Orcades, annonça Ephraim.

— Je n'ose pas sortir. On nous cherche partout.

— Les policiers, certains que nous tenterons de fuir vers l'Irlande ou le continent, surveilleront les ports du Sud.

— Et même si nous parvenons jusque-là sans encombre, qui dit qu'on nous acceptera comme membres d'équipage ? »

Ephraim s'employait déjà à ouvrir la lettre de Lady Jane avec de la vapeur. L'encre, établit-il rapidement, serait assez facile à reproduire. Il avait dans la poche de son veston le bec de la plume qu'elle avait utilisée. Il s'exerça pendant plus d'une heure à imiter les pattes de mouche de Lady Jane avant de se risquer à ajouter un post-scriptum implorant Sir John de prendre à son bord Ephraim, leur enfant trouvé de la terre de Van Diemen, et Isaac Grant, aussi admirable que dévot.

Les coups sur la porte firent sursauter Izzy.

« Du calme, dit Ephraim. Ce sont sûrement les sœurs Sullivan. Dorothy et Kate viennent avec nous. » Au port de Stromness, ils n'eurent aucune difficulté à trouver, sur les docks, le pub lugubre que fréquentaient les équipages. Nombre de marins avaient très peur de ne jamais rentrer chez eux. Utilisant les sœurs Sullivan comme appât et dépensant sans compter, Ephraim eut tôt fait d'entrer dans les bonnes grâces des marins. D'instinct, il cibla ceux qui lui semblaient les plus effrayés et les régala de récits du périple que son défunt père avait accompli avec Franklin, en 1819, de l'intérieur des terres jusqu'au rivage de la mer Polaire. « Tiens, il fut un temps, au cours de leur troisième année dans la toundra, où ils durent se résoudre à manger les os putréfiés et réduits en poudre de cerfs que les féroces loups blancs et les corbeaux noirs avaient déjà dépecés. Remarquez, mon père a eu de la chance de figurer parmi les rares survivants. Mais ma pauvre mère ne l'a pas reconnu à son retour : à cause du scorbut, il avait perdu ses dents, et ses orteils avaient été amputés jusqu'au dernier. Bref, il ne lui servait plus à grand-chose, ce qui explique sans doute qu'elle se soit enfuie avec M. Feeney. »

La veille du départ, le capitaine Crozier du *Terror* eut la sagesse de refuser à ses hommes la permission de descendre à terre, de crainte que certains d'entre eux ne soient tentés de déserter le navire. Mais le capitaine Fitzjames de l'*Erebus* laissa aux siens la même latitude que d'ordinaire. Tous rentrèrent à l'heure dite, mais l'aide-chirurgien, porté sur la chose, réquisitionna un canot et ordonna à un matelot qui avait eu l'heur de plaire à Kate de le ramener sur la terre ferme. Les deux hommes rejoignirent les sœurs, le rendez-vous ayant été convenu à la hâte tandis qu'Ephraim, ostensiblement, s'affairait ailleurs.

Selon les relevés officiels, les gredins regagnèrent l'*Erebus* à trois heures du matin. Le troisième lieutenant, de faction cette nuit-là, les reconnut à peine, car il faisait nuit noire ; les nuages obscurcissaient les étoiles et le ciel, et il était lui-même passablement éméché. Le matelot, affublé d'un haut-de-forme en soie, parlait avec l'aide-chirurgien dans une langue gutturale inconnue. Les deux hommes transportaient des sacs de provisions. C'était contraire aux règlements, bien sûr, mais ils avaient eu la délicate attention d'apporter une bouteille de rhum au troisième lieutenant.

Franklin joua de malchance. Sans le savoir, il avait fait voile vers l'Arctique au cours de ce qu'on décrirait plus tard comme l'un des cycles de froid les plus implacables des mille dernières années. Il prit la mer avec quelque huit mille conserves de viande, fournies par un certain Stephen Goldner, le plus bas soumissionnaire, et préparées selon un procédé ultramoderne appelé « brevet de Goldner ». La viande était infecte. Les boîtes retrouvées sur l'île Beechey par un anthropologue perspicace, plus de cent vingt-cinq ans plus tard, n'avaient pas été correctement soudées et leur couvercle était bombé. Ces indices de putréfaction avalisaient sa théorie selon laquelle les membres de l'expédition auraient été victimes d'une intoxication au plomb, laquelle peut entraîner une fatigue débilitante, l'anorexie et la paranoïa. Mais Ephraim et Izzy, grâce à leurs réserves secrètes de mets traditionnels juifs, furent moins contaminés que les autres membres de la compagnie. Il est vrai que leurs provisions s'épuisèrent dans le courant de la première année, mais le hareng *schmaltz,* luxe qu'Izzy réservait au sabbat, dura jusque tard dans la deuxième année. Et encore, Izzy, toujours débrouillard, était devenu l'intime du cuistot et parvint à limiter leur consommation de viande empoisonnée grâce aux mets délicats qu'il avait eu la prévoyance de garder en réserve. Ainsi, un vendredi soir, les deux hommes se gavaient de kacha frit dans de la graisse de poulet et, le vendredi suivant, de riz préparé de la même façon.

Pour reconstituer les interminables hivers qu'Ephraim avait passés dans le Haut-Arctique, où le soleil disparaissait sous l'horizon pendant quatre mois d'affilée, Moses dut s'en remettre aux conjectures et aux comptes rendus des explorateurs du XIXe siècle. Il disposait également des fragments des journaux intimes de Solomon, ces récits qu'avait faits Ephraim sur le bord d'un lac glacial, où l'homme et l'enfant se réchauffaient devant leur feu de camp sous l'arc mouvant d'une aurore boréale.

L'archipel Arctique n'était navigable que durant huit semaines par année. Après quoi, devant la triste perspective d'un nouvel hiver, les hommes devaient dynamiter la glace, la scier ou diriger leur navire vers un havre sûr, où la banquise les tiendrait en otage pendant dix mois. Ils entreprenaient alors de tailler des blocs de glace pour s'approvisionner en eau et construire un mur autour du bateau, d'entasser de la neige contre la coque pour l'isoler et d'aménager des abris de toile sur les ponts. Les officiers, soucieux de préserver le moral, organisaient des courses à pied sur la neige et des parties de cricket, donnaient des leçons et des représentations théâtrales. Sur scène, lors de la pantomime de Noël, il gelait à pierre fendre. « Quand on est en jupon, se plaignit l'impertinent lieutenant Norton, il n'y a pas de quoi rire. » En contrepartie des faveurs qu'ils accordaient à des officiers en mal d'amour, les mousses ainsi que les fusiliers marins et les matelots les plus séduisants exigèrent bientôt des sommes exorbitantes.

Solomon avait noté dans son journal intime qu'Ephraim assistait à tous les cours d'astronomie, d'où sa capacité à lire dans les étoiles, et qu'il ne ratait pas une seule leçon de M. Stanley, le médecin de l'*Erebus*.

« En Angleterre, dit M. Stanley, la science médicale a atteint un tel degré de perfection que nous avons presque oublié les débuts rudimentaires qui ont mené à nos connaissances actuelles. Mais, des hauteurs de notre savoir, il est intéressant d'observer les ténèbres où croupissent ces sauvages d'Esquimaux, qui tolèrent encore une classe de guérisseurs prétendant, à tort et à travers, pouvoir réaliser toutes sortes de miracles. Ces chamans se disent capables de grandir ou de rapetisser à volonté, de se transformer en animal ou de s'incarner dans un bout de bois ou une pierre. Ils savent aussi marcher sur l'eau et voler. Mais à une condition : personne ne doit les voir. »

Les officiers éclatèrent d'un rire de connivence.

« Hélas, poursuivit M. Stanley, il s'agit d'un grave problème. Les chamans, par exemple, ignorent tout de la nature du délire. Lorsqu'un patient se met à délirer, victime d'une fièvre violente, notamment, ils le croient fou, pris d'une irrépressible envie de s'adonner au cannibalisme. »

Franklin, dont la mort avait été annoncée, fut enseveli, le 11 juin 1847, dans l'enseigne britannique que Lady Jane avait brodée pour lui. Et lorsque l'été tant attendu arriva enfin, son soleil pâlot ne suffit pas à dégager les navires de la banquise.

Les hommes, leurs dents baignant dans leur bouche ensanglantée, virent leurs rations réduites de nouveau, expliqua Ephraim à Solomon. Le scorbut, nota Solomon dans son journal, emporta vingt d'entre eux au cours de l'hiver 1848. Et alors l'*Erebus* devint un lieu de ténèbres entre la Terre et l'Enfer. Les hommes se jetaient à la gorge d'un camarade pour un bout de viande avariée et se livraient à des actes qui leur répugnaient en échange d'une ration de thé ou de tabac. Des officiers écrivaient en pleurant des lettres d'adieu. Le capitaine du gaillard d'avant s'assoyait à l'orgue pendant des heures et jouait des hymnes, priait pour que la mer de glace et de nuit les libère. Affublé d'une perruque et fardé de rouge, les lèvres maquillées, Philip Norton, dément, fiévreux, parada sous les ponts en robe de bal, s'arrêta pour pincer les joues d'Izzy Garber ou caresser les fesses d'Ephraim, se demanda à haute voix lequel d'entre eux serait le plus tendre dans la marmite, prévint l'équipage qu'ils en seraient bientôt réduits à cette extrémité. Un matin, il força Ephraim à monter dans sa minuscule cabine, où, malgré le froid intense, il était allongé sur sa couchette, vêtu seulement d'un porte-jarretelles noir et de bas. Dans cette position, il chantonnait en peignant les poils de son pubis avec une brosse à dents. « Le moment est venu, cher ami, de révéler où Grant et toi cachez vos provisions. »

En proie à des hallucinations, les membres d'équipage, par crainte d'être dépecés, avaient toujours une arme à la main. Ceux qui avaient depuis longtemps craché leurs dents et n'avaient plus la force de bouger expectoraient du sang et des mucosités, la peau couverte d'ulcères, glissaient dans les flaques de diarrhée qui jonchaient leur hamac. Ceux qui parvenaient encore à se déplacer, les gencives déjà violettes, le goût de la mort dans la bouche, se divisaient en bandes rivales, chacune soupçonnant l'autre de disposer de caches de nourriture. En maraude, armés, ils organisaient des fouilles éclair. Les officiers étaient ouvertement conspués. Inquiets, Crozier et Fitzjames se réunirent dans le carré de l'*Erebus*, la porte gardée par deux fusiliers marins.

Moses Berger, dont la collection d'ouvrages annotés sur Franklin faisait autorité, constata que, plus de cent ans après les faits, les spécialistes se demandaient toujours ce qui avait bien pu pousser les hommes de l'expédition à abandonner leur navire, mal en point et mal équipés comme ils l'étaient, et à se mettre en route, en passant par la rivière Back's Fish, vers Fort Reliance, à quelque huit cents milles de là. « Rien de moins qu'un grave facteur ou un ensemble de circonstances n'a pu précipiter une décision aussi risquée et téméraire », écrivait William Gibson, FRGS, négociant en chef de la Baie d'Hudson, dans le *Beaver* (juin 1937).

La grave circonstance, selon Ephraim, était la conviction de Crozier qu'une mutinerie était imminente.

Les spécialistes étaient encore plus décontenancés par la

panoplie d'articles éparpillés dans le canot de sauvetage retrouvé par Hobson près de Victory Point. Des mouchoirs de soie, du savon parfumé, des éponges, des pantoufles, des brosses à dents et des peignes. Soit à peu près tout ce dont avaient besoin pour faire leur toilette le dément « Dolly » Norton et son entourage. Les spécialistes ne comprenaient pas non plus pourquoi le canot pointait vers les navires abandonnés.

Ephraim dit à Solomon : « Crozier et Fitzjames étaient partis avec les hommes qu'ils jugeaient loyaux ou, à tout le moins, sains d'esprit. Ils ont convaincu Norton et sa bande de se détacher du corps principal en leur proposant une grande quantité de thé et de chocolat et en les autorisant à nous emmener, Izzy et moi, comme prisonniers bons à faire mijoter dans la marmite. Mais, ainsi que Dieu, au dernier moment, a sauvé Isaac du couteau en lui substituant un bélier, nous avons été sauvés par l'ours polaire qu'ils ont abattu sur la banquise. Norton et sa bande se sont aussitôt mis à dévorer le foie de l'animal, cru, sans nous en laisser un seul morceau, et voilà qui a scellé leur sort. »

L'hypervitaminose, réaction toxique à une surdose de vitamine A, dont une carence en vitamines C et E accroît la gravité, résulte de la consommation du foie d'un ours polaire ou d'un phoque barbu. L'affection est si rare qu'elle ne figure même pas dans le *Black's Medical Dictionary*. Ses symptômes, nota Moses sur une de ses fiches, sont les suivants :

> Maux de tête, vomissements, diarrhée, dont l'apparition est rapide. Et, dans la semaine, desquamation et décollement de la peau, perte de cheveux, fendillement de la peau autour de la bouche, du nez et des yeux. Suivent irritabilité, inappétence, somnolence, vertiges, étourdissements, douleurs osseuses, perte de poids et diverses perturbations internes imputables au gonflement du foie et de la rate, y compris une violente dysenterie. Et, dans les cas graves, convulsions, délire, voire mort causée par une hémorragie intracrânienne.

Ephraim dit à Solomon : « Les Esquimaux qui nous accompagnaient depuis quatre jours étaient partis et nous campions toujours à environ soixante-dix milles des navires, incapables d'avancer à cause des hommes qui se vomissaient et se chiaient dessus en attribuant leurs problèmes au phoque qu'ils avaient partagé avec eux. Izzy était fiévreux. Et Norton, qui portait sa robe de bal dans la tente, chauffée par un maigre feu, a déclaré qu'il ferait de moi son mignon. Lorsque j'ai commencé à jurer, il a ordonné à ses disciples de me mettre à genoux, les bras tordus derrière le dos. Se jetant sur moi, il a soulevé sa robe et baissé sa culotte de soie, et c'est alors qu'il a vu des poils et des fragments de peau tomber dans la neige. Ses parties intimes étaient rouges et très irritées. Affolé, il a baissé ses bas et sangloté en voyant la peau de ses jambes se décoller par languettes. Les autres hommes, pressés de s'examiner, m'ont lâché. Oh, les gémissements qui ont retenti dans cette tente, les menaces qu'ils ont proférées en voyant que nous étions indemnes, Izzy et moi. Tout en se chicanant, les hommes affaiblis ont réussi tant bien que mal à tourner le canot posé sur le traîneau dans l'autre direction. Ils étaient résolus à rentrer aux navires pour se reposer jusqu'à leur guérison et à nous couper en morceaux, Izzy et moi, pour se nourrir. Mais ils étaient si épuisés par la dysenterie que je n'ai eu aucun mal à sauter sur Norton par-derrière, à le culbuter et à l'égorger avant de fuir avec Izzy, en tirant derrière nous un traîneau de fortune avec nos effets personnels, du côté où était partie la bande de chasseurs esquimaux. »

Il y avait un trou dans le journal de Solomon. Quand il reprenait son récit, c'était pour rendre compte de l'affrontement entre son grand-père et le chaman du camp de chasseurs. C'étaient des Netsiliks. Parmi eux se trouvait Kukiaut, qui avait travaillé sur un baleinier américain pendant deux ans et qui lui servit d'interprète tout en lui enseignant l'inuktitut.

La cause de l'affrontement était un enfant malade autour duquel, dans l'igloo, des femmes dansaient en chantant une mélopée funèbre. « *Hi-ya, hi-ya, hi-ya* », faisaient-elles.

Le garçon avait traversé une mince couche de glace et était tombé dans l'eau glaciale. Il avait les joues brûlantes et délirait, mais Ephraim, faisant le pari qu'il souffrait d'une vilaine grippe, sans plus, proposa de le soigner avec les médicaments que renfermait la malle d'Izzy. Mais Inaksak, le vieux chaman rusé, l'accusa d'être un usurpateur, un intrus assoiffé de sang qui ne présageait que la tempête et la mort. Le vieil homme, se moquant d'Ephraim, tournant autour de lui, grondant férocement, montrait les amulettes accrochées à sa ceinture ; des rangées de dents de phoque et d'ours, la tête d'une sterne sculptée dans de la pierre de savon, un pénis de morse. L'enfant, proclama-t-il, était possédé par un esprit malfaisant et lui, le puissant Inaksak, avec l'aide du fantôme de Kaormik, saurait l'en exorciser et le guérir.

« *Gottenyu,* dit Izzy. Ils ont des *dibbouks* ici aussi ? »

Accroupi, se couvrant d'une peau de caribou, Inaksak entra en transe. Puis il s'avança vers le garçon en levant les yeux au ciel et en grognant, son couteau à neige à la main.

Izzy, reconnaissant en lui un maître de l'art, poussa Ephraim du coude.

« Méfie-toi, mon vieux. Il est doué, très doué. »

Suçant le ventre du garçon fiévreux, Inaksak fut projeté en arrière, frappé de plein fouet par l'esprit malfaisant. Vacillant à gauche et à droite dans l'igloo, Inaksak combattit l'esprit à grand renfort de coups de poing et de couteau à neige. Enfin, du sang lui coulant sur le menton, il cracha un caillou aux pieds d'Ephraim et annonça que le garçon était libéré. Puis il perdit connaissance et s'effondra. Quelques heures plus tard, cependant, l'état du garçon s'était détérioré et Inaksak, attristé, déclara que les *tupiliqs* étaient trop nombreux pour être vaincus, que les esprits malfaisants étaient venus avec les *kublanas.* Il ordonna aux chasseurs de construire un petit igloo, d'y abandonner le garçon ainsi que les intrus et de les y laisser mourir de froid. Sinon, la malédiction les frapperait tous.

Une fois la phrase traduite, on dut empêcher Izzy, outré, de se jeter sur le chaman. Il en appela à Ephraim : « Explique à ces idiots que le vieux bougre s'est fait saigner en ouvrant ses gencives avec le caillou. »

Ephraim affirma plutôt que son ami et lui accepteraient volontiers d'accompagner le garçon dans l'igloo, à condition qu'on leur accorde une lampe de pierre, du combustible et de la nourriture pour une semaine. Pendant ce temps, il traiterait le garçon et prouverait hors de tout doute que ses pouvoirs magiques étaient supérieurs à ceux d'Inaksak.

Ephraim dit à Solomon : « Pas de chance. Le jour où j'ai ramené le garçon, flageolant, mais manifestement en voie de guérison, un blizzard s'est levé. Inaksak, ce vieux salaud, s'est mis à danser et a prétendu que mes pouvoirs magiques étaient néfastes. J'avais provoqué la colère de Narssuk, dieu du vent, de la pluie et de la neige. »

Le père de Narssuk, un monstre gigantesque doté d'une double rangée de dents, avait perdu la vie au cours d'une bataille contre un autre géant. Sa mère avait également été tuée. Enfant déjà, Narssuk était si grand que quatre femmes pouvaient s'asseoir sur son membre viril. Il s'envola haut dans le ciel et devint un esprit malfaisant, haïssant l'humanité. Seules les lanières qui retenaient ses peaux de caribou l'empêchaient de semer la terreur. Toutefois, si les femmes gardaient le silence sur leurs menstruations ou que d'autres tabous étaient transgressés, les lanières de Narssuk se desserraient et il était libre de se déplacer et de tourmenter les gens avec ses blizzards.

« Maintenant, à cause des *kublanas,* dit Inaksak, je vais devoir m'envoler et affronter Narssuk pour resserrer ses lanières. Sinon, nous n'aurons pas de beau temps pour la chasse et nous mourrons tous de faim. »

Une fois les chasseurs, leurs femmes et leurs enfants réunis dehors, on comprit que le vol d'Inaksak serait inutile. La tempête était passée tout aussi brusquement qu'elle était venue. Ephraim vit alors la lune danser sur l'horizon. Espérant de tout cœur que ses calculs étaient bons, il déclara : « Je suis plus puissant que ce vieil imbécile et même que Narssuk. Pour vous le prouver, je vais bientôt lever mes bras et introduire les ténèbres au milieu de la saison de la lumière, en guidant la lune, qui est ma servante, entre le soleil et vous. Et si vous n'exaucez pas mes moindres volontés, je vais me transformer en corbeau et vous arracher les yeux, un à un. »

Lorsque Kukiaut eut traduit ces propos, les Esquimaux, follement amusés d'avoir un tel fanfaron parmi eux, s'assirent pour attendre.

Ephraim rentra dans l'igloo et en ressortit avec son haut-de-forme et son talit. Il chanta : « Un, qui connaît ? Un, je connais. Un notre Dieu qui est dans les Cieux et sur Terre. Deux, qui connaît ? Deux, je connais. Deux tables de l'Alliance. Un notre Dieu qui est dans les Cieux et sur Terre. »

Il se roula dans la neige, simulant des convulsions, de l'écume aux lèvres. Puis il se redressa et, au moment où la lune commençait à monter dans le ciel, il souleva les bras et l'éclipse débuta. Sidérés, les Esquimaux hurlèrent, tombèrent à genoux, supplièrent Ephraim de ne pas se métamorphoser en corbeau, de ne pas leur arracher les yeux.

Et Ephraim leur dit : « Je suis Ephraim, votre Dieu, et vous n'aurez pas d'autres dieux devant moi. Vous ne vous inclinerez pas devant Narssuk, dont j'ai ratatiné la quéquette, ni devant d'autres dieux, bande de minables. Car votre Dieu est un Dieu jaloux. Je punis la faute des pères sur les enfants jusqu'à la troisième et la quatrième génération de ceux qui me détestent. »

Il leur interdit de voler et de tuer, à moins que lui, Ephraim, ne le leur ait ordonné, et leur commanda de ne pas utiliser son nom à la légère.

« Vous chasserez six jours durant pour nous fournir de la viande, à Izzy et moi, et, le soir du sixième jour, vous laverez vos femmes et vous me les amènerez en offrande… »

Izzy tapa du pied.

« … ainsi qu'à mon prêtre ici présent. Et le septième jour, qui est mon sabbat, vous vous reposerez. »

Au cours des jours suivants, tandis que des femmes se pelotonnaient contre lui sous les peaux de caribou empilées sur la plate-forme de couchage, les hommes en cercle autour d'eux, Ephraim leur dit : « Au commencement, j'ai créé les cieux et la terre. »

Il les régala de récits, ceux du déluge, de la tunique de plusieurs couleurs de Joseph et des dix plaies. Cette dernière histoire était l'une des favorites des chasseurs.

Ephraim rebouta leurs os brisés et soigna leurs malades. Lorsque naissait une fille, il les empêchait de l'étrangler et de la manger, et lorsque naissait un garçon, il leur montrait comment le circoncire.

Ephraim leur promit que leurs descendants seraient aussi nombreux que les étoiles dans le ciel. Il leur dit qu'il devrait un jour s'en aller, mais que, s'ils continuaient à bien se comporter, il leur enverrait un messie dans une autre génération. Le messie, descendant d'Ephraim, leur rendrait leurs ancêtres et ferait en sorte que les phoques et les caribous soient si abondants que plus personne ne connaîtrait la faim.

Ephraim transmit également à ses adeptes une version du Yom Kippour, leur disant qu'il s'agissait du plus saint des jours saints et que, d'un coucher du soleil à l'autre, ses ouailles âgées de treize ans et plus ne devaient ni baiser ni manger. Elles devaient plutôt le prier pour obtenir le pardon de leurs péchés. Il dicta sa loi dans un moment d'égarement et de distraction, oubliant que sa religion s'appliquait à toutes les situations, sauf à celle des fidèles de l'Arctique.

Au fil des ans, les adeptes d'Ephraim qui, en octobre, s'aventuraient trop loin vers le nord à la recherche de phoques se rendirent vite compte qu'ils étaient dans de beaux draps. Une fois le soleil couché, ils devaient rester chastes et jeûner jusqu'à ce qu'il se lève de nouveau, quelques mois plus tard, pour rester au-dessus de l'horizon pendant plusieurs mois encore. En conséquence, certains péchèrent contre Ephraim, les hommes sortant du campement à la dérobée pour manger, les femmes cherchant satisfaction dans les bras des impurs. La plupart, cependant, se laissaient crever de faim et mouraient dévotement, à moins qu'Henry, le bon berger, les découvre et les ramène en toute hâte vers le soleil et la délivrance.

Cinq

« Vous vous méprenez, Bert. Personne ne vous demande de vous en aller. Mais comme j'ai maintenant un homme de main pour s'occuper des réparations et que vous n'avez pas les moyens de payer le loyer actuel, je trouve tout à fait normal que vous vous installiez dans la petite chambre du fond. »

Mme Jenkins, sur la carpette de l'entrée, fit passer son poids d'un pied sur l'autre en tendant l'oreille pour entendre le grincement de la latte.

« Tiens, une latte qui bouge, dit-elle.

— Je vais m'en occuper, dit Smith.

— J'ai un couple prêt à emménager lundi et à me payer d'avance quarante dollars par semaine. »

Sorti de la maison en rage, il s'engagea dans la rue en pressant le pas, croisa des voisins dont pas un ne le salua d'un geste de la main ou lui adressa un sourire. Des étrangers insolents qui ne pensent qu'à profiter. Des ingrats, tous. Si l'un d'entre eux montait dans le même autobus que lui, même s'il ne s'agissait que d'une femme de ménage ignare qui volait ses supérieurs, il lui laissait aussitôt sa place. Une fois, il avait même aidé Mme Donanto à porter ses sacs de l'épicerie Metro. Si lui glissait sur la glace et se fracturait la cheville, par contre, les voisins pousseraient sans doute des cris de joie. En tout cas, ils le laisseraient sûrement là, gisant au milieu des crottes du chien des Reginelli, qui faisait ses besoins n'importe où.

Smith se rendit à la banque, effectua son retrait hebdomadaire de deux cents dollars, puis s'offrit un café et un muffin aux bleuets chez Miss Westmount. Il avait sa dignité. Il n'emménagerait pas dans ce cagibi avec une fenêtre minuscule s'ouvrant sur une ruelle où des rats festoyaient dans les poubelles. Il se rendit plutôt chez Mme Watkins, qui avait une chambre vacante. Ensuite, il déjeuna chez Ogilvy, une petite folie, avant de rentrer chez lui pour faire la sieste.

« Comme ça, vous songez à nous quitter, hein, mon vieil ami ? »

Smith, stupéfait, sentit la pièce vaciller.

« Allez-y. Ça m'arrange. Si elle a une chambre à louer, c'est parce qu'un petit vieux a crevé dans le lit. Mort de froid, probablement. Vous savez qu'elle règle le thermostat à soixante-cinq degrés ?

— La chambre du fond ne m'intéresse pas.

— Vous savez pourquoi Mme Watkins m'a téléphoné aussitôt que vous êtes sorti de sa maison infestée de coquerelles, hein ? Parce qu'elle a déjà accueilli des vieux débris avec un pied dans la tombe et qu'elle voulait savoir si vous pissiez au lit.

— Vous avez terminé, madame Jenkins ?

— Parce que c'est "madame Jenkins", à présent ? Ha ! La semaine passée, j'ai trouvé une boîte de chocolats Laura Secord vide dans votre poubelle, avec un sac du Shangri-La et trois emballages de Nut Milk de Lowney. Où avez-vous pris l'argent, Bert ?

— Mêlez-vous de vos oignons.

— Vos oignons sont mes oignons si vous volez à l'étalage ou que vous vendez de la drogue aux écoliers à la Place Alexis-Nihon et que la police vient me poser des questions. »

Le lendemain, Smith ne sortit pas de sa chambre avant midi. Après avoir visité un certain nombre d'endroits, il se décida pour une grande maison de NDG, construite de façon anarchique et convertie en studios indépendants, chacun équipé d'une salle de bains et d'une kitchenette avec des armoires et un réchaud double. Avec le sentiment de commettre un péché, il s'acheta un miniréfrigérateur, un téléviseur couleur et une couverture chauffante. Puis, épuisé, il rentra à la pension en taxi et se fit déposer au coin de la rue, mais, à son grand désarroi, une fois devant sa chambre, il fut incapable de glisser sa clé dans la serrure. Pis encore, les efforts de plus en plus frénétiques qu'il déployait pour ouvrir ce qui était manifestement une nouvelle serrure réveillèrent une personne à l'intérieur. La voix geignarde d'une femme s'éleva.

« C'est toi, Herb ? »

Avant que Smith, en proie au désespoir, ait le temps de répondre, Mme Jenkins se matérialisa devant lui.

« Nous avons tout transporté dans la chambre du fond en faisant très, très attention. Même votre coffre-fort rempli, je gage, de marijuana et de cartes postales cochonnes.

— Il faut que j'entre dans ma chambre.

— Tout est ici, dit-elle en l'entraînant vers le fond de la maison.

— S'il vous plaît, dit Smith. Il faut que j'entre dans ma chambre.

— C'est celle-ci, votre jolie chambrette, à présent. D'ailleurs, Mme Boyd est alitée. Elle a la grippe, la pauvre petite. »

Smith ferma la porte et s'effondra sur le lit. Tremblant sous ses couvertures, même si le radiateur fonctionnait à plein régime, il comprit qu'il ne pourrait pas déménager le lendemain, comme prévu. Il devrait attendre que Mme Boyd se rétablisse, qu'elle sorte faire des courses avec son mari. Il pourrait alors s'introduire en douce dans la chambre et récupérer son argent. Entre-temps, se dit-il, le magot serait en sécurité. Ils ne songeraient jamais à regarder sous la latte. *Mais elle grinçait !* Mon Dieu !

Tôt le lendemain matin, Smith entrouvrit sa porte. Il fut rapidement récompensé : pour la première fois apparut Betty Boyd, frêle créature vêtue d'une chemise de nuit décolorée qui courait vers les toilettes, une main sur la bouche. Nausées matinales, songea Smith.

Betty ne pouvait pas avoir plus de dix-sept ans. Herb, qui en avait au moins dix de plus, était un grand gaillard avec une bedaine de buveur de bière que son chandail de hockey ne parvenait plus à recouvrir.

LES WILDCATS DE MONCTON
mangent les petits pois surgelés McNab

Herb travaillait à la quincaillerie Pascal. Le soir, il rentrait directement avec une pizza ou deux sous-marins, une caisse de six O'Keefe et une pinte de lait. Hormis ses visites précipitées aux toilettes, Betty passait ses journées au lit en écoutant la radio à tue-tête. Les Boyd n'occupaient son ancienne chambre que depuis une semaine lorsque Smith réussit enfin à tomber sur Herb dans le couloir.

« Vous devriez la sortir, un soir, dit-il. Pour lui redonner des couleurs.

— Elle aime pas que tu la regardes de derrière ta porte quand elle s'en va pour chier. »

Deux soirs plus tard, Smith les vit sortir. Dès que la porte d'entrée fut refermée, il alla prendre son marteau et son tournevis. M. Calder, de la cinq, était sorti. Mlle Bancroft aussi. Soirée de bingo. Mme Jenkins regardait la télé dans son séjour. Qu'arriverait-il si elle entendait du bruit ? Ou si les Boyd étaient seulement allés au dépanneur et rentraient dans cinq minutes ? Smith décida d'attendre un soir où il serait certain qu'ils étaient allés au cinéma. Entre-temps, il mesurerait la durée de leur absence. Lorsqu'il s'endormit, vers deux heures du matin, ils n'avaient toujours pas réapparu.

À sept heures du matin, Mme Jenkins ouvrit leur porte à l'aide de son passe-partout. Les Boyd n'avaient rien emporté avec eux.

Affligé, Smith vint la retrouver.

« Ne touchez à rien, dit-elle. Les empreintes digitales. Au cas où ils auraient été victimes d'un acte criminel. »

Mais Smith sut, sans même jeter un coup d'œil, que les Boyd avaient soulevé la latte grinçante et qu'ils étaient, en ce moment même, en route vers Toronto, plus riches de deux mille trois cent cinquante-huit dollars.

Pleurant toujours sa perte, Smith s'arrangea pour qu'on vienne prendre ses affaires pendant que Mme Jenkins se faisait coiffer chez Lady Godiva. Il laissa sur la table un mot laconique et deux semaines de loyer, mais pas sa nouvelle adresse. Il n'espérait plus qu'une chose : qu'elle glisserait sur la glace, se fracturerait la cheville et qu'il n'y aurait personne pour s'occuper d'elle lorsqu'elle sortirait de l'hôpital.

Bon débarras, songea Mme Jenkins en chiffonnant le mot. Puis elle ressortit, s'arrêta à la Place Alexis-Nihon pour manger un banana split et alla voir *Chacal.* Deux erreurs flagrantes lui gâchèrent le film. L'assassin, au moment de franchir la frontière italo-française, n'aurait jamais pu repeindre sa voiture de sport aussi facilement. Une autre scène débutait à midi et se terminait à trois heures – comme l'indiquait la position du soleil –, alors qu'elle ne durait qu'une minute, et encore. Ces gens de cinéma nous prenaient vraiment pour des imbéciles.

Dans son nouveau studio, le téléviseur couleur et le mini-réfrigérateur à leur place, la photo de ses parents à Gloriana posée sur le manteau de la cheminée, Smith prépara son petit déjeuner, heureux de ne plus avoir à répondre à des devinettes comme « Combien de *Newfies* faut-il pour remplacer une ampoule électrique ? » ou « Comment différencie-t-on le marié de la mariée dans un mariage polonais ? ». Quel plaisir d'avoir son propre exemplaire de la *Gazette* livré à sa porte au lieu de se contenter d'un journal tout chiffonné, les pages collées de marmelade. Il y avait aussi d'autres avantages. Plus besoin d'essuyer le sang sur son beurre parce qu'elle avait posé ses côtelettes d'agneau qui dégouttaient sur la tablette au-dessus de la sienne et non dans le tiroir à viande. Plus besoin de mettre du papier sur la lunette des toilettes avant de s'y asseoir. Demain, décida-t-il, il ferait débrancher le téléphone. Il n'avait surtout pas envie que Mme Jenkins vienne écornifler dans les parages simplement parce que son nom était inscrit dans l'annuaire. Qu'elle se fasse du souci pour son meilleur ami dans cette vallée de larmes…

À la une de la *Gazette*, Lionel Gursky lui souriait de toutes ses dents. Sa nouvelle Fondation Gursky (encore une façon d'échapper à l'impôt, pensa Smith) offrirait des bourses d'études universitaires à cent étudiants dans le besoin venant des quatre coins du Canada. En mémoire de M. Bernard et de ses actions. « Mon père, disait Lionel, aimait le Canada et tous ses habitants. »

Dit la call-girl au juge, songea Smith en éprouvant une vive douleur dans le bras.

SEPT

Un

Inévitablement, la fille de Gitel Kugelmass et son mari, le dentiste, se joignirent à l'exode des anglophones qui, par l'autoroute 401, fuyaient Montréal pour s'établir à Toronto. Les Nathanson n'emmenèrent pas Gitel. Ils l'installèrent plutôt au Mount Sinai, un hôtel-résidence de Côte-Saint-Luc offrant tout le nécessaire aux Juifs d'un certain âge. Un restaurant casher, une *shul,* des cours d'artisanat, une salle de gymnastique, où une aimable jeune fille leur faisait faire de l'aérobie, un dépanneur, un service de sécurité permanent et une pièce réservée aux conférences, aux parties de belote, aux services funéraires et, le samedi soir, aux soirées dansantes. Les femmes qui avaient la chance d'avoir encore leur mari abhorraient *die Roite Gitel,* avec son grand chapeau à larges bords et son élégante cape noire. Une coquette. Une menace sur la piste de danse. Elle avait également la réputation d'inviter chez elle les hommes qui n'étaient ni incontinents ni ralentis par un déambulateur et de leur servir du brandy aux pêches. Selon la rumeur, la *choleria* les recevait en négligé noir bordé de dentelle et mettait un disque de Mick Jagger, le *shaygetz* qui hurlait *I Can't Get No Satisfaction.*

Les seuls autres visiteurs de Gitel étaient des vendeurs pleins d'allant qui lui montraient des photographies poétiques de cimetières, des listes de prix de cercueils, et la pressaient d'agir pour éviter de devenir un fardeau pour sa famille. Ou encore des *rebbes* aux épaules voûtées vêtus d'un cafetan puant qui, moyennant la modique somme de vingt-cinq dollars, lui promettaient d'allumer un cierge à chaque anniversaire de sa mort. Une fois par semaine, Moses venait donc à Montréal pour emmener Gitel déjeuner au restaurant. Ces visites, d'heureuses excursions pendant lesquelles ils bavardaient tous deux en yiddish, s'étaient, à la longue, transformées en tristes obligations. Après sa deuxième petite attaque, *die Roite Gitel*, ancienne égérie du mouvement des couturières contre Fancy Finery, avait perdu la raison. Moses avait commencé à s'en douter quand elle avait insisté pour qu'il vienne à Montréal un jour plus tôt. « Je t'appelle d'un téléphone public, dit-elle. Ma ligne est sur écoute. »

Une fois attablée avec lui au restaurant Chez la mère Michel, elle lui fit voir la lettre. Sa fille, qui vivait désormais à Toronto, l'invitait pour les Grandes Fêtes et joignait à sa missive une photo de ses petits-enfants, Cynthia et Hilary.

« Eh bien, c'est très gentil, dit Moses.

— Tu ne vois donc pas que l'auteur de cette lettre imite presque parfaitement l'écriture de Pearl ?

— Vous voulez dire que ce n'est pas elle qui l'a écrite ?

— Pearl préférerait mourir plutôt que de m'inviter à venir chez elle pour Rosh ha-Shana. C'est un coup de la CIA ou du KGB.

— Voyons, Gitel, vous ne le pensez pas sérieusement.

— Je ne le pense pas, je le sais.

— Dites-moi pourquoi.

— Si c'est la CIA, c'est parce qu'ils savent que j'ai été membre du Parti à l'époque des Rosenberg ; si c'est le KGB, c'est parce que je n'en fais plus partie. »

Moses se commanda un autre scotch. Un double.

« On t'a suivi jusque chez moi ?

— J'ai pris mes précautions.

— Mon appartement est truffé de micros. »

Parfois, à l'occasion de ces repas, Gitel était adorable,

comme autrefois. « Moishe, disait-elle, je n'espère plus qu'une chose : vivre assez longtemps pour assister au lancement de ta biographie de Solomon Gursky. »

Puis, une nuit, il fut réveillé par un coup de téléphone à deux heures du matin.

« Je l'ai trouvé, dit-elle.

— Quoi donc ?

— Le micro. »

Inquiet pour la sécurité de la vieille femme en dépit de l'absurdité de la situation, Moses partit pour Montréal tout de suite après le petit déjeuner. Gitel, qui avait fait les cent pas en l'attendant, roula le tapis du salon. Au centre du plancher se trouvait une sinistre plaque de cuivre. Gitel lui tendit un tournevis et, à quatre pattes, Moses la dévissa. Par chance, les Farber, qui vivaient dans l'appartement du dessous, se trouvaient dans la cuisine quand le lustre de leur salon s'écrasa au sol. Malgré tout, les explications furent laborieuses.

Le même après-midi, Moses quitta l'autoroute à la sortie 106 et s'arrêta boire un verre au Caboose. Comme à son habitude, la seconde femme de Gord Crawley, l'ex-veuve Hawkins, était soûle. Lorsque Gord la contourna, un plateau de chopes de bière dans les mains, elle s'écria d'une voix sonore : « Pendant mon premier mariage, j'avais pas le temps d'enlever mes bas. Là, j'aurais largement le temps de m'en tricoter une paire. »

Moses revint à sa cabane. Il n'avait plus d'horaire. Il lui arrivait de travailler pendant vingt-quatre heures d'affilée, voire davantage, puis de perdre connaissance sur son lit, complètement ivre, et de dormir pendant douze heures. Cette fois-là, impatient et de mauvaise humeur, il alluma un Montecristo, se servit un Macallan et s'assit à son bureau. En faisant le tri dans ses documents, il tomba sur une fiche contenant une brève référence à M. Bernard, découverte dans une biographie de Sir Desmond McEwen, magnat écossais des spiritueux. « Bernard Gursky me fit l'impression d'être intelligent, comme on pouvait s'y attendre d'un homme de sa naissance et de sa lignée, mais il me sembla dénué du moindre charme. C'est le moins qu'on puisse dire. » La fiche égarée lui avait servi de signet dans l'ouvrage calomnieux de Trebitsch-Lincoln, *Revelations of an International Spy,* que Moses avait lu dans l'espoir que l'escroc notoire, alias Chao Kung, né Ignácz Trebitsch, aurait croisé Solomon en Chine, mais, apparemment, ils ne s'étaient jamais rencontrés. Dommage.

Moses se leva pour s'étirer. Il se frotta les yeux. Puis il ouvrit le journal intime de Solomon aux pages consacrées au procès, à Bert Smith, à l'assassinat de McGraw et à Charley Lin.

Charley, dit le Gros.

Ex-propriétaire de la blanchisserie Wang et de deux pensions infestées de punaises, survivant de la grande partie de poker de l'automne 1916, Charley reçut Moses à sa table personnelle de la House of Lin par une soirée glaciale de 1972. Le restaurant, avenue Hazelton, était jouxté, d'un côté, par la salle de montre de M. Giorgio et, de l'autre, par Morton, une boutique de vêtements pour hommes. Un long dragon sinueux en papier mâché crachant des flammes et de la fumée était suspendu au plafond tapissé de soie, d'où pendait également un enchevêtrement d'ampoules violettes en forme de larmes et de lanternes roses en bambou.

La House of Lin était l'un des établissements préférés de la faune cinématographique de Toronto. De minces Chinoises parfumées, vêtues de fourreaux en brocart de soie fendus jusqu'aux cuisses, accompagnaient de petits producteurs potelés et leurs sveltes compagnes, toutes jeunes, jusqu'au Great Wall of China, le bar où, réunis autour du rickshaw, son joyau, ils sirotaient un verre de kir ou une coupe de champagne en étudiant le menu. Puis, les producteurs et leurs amies étaient escortés, par ordre d'importance, jusqu'à leurs tables. Sur chacune était posée une énorme coupe dans laquelle des pétales de roses flottaient sur une eau parfumée.

Le menu du restaurant, prétendument mandarin, avait été astucieusement adapté pour répondre aux préférences des clients. La soupe aux raviolis chinois, par exemple, rappelait beaucoup la soupe au poulet aux *lokshen* que préparait maman. Les beignets vapeur ressemblaient à s'y méprendre à des *kreplachs*, sauf qu'ils étaient farcis avec du porc. L'émincé de bœuf « général Kang », servi sur des feuilles de chou cuites à l'étuvée, aurait pu passer pour un *chaleshke* déroulé.

Lin, qui devait avoir dans les quatre-vingt-dix ans, selon les estimations de Moses, était grassouillet, vous regardait avec des yeux pétillants et empestait l'eau de Cologne.

« C'est Solomon qui a fait le coup, évidemment. Je ne dis pas que c'est lui qui a appuyé sur la détente pour se débarrasser de McGraw. Il était trop… euh… vous savez…

— Tatillon ?

— Beaucoup trop comme vous dites. Mais il a fait venir les tueurs de Detroit.

— Certains prétendent qu'ils étaient là pour descendre Solomon. C'est lui qui devait se rendre à la gare, non ?

— Mais il a envoyé McGraw à sa place.

— McGraw était son ami.

— Jusqu'au jour où il a appris qu'il s'était fait rouler au poker par un gamin qui avait piqué l'argent de sa famille pour pouvoir jouer.

— Qui vous l'a dit ? »

Lin esquissa son agaçant sourire empreint de sagesse orientale.

« M. Bernard ?

— M. Bernard est un être humain remarquable. Le roi des Juifs. Sans lui, la famille ne serait rien du tout aujourd'hui.

— Ah, je constate qu'Harvey Schwartz compte parmi vos clients.

— Lui et sa charmante épouse passent chaque fois qu'ils sont en ville, et j'en suis ravi. Mais pas M. Bernard, que j'ai pourtant invité à maintes reprises.

— Mais ça ne l'a pas empêché d'investir dans le restaurant, risqua Moses.

— J'en suis le seul et unique propriétaire.

— Comment Solomon a-t-il triché ?

— Laissez-moi vous montrer quelque chose, dit Lin en distribuant les cartes d'un jeu qu'il avait préparé. Kozochar s'était couché ; Ingram et Kouri aussi. Moi, je me suis retiré, même si j'avais deux neuf, un ouvert et un fermé. C'était la seule chose à faire. McGraw, lui, avait deux dames et un as ouverts. Depuis le début, il misait sur ses dames comme s'il en avait une autre de cachée, et laissez-moi vous dire que McGraw n'était pas du genre à bluffer. Solomon, lui, avait seulement deux sept et un dix ouverts. Non seulement il égalait les mises de McGraw, mais en plus il le relançait en jetant des milliers de dollars dans le pot. Puis Ingram a donné un autre as à McGraw – il disposait maintenant d'un full, c'était certain – et un deux à Solomon, c'est-à-dire rien du tout. McGraw jeta dans le pot le titre de propriété de l'hôtel et Solomon ceux du magasin général des Gursky, de la forge et des deux pensions que j'avais perdues. Et quand ils ont retourné leurs cartes, McGraw avait seulement une double paire, as et dames, rien de plus, et ce petit fils de pute avait un brelan de sept.

— Ce sont des choses qui arrivent.

— Si, pour commencer, vous aviez eu un sept ouvert et un sept caché, vous auriez relancé contre deux dames, peut-être trois ? Non, monsieur. À moins de savoir que McGraw ne tenait qu'un misérable huit.

— Mais comment Solomon aurait-il pu savoir une chose pareille ?

— Laissez-moi vous montrer autre chose », dit Lin en faisant signe à un serveur.

Ce dernier lui apporta promptement deux autres jeux de cartes posés sur un plateau en émail. Lin les plaça devant Moses.

« Maintenant, montrez-moi le jeu dont le sceau et la cellophane ont été décollés à la vapeur, puis remis en place.

— Mais vous ne jouiez pas avec les cartes de Solomon.

— Non. Nous jouions avec celles d'Ingram.

— Bon, et alors ?

— Où Ingram les avait-il achetées, monsieur Berger ?

— Chez A. Gursky & Fils, marchands généraux.

— Vous n'êtes pas aussi bête que je le pensais.

— Mais ça ne prouve rien du tout, et surtout pas que c'est Solomon qui a fait assassiner McGraw.

— Dans ce cas, pourquoi Solomon a-t-il décidé de ne pas comparaître ? Et pourquoi s'est-il enfui à bord du Gipsy Moth, qui allait causer sa perte ?

— Parce qu'il savait qu'on vous avait payé pour mentir à la barre des témoins. D'ailleurs, il avait d'autres projets.

— Pas à long terme, j'ose croire.

— *Tiu na xinq.* »

Deux

Dans l'*Acte du cens électoral* du 20 juillet 1885, le mot *personne* désignait un homme, ce qui incluait les Indiens, mais excluait tout individu de race chinoise, dont le père de Charley, Wang Lin, l'un des agneaux d'Andrew Onderdonk. Ils étaient bien plus de dix mille, ces coolies recrutés dans la province du Guangdong et venus ouvrir une brèche dans les Rocheuses pour le compte du Chemin de fer Canadien Pacifique. Suspendus au-dessus de précipices à bord de nacelles qui tanguaient, ils glissaient des bâtons de dynamite dans des crevasses. Ils creusèrent ainsi vingt-sept tunnels dans le canyon du Fraser. Puis, leur travail terminé, leur présence désormais superflue, nombre d'entre eux échouèrent dans la colonie qui, en avril 1886, deviendrait Vancouver. Ce mois-là, les terrassiers blancs de la scierie de Hastings déclenchèrent une grève et réclamèrent de meilleurs salaires. En réponse, le directeur de la scierie recruta des coolies chinois disposés à travailler dix heures par jour pour 1,25 $. La décision provoqua l'ire d'un ivrogne du coin appelé Locksley Lucas. Un soir, il réunit sa bande devant le Sunnyside Hotel et, ensemble, ils fondirent sur les tentes du Chinatown, résolus à fracasser des crânes. Certains Chinois furent ligotés les uns aux autres par leurs nattes et jetés dans la mer du haut d'une falaise, d'où on les encouragea à regagner l'empire du Milieu à la nage.

Wang Lin, un survivant, trouva refuge dans l'intérieur de la Colombie-Britannique, puis il franchit les « montagnes brillantes » pour pénétrer dans le cœur de l'Ouest et s'établir dans la petite ville où A. Gursky & Fils, marchands généraux, offrait les aubaines les plus alléchantes.

Charley, le fils de Wang, prospéra. Puis, au cours de la grande partie de poker de l'automne 1916, Charley, en compagnie de Kozochar, d'Ingram, de Kouri et de McGraw, fut humilié par Solomon, qui quitta la table avec le statut de nouveau propriétaire du Queen Victoria Hotel.

Avant son départ pour la guerre, Solomon fit de McGraw son barman ; c'était, de l'avis de certains, chic de sa part. Mais ce fut dur pour McGraw. Il se mit à boire et à broyer du noir. Assis au 5-10-15 avec Kouri, Kozochar et Lin, il se plaignait avec amertume de Bernard qui, tous les soirs, se faisait un point d'honneur de vérifier la caisse. Sidéré, il vit ce petit salaud imbu de lui-même faire fructifier les gains de Solomon en achetant une série d'hôtels de passe ainsi que deux ou trois maisons de vente par correspondance qui transitaient les spiritueux d'une province à une autre. Au milieu de ses acolytes, serrés autour du poêle brûlant, McGraw admit que, faute d'audace, lui-même n'aurait jamais tenté le coup. Oui, riposta Lin, mais, sans le Queen Victoria Hotel comme garantie, Bernard n'aurait rien pu faire. « Et si, laissa entendre Lin, Solomon avait triché au lieu de t'avoir battu à la régulière ? »

Puis Solomon rentra et, sans consulter Bernard, fit de McGraw le directeur du Duke of York Hotel de North Portal, en Saskatchewan, à deux pas de la frontière et juste en face de la gare de la Soo Line, qui desservait Chicago.

En apprenant que Solomon avait promis à McGraw vingt pour cent des profits de l'hôtel, Bernard s'emporta.

« Dorénavant, dit-il, de telles décisions doivent être prises par moi, toi et Morrie réunis. »

Pas de réponse.

« Je songe à demander Mlle Libby Mintzberg de Winnipeg en mariage. »

Solomon siffla.

« Son père préside la synagogue B'nai Brith. C'est un *shoimer shabbos.*

— Dans ce cas, il faut le présenter à Levine. »

Sam « Red » Levine, de Toledo, était un orthodoxe pur et dur ; on ne le voyait jamais sans sa kippa et il ne tuait personne le jour du sabbat.

« Mlle Mintzberg et moi avons l'intention de fonder une famille. Mes besoins seront donc plus grands que les tiens ou ceux de Morrie.

— Dégage, Bernard. »

Pendant la prohibition, Solomon passa le plus clair de son temps loin de la Saskatchewan. Il allait voir Tim Callaghan qui, dans le couloir Detroit-Windsor, livrait concurrence à Harry Low, Cecil Smith et Vital Benoit, et entrait, avec la Little Jewish Navy et le Purple Gang, dans des disputes que seul Solomon parvenait à résoudre en convoquant une rencontre au Abars Island View ou en invitant tout le monde à dîner à l'Edgewater Thomas Inn de Bertha Thomas.

Bertha Thomas était morte en 1955 et son relais routier avait brûlé en 1970, mais, lorsqu'il se rendit enfin à Windsor, Moses réussit à retrouver Al Hickley, l'ancien videur. Âgé de plus de soixante-dix ans, Al, qui avait les yeux chassieux et du mal à articuler, séquelle d'une attaque, en était réduit à boire ce qu'il appelait de la pisse de cheval ontarienne. Il vivait dans une pension miteuse de la rue Pitt. Al, qui, après son départ du relais routier, avait lui-même été contrebandier, emmena Moses dans un bar, non loin du coin de la rue Mercer, qui empestait encore les vomissures de la veille.

« Hé, à l'époque où je travaillais au quai Reaume à Brighton Beach, on traversait la rivière avec de la boisson, mais aussi avec des chinetoques. On les mettait dans des gros sacs qu'on lestait, tu vois, parce que, quand les bateaux de patrouille s'approchaient de trop près, on devait les lancer par-dessus bord avec les spiritueux. Merde, Moe, ça me fend le cœur de penser à tout cet alcool au fond de la rivière.

— Tu as rencontré Solomon Gursky, dans le bon vieux temps ?

— J'ai serré la main de Jack Dempsey en personne et j'ai encore quelque part un autographe de Babe Ruth. Les Yankees, quand ils jouaient au stade Briggs contre les Tigers, ils allaient boire chez Bertha. J'ai parlé à Al Capone, un chic type comme il s'en fait plus. Il pouvait bouger mille caisses par jour.

— Gursky ?

— Le type avec une canne qui lisait des livres ?

— En plein ça.

— Solly ? Fallait le dire. Sacré nom de nom, c'était un des favoris de Bertha. À l'Edgewater, tu sais, on avait un système. Quand le guetteur téléphonait pour annoncer l'arrivée de la police, Bertha alignait des billets de dix dollars de la porte d'entrée jusqu'à celle du fond, et ces gros lards se pliaient en deux pour les ramasser… et hop ! dans la poche ! Des cochons dans leur auge. En cas de descente, les tablettes remplies de bouteilles, derrière le bar, basculaient et glissaient dans une goulotte, puis les serveurs et les musiciens se dépêchaient de vider les verres des clients sur le tapis super épais. Une fois, le petit gros qui jouait du piano – il se droguait, tu comprends, je suis contre à cent pour cent – a raté son coup, évidemment, et il a vidé un verre sur la piste de danse. Les agents ont épongé l'alcool et ils allaient porter des accusations contre Bertha, mais Solly lui a sauvé la mise. "Dis donc, Bertha, j'aurais juré que tu avais fait cirer le parquet, hier soir. Il n'y avait pas de l'alcool dans ce produit, par hasard ?" Le juge, lui-même un bon client, a renvoyé les policiers chez eux en riant. Solly, c'est pas lui qui s'est tué dans un accident d'avion ?

— Si.

— Et ses frères sont riches, riches, riches ?

— Exactement. »

Sinon, Solomon était à Chicago, où il consultait le conseiller financier d'Al Capone, Jacob « Greasy Thumb » Guzik. Ou il se rendait à Kansas City conclure un marché avec Solly « Cutcher-Head-Off » Weissman. À Philadelphie, il approvisionnait Boo Boo Hoff et Nig Rosen et, à Cleveland, il fournissait Moe Dalitz. Puis il retrouvait Bernard à Winnipeg ou à North Portal ou au Plainsman Hotel, à Bienfait, et ils se disputaient ; Bernard jurait et postillonnait, Solomon reprenait la route. Il descendait pendant deux semaines au Waldorf Astoria, à New York, et bambochait avec Dutch Schultz et Abbadabba Berman à l'Embassy ou au Hotsy-Totsy Club. Puis il se rendait à Saratoga afin de retrouver Arnold Rothstein aux courses ; une fois, il avait envoyé un télégramme à Bernard pour lui réclamer cinquante mille dollars et, une autre fois, cent mille, ce qui avait enragé son frère.

L'été suivant le scandale des Black Sox de Chicago, Solomon s'était associé à Lee Dillage, un marchand de spiritueux du Dakota du Nord, pour financer une équipe de baseball hors-la-loi. L'équipe, qui faisait la tournée des petites villes frontalières de la Saskatchewan, comptait dans ses rangs Swede Risberg et Happy Felsch, ex-membres des tristement célèbres Black Sox. Les parties offraient une distraction bienvenue aux résidents et aux *bootleggers*, pour la plupart des gars du Dakota du Nord qui, dans des trous perdus comme Oxbow et Estevan, devaient attendre la tombée de la nuit pour se rendre au hangar à bagosse des Gursky et charger leurs Studebaker et leurs Hudson Super-Six débarrassées de leur carénage. Puis, tous phares éteints, ils mettaient le cap sur le sud. Leur principal souci était d'éviter les nids-de-poule que les péquenots des prairies creusaient dans les virages délicats, espérant faire tomber une caisse de Bonnie Brew ou de Vat Inverness.

Pendant ce temps-là, Bernard bouillonnait d'impatience, certain que sa cour auprès de Libby Mintzberg avait du plomb dans l'aile. Le père de Libby, Heinrich Benjamin Mintzberg, B.A., directeur de l'Académie hébraïque de Winnipeg, président de la synagogue B'nai Jacob, trésorier de la Mount Sinai Beneficial Loan Society, convoqua Bernard dans son bureau. Faisant la moue, Mme Mintzberg leur servit du thé et du gâteau éponge puis s'assit avec eux.

« Lorsque vous nous avez demandé la main de notre fille bien-aimée, commença M. Mintzberg, une question d'une grande importance pour Mme Mintzberg et moi…

— S'il y a un meilleur parti qu'elle dans toute la bonne société de Winnipeg, dit Mme Mintzberg, qu'on me le fasse savoir.

— … j'ai été, moi qui ai exercé une profession libérale, chagriné à l'idée que mon éventuel gendre n'ait même pas terminé ses études secondaires.

— D'autant que notre fille chérie a toujours le nez dans un livre, ajouta Mme Mintzberg.

— Mais vous m'avez ensuite donné l'assurance que vous possédiez la Royal Pure Drug Company, tout un exploit quand on sait que votre père est issu du *shtetl*…

— Et que vous-même n'avez pas fait d'études.

— … mais voici que j'entends dire que c'est votre frère Solomon qui dirige l'entreprise. »

Putz. Mamzer. Yekke.

« Bien que vous soyez l'aîné », renchérit Mme Mintzberg.

Yachne. Choleria.

« On vous a mal renseignés. Le vrai patron, c'est moi, mais nous formons depuis toujours un partenariat dont fait aussi partie notre frère Morrie.

— Les avantages pécuniaires de vos diverses activités sont donc divisés en trois parts égales ?

— En quelque sorte, oui.

— Corrigez-moi si je me trompe, car je ne suis pas très versé dans les affaires, mais j'ai toujours cru que le patron était celui qui détenait plus de cinquante pour cent des actions d'une société dûment constituée.

— Ce sera fait, monsieur, dès que les papiers officiels seront prêts.

— Et quand peut-on espérer ce dénouement favorable ?

— Dès que Solomon rentrera de Detroit, où je l'ai envoyé régler certains problèmes de distribution.

— Dans ce cas, je propose que nous reprenions nos délibérations dès que vous vous serez entendu avec vos frères. Entretemps, Libby continuera de vous voir.

— Mais pas plus d'une fois par semaine.

— Vous et d'autres prétendants de bonne famille.

— Mais bordel, je gagne plus en une semaine que cette enflure de Saltzman en une bonne année. Pardon. Désolé.

— Le cabinet dentaire du Dr Saltzman est promis à un brillant avenir.

— Et, ne le prenez surtout pas mal, mais il n'est pas plus petit que Libby sur la piste de danse.

— Moi non plus, si seulement elle ne portait pas toujours ses maudits talons hauts !

— Voyez-vous, Bernard, je pense à l'avenir. Je songe aux petits-enfants Mintzberg.

— Que Dieu les bénisse, dit Mme Mintzberg.

— Dans un partenariat à parts égales entre trois frères – de simples mortels, après tout –, les descendants risquent de se déchirer pour des questions d'héritage, à moins que l'ordre de succession soit aussi clairement établi que celui de la maison des Windsor. »

Morrie ne posa aucun problème.

« Si tu dis que j'ai seulement droit à vingt pour cent, Bernie, je suis d'accord, parole d'honneur.

— Je t'aime, Morrie, et je vais toujours veiller sur toi et les tiens. »

Solomon était rentré de Detroit depuis deux ou trois jours lorsque Bernard se décida à aller le voir dans sa suite du Victory. À midi, il était encore au lit, celui-là, en train de lire le journal.

« Marcel Proust est mort hier. Il avait seulement cinquante et un ans. Qu'est-ce que ça te fait ? »

Des bouteilles de champagne vides flottaient à l'envers dans un seau en argent. Puis des bruits d'éclaboussures se firent entendre dans la salle de bains, où une fille fredonnait *April Showers* dans la baignoire.

« Il faut qu'on parle.

— Absolument pas. Ferme la porte en sortant et fais-nous monter des œufs brouillés et une autre bouteille de Pol Roger.

— Pose ce journal et écoute-moi, pour une fois. C'est moi qui paie toutes tes dettes de jeu.

— Tu crois que Boston a eu raison d'échanger Muddy Ruel ?

— Tu as confiance en moi. J'ai confiance en toi. Tout le monde a confiance en Morrie. Mais si, que Dieu nous garde, l'un de nous se faisait renverser par une voiture, rien n'est prévu, nous n'avons pas de documents officiels.

— Mais je parie que tu en as, là, dans ta serviette », dit Solomon en tendant la main.

Pendant que Solomon parcourait les documents, Bernard lui rappela une fois de plus que, sous sa gouverne, huit hôtels s'étaient ajoutés à celui qu'ils possédaient déjà. Pour ce faire, il avait travaillé dix-huit heures par jour, tandis que lui, Solomon, se baladait en Europe en uniforme d'officier. De plus, souligna-t-il, il était l'aîné, ce qui lui conférait certains droits traditionnels datant des temps bibliques.

« Cinquante et un pour cent pour toi, trente pour moi et dix-neuf pour Morrie.

— Je pourrais lui faire accepter quinze pour cent et, de mon côté, je me satisferais de cinquante virgule cinq pour cent, ce qui te laisserait trente-quatre virgule cinq pour cent. »

Solomon éclata de rire.

« Espèce de fornicateur ! Espèce de flambeur ! Et si je perds ma Libby à cause de toi ?

— Ça te donnera une autre raison de me remercier.

— Je te déteste ! » hurla Bernard.

Il s'empara d'un cendrier qu'il lança à la tête de son frère, puis ouvrit la porte de la salle de bains d'un coup de pied.

« Colle-lui donc une bonne syphilis, toi. Il le mérite ! » dit Bernard en jetant un œil dans la baignoire, où se tenait une jeune fille alarmée.

Sidéré, il se frappa la joue.

« Mon Dieu », fit-il en s'enfuyant.

Clara Teitelbaum arracha la robe de chambre suspendue derrière la porte et entra dans la pièce en criant :

« Mon père va me jeter à la rue, à présent, et avec raison : je suis morte de honte.

— Ne t'en fais pas, dit Solomon distraitement.

— Je suis une fille respectable. Je ne laisse même pas les garçons m'embrasser. Mais avec toi, animal, même une bonne sœur ne serait pas en sécurité !

— Je te promets que Bernie ne dira rien à personne.

— Et tu ne m'avais pas promis que, si je venais ici avec toi, tu saurais quand t'arrêter, pour une fois ? Tu penses que je ne sais pas ce qu'on raconte à ton sujet ? »

Solomon attendit qu'elle sèche ses larmes.

« Non seulement tu es ravissante, Clara, mais en plus tu es brillante. Alors explique-moi pourquoi je me montre toujours aussi odieux avec mon frère.

— Il va tout raconter à Libby, qui va téléphoner à Faigy Rubin, et mon père… Oh, mon Dieu… Il ne te reste qu'à m'embaucher dans ton bar parce que je ne suis plus bonne qu'à ça, dit-elle en enfonçant sa tête dans les oreillers, de nouveau secouée de sanglots.

— Clara, je t'en prie, tu commences à me tomber sur les nerfs.

— Si au moins je pouvais dire : "J'ai eu tort de le laisser faire, papa, mais nous sommes fiancés…"

— Si tu traînes trop, Clara, tu vas être en retard à tes leçons de patinage. Je passe te prendre à huit heures et nous irons voir *La Rue des rêves* au Regal.

— Je l'ai déjà vu, dit-elle en reniflant.

— Dans ce cas, on ira voir le nouveau Fairbanks.

— Disons plutôt sept heures et demie. Mais on se retrouve là-bas. Je dirai que je sors avec une amie. Mon père risque d'attendre à la porte armé d'une cravache. Je regrette de t'avoir rencontré, et c'est la vérité. »

À quatre heures de l'après-midi, Solomon fut tiré du sommeil par un léger grattement à la porte.

« Entre, Morrie, c'est déverrouillé. »

Derrière Morrie, un serveur poussait une table sur roulettes où s'entassaient une montagne de bagels, de saumon fumé et de fromage à la crème ainsi qu'une cafetière.

« Tu veux bien me faire une faveur, Morrie ?

— Tout ce que tu veux.

— Accepterais-tu d'épouser à ma place la magnifique mais incroyablement idiote Clara Teitelbaum ?

— Hé, de quoi tu parles ? C'est un beau morceau, Clara, et elle se donne des airs, en plus. Tu ne l'as pas vue à la patinoire exécuter ses figures dans sa jupette ?

— Hélas, je l'ai vue.

— Son père reste appuyé sur la bande pour être sûr que personne ne lui adresse la parole.

— Et si je t'arrangeais un rendez-vous avec elle, ce soir ?

— Je suis heureux de te voir d'humeur si radieuse.

— Ah bon ? Pourquoi ?

— Bernie est très, très amoureux de Libby, mais les Mintzberg lui font des misères.

— Mentionne les contrats ridicules qu'il a fait préparer et je te flanque à la porte.

— Attends. Ne me regarde pas comme ça. Imaginons que, pour obtenir le consentement des Mintzberg, il leur montre ces contrats, mais qu'il te remette en même temps une lettre explicative indiquant qu'ils sont nuls et non avenus. Après le mariage, on n'aurait qu'à les déchirer.

— Quoi ? Moi, participer à un complot visant à duper la charmante fille d'une famille de Juifs allemands méritants ? »

Morrie retourna donc au bureau de l'entrepôt en traînant les pieds et rapporta à Bernard que Solomon refusait de changer d'avis.

« J'aurais pourtant dû savoir qu'il était inutile de te confier une mission aussi importante, espèce de *putz* », dit Bernard en lui assénant un coup de poing dans le ventre. Puis, saisissant son chapeau mou et son manteau de castor, il sortit en trombe.

Tête baissée pour affronter le vent, Bernard descendit Portage Street en maudissant tous ceux qu'il bousculait. Une fois de plus, en esprit, il vit Solomon, l'élu d'Ephraim, sauter de la barrière du corral et se glisser parmi les chevaux nerveux et sauvages. « Suis-moi, Bernie, je t'offre une bière. » Tournant au coin de la rue, le froid gelant les larmes sur ses joues, il dut une fois de plus affronter Lena Bas-Verts : « Tiens, si c'est pas le garçon aux deux nombrils. » Minnie Pryzack, le voyant prendre une serviette, sourit au petit homme grassouillet au regard sournois qui serait contraint de griffer et de mordre pour obtenir ce qu'il voulait dans la vie, mais qui ne tricherait jamais, croyait-il, comme Solomon l'avait sûrement fait lors de cette partie de cartes. Et pourtant, encore aujourd'hui, McGraw me regarde comme si j'étais une crotte de chien, alors qu'il mange dans la main de Solomon.

Bernard prit place dans un box du Gold Nugget et commanda un café et une pointe de tarte aux bleuets avec deux boules de crème glacée à la vanille.

Bon sang, Lansky téléphone et demande M. Gursky.

Lui-même, répond Bernard.

Je veux parler à Solomon.

Aux dernières nouvelles, je m'appelle M. Gursky, moi aussi.

Dis à Solomon que j'ai téléphoné.

Clic.

En ville, presque personne n'aurait pu prétendre au privilège de sortir avec l'inatteignable Clara Teitelbaum. Solomon, en revanche, la baisait à tire-larigot à l'hôtel. Ouais, évidemment. Tandis que lui avait plus de chance de gagner à la loterie irlandaise que de recueillir un petit baiser chaste de la part de Libby à la fin de la soirée.

« Nous devons tous apprendre à maîtriser nos désirs, disait-elle.

— Tous ? Ça m'étonnerait. Je pourrais te raconter des choses à propos de ta bonne amie Clara Teitelbaum qui te donneraient des cheveux blancs.

— Comme quoi ?

— Quelqu'un fait ça avec elle.

— Tu devrais avoir honte d'inventer des trucs pareils. Elle n'est même pas autorisée à sortir sans chaperon.

— Et l'avant-midi, quand elle est censée faire les magasins ?

— Tu es fou.

— De toi, oui, c'est vrai.

— Alors arrête de *futzer* et obtiens la permission de mon père.

— Je rencontre certaines difficultés.

— Écoute-moi bien, Bernie, je t'épouserais même si tu n'avais pas un sou en poche, mais je ne peux pas aller contre la volonté de mes parents. Alors dépêche-toi, s'il te plaît, et tu verras que je saurai répondre à tes caresses », dit-elle en lui fermant la porte au nez.

Qu'ils brûlent tous en enfer, bordel ! Je travaille dix-huit heures par jour et Morrie est un boulet plus qu'autre chose. Tenir les livres de comptes. Mettre de l'ordre dans les chèques émis par des banques de New York, de Detroit et de Chicago, parce qu'à cause des détrousseurs, tout le monde a peur de transporter de grosses sommes. Vérifier les hangars à bagosse et surveiller les caisses des hôtels, tous les gérants étant des voleurs-nés. Faire en sorte de distraire les chauffeurs du Minnesota. Comme le jour ils n'ont rien d'autre à faire que d'attendre la tombée de la nuit, ils se sont mis à dévaliser les banques des petites villes. Et les péquenots reprochent maintenant à l'industrie des spiritueux en général et aux Gursky en particulier d'avoir introduit cette racaille chez eux. Pendant ce temps, quand il n'est pas en train de *shtupper* Clara (si son père découvre le pot aux roses, il va le tuer, c'est sûr) ou d'organiser une partie de poker, Solomon est chez Texas Guinan à New York ou alors M. le Grand Seigneur se bourre les *kishkas* au Jockey Club avec Arnold Rothstein et me réclame cent mille dollars par-ci, cinquante mille dollars par-là, pour régler ses dettes de jeu. Solomon est une menace. Une *makke.* Si je le laisse faire, il va détruire tout ce que j'ai mis tant d'efforts à bâtir et il ne restera plus rien pour ma femme et mes futurs enfants.

Le mardi soir suivant, Bernard, qui portait son chapeau mou, un costume de serge gris, des demi-guêtres et des richelieus neufs aux talons surélevés, frappa à la porte de Libby, comme prévu, dans l'intention de l'emmener voir *Le Kid* au Regal. M. Mintzberg, la mine sévère, l'attendait.

« Mlle Mintzberg ne pourra pas sortir avec toi ce soir, dit-il.

— Elle est souffrante ?

— Que Dieu la protège, dit Mme Mintzberg.

— Alors, où est le problème ?

— Honte à toi ! » lança Mme Mintzberg.

À cet instant, Libby apparut derrière ses parents, tel un spectre, les yeux rougis, tordant un mouchoir humide entre ses doigts.

« À ce qu'on raconte, ton frère aurait déshonoré Clara Teitelbaum. Je n'en crois pas un mot.

— Je ne suis pas comme lui, monsieur Mintzberg.

— Je leur ai répété que tu te comportais toujours en gentleman, dit Libby.

— Vous n'avez qu'un mot à dire, monsieur Mintzberg, et j'épouse Libby demain.

— Pas dans les circonstances présentes », dit M. Mintzberg en claquant la porte.

Libby, en larmes, cria :

« Fais quelque chose, mon chéri ! »

Un ou deux jours plus tard, Bernard dit à Solomon :

« Mon petit doigt me dit qu'un court séjour en dehors de la ville te ferait le plus grand bien.

— Ta sollicitude me touche.

— Demain soir, trois chargements de whisky arrivent à la gare du CPR à North Portal. Tu peux t'en occuper ?

— Absolument.

— N'accepte pas de chèques des types du Nebraska. Que du comptant. Ces escrocs utilisent des carnets de chèques volés dans des banques du coin. Je peux compter sur toi ?

— Là, tu commences à m'énerver.

— Il faut que tu sois à la gare à minuit, sans faute. C'est l'heure à laquelle les chauffeurs doivent arriver. Et, s'il te plaît, ne flambe pas les profits aux cartes. »

Aussitôt arrivé à North Portal, le lendemain après-midi, Solomon se rendit à l'hôtel et commença à boire avec McGraw et des contrebandiers. Certains d'entre eux, dont Solomon et McGraw, partirent jouer au snooker à l'Imperial Pool Hall, à mille dollars la partie. Solomon, qui, à minuit moins quart, avait amassé douze mille dollars, jugea qu'il serait discourtois de quitter la table pour aller à la gare et envoya McGraw à sa place.

Solomon se préparait à frapper la bille rose avec un angle très prononcé pour l'envoyer dans la poche latérale lorsque la partie fut interrompue par deux coups de feu venant de la gare. Tous foncèrent dans la rue sombre et arrivèrent sur les lieux juste à temps pour voir une silhouette solitaire, fusil en main, traverser le quai au pas de course avant de disparaître au volant d'une Hudson Super-Six. Solomon se pencha sur McGraw, gisant sur le sol de la gare, abattu de deux coups de feu tirés de la fenêtre, l'un à la tête, l'autre à la poitrine. Pendant que les autres s'agglutinaient autour du cadavre, Solomon s'éclipsa et regagna sa suite. Il était trois heures du matin et il avait ingurgité, en vain, la moitié d'une bouteille de cognac lorsqu'il téléphona à Bernard.

« McGraw est allé à la gare à ma place, à minuit, et il s'est fait tirer dessus.

— Non ! Comment va-t-il ?

— La dernière fois que je l'ai vu, il était mort.

— On a attrapé les assassins ?

— Non. »

Bernard se mit à jurer.

« Je ne voulais pas que tu te fasses du souci. Je voulais que tu saches que j'allais bien.

— Dieu merci.

— Une dernière chose, ajouta Solomon, se souvenant qu'il fallait toujours enduire la lame de miel. Mintzberg a fait une mauvaise affaire en achetant des actions sur marge de Duncan, Shire & Hamilton. Comme il ne touche qu'un salaire de directeur d'école juive, j'ai l'impression qu'il est pris à la gorge.

— Avec l'aide de Dieu, il va y laisser sa chemise, ce maudit *yekke*.

— Un gendre compréhensif qui lui prêterait de l'argent aurait peut-être droit à toute sa reconnaissance. »

Craignant de s'assoupir, Solomon poussa la commode contre la porte de sa chambre et posa son revolver sur la table de chevet, à côté de la bouteille de cognac et de la montre en or portant l'inscription :

De W. N. à E. G.
de bono et malo.

On ne retrouva jamais le meurtrier de Willy McGraw, mais, pour la GRC, le mobile du crime ne faisait aucun doute. On lui avait pris sa bague à diamant et, selon les estimations de Solomon, environ neuf mille dollars en espèces. Quelques semaines plus tard, cependant, plusieurs histoires à dormir debout commencèrent à circuler dans les bars clandestins, aussi loin qu'à

Kansas City. Selon une théorie, McGraw avait été abattu par des détrousseurs pour avoir dénoncé deux ou trois de leurs comparses à la GRC. Selon une autre théorie, McGraw avait été tué par erreur, la cible étant Solomon, qui avait séduit la femme d'un politicien de Detroit. Pour appuyer ce paquet de sottises, on citait des témoins selon qui la voiture utilisée par le tueur pour prendre la fuite était immatriculée au Michigan. D'autres encore chuchotaient que c'était Solomon lui-même qui avait ordonné l'assassinat, parce que McGraw connaissait un secret compromettant vieux de plusieurs années. Il était indéniable que c'était Solomon qui avait envoyé McGraw à la gare, ce qui tendait à accréditer cette théorie. D'autres, enfin, affirmaient que c'était bel et bien Solomon que le tueur, engagé par le père d'une fille qu'il avait déflorée à Winnipeg, devait éliminer.

Quoi qu'il en soit, personne ne vit Solomon dans les prairies pendant des mois. Quand il revint, ce fut, à la surprise générale, pour épouser une fille de Winnipeg. Enceinte de six mois à l'époque, elle vivait en recluse au Victory Hotel, ses parents l'ayant reniée. Solomon, disait-on, l'avait épousée dans l'unique but de donner un nom à l'enfant. Geste inutile, en l'occurrence, puisque la petite fille était mort-née. C'était, déclara Libby Gursky, une bénédiction dans la mesure où la pauvre enfant, eût-elle survécu, aurait été condamnée à vivre dans la honte.

Trois

Moses Berger ne se rendait jamais dans une ville sans visiter ses librairies d'occasion, où, non content de parcourir les rayons, il examinait aussi les livres entassés pêle-mêle dans des boîtes entreposées au sous-sol. L'une de ses trouvailles les plus précieuses était un mémoire sur R. B. Bennett, l'avocat des prairies originaire du Nouveau-Brunswick qui avait porté les conservateurs au pouvoir à Ottawa en 1930 et mis un terme aux neuf années de règne de Mackenzie King. Le mémoire, écrit par le secrétaire du premier ministre, Andrew D. MacLean, commençait ainsi :

> Le très honorable Richard Bedford Bennett, C.P., L.L.D., D.C.L., c. r., député, premier ministre du Canada, l'un des plus éminents hommes d'État d'un empire comptant quelque quatre cents millions d'habitants, se lève à sept heures et demie, s'offre un petit déjeuner copieux et, chaque matin, arrive au bureau un peu avant neuf heures.
>
> Âgé de soixante-quatre ans, il travaille quatorze heures par jour et n'a aucun loisir. Ses admirateurs craignent pour sa santé ; ses ennemis politiques se plaisent à faire courir le bruit que son effondrement est imminent. Pourtant, il poursuit son chemin – car telle est son habitude depuis vingt ans – sans faire de bruit. Se plaignant à l'occasion des tribulations de la vie publique, il

> travaille comme trois, sans que son puissant esprit et son corps sain trahissent les pressions auxquelles il est soumis.
> Le recrutement n'était pas facile. C'était encore le Far West et les clients se trouvaient en général dans les bars. « Dickie » Bennett ne buvait pas, ne fumait pas, et pourtant ses amis étaient légion, et je suppose que la plupart d'entre eux n'étaient réfractaires ni aux spiritueux ni aux produits du tabac.

R. B. Bennett, descendant des loyalistes de l'Empire-Uni, millionnaire méthodiste, célibataire et ex-professeur de catéchisme, s'était engagé à traduire en justice les *bootleggers* que les libéraux avaient trop longtemps dorlotés, mais il ne s'attaqua à ce dossier qu'en 1934. À cette date, les Gursky, propriétaires de la prospère société James McTavish & Fils, étaient déjà bien installés à Montréal, à flanc de montagne. Le domaine de M. Bernard occupait le terrain le plus élevé, d'où il pouvait épier les résidences contiguës de Solomon et de Morrie en contrebas, ainsi qu'il le faisait, par un matin de printemps, en déjeunant avec Libby, enceinte de trois mois. La gouvernante annonça alors que deux visiteurs demandaient à le voir. « Ils sont de la GRC, monsieur, et souhaitent vous parler tout de suite. »

Les hommes étaient porteurs de mandats d'arrestation émis contre Bernard, Solomon et Morrie, qui furent emmenés au quartier général de la GRC, où on prit leurs empreintes digitales et on les photographia, et ensuite escortés jusqu'à la Cour du banc du roi à Montréal, où ils furent remis en liberté moyennant une caution de cent cinquante mille dollars chacun. Les « garçons Gursky », ainsi qu'on les appelait dans les journaux, étaient accusés d'avoir omis de payer sept millions de dollars en droits de douane et quinze millions de dollars de plus en taxes d'accise. M. Bernard était de plus inculpé de tentative de corruption d'un agent des douanes, Bert Smith.

Ce fut l'assassinat de Willy McGraw qui déclencha le feu de prairie, les politiciens de la lointaine ville d'Ottawa flairant la fumée qui conduisit à l'humiliante arrestation d'où les garçons

Gursky ressortirent les plumes roussies. À la suite d'une terrible série de cambriolages commis par des contrebandiers américains cherchant à se désennuyer, le meurtre de McGraw déchaîna la fureur des citoyens respectables des trois provinces des prairies, en particulier les membres véhéments de la Loyal Orange Lodge. Le premier ministre Mackenzie King entendit les pleurs de ses enfants de l'Ouest, consulta sa boule de cristal de même que les aiguilles de son horloge et décréta la fin de l'exportation de spiritueux à partir de la Saskatchewan, donnant aux Gursky un mois pour mettre un terme à leurs activités. Cependant, King agit trop tard pour empêcher la défaite des libéraux aux élections provinciales. Durant la campagne, un candidat conservateur déclara : « Les libéraux sont de mèche avec les revendeurs de spiritueux depuis le début. Prenez le multimillionnaire Bernard Gursky, par exemple. On raconte qu'il aurait offert un pot-de-vin de quinze mille dollars à l'inspecteur Bert Smith. Alors, combien pensez-vous que ses frères et lui ont versé aux libéraux pendant toutes ces années pour être à l'abri des poursuites ? » Ce fut ensuite au tour de l'évêque de la Saskatchewan, Cedric Brown, ex-aumônier des intrépides colons de Gloriana, de lancer du haut de la chaire : « Des quarante-six maisons d'exportation de spiritueux que compte la Saskatchewan, seize sont exploitées par des individus de confession hébraïque. Lorsque les Juifs, qui comptent pour un demi pour cent de la population, détiennent seize des quarante-six maisons d'exportation, il est temps qu'on leur fasse comprendre ceci : étant donné qu'ils ont été accueillis dans ce pays et qu'ils y jouissent des mêmes droits que les autres hommes blancs, ils ne doivent pas l'avilir en s'adonnant à des pratiques répréhensibles. » Puis il cita un sermon prononcé sur les quais par le légendaire révérend Horn, qui avait conduit vers l'ouest – jusqu'à Gloriana – un troupeau de pieux Britanniques. Nous partons, avait déclaré le révérend, pour le pays où coulent le lait et le miel. Et non, ajouta l'évêque, pour les lieux de débauche de Sodome et Gomorrhe.

La condamnation des *bootleggers* juifs par l'évêque fut bientôt reprise en chœur par l'Union des producteurs de céréales, la Loyal Orange Lodge, la Société chrétienne de tempérance des dames, le Ku Klux Klan et les conservateurs. Aux élections provinciales, les conservateurs l'emportèrent haut la main en promettant de traduire les Gursky en justice.

Bert Smith, bien entendu, s'y était déjà essayé, et c'était pour cette raison, soutenait-il, que Bernard Gursky avait tenté de le soudoyer. M. Bernard avait catégoriquement nié les chefs d'accusation devant la Commission royale des douanes et de l'accise, mais celle-ci avait statué que la preuve était recevable et suffisante pour engager des poursuites contre Bernard Gursky. Hélas, il y avait eu tant d'autres affaires plus urgentes à régler qu'on avait négligé de fixer une date pour la tenue du procès.

La Commission royale, en fait, ne se réunit que quelques années après la présumée tentative de corruption, mais, une semaine seulement après s'être frotté aux frères Gursky dans l'entrepôt, Smith fut, à son grand étonnement, réprimandé par ses supérieurs et muté au bureau de Winnipeg. Il occupait ce poste depuis un mois seulement lorsqu'il confondit de nouveau les Gursky, en saisissant une autre voiture de *bootlegger* sur une route secondaire après que le coupable se fut enfui dans la nature. En apprenant la nouvelle, M. Bernard, qui avait pris l'appel dans le bureau de Morrie, arracha le téléphone et le lança par la fenêtre.

« Me voilà pris avec une petite écharde *goy* sous mon ongle.

— Bah, c'est seulement un gamin qui fait son travail. Une seule voiture. Tu parles. Si tu en fais tout un plat, tu risques d'attirer l'attention des journalistes encore davantage.

— Et si je ne fais rien, on dira qu'un maudit boy-scout peut faire des misères à Bernard Gursky et s'en tirer. »

Bernard alla donc à Ottawa pour rencontrer Jules Omer

Bouchard, le rondouillard et rougeaud directeur général de la prévention au ministère des Douanes. Bien que gagnant seulement quatre mille dollars par année, Bouchard possédait une grande demeure à Hull, de l'autre côté de la rivière, sur laquelle veillait une nièce, un pied-à-terre en Floride et un chalet au bord du fleuve, en Gaspésie, un bateau de plaisance amarré au quai, propriété confiée aux soins d'une autre de ses nièces. Il finirait ses jours comme bibliothécaire de prison, chassé de son poste par des détracteurs tories qui le qualifièrent de « fonctionnaire débauché se vautrant dans l'opulence, tel un hippopotame dans la boue ». En fait, c'était un homme affable, visionnaire de surcroît. Étant venu à la conclusion que les lois sur l'alcool, perversion presbytérienne, étaient inapplicables, il ne voyait pas pourquoi il n'en profiterait pas. Bon vivant et loin d'être avare, il faisait de généreux cadeaux à ses nièces ainsi qu'à des peintres et à des écrivains impécunieux dont les œuvres lui procuraient du plaisir.

Collectionneur avisé, Bouchard fut l'un des premiers mécènes de Jean-Jacques Martineau, peut-être le peintre le plus prodigieux ayant jamais vu le jour au Canada français. Hélas, on ne reconnut le talent de Martineau que des années après qu'il se fut suicidé, criblé de dettes, à Granby, en 1948. Cet événement inspira d'ailleurs à un métaphysicien du Parti québécois, en 1970, un essai de premier plan intitulé *Qui a tué Martineau ?* L'auteur y alléguait que c'était l'indifférence des anglophones qui avait assassiné le peintre et qu'il en serait ainsi pour tous les artistes québécois, les nègres blancs d'Amérique du Nord, jusqu'au jour où ils seraient libres de peindre dans leur langue.

Bouchard versait à Martineau quatre cents dollars par mois et ne lui rendait jamais visite dans sa cabane de la baie des Chaleurs sans une caisse de beaujolais, un quartier de chevreuil ou un saumon fraîchement pêché ainsi qu'une ou deux de ses nièces. En contrepartie, il avait droit à cinq tableaux par an, dont l'un trônait toujours derrière son bureau.

« Hé, fit M. Bernard après avoir décrit ses ennuis avec Smith, c'est une sacrée belle peinture que vous avez là. »

Des pêcheurs de morue, des *pea soups* remontant leurs prises. Chienne de vie, songea-t-il.

« Moi, vous savez, je donnerais bien dix mille dollars pour une toile pareille.

— Vous voulez rire ?

— Quinze mille, comptant », riposta M. Bernard en maugréant.

Il était écœuré, car il avait vu des œuvres plus inspirées sur des boîtes de casse-tête qui ne lui auraient coûté que vingt-cinq cents.

Une semaine plus tard, le ministère des Douanes et de l'Accise restitua la voiture que Smith avait saisie à Winnipeg. Smith, lui, fut réprimandé pour avoir souillé la réputation du ministère : on l'avait vu conduire le véhicule pour son usage personnel. Furieux, Smith écrivit une lettre de protestation à Ottawa : s'il avait été vu au volant de la voiture, c'était parce qu'il la conduisait au garage et, de plus, les Gursky avaient déjà tenté de le soudoyer. Pis encore, son appartement avait été cambriolé, et on lui avait volé des documents. On mettait tout en œuvre, écrivit-il, pour entraver son enquête contre les Gursky et les individus de leur espèce.

Sans attendre de réponse, Smith, remonté, décida de faire une descente chez United Empire Wholesalers, l'entrepôt des Gursky à Winnipeg. Il tomba sur Morrie qui, assis sur un tabouret, filtrait un bidon d'alcool à travers une miche de pain de seigle.

« Qu'est-ce que vous faites ? demanda Smith en regardant par-dessus l'épaule de Morrie.

— Pas le choix. Le bidon est rouillé. Oh mon Dieu, c'est vous. »

Sur les lieux, Smith trouva de l'équipement de brassage illégal, un carton plein de faux timbres fiscaux des États-Unis et une caisse à thé remplie de fausses étiquettes de célèbres marques de whisky américain. Il mit les objets compromettants dans une boîte, la referma en y apposant les scellés et l'apporta au comptoir des expéditions du Canadien Pacifique, pour envoi à Ottawa.

« Qu'est-ce que vous avez là-dedans ? demanda le commis.

— De quoi envoyer les Gursky derrière les barreaux, comme ils le méritent.

— Dans ce cas-là, mieux vaut que j'aie le paquet à l'œil et que je le mette à bord du premier train. »

Lorsque la boîte arriva à Ottawa, de nombreuses preuves avaient, hélas, disparu. Par télégramme, Bouchard ordonna à Smith de ne plus prendre d'initiatives et de venir immédiatement à Ottawa pour lui rendre des comptes. Lorsque Smith fit son apparition au bureau de Bouchard, on lui demanda de patienter. M. Bernard se trouvait déjà avec le directeur général de la prévention.

« Mince alors ! s'écria M. Bernard en se levant d'un bond pour regarder de plus près. Encore un Martineau ! Où avez-vous été pêcher ça ? Ma Libby en est folle.

— Je ne peux pas me départir de celui-là, dit Bouchard. C'est un de mes préférés. Son chef-d'œuvre. »

Une partie de sucre dans les bois, de grosses femmes portant des seaux, des hommes faisant bouillir l'eau d'érable, des enfants refroidissant de la tire sur la neige avant de la manger, un vieux bouc jouant du violon – tous se gèlent les couilles à n'en pas douter, mais ils ont l'air de s'amuser comme des petits fous. Sacrée bande.

« Je vous en donne quinze mille dollars, dit M. Bernard en ouvrant sa mallette.

— Vous vous moquez de moi ? Ce tableau est beaucoup plus grand que celui dont vous m'avez obligé à me défaire. »

Escroc de frog du diable.

« Plus grand de combien, diriez-vous, mon bon ami ?

— Deux fois plus.

— Moi, je dirais pareil. Tope là, Jules. »

M. Bernard et Bouchard allèrent déjeuner dans un restaurant de Hull. Lorsque Bouchard, somnolent, regagna son bureau d'un pas titubant, il aurait donné cher pour s'allonger un moment sur son canapé, mais il se résigna à s'occuper d'abord du cas de Smith. « La vérité, dit-il, c'est que votre action contre United Empire Wholesalers, si elle ne constitue pas une entrée par effraction, trahit malgré tout un manque de jugement qui donne une image défavorable du bureau. Par conséquent, j'ai le devoir de vous informer que vous êtes temporairement suspendu de vos fonctions dans le domaine de l'accise. Dans l'attente d'une décision contraire, vous serez affecté au service des douanes du port de Winnipeg. Vous ne devez pas mener d'autres enquêtes, à moins que je vous l'ordonne personnellement. »

De retour à Winnipeg, Smith composa une longue lettre à l'intention du ministre de la Justice. La Commission royale ayant statué que la tentative de corruption dont on accusait Bernard Gursky était recevable, pourquoi, demandait-il, n'avait-on pas fixé de date pour la tenue du procès des Gursky ? Le ministre répondit que plusieurs témoins de la Couronne étaient, hélas, indisposés et que, de toute façon, la question relevait du procureur général de la Saskatchewan. Smith écrivit donc au procureur général, qui lui fit savoir que, à son avis, la question était de compétence fédérale. Smith écrivit aussi à son député. Il écrivit au premier ministre. Quelques semaines plus tard, il reçut une lettre lui annonçant qu'il était relevé de ses fonctions au ministère des Douanes et de l'Accise. L'enveloppe renfermait un chèque équivalant à trois mois de salaire.

Smith loua une chambre dans une pension et posa sur sa table de chevet, à côté de sa bible, la photo de ses parents devant leur hutte de terre, à Gloriana. Puis, tapant à deux doigts sur son Underwood d'occasion, il se mit à écrire à des ministres fédéraux des lettres dans lesquelles il fournissait des preuves des infractions des Gursky et mettait en doute l'intégrité de Jules Omer Bouchard. Il détenait la preuve, disait-il, que les Gursky avaient fait l'acquisition, dans les Cantons-de-l'Est, au Québec, d'une ferme chevauchant la frontière, où un certain Albert Crawley avait été blessé lors d'un échange de coups de feu. Il s'interrogeait sur les activités des Gursky du côté de la rivière Detroit et faisait remarquer que ces derniers avaient acheté une société de transport à Terre-Neuve, laquelle affrétait jusqu'à trente goélettes qui prenaient toutes la direction de Saint-Pierre et Miquelon.

Les lettres de Smith restèrent sans réponse. Puis, au moment où il désespérait que justice soit faite, R. B. Bennett fut porté au pouvoir et dut bientôt faire face à un pullulement de cabanes en tôle et papier goudronné, à des fermiers qui, faute de moyens, faisaient tirer par des chevaux leurs Model T, surnommées « bogheis à Bennett ». Lorsque des milliers de chômeurs marchèrent sur Ottawa, Bennett fut convaincu que le pays était au bord de la révolution. Incapable de fournir du pain, il offrit des jeux. À Montréal, les Gursky furent arrêtés et accusés d'avoir omis de payer des droits de douane et des taxes d'accise. Dans les journaux, on publia en pleine page des photos de leurs demeures à flanc de montagne. Des journalistes s'intéressèrent de nouveau au meurtre irrésolu de Willy McGraw.

Le gouvernement constitua une intimidante flottille d'avocats, dont le capitaine n'était autre que Stuart MacIntyre, du cabinet Morgan, MacIntyre & Maclean. À sa descente du train, gare Windsor, Smith se rendit tout droit au cabinet. Après l'avoir écouté, MacIntyre réunit ses collègues et leur fit part de sa déception. « Malheureusement, le type n'a pas été gâté par la nature. C'est un moins que rien qui écume de rage à la simple mention du nom de Bernard Gursky et qui veut aussi faire tomber Bouchard, membre en règle du Club Saint-Denis et de la Société Saint-Jean-Baptiste. On courrait un gros risque en le faisant témoigner. »

Les Gursky réunirent eux aussi une impressionnante équipe

juridique, habilement constituée d'un avocat canadien-français, Bernard Langlois, et d'un avocat canadien-anglais, Arthur Benchley, doté d'un excellent réseau à Westmount. Leur tactique était orchestrée par Moti Singerman, qui n'interrogerait jamais lui-même un témoin.

Le procès, présidé par le juge Gaston Leclerc, ex-collecteur de fonds du Parti libéral du Québec, débuta favorablement pour les Gursky. MacIntyre, s'exprimant en premier lieu au nom de la Couronne, laissa entendre que les Gursky avaient comploté pour contrevenir aux lois d'un pays ami, faisant passer des spiritueux en contrebande par la plus longue frontière non défendue du monde. Langlois répliqua qu'il serait tout de même incroyable que les tribunaux de la province de Québec se mêlent d'appliquer les lois des États-Unis. « La poursuite souhaite inculper les Gursky pour contrebande ? À elle d'en faire la preuve. »

Pour faire cette démonstration, la poursuite devait absolument fournir des relevés bancaires montrant que des millions de dollars avaient transité entre Ajax Shipping, la société des Gursky à Terre-Neuve, et Gibraltar, une fiducie familiale des Gursky. Or la descente de la GRC au siège social de McTavish était survenue trop tard : les livres de comptes avaient disparu la veille dans un incendie.

La situation se détériora au moment de la comparution de Solomon. Interrogé sur ses activités présumées de *bootlegger*, il demanda à MacIntyre :

« Lorsque, à l'époque de la prohibition, vous receviez des invités dans votre chalet au bord de la mer, à Cape Cod, vous leur serviez du jus de carotte ou des cocktails ?

— En quoi est-ce que ça vous concerne ?

— J'aimerais simplement savoir si j'ai manqué quelque chose. »

Solomon avait-il rencontré Al Capone ? Oui. Longy Zwillman ? Oui. Moe Dalitz ? Encore oui.

« J'ai aussi rencontré Joan Miró et George Bernard Shaw,

déclara Solomon, mais je ne suis ni peintre ni écrivain. J'ai même plus d'une fois rencontré votre frère à Ottawa et ça ne fait pas de moi un raciste. »

Le juge Leclerc mit en garde Solomon. Et ce n'était pas la première fois. Feignant la confusion, MacIntyre feuilleta des documents et demanda :

« Le nom de Willy McGraw vous est-il familier ? »

Avant qu'Arthur Benchley ait eu le temps de demander en quoi la question était pertinente, Solomon répondit :

« C'était un de mes amis. »

Ce soir-là, M. Bernard, affolé, renvoya son chauffeur et prit le volant de sa Cadillac pour se rendre à Sainte-Adèle. L'y attendait le juge Leclerc qui, à contrecœur, avait accepté d'ouvrir sa résidence de campagne, Pickwick Corner, les jardins aménagés et l'intérieur décoré selon l'idée légèrement erronée qu'il se faisait de la chaumière d'un propriétaire terrien des Cotswolds. À la vérité, la roseraie close avait été un échec et les rhododendrons avaient succombé au gel, mais il y avait un puits à souhait. Au printemps, une multitude de jonquilles dorées fleurissaient. Et les ifs magnifiquement sculptés qui bordaient son terrain de croquet portaient manifestement l'empreinte, avait déclaré un visiteur, d'un chorégraphe de génie.

M. Bernard rejoignit le juge Leclerc dans le salon, le mur du foyer orné de tableaux de chasse à courre, un autre décoré d'une rangée d'assiettes et de cruches en étain éclairées par-derrière. Les deux hommes prirent place dans des fauteuils en cuir et le juge Leclerc bourra sa pipe en bruyère – achetée chez Inderwick – d'un mélange odorant de tabac, qu'il faisait venir de chez Fribourg & Treyer, dans Haymarket.

« Bernard, dit le juge Leclerc en lissant les poils de sa moustache en brosse et en rajustant sa lavallière, nous avons rudement intérêt à leur donner quelque chose.

— Comment se fait-il que Jules Omer Bouchard, qui gagne cinq mille dollars par année, possède une grande maison à Hull, une autre en Floride et un domaine en Gaspésie avec des nièces de dix-huit ans cachées dans tous les recoins, s'il n'accepte pas de pots-de-vin ?

— Jules, ce pauvre bougre, est cuit, de toute manière. Mais ce sera nettement insuffisant, mon vieux. »

M. Bernard déverrouilla sa mallette.

« Et ça ne suffira pas non plus.

— Écoute-moi bien, petit crétin. Si je finis en prison, tu m'accompagnes.

— Sapristi ! Ce sont des menaces ?

— Absolument.

— Stu MacIntyre veut que des têtes tombent. S'il gagne ce procès, il aura le choix entre le portefeuille de ministre de la Justice et un siège à la Cour suprême.

— Qu'est-ce qu'il peut bien avoir contre moi ?

— Pas toi. Solomon. Il a essayé de séduire Diana Morgan dans l'hôtel qu'il possède par ici et, depuis, il lui court après. Ses intentions sont manifestement priapiques.

— Priapiques, je ne sais pas, mais il ne pense qu'aux parties de jambes en l'air, celui-là. Je vais lui dire de tout arrêter. Affaire classée.

— Cette jeune femme, c'est un pur-sang. La petite-fille de Sir Russell Morgan et la nièce de Stu MacIntyre. J'espère succéder à MacIntyre à la tête du Club de chasse de Sainte-Adèle. Je serais le premier Canadien français à recevoir cet honneur. Imagine. »

Le juge Leclerc alla chercher une carafe de porto et deux gros verres ballon.

« C'est Solomon qui a ordonné l'assassinat de McGraw ?

— Ah non. Ne me demande pas ça.

— C'est bien ce que je pensais.

— Mon propre frère.

— Nous avons rudement intérêt à leur donner quelque chose à se mettre sous la dent.

— Callaghan ?

— Du menu fretin.

— Ma chair et mon sang…
— Je comprends.
— Qu'est-ce que je risque ? Au pire ?
— Une amende salée.
— C'est rien.
— Et jusqu'à dix ans de prison. »

Le lendemain matin, Bert Smith fut appelé à la barre des témoins. Il s'apprêtait à réaliser le rêve qui le hantait nuit après nuit depuis des années, le faisait grincer des dents, l'enrageait, le réveillait dans un enchevêtrement de draps trempés de sueur. En esprit, il arrivait au tribunal et terrassait les Gursky, tel David triomphant de Goliath, à l'aide non pas de cinq pierres, mais de la vérité. Puis le gouverneur général intervenait en sa faveur et il réintégrait le ministère des Douanes et de l'Accise, à titre de directeur général des enquêtes, le poste de Bouchard. Mais voilà que, s'avançant enfin pour prêter serment, étourdi, la gorge sèche, il rougit de honte en entendant crisser les chaussures neuves qu'il s'était achetées pour l'occasion. Le col de sa chemise l'étouffait, mais il n'osa pas desserrer son nœud de cravate. Bien qu'il ait déjà visité les toilettes à deux reprises, sa vessie était sur le point d'exploser. Son estomac gargouilla et il eut peur de se souiller, en plein tribunal. Essayant désespérément de se souvenir des instructions précises que lui avait fournies MacIntyre, il ne parvint qu'à se rappeler le repas qu'ils avaient pris ensemble, chez Delmo. Smith, terrorisé à l'idée de commettre une gaffe, avait attendu que le brillant avocat commande pour dire au serveur : « La même chose, monsieur, merci. » Puis il s'était couvert de honte en se rendant compte, un peu tard, qu'il utilisait le couteau à poisson pour beurrer son pain, son embarras décuplé par MacIntyre qui, bon prince, avait fait de même.

Tressaillant à la moindre question, Smith, qui était résolu à plaire à MacIntyre, ce parfait gentleman, porta instinctivement la main à la bouche pour cacher ses dents de travers, puis, lorsqu'on lui demanda de parler plus distinctement, l'abaissa brusquement, rougit et perdit tous ses moyens. Dégoulinant de sueur, bégayant, il se révéla incapable de prononcer les paroles qu'il avait pourtant maintes fois répétées. Il s'entendait parler, sentait ses lèvres bouger, mais il n'avait aucune idée de ce qu'il racontait. En fait, se répandant tour à tour en invectives et en incohérences, il était douloureusement conscient de l'impatience grandissante de MacIntyre et des primates qui se fendaient la poire sur les bancs des journalistes, mais il parvint néanmoins à lâcher que l'accusé, en présence de ses frères et de Tim Callaghan, lui avait offert un pot-de-vin de quinze mille dollars en échange de la libération de trois *bootleggers* américains. Puis, tandis qu'il gagnait en assurance, enthousiasmé par son récit, il comprit que MacIntyre, de toute évidence contrarié, se distanciait de lui.

« Merci beaucoup, monsieur Smith, dit-il.

— Mais…

— Je n'ai plus de questions pour le témoin. »

Plus tard, MacIntyre, pontifiant dans sa salle de conférence devant les plus récents diplômés en droit de son cabinet, expliquerait : « Je savais que je n'aurais jamais dû faire témoigner ce petit homme malveillant. Aussitôt qu'il a prêté serment, j'ai senti un vent de malheur me souffler sur la nuque. Voyez-vous, jeunes gens, c'était perdu d'avance. Dans la salle d'audience, tous avaient un jour ou l'autre vu un petit merdeux comme lui passer leurs bagages au peigne fin. »

L'interrogatoire de MacIntyre terminé, Smith se rendit soudain compte qu'une autre silhouette se précisait, celle du corpulent Langlois, qui provoqua des ricanements en affirmant que le témoin était un chef scout qui ne buvait pas et ne fumait pas. Et sans doute, avança Langlois, n'avait-il pas non plus le sens de l'humour. Dans le cas contraire, il se serait aperçu que M. Bernard, bien connu pour ses farces, le taquinait.

« Je n'ai pas offert de pot-de-vin, témoigna M. Bernard, mais, à l'arrivée de Smith, nous étions en train de vérifier le contenu du coffre, nos recettes du mois posées sur le bureau, une quinzaine de milliers de dollars peut-être. Alors, en faisant un clin d'œil à mes frères et en poussant Callaghan du coude, j'ai dit : "Hé, petit, ça te dirait de mettre quelques-uns de ces billets dans tes poches ? Tu pourrais te faire arranger les dents. T'acheter des chaussures qui ne couinent pas…" »

Les journalistes pouffèrent de rire.

« "… offrir à ta troupe de boy-scouts des flotteurs à la crème glacée. Peut-être inviter une fille à sortir, pour une fois. Youpi !" »

Morrie déclara : « Je suis sincèrement désolé pour M. Smith, un garçon si gentil, si poli, mais il s'agit d'un malentendu. »

Callaghan jura qu'aucun pot-de-vin n'avait été offert en sa présence.

Et ce fut au tour de Solomon. Il avait conscience de la présence de Smith, qui se balançait sur son siège, une main sur la bouche, le regard vide.

« Est-il exact, demanda MacIntyre, que vous ayez tenu à parler avec M. Smith en tête à tête ?

— Oui, mais il a insisté pour qu'un témoin soit présent. »

MacIntyre gloussa.

« Et Callaghan est resté, dit Solomon.

— Il était donc présent lorsque vous avez menacé M. Smith de représailles s'il témoignait contre vous ?

— Je ne l'ai pas menacé. Je lui ai conseillé de ne pas témoigner.

— Mais de prendre l'argent qui était sur la table.

— De le prendre ou de le laisser, c'était à lui de voir.

— Et alors, ajouta MacIntyre en souriant par-dessus ses lunettes de lecture, vous lui avez peut-être même dit : "Je te donnerai toutes ces choses, si tu te prosternes et m'adores." »

Sidéré, le juge Leclerc leva les yeux. Mais, avant que Langlois ait eu le temps d'intervenir, MacIntyre enchaîna :

« Si vous reconnaissez la citation…

— Le Nouveau Testament ?

— Oui.

— Je ne sais pas ce que vous en dites, monsieur MacIntyre,

mais les suites m'ont toujours déçu, en particulier celle de Matthieu.

— Faire une affirmation pareille... Pour qui vous prenez-vous ?

— "Je suis celui qui suis." Vous la reconnaissez, celle-là ? »

Le juge Leclerc se hâta d'ajourner le procès et annonça que le tribunal reprendrait ses travaux à l'heure habituelle, le lendemain matin.

Ce soir-là, M. Bernard, inquiet, refit le trajet jusqu'à Sainte-Adèle, où le juge l'attendait.

« Coupable ou pas, dit M. Bernard, il est contre ma nature de dénoncer mon propre frère. Je préfère encore avaler la pilule comme un homme.

— C'est bien dommage.

— Mais si MacIntyre tient absolument à connaître la vérité, il n'a qu'à parler à cet homme, dit-il en lui tendant un bout de papier. Il arrive demain à l'hôtel Windsor. »

Deux ou trois jours plus tard, Stu MacIntyre, interrogeant de nouveau Solomon, semblait digresser. Les avocats de la défense se levaient d'un bond pour protester contre le manque d'à-propos de ses questions. Le juge Leclerc rejetait leurs objections en faisant preuve d'une patience et d'une bonne humeur inhabituelles.

« Si je comprends bien, fit MacIntyre, vous aimez parier ?

— Oui.

— Les chevaux ?

— Oui.

— Le snooker ?

— Parfois.

— Comme le soir où vous avez envoyé Willy McGraw à la gare, où il a été abattu par des tireurs inconnus ? »

Arthur Benchley bondit de sa chaise, furieux. Le juge Leclerc, retenant son objection, réprimanda MacIntyre. MacIntyre présenta ses excuses et le juge l'autorisa à poursuivre.

« Le poker ?

— Oui.

— Et, je pose la question par simple curiosité, il vous arrive de jouer gros ?

— Mon petit doigt me dit que vous nous réservez un témoin-surprise.

— Vous n'avez pas répondu à ma question, monsieur Gursky.

— Le simple fait que vous essayiez de me mener en bateau, monsieur, ne m'oblige pas à embarquer. Surtout si c'est pour être confronté à un menteur. »

À la suite d'un avertissement donné au témoin par le juge Leclerc, MacIntyre répéta la question.

« Oui, il m'arrive de jouer gros.

— N'avez-vous pas un jour misé le magasin général de votre père ainsi qu'une somme considérable contre…

— Vous oubliez la forge et les deux pensions de Charley Lin.

— De surcroît… contre le titre de propriété du Queen Victoria Hotel, qui appartenait alors à feu Willy McGraw ?

— Oui.

— Et vous avez gagné ?

— Heureusement.

— Mon expérience des cartes se limite à un robre de bridge occasionnel, alors corrigez-moi si je me trompe, monsieur Gursky, mais j'imagine que, dans des parties de cartes aux enjeux si élevés, il est essentiel que les participants sachent que leurs adversaires honoreront leurs dettes et observeront strictement les règles.

— Vous ne péchez pas par excès de subtilité, monsieur, mais c'est un défaut que rachète votre prescience.

— Auriez-vous l'obligeance de…

— … répondre à la question ?

— Oui.

— Vous avez raison.

— Ai-je aussi raison de penser qu'un joueur soupçonné de tricherie ne serait plus le bienvenu à la table ?

— Si vous avez envie de faire une partie, monsieur, je peux vous accommoder. En dehors des limites de cette cour, je suis sûr que vous n'oseriez pas jouer avec un jeu truqué.

— Auriez-vous l'amabilité de répondre aux questions telles qu'elles vous sont posées, monsieur Gursky ?

— Oui, un joueur peu scrupuleux serait vite démasqué et déclaré *persona non grata*, c'est le moins qu'on puisse dire.

— Donc, si quelqu'un avait menacé de compromettre votre réputation, sans doute enviable, de joueur honorable, vous auriez pris la chose au sérieux ?

— Très au sérieux.

— C'est tout pour le moment, monsieur Gursky, et je vous remercie de votre patience et bien sûr de l'irréprochable courtoisie de vos réponses. »

Mais, au moment où Solomon se levait, MacIntyre lui fit signe de se rasseoir.

« Désolé. Une dernière chose. Revenons-en à la partie au cours de laquelle vous avez eu la chance de gagner le Queen Victoria Hotel…

— … qui appartenait à *feu* Willy McGraw.

— Oui. À feu Willy McGraw. Vous avez utilisé des cartes à jouer flambant neuves ?

— Oui.

— Où avaient-elles été achetées ?

— Chez A. Gursky & Fils, marchands généraux, naturellement. »

Charley Lin ne fut appelé à la barre des témoins qu'en fin d'après-midi. Il détourna les yeux lorsqu'il passa devant Solomon de sa démarche de canard. Ce dernier sourit et chuchota quelques mots qui faillirent lui faire perdre l'équilibre. Charley se tourna vers le juge et, invoquant un long voyage, dit qu'il ne se sentait pas bien.

Le juge Leclerc, notant l'heure tardive, ajourna le procès et ordonna au témoin de revenir le lendemain à dix heures.

Mais, le lendemain matin, Solomon Gursky ne se présenta pas au tribunal à l'heure dite et on ne le trouva pas non plus à son domicile. La veille, selon Clara Gursky, il avait rendu visite à son frère Bernard, et les deux hommes avaient eu une violente dispute. À six heures du matin, il était sorti faire une promenade et on ne l'avait pas revu depuis.

« A-t-il pris une valise avec lui, madame Gursky ?

— Non. »

Ce n'est que tard dans l'après-midi que la GRC détermina que Solomon avait pris un taxi jusqu'à l'aéroport de Cartierville, d'où il s'était envolé à bord de son Gipsy Moth, dont le fuselage était orné d'un corbeau.

Il allait où ?

Au nord, c'est tout ce que M. Gursky a dit.

Où ça, au nord, pour l'amour du ciel ?

Loin, qu'il a répondu.

Il avait ravitaillé l'avion au Labrador, découvrit-on plus tard, avant de poursuivre sa route dans des conditions épouvantables. On annonçait un « voile blanc ».

Les unes des journaux du lendemain montraient des photos de feu Willy McGraw gisant dans une flaque de sang sur le sol de la gare. On y trouvait des interviews avec Charley Lin ; des photos de Solomon avec « Legs » Diamond au Hotsy-Totsy Club, de Solomon au coin de Third Avenue en train de *kibitzer* avec Izzy et Moe, les célèbres agents de la prohibition, et, enfin, une photo de Solomon en uniforme d'aviateur, posant devant son Sopwith Camel sur une piste d'atterrissage, « quelque part en France ».

Selon les hypothèses des journalistes, Willy McGraw avait découvert que Solomon jouait avec des cartes marquées provenant du magasin général de son père. Solomon, victime de chantage ou craignant d'être dénoncé, nomma McGraw au poste de directeur du Duke of York Hotel de

North Portal et le fit assassiner, en s'assurant d'avoir un alibi à toute épreuve.

Des appareils de l'Aviation royale canadienne cherchèrent l'avion de Solomon, qui semblait avoir disparu après son ravitaillement au Labrador. Le mécanicien de service endura un interrogatoire serré.

« Vous a-t-il dit de quel côté il allait ?

— Au nord.

— Ça, nous le savons, nom de Dieu, mais où ?

— Loin, il a dit. »

Un pilote de brousse consulté par la GRC déclara que, ce jour-là, personne d'autre n'avait décollé : autant voler dans une bouteille de lait. Dans un « voile blanc », expliqua-t-il, il n'y a absolument pas d'horizon et même le pilote le plus chevronné qui ose braver pareille tempête tournoie dans toutes les directions et, privé de son sens de la gravité, tend à s'écraser. Et c'était, croyait-il, ce qui était arrivé à Gursky, quelque part dans la toundra, où seul un Esquimau avait une chance de survivre.

Entrant dans le tribunal d'un pas traînant, trois jours après la disparition de Solomon, M. Bernard demanda au juge d'excuser ses joues mal rasées, son veston au col déchiré et ses pantoufles. C'était, jura-t-il, non pas par manque de respect envers le tribunal, mais bien par égard pour la tradition des siens, qui pleurent un proche, dans ce cas-ci un frère bien-aimé, peu importent les péchés qu'il a commis.

Cinq jours plus tard, le Gipsy Moth manquant toujours à l'appel, le juge Leclerc rendit son verdict devant un auditoire attentif :

« La Couronne soutient que les accusés ont exploité des agences à Terre-Neuve et à Saint-Pierre et Miquelon à des fins de contrebande et que les ventes effectuées prouvent l'existence d'un complot. Les accusés, toutefois, étaient rudement dans leurs droits. La loi les autorisait à exploiter des agences à ces endroits et il est de notoriété publique que, à l'époque, de nombreuses distilleries canadiennes vendaient le plus de produits possible à l'extérieur du pays. Ces actes, dois-je le préciser, étaient licites et rien n'obligeait les vendeurs à vérifier la destination finale des biens non plus qu'à demander aux acheteurs ce qu'ils comptaient en faire. »

Le juge conclut en ces termes :

« Rien ne prouve que les accusés aient commis un acte criminel. Je suis d'avis qu'il n'existe pas de preuves suffisantes du complot allégué. Les inculpés sont donc relaxés. »

Il ajouta cependant que Solomon Gursky, dans l'hypothèse où il serait retrouvé vivant, devrait répondre devant la justice d'autres accusations.

Le lendemain matin, un inspecteur de la GRC, muni d'une citation, examina les comptes bancaires du juge Leclerc et le contenu de son coffre. Il n'y trouva aucune preuve incriminante. Quoi qu'il en soit, le juge Leclerc prit sa retraite l'année suivante et, après une escale à Zurich, se rendit dans les Cotswolds, où il fit l'acquisition d'un domaine pourvu d'une roseraie close, de rhododendrons à profusion, d'un labyrinthe ainsi que de pommiers et de poiriers.

Le verdict tant attendu dans l'affaire des Gursky ne fit même pas la manchette, car, le même jour, on retrouva des fragments calcinés du Gipsy Moth, éparpillés sur une distance de trois milles dans la toundra. De nombreux vestiges de l'avion furent rapportés par une bande d'Esquimaux nomades dont les membres portaient des parkas agrémentés de quatre franges, chacune composée de douze brins de soie. L'un d'eux avait trouvé une mallette portant les initiales S. G. Le passeport de Solomon et environ deux cent mille dollars en devises américaines s'y trouvaient. Le cadavre de Solomon, lui, ne fut jamais découvert. On tint pour acquis que l'explosion du Gipsy Moth l'avait pulvérisé et que les restes, emportés au loin, avaient été dévorés par les loups blancs de la toundra.

Le lendemain matin, M. Bernard convoqua Morrie chez lui.

« Avant de s'enfuir, Solomon a eu l'amabilité de signer de nouveaux contrats. »

Cinquante-cinq pour cent de McTavish pour M. Bernard, trente pour cent pour Solomon et ses héritiers, et quinze pour cent pour Morrie.

« Je croyais qu'on avait dit dix-neuf pour cent pour moi.

— Je me suis battu pour toi comme un lion, mais il n'a rien voulu entendre. »

M. Morrie signa.

« Il ne reste que nous deux.

— Oui.

— Mais ne te fais pas de souci pour moi. J'ai décidé de me faire examiner régulièrement par un médecin.

— Tu penses que je devrais faire pareil ?

— Bah, pourquoi jeter de l'argent par les fenêtres ? Tu m'as l'air en pleine forme. »

Quatre

Dans la chronique mondaine qu'E. J. Gordon publiait dans la *Gazette*, le nom de Becky Schwartz apparaissait désormais avec régularité. Elle avait récemment été mentionnée à l'occasion d'un anniversaire célébré au Beaver Club. Pour cet événement qui s'annonçait comme l'une des plus grandes soirées du calendrier mondain, Harvey, à l'instar des autres invités – des modèles de réussite –, était affublé d'un chapeau de castor, d'une queue-de-pie et portait le bouc.

« Aïe ! Ce que tu peux avoir l'air d'un *shmuck*, dit Becky avant leur départ.

— Je n'y vais pas.

— Nous y allons. Mais veux-tu bien doubler l'intérieur de ce chapeau avec du papier ou autre chose ? On jurerait que tu n'as pas de front. »

On avait fondé le Beaver Club en 1959 pour recréer les agapes extravagantes organisées deux cents ans plus tôt par les négociants en fourrures de Montréal. « Les invités, écrivit E. J. Gordon, furent accueillis par des Indiens de Caughnawaga vêtus de peaux de daim et portant une coiffe de plumes, debout à côté du tipi dressé dans le hall du Reine Elizabeth. » Assise en tailleur devant le tipi, une charmante jeune fille – l'une des arrière-arrière-petites-filles d'Ephraim Gursky et Lena Bas-Verts, en fait – battait le tambour et, plus tard, enchanterait les invités en entonnant *Hava Nagila*.

Le lendemain matin, adossée à des oreillers de satin dans son lit à colonnes, Becky éplucha la chronique d'E. J. Gordon en picorant distraitement un muffin au son. Elle était de fort mauvaise humeur. Les enfants leur causaient des soucis. À Harvard, Bernard, accro à la coke et Dieu sait quoi d'autre, prenait du retard dans ses études. Libby, inscrite à Bennington, n'accepterait de passer à la maison que si Harvey vendait les actions qu'il possédait dans des sociétés présentes en Afrique du Sud. Et malgré les dons pour le moins considérables qu'elle faisait au musée d'art et à l'orchestre symphonique, Becky ne parvenait toujours pas à se faire inviter aux réceptions les plus prisées. Elle insista pour qu'Harvey l'emmène manger au Ritz.

« Les Moffat épient notre table. Commande du caviar.

— Mais je n'aime pas ça.

— Et que je ne te voie pas y écraser des oignons hachés. »

Puis elle lui fit part de la décision qu'elle avait prise.

« Nous allons refaire le décor de la maison et organiser un bal masqué auquel le Tout-Montréal sera convié. »

Dépensant sans compter, Becky s'adressa au meilleur décorateur, le très recherché Giorgio Embroli, de Toronto et Milan. Giorgio, maître du circuit linéaire, n'acceptait pas de mandats à la légère. Il devait au préalable explorer les frontières physiques de l'espace tridimensionnel visé et éprouver le courant d'énergie cinétique qui ne manquerait pas de passer entre ses clients et lui. Harvey le fit venir à bord d'un jet Challenger des Gursky. En l'accueillant dans leur demeure, Becky et Harvey débouchèrent une bouteille de pouilly-fumé issue d'un vignoble de la Napa Valley, dont McTavish avait récemment fait l'acquisition. Giorgio brandit son verre dans la lumière, prit une gorgée, la fit tourner dans sa bouche et grimaça.

« Malheureusement, déclara-t-il, la plupart des vins californiens sont totalement incapables de provoquer un choc sensoriel. Ils ne vous surprennent jamais. Ils vous racontent comment ils ont été fabriqués, mais pas comment ils ont vu le jour. »

Puis, en épongeant ses lèvres rubis avec un mouchoir, il demanda :

« Indiquez-moi, s'il vous plaît, où je peux me rincer le palais. »

Informé des honoraires qu'exigeait Giorgio, Harvey ne sourcilla même pas. Il ne broncha pas lorsque le décorateur, avant de sortir d'un pas léger, s'arrêta le temps de laisser Becky poser un baiser sur sa joue pâle et parfumée. Dès qu'il fut parti, cependant, Harvey jeta à la poubelle le verre en baccarat qui avait touché ses lèvres et la serviette Pratesi qu'il avait utilisée dans les toilettes du couloir. « On dit que ça ne s'attrape que par un échange de fluides corporels, je sais, mais, dans l'attente de preuves concluantes, je ne veux courir aucun risque. »

Le compagnon de Giorgio, Dov HaGibor, était un peintre talentueux originaire de Ramat Aviv. Il avait commencé sa carrière comme impressionniste abstrait, résolu à créer des œuvres qui magnifiaient le conflit entre des références protoprimitives, encapsulaient l'infini et assignaient une fonction linguistique à la couleur. Récemment, toutefois, HaGibor avait confondu ses admirateurs en se convertissant au réalisme à haute tension, ses tableaux se faisant le vecteur d'un espace fracturé plutôt qu'unifié. Il trouvait ses sujets en visitant les brocantes, partout où il allait. Bien que ne sachant jamais ce qu'il cherchait, il reconnaissait l'objet de sa quête au premier coup d'œil. Une vieille photographie dénichée dans une vente de l'Armée du Salut à Montréal fut la *causa causans* – ainsi que l'affirma Walter Osgood, conservateur de la Fondation Gursky pour les arts, dans un essai de *Canadian Art* – du célèbre tableau de quatorze pieds sur huit destiné à dominer le salon redécoré des Schwartz et dont la valeur augmenta en flèche lorsque HaGibor mourut du sida.

Au verso de la photo originale, que HaGibor avait brûlée une fois son tableau terminé, se trouvait une inscription à peine lisible : « Gloriana, le 10 octobre 1903 ». *Gloriana*… tel était le nom que HaGibor avait donné à ce qui serait considéré comme son chef-d'œuvre, titre énigmatique qui soulèverait la controverse. Certains critiques affirmaient qu'il soulignait l'intention satirique de l'artiste, tandis que d'autres soutenaient tout aussi catégoriquement que le projet de HaGibor était de dénoncer la condition humaine, comme l'attestaient les mots en hébreu qui figuraient sur le côté droit. Traduits, ils signifiaient : « Je coule mes jours, plus rapides que la navette du tisserand, sans espoir. »

Quoi qu'il en soit, le tableau, indéniablement saisissant, montrait un couple abasourdi, le mari sévère, la femme affligée, posant devant une hutte de terre, dans un paysage aussi morne que dénudé. Bien que, en trente-deux ans de mariage, l'homme et la femme de la photo ne se soient pratiquement jamais vus sans vêtements, la toile les mettait à nu, les seins de la femme desséchés et son sexe glabre, la poitrine de l'homme bombée, son pénis semblable à un ver de terre racorni.

Harvey était décidé à se débarrasser de la peinture dès que l'autre diva italienne aurait disparu, mais il changea d'idée en voyant que Walter Osgood, venu inspecter *Gloriana*, l'admirait avec une évidente convoitise. Puis on photographia le tableau pour la couverture de *Canadian Art*. Des matrones de Westmount qui avaient snobé Becky au bal annuel du musée rivalisaient à présent pour se faire inviter chez elle et contempler l'ultime proposition de HaGibor. Le conservateur du Musée des beaux-arts du Canada, à Ottawa, demanda l'autorisation d'exposer le tableau, donnant à Becky l'assurance qu'un écriteau préciserait : « Collection privée de M. et Mme Harvey Schwartz. » Des marchands se mirent à faire des offres spontanées qui auraient permis à Harvey de quadrupler son investissement, mais il n'était pas disposé à vendre. Il quintupla plutôt le montant de la couverture d'assurance de *Gloriana*. Initiative risquée, à ses yeux, puisque, en cas de vol du tableau, les antisémites ne manqueraient pas de chuchoter que c'était lui qui avait fait le coup pour toucher l'argent. On accuserait Harvey Schwartz. C'était écrit.

HUIT

Un

« Selon les Haïdas, qui habitent les îles de la Reine-Charlotte – fort mal nommées, et qu'on devrait plutôt appeler Haida Gwaii, les îles du Peuple –, dit un jour Sir Hyman à Moses, selon eux, donc, avant toutes choses, avant que les eaux du grand déluge submergent la terre et se retirent, avant que les animaux la sillonnent ou que les arbres la recouvrent ou que les oiseaux volent entre les arbres, il y avait le corbeau. Parce que le corbeau existe depuis toujours et existera à jamais. Mais il était insatisfait parce que le monde, à l'époque, était encore sombre. Noir d'encre. À cause d'un vieil homme qui vivait dans une maison au bord de la rivière. Le vieil homme avait une boîte qui contenait une boîte qui contenait une infinité de boîtes, chacune nichée dans une boîte légèrement plus grande, jusqu'à une boîte si petite qu'elle pouvait seulement contenir toute la lumière de l'univers. Naturellement, le corbeau était aigri. À cause de l'obscurité qui régnait sur la terre, il se cognait tout le temps. Il était ralenti dans sa quête de nourriture et d'autres plaisirs charnels ainsi que dans son besoin constant et notoire de se mêler de tout et de changer le cours des choses. Et donc, inévitablement, il prit sur lui de voler au vieil homme la lumière de l'univers. »

Moses et Sir Hyman déambulaient dans Regent's Park, en route vers Prunier.

« Je pense, mon garçon, que la suite devra attendre la fin du repas. Dommage que Lucy n'ait pu se joindre à nous.

— Une audition.

— Au bout du compte, elle devra se contenter d'un rôle de productrice et utiliser à bon escient son héritage et son sens des affaires. Mais n'allez surtout pas lui répéter mes paroles. »

Depuis le jour où il avait rencontré Sir Hyman pour la première fois, à la librairie Blackwell, jusqu'au lendemain de sa liaison tumultueuse avec Lucy, Moses avait entendu le vieux nécromancien se prononcer sur de nombreux sujets, surtout dans le domaine de la politique. Il faut dire que l'année où ils avaient commencé à se fréquenter fut particulièrement mouvementée. Une année décisive. 1956. Nikita Khrouchtchev dénonça Staline à l'occasion d'un discours prononcé devant le XXe Congrès du Parti communiste en laissant entendre qu'il était responsable du meurtre de Kirov, prétexte aux procès pour l'exemple qui s'étaient soldées par l'exécution de deux autres rivaux, Zinoviev et Kamenev. Après les révélations de Khrouchtchev, Nasser s'empara du canal de Suez. Puis, à l'automne, les chars russes entrèrent dans Budapest. Les Britanniques et les Français, de mèche avec les Israéliens, attaquèrent Suez.

Moses et Sir Hyman parlaient longuement de ces questions tout en déambulant dans Regent's Park ou en buvant, tard le soir, dans la bibliothèque de Sir Hyman, le vieil homme assis avec une canne en malacca entre les genoux, le menton posé sur le pommeau. Moses devint également un habitué des réceptions organisées à Cumberland Terrace, au cours desquelles Sir Hyman, installé au bout d'une table recouverte d'une nappe en lin irlandais, s'employait à édifier des magnats, des ministres et des actrices. Moses était ravi. Il était envoûté. Mais il en vint aussi à se sentir possédé. À sa grande consternation, il s'aperçut qu'il avait assimilé certains tics de langage de Sir Hyman. Moses Berger, un garçon de la rue Jeanne-Mance, disait « jeune homme ». Pis encore, il lui arriva, un jour qu'il était appuyé au bar du Bale of Hay, de faire passer pour sien un trait d'esprit de Sir Hyman. Un autre jour, il entra dans une boutique de New Oxford Street, où, à sa grande surprise, il essaya des cannes à seule fin de se donner un genre. Il s'enfuit. Il refusa l'invitation suivante et celle d'après. Mais, inévitablement, il revenait, comme attiré par la flamme.

Un soir que Moses et Sir Hyman prenaient un verre dans la bibliothèque, la conversation roula sur le discours de Khrouchtchev. Moses tonnait contre le pacte conclu en 1939 par les nazis et les Soviétiques en se remémorant le sentiment de trahison ressenti autour de la table recouverte d'une nappe au crochet. Sir Hyman bondit, disserta sur les considérations historiques à l'origine de cet accord maléfique. Sans les Allemands, affirma-t-il, il n'y aurait peut-être même pas eu de révolution bolchevique. C'étaient eux qui avaient introduit l'arme secrète dans le wagon plombé qui arriva à la gare de Finlande, certains que Lénine prendrait le pouvoir et sortirait la Russie de la guerre. Puis, à la conférence de Gênes, en 1922, alors que la révolution était encore contenue, la délégation allemande signa avec les Soviétiques le traité de Rapallo qui, dans les faits, mettait un terme à l'isolement de leur pays. « Les conséquences de ce traité, dit Sir Hyman, ne sont pas inintéressantes. »

Il permit aux Allemands de se soustraire aux clauses militaires du traité de Versailles et d'envoyer des officiers de l'aviation et des commandants de chars d'assaut s'entraîner en Russie. En contrepartie, ils aménagèrent des pistes d'atterrissage pour les bolcheviques et les initièrent à l'art de la guerre. « Avec le recul, dit Sir Hyman, on peut affirmer que la Wehrmacht, qui a bien failli conquérir la Russie, a été formée dans ce pays entre 1922 et 1933 et a entraîné l'armée qui l'a détruite. »

À chacune de leurs rencontres, Sir Hyman s'informait de l'avancement de ses recherches sur le plan Beveridge. Moses lui avoua enfin qu'il les avait mises en suspens et qu'il songeait plutôt à écrire sur le père de Lucy, Solomon Gursky.

« Ah. »

Sir Hyman, concéda-t-il, l'avait par inadvertance conduit vers une grande découverte. En cataloguant sa collection sur l'Arctique, Moses était tombé sur une référence incontestable au grand-père de Solomon, Ephraim Gursky, et il estimait désormais que cet homme avait peut-être survécu à l'expédition de Franklin.

« Mais il n'y a pas eu de survivants, dit Sir Hyman.

— À première vue, c'est exact, admit Moses en ajoutant qu'il rentrerait bientôt au Canada pour poursuivre son investigation.

— Et la famille Gursky financera-t-elle une telle outrecuidance ? »

Moses éclata de rire.

« Comment ferez-vous, dans ce cas ?

— Je vais devoir enseigner, je suppose.

— Laissez-moi vous verser une rente, jeune homme.

— Impossible, lâcha Moses.

— Pourquoi ?

— Je ne le sais trop.

— Cela ne vous sied guère de jouer les vierges offensées, Moses. Et vous n'avez rien d'un importun. Oui ou non ? Vous refusez l'aide d'un vieil homme doté d'une fortune indécente ? Je n'ai pas la patience de vous y contraindre.

— Laissez-moi y réfléchir. »

Moins d'un mois après son retour à Montréal, où il remplaçait à McGill un ami en congé sabbatique, Moses écrivit à Sir Hyman pour le remercier de sa générosité et refuser son offre. En fait, Moses mourait d'envie d'accepter l'argent, mais il se doutait que la proposition visait d'abord et avant tout à éprouver son caractère. En acceptant, il se serait rabaissé aux yeux de Sir Hyman, et il tenait par-dessus tout à ce que le vieil homme l'aime. Qu'il le considère comme son fils.

La lettre de Moses resta sans réponse pendant plusieurs mois d'angoisse. Il était certain d'avoir encore commis un impair et offensé Sir Hyman, alors que sa véritable intention, il ne s'en cachait pas, avait été d'entrer dans ses bonnes grâces. Puis, Sir Hyman lui fit enfin signe. Une lettre de Budapest. Moses accepterait-il de venir pour l'été s'occuper de choses et d'autres, tandis que Lady Olivia naviguerait au large des îles grecques avec de vieux amis ? Moses sauta sur l'occasion.

« Et comment avancent vos travaux ? demanda Sir Hyman.

— Ça dépend des jours.

— J'espérais que vous auriez quelques pages à me faire lire. »

Moses emménagea dans une chambre d'amis de l'appartement de Cumberland Terrace. Sa première tâche fut d'établir un nouveau catalogue, cette fois des documents liés au judaïsme. On l'envoya ensuite chez des marchands de livres anciens de Dublin et d'Inverness avec pour mission d'examiner et d'acquérir, sans se soucier du prix, des ouvrages précis consacrés à l'Arctique. Il prit l'avion pour Rome et Athènes afin de livrer des colis trop précieux pour être confiés à la poste. Presque tous les week-ends, il accompagnait Sir Hyman à son domaine sur la côte du Sussex, où il nageait avec lui avant le petit déjeuner. Il était par ailleurs encouragé à explorer la maison et les terrains, vaste labyrinthe.

Moses ne passa pas l'été suivant en Angleterre. Il alla plutôt dans les Territoires du Nord-Ouest, officiellement pour rendre visite à Henry et Nialie. En réalité, il recherchait des Esquimaux s'appelant Gor-ski, Girskee ou Gur-ski. Il resta cependant en contact avec Sir Hyman. En réponse à ses lettres, qu'il polissait obsessionnellement avant de trouver le courage de les mettre à la poste – geste qu'il regrettait aussitôt, certain qu'elles étaient trop familières ou ennuyeuses –, Moses recevait de loin en loin une carte postale de La Havane, d'Amman ou de Saigon. Quand Moses revint à l'été 1959, une Bentley l'attendait à Heathrow et l'emmena directement dans le Sussex. Sir Hyman lui souhaita la bienvenue en débouchant une bouteille de champagne.

« Je ne saurais vous dire combien j'ai hâte de lire les pages que vous m'avez apportées.

— Pas encore.

— Mais vous faites des progrès ? »

Moses lui raconta qu'il avait mis la main sur les transcriptions du procès. Par deux fois, il s'était rendu dans l'Ouest. Il avait de nouveau parlé à M. Morrie. Selon Lucy, son père avait tenu un journal intime.

« Et il vous serait utile ?

— S'il existe et que je parviens à mettre la main dessus, oui, très utile.

— Bien, si vous ne m'avez rien apporté, j'espère au moins que vous avez songé à mettre votre smoking dans vos valises. »

Ce soir-là, Sir Hyman et Lady Olivia attendaient une soixantaine d'invités, dont certains arriveraient en voiture et d'autres à bord d'un autocar affrété pour la fête, organisée en l'honneur d'un sénateur américain en visite à Londres. En un claquement de doigts, Sir Hyman avait réuni les suspects habituels. Mélange joyeux mais potentiellement explosif de politiciens, de gens du théâtre et du cinéma, d'« hommes importants », de marchands d'art, de journalistes et de toutes les personnalités américaines de passage. Y compris, ce soir-là, pour le plus grand plaisir de Moses, Sam Burns, en route vers Moscou, où il couvrirait pour le réseau la visite du vice-président Nixon.

Prenant Sam par le bras, Moses l'emmena faire le tour des jardins, puis ils franchirent une porte menant au sous-sol et longèrent un corridor sinueux jusqu'à une vaste cave à vin. Il fit asseoir Sam à une table, prit deux verres et déboucha une bouteille de champagne millésimé.

« Seigneur, fit Sam. Tu as le droit de faire ça ?

— Hymie ne m'en voudrait pas le moins du monde.

— C'est comme ça que tu l'appelles ?

— Évidemment. »

Sam parcourut une allée en examinant les étiquettes.

« C'est bien ma chance : pas une seule bouteille de Kik Cola en vue.

— Tu te souviens de la Gurd ?

— De l'Orange Crush ?

— Des May West ?
— Des Cherry Blossom ?
— Qui était le centre de la "Punch Line" ?
— Ce salaud d'Elmer Lach.
— Et celui de la "Razzle Dazzle Line" ?
— Buddy O'Connor.
— Pourquoi les chasseurs de nuit de la Royal Air Force voient-ils dans le noir ?
— Parce qu'ils mangent leurs carottes. Maintenant, dis-moi une chose : d'où ton bienfaiteur, si c'est bien le mot qui convient, tient-il ses millions ?
— Et encore, tu n'as rien vu. Viens, je vais te montrer certains des tableaux qu'il ne se donne même pas la peine d'exposer là-haut. »

Moses le conduisit dans une autre pièce et appuya sur une série de boutons sous le thermostat. Un long rayonnage apparut : un Francis Bacon, un Graham Sutherland, un Sidney Nolan.

« Il va croire que nous sommes en train de fouiner dans ses affaires. Allons-nous-en, Moses. »

Un drap recouvrait un tableau posé contre le mur.

« Allez, jetons un petit coup d'œil.
— Je ne pense pas que ce soit une bonne idée.
— C'est probablement le nouveau Bonnard qu'il a acheté. »

Soulevant le drap, Moses révéla ce qui, à première vue, avait toutes les apparences du plus conventionnel des portraits. Une jeune bourgeoise pleine de charme assise dans un fauteuil en osier. Elle portait un chapeau de paille à larges bords muni d'une boucle rose, une robe de mousseline à volants, ornée elle aussi d'une boucle rose, et tenait entre ses mains un bouquet d'œillets de poète. Mais le portrait avait quelque chose d'inusité. Les yeux de la jeune femme étaient de deux couleurs différentes. L'un brun, l'autre bleu.

« Oh ! mon Dieu ! hurla Moses. Oh ! nom de Dieu !

— Qu'est-ce qu'il y a ?
— On y va.
— Mais je n'ai pas terminé mon verre.
— *On y va, j'ai dit.* »
Dans le salon, Sir Hyman bavardait avec des invités.
« Il faut que je vous parle, dit Moses.
— Tout de suite ? fit Sir Hyman en haussant les sourcils.
— Tout de suite.
— Ah bon, d'accord. Oui, absolument. Dans la bibliothèque, alors. »
Moses attendit Sir Hyman pendant cinq interminables minutes.
« Comment se fait-il, Sir Hyman Kaplansky, comment se fait-il, Sir Hyman, cria Moses, qu'il y ait en bas un portrait de Diana McClure, née Morgan ?
— Ah.
— "Vous m'avez apporté quelques pages, *jeune homme* ? Je ne saurais vous dire combien j'ai hâte de lire..."
— Pour un peu, j'aurais renoncé. J'ai cru que vous ne le trouveriez jamais, ce tableau, dit Sir Hyman en lui rabattant le caquet.
— Lucy est au courant ?
— Non, et Henry non plus. Et vous devez me donner votre parole qu'ils ne sauront jamais rien.
— Jeune homme.
— *Yingele.*
— Salaud. »
Deux couples, un verre de champagne à la main, entrèrent dans la bibliothèque.
« Oh, pardon. Nous te dérangeons, Hymie ?
— Mais pas du tout. Je faisais justement voir à Moses ma dernière acquisition », répondit-il en indiquant le tableau accroché au-dessus du foyer.
Un corbeau perché sur un coquillage à moitié ouvert, d'où des humains tentaient tant bien que mal de s'échapper.

« C'est le corbeau qui vola la lumière du monde à un vieil homme avant de l'éparpiller dans les cieux. Une fois que les eaux du déluge se furent retirées, il s'envola jusqu'à une plage dans l'intention de se gorger de toutes les choses délicates que la décrue avait laissées. Pour une fois, cependant, il n'avait pas faim. »

En regardant Moses – un Moses affligé – droit dans les yeux, il poursuivit :

« Mais ses autres appétits – le désir, la curiosité et une irrépressible envie de se mêler de tout et de provoquer des choses, de jouer des tours au monde et à ses créatures – restaient inassouvis. Le corbeau, les ailes pliées dans le dos, se promena sur la plage en balayant les environs de ses yeux perçants, à la recherche d'un détail ou d'un son inhabituel. Prenant son envol, il lança au ciel désert un appel irrité. À son plus grand plaisir, il entendit une réponse : un petit cri étouffé.

« Pendant qu'il examinait la plage, quelque chose attira son attention. Un énorme coquillage. Il se posa et constata que le coquillage était rempli de petites créatures qui, effrayées par son ombre menaçante, se terraient. Alors le corbeau approcha sa grande tête puis, usant de sa langue suave, cette langue de fripon qui l'avait entraîné dans maintes mésaventures et tiré de maintes autres au cours de son existence mouvementée et importune, il les convainquit, à force de cajoleries, de sortir pour jouer. »

Sir Hyman fit une pause pendant qu'un serveur remplissait les coupes.

« Comme vous le savez, Moses, le corbeau a deux voix, l'une dure et sournoise, l'autre, celle qu'il emprunta en cette occasion, séduisante. Aussi, les petits habitants du coquillage ne furent pas longs à sortir timidement, l'un à la suite de l'autre. Ils étaient bizarres. Comme le corbeau, ils avaient deux jambes. Mais, contrairement à lui, ils n'avaient pas de plumes luisantes ni de bec cupide ni d'ailes puissantes. Ils étaient les premiers humains. »

Sir Hyman s'arrêta le temps de boire une gorgée et les deux couples, que le récit ennuyait royalement, en profitèrent pour s'esquiver.

« J'ai tant de questions, dit Moses.

— Et moi une maison pleine d'invités. Nous parlerons mercredi.

— Pourquoi pas demain ?

— Parce que demain, à midi, vous prenez l'avion pour Paris. Une livraison. Vous avez une réservation au Crillon pour trois nuits. Lundi, mardi au plus tard, un certain M. Provost viendra prendre le petit déjeuner avec vous. Vous lui remettrez le paquet avec mes compliments. »

Provost ne se manifesta pas le lundi matin. Le mardi matin, Moses, en s'assoyant devant son petit déjeuner, ouvrit le *Times* et lut que, selon toute vraisemblance, Sir Hyman Kaplansky, financier de renom, s'était noyé dans une mer démontée. Tôt le lundi matin, au saut du lit, Sir Hyman, fidèle à son habitude et malgré des avertissements de grands vents, était descendu nager et n'était pas revenu. On avait retrouvé dans le sable son peignoir, ses pantoufles et le livre qu'il lisait. Lady Olivia déclara aux journalistes qu'on avait conseillé à son mari, qui avait le cœur fragile, de ne pas nager seul et d'éviter les eaux agitées, mais c'était un homme obstiné. Rien ne laissait penser à un homicide. On avait prévenu les chalutiers des environs et des bateaux de sauvetage patrouillaient en haute mer.

Pas la peine, songea Moses, amusé et amer. Manifestement, le corbeau, dévoré par son irrépressible envie, avait remis ça, jouant des tours au monde et à ses créatures. *Une fois dans l'air,* se dit-il, *et maintenant dans l'eau.*

Toujours pas de signe de Provost. Frustré, Moses remonta dans sa chambre, alluma un cigare et fixa longuement le paquet posé sur son lit avant d'en déchirer l'emballage.

Il renfermait trois volumes reliés en maroquin des journaux intimes de Solomon Gursky ainsi qu'une lettre adressée à Monsieur Moses Berger. La lettre l'informait qu'il était désormais le bénéficiaire d'un revenu de trente mille dollars par année qui lui serait versé trimestriellement par le Corvus Trust de Zurich.

Moses s'allongea, saisit un des volumes et l'ouvrit au hasard.

« Fort McEwen, Saskatchewan. 1908. Vers la fin d'un après-midi d'hiver, j'ai trouvé mon grand-père qui m'attendait juché sur son traîneau devant l'école. Ephraim empestait le rhum. Il avait la joue meurtrie, la lèvre inférieure enflée… »

Deux

Sur les tablettes qui couvraient tout un mur du salon de sa cabane, Moses avait entassé des livres ainsi que des coupures de journaux et de magazines sur la vie de Sir Hyman Kaplansky, homme insaisissable et d'une richesse indécente, ainsi qu'il le disait lui-même à l'époque.

L'index du troisième volume des célèbres journaux intimes d'un député britannique d'excellente réputation au sein des cercles littéraires de Bloomsbury répertorie quelques entrées concernant Sir Hyman Kaplansky.

Le 17 mai 1944

> Déjeuner au Travellers avec Gladwyn et Chips. Hyman Kaplansky est venu se joindre à nous. Ses manières distinguées de dandy ne suffisent pas à dissimuler le pouilleux du ghetto qui sommeille en lui. Il a avoué avoir peur des V1. Je lui ai suggéré de penser à ses proches qui, sur le champ de bataille, couraient des risques bien plus grands que lui.
> Hyman : « Ce serait, hélas, peine perdue, mon vieux. Je n'ai pas de proches sur le champ de bataille. Ils sont tous ici, à sillonner les rues en cas d'incendie. Les bataillons de pédérastes, vous connaissez ? »

Une entrée antérieure était datée du 12 septembre 1941 :

Dîner au Savoy avec Ivor. Lorsque Hyman Kaplansky s'est arrêté à notre table, je lui ai dit combien j'étais triste pour les martyrs juifs de Pologne et que, après qu'Eden eut lu sa déclaration à la Chambre, nous nous étions tous levés en guise d'hommage.
« Si seulement mes malheureux frères et sœurs étaient au courant, dit-il, je suis sûr qu'ils vous en sauraient gré. Le président de la Chambre s'est-il levé, lui aussi ?
— Oui.
— Comme c'est touchant. »
La propension des Juifs au cynisme est tout à fait insupportable. Bien que j'abhorre les antisémites, je n'aime vraiment pas les Juifs.

Le 8 juin 1950

Déjeuner au Reform Club. L'affreux Sir Hyman s'y trouve en compagnie de Guy et Tom Driberg. Driberg jacasse à propos de ses « *cottages* » préférés dans Soho.
« Je ne comprendrai jamais, dit-il, pourquoi ces vandales de la Ville ont décidé de détruire un si grand nombre d'entre eux. C'est, je suppose, l'expression d'un préjugé contre les homosexuels. Pourtant, aucun homo batifolant de cottage en cottage n'a jamais empêché un hétéro d'y faire pipi. Tandis que la tournée des cottages – le passage près de l'Astoria, la ruelle sinueuse en face du Garrick Club, celle proche de l'Ivy, celle qui donne sur Wardour Street – fournissait aux homos, qui ne sont pas tous portés sur les sports violents, un exercice des plus sains. »

Le 7 juin 1951

Dîner au Savoy. Sir Hyman Kaplansky est assis à une autre table, où il régale de ses histoires certains membres de l'ancien Tots and

Quots. Zuckerman, Bernal et Haldane. Tout le monde discute de l'affaire Burgess-Maclean. Sir Hyman déclare : « Sachant que Guy est un lâche et un bolcho, je ne suis pas étonné qu'il ait mis les voiles. »

La mention suivante de Sir Hyman traitait en long et en large d'une réception mémorable organisée dans son appartement de Cumberland Terrace. Un *séder* de Pâque, par-dessus le marché, auquel Sir Hyman – à la grande horreur de Lady Olivia – avait invité le député et d'autres antisémites notoires. Parmi eux se trouvaient deux ou trois survivants du Cliveden set, un admirateur avoué de Sir Oswald Mosley, un romancier célèbre, une actrice réputée, un impresario du West End, un comte polonais et un ministre turbulent qui s'opposait farouchement à l'implantation de nouvelles colonies juives en Palestine, cette zone si sensible. Pourquoi avaient-ils accepté l'invitation ?

Le romancier, peut-être le plus doué de son temps, écrivit dans son journal intime :

Le 21 mars 1953

Tout est prêt pour notre voyage à Menton. On m'assure que la villa a été meublée selon mes goûts, que les domestiques seront à la hauteur et qu'il n'y aura pas un seul Américain en vue. Voyage à bord d'un wagon crasseux jusqu'à Douvres, où nous avons pris le bateau. Comme d'habitude, des voyageurs de commerce ivres et, cette fois-ci, un certain nombre de Juifs. Fuyant le fisc, je suppose. Leur présence rappelle à Sybil que nous sommes invités à une réception donnée par Sir Hyman Kaplansky le lendemain de notre retour. La nourriture et le vin seront excellents. Pour lui, les tickets de rationnement ne sont certainement pas un problème.

Dans son journal intime, l'actrice rappelle à ses nombreux admirateurs la tenue qu'elle portait (un ensemble créé spécialement pour elle par Norman Hartnell) le jour où la bombe tomba sur Hiroshima. Ailleurs, elle révèle que son enfant unique agonisait au Charing Cross Hospital le soir où, tradition théâtrale oblige, elle prit part à la première de la comédie musicale *Peonies for Penelope,* qui, bien que dédaignée par les critiques les plus snobs, tint l'affiche au Haymarket pendant trois ans. Une entrée précédant de trois jours la réception organisée par Sir Hyman décrit un déjeuner à l'Ivy pris en compagnie de l'impresario du West End, sybarite notoire.

Le 12 avril 1953

> Signe des temps. À une autre table, infestation bruyante de prolos nouveaux riches. Femmes de GI, accents cockneys. Quant à moi, je n'aurais plus guère les moyens de manger ici – sans la générosité de Hugh. Hugh est dans tous ses états à cause de la réception chez Sir Hyman.
> « Faudra-t-il que je me coiffe d'un de ces petits bonnets ridicules comme en portent les hommes de Whitechapel ?
> — Pense plutôt au caviar. Il s'approvisionne à leur ambassade. Songe à la kyrielle de bouteilles de Dom P. Il paraît qu'on servira un agneau entier.
> — Casher, sans doute. »
> Hugh m'a avoué combien il regrettait d'avoir choisi Kitty au lieu de ma petite personne pour *The Dancing Duchess.* Balivernes ! lui ai-je répondu. Je refuse d'entendre quiconque dire du mal de Kitty. Elle fait de son mieux.

D'autres journaux intimes, mémoires, correspondances et biographies de l'époque regorgeaient de détails à propos de cette réception catastrophique. Les différentes versions se contredisaient, bien sûr, chacun des protagonistes s'attribuant les bons mots de la soirée. D'autres incohérences avaient trait à Lady Olivia, élevée dans la foi anglicane. Certains l'accusaient d'avoir été complice de l'affront; d'autres soutenaient au contraire qu'elle en avait été la véritable victime. De part et d'autre, on s'entendait pour dire qu'elle était la maîtresse du comte polonais, mais les deux groupes se divisaient de nouveau quant à savoir si Sir Hyman fermait les yeux sur cette relation, s'il en ignorait l'existence ou s'il avait provoqué ce scandale afin de se venger des amants. Quoi qu'il en soit, seule divergeait l'interprétation des principaux événements, et non leur description.

En comptant Sir Hyman et Lady Olivia, ils étaient treize à la table de réfectoire, ce qui occasionna quelques badinages. L'humeur ne s'assombrit qu'au moment où Sir Hyman – indélicat ou vindicatif, selon les témoignages – souligna que c'était précisément le nombre de convives qui avaient pris part à la plus célèbre bouffe de la Pâque.

Les diaristes et les mémorialistes mentionnaient tous la table, que certains qualifiaient d'opulente, tandis que d'autres étaient d'avis qu'elle empestait l'ostentation levantine, si caractéristique. Les verres et les carafes de la fin de la période géorgienne étaient en cristal anglais, de teinte bleu Waterford. Les candélabres du XVIIe siècle, de conception française, avaient des têtes classiques, des écailles enchevauchées et des entrelacs foliés. Les lourds couverts richement ornés dataient de la même période. D'autres objets étaient d'origine juive, notamment un nécessaire à condiments en argent, conçu pour la Pâque et typique du baroque allemand, sur lequel étaient estampillés des fruits et des feuillages. Le plateau du *séder,* sur lequel seraient déposées les fameuses *matzas,* était en étain. Fabriqué en Hollande au XVIIIe siècle, il était exceptionnellement grand et habilement décoré d'éléments picturaux et calligraphiques évoquant les liturgies de la Haggada.

Plein d'entrain, Sir Hyman accueillit ses invités à table en leur livrant un petit discours, que certains condamneraient plus tard en le qualifiant de servile, tandis que d'autres, compte tenu de la tournure révoltante des événements, y verraient plutôt une impertinence détestable. Il précisa d'abord qu'il était reconnaissant à tous d'avoir accepté son invitation, car il savait qu'ils avaient des préjugés contre *certains* représentants de son espèce. Il pouvait difficilement leur en tenir rigueur. En effet, certains des siens, en particulier ceux qui venaient de l'Europe de l'Est, étaient d'un arrivisme insupportable et se montraient impitoyables en affaires. À l'appui de ses dires, il cita quelques vers de T. S. Eliot :

> Le juif, son locataire, qui fut mis bas
> Dans quelque estaminet d'Anvers, empustulé
> À Bruxelles, rapiécé et desquamé à Londres.

De telles personnes, poursuivit Sir Hyman, étaient un embarras pour lui et d'autres gentlemen d'origine hébraïque plus encore qu'elles n'étaient un affront pour les chrétiens. Dans une veine plus légère, Sir Hyman ajouta qu'il espérait que ses invités trouveraient un agréable petit frisson dans les rituels de la Pâque. Chacun d'eux découvrirait un petit livre à sa place. C'était ce qu'on appelait une Haggada, qu'ils devraient considérer comme un livret de comédie musicale. Il s'agit de raconter – *hagged* – notre fuite d'Égypte ; par la suite, il arriva d'ailleurs souvent aux Juifs de s'enfuir à la faveur de la nuit. La Haggada, comme le livret de toute comédie musicale en difficulté à Boston ou à Manchester, était sans cesse modifiée au gré des plus récentes vexations subies par les Juifs. Il en avait vu une, par exemple, dans laquelle figurait un dessin d'enfant représentant le dernier *séder* à Theresienstadt. Le dessin était, hélas, sans valeur artistique, mais il n'était pas dépourvu, aurait-on pu dire, d'un certain charme larmoyant. Il en avait vu une autre qui faisait grand cas du fait que l'attaque finale de l'artillerie nazie contre les Juifs grincheux du ghetto de Varsovie avait débuté la veille de la Pâque. Un homme qui avait survécu à toute cette histoire pour finir par périr dans un camp de concentration avait écrit : « [...] et nous sommes confrontés à une Pâque de faim et de misère, sans même posséder le morceau de pain du pauvre. [...] Pour la prière, il n'existe plus de synagogues ni d'écoles. Leurs portes sont fermées et l'obscurité règne dans les demeures d'Israël. Nous n'avons, pour manger et boire, ni matzoth ni vin. » Cependant, se hâta d'ajouter Sir Hyman, nous sommes ici pour nous amuser et non pour pleurer. Il gratifia Lady Olivia d'un large sourire. En réponse, elle agita une clochette et des serveurs remplirent aussitôt les coupes de champagne.

Séder, expliqua Sir Hyman, apparemment indifférent à la nervosité grandissante de ses invités, se traduit littéralement par « ordre », celui dans lequel se déroulent les cérémonies prescrites pour le rituel de la Pâque. Soulevant le plateau à *matzas* en étain, il proclama, en hébreu puis en anglais :

« "Voici le pain de misère que nos pères mangèrent en Égypte. Que celui qui a faim vienne et mange."

— Bravo !

— Enfin ! »

Il était à présent neuf heures et, bien qu'arrivés à six heures, les invités, pour leur plus grand malheur, n'avaient pas eu droit au moindre hors-d'œuvre. Pas même une olive flétrie, une arachide ou une branche de céleri. Les ventres gargouillaient. Les appétits étaient aiguisés. Sentant l'impatience de ses convives, Sir Hyman se hâta de lire les textes de la Haggada qui précèdent le festin, sautant plusieurs pages. Malgré tout, il ne pouvait ignorer le raclement des chaises, l'agitation qui confinait à l'hostilité, les haussements de sourcils, les regards sombres. Les arômes terriblement alléchants qui envahissaient la salle à manger chaque fois que les portes de la cuisine s'ouvraient ne faisaient qu'aggraver la situation. Du bouillon de poulet fumant. De l'agneau grésillant. Enfin, à dix heures, Sir Hyman hocha la tête en direction de Lady Olivia, de plus en plus désespérée, et elle agita aussitôt sa clochette.

Ah.

Au milieu de halètements de plaisir, on posa au centre de la table une montagne énorme et instable de caviar de béluga reluisant. Suivit un gigantesque plateau de saumon fumé d'une fraîcheur invitante. Après le saumon, on apporta un plateau en argent sur lequel trônait une grosse carpe rôtie entourée de gelée dorée. Tous les convives étaient prêts à se jeter sur les plats, mais Sir Hyman, avec un sourire satisfait, leva la main et brisa leur élan.

« Un instant, je vous prie. Il reste encore un rite de Sion, si j'ose dire, à observer. Avant de nous empiffrer, nous devons manger le pain de misère. La *matza*.

— Dépêchons, qu'on en finisse.

— Pour l'amour du ciel, Hymie, j'ai une faim de loup.

— Bravo ! »

Sur un signe de Sir Hyman, un domestique prit le plateau à *matzas*, y plaça une haute pile de pain de misère et le redéposa sur la table, couvert d'un carré de velours magenta.

« Ce que nous avons ici, expliqua Sir Hyman, ce ne sont pas les *matzas* industrielles et insipides que vous trouverez sans doute sur les tables des commerçants cupides de Swiss Cottage ou de Golders Green. Nous avons ici d'authentiques *matzas*, issues d'une tradition ancienne et vénérable. On les appelle *matzas shemoura* ou protégées. Cuites derrière des portes closes, dans le plus grand secret, d'après une recette inventée à Babylone qu'on achemina à Lyon en 1142 de l'ère chrétienne, puis à York. On doit celles-ci à un vénérable rabbin polonais de ma connaissance, établi à Whitechapel.

— Allons, Hymie !

— Finis-en.

— Je crève de faim ! »

Sir Hyman, soulevant le carré de velours magenta, révéla un tas de biscuits fort peu ragoûtants. Grossiers, inégalement cuits, leurs surfaces parsemées de taches couleur rouille et de grosses boursouflures brunes.

« Que chacun en prenne une, je vous prie, dit Sir Hyman. Mais attention : c'est chaud. »

Dès que tous eurent une *matza* en main, Sir Hyman se leva et récita une bénédiction solennelle.

« Béni es-Tu, Seigneur, qui fais sortir le pain de la terre. Bénis es-Tu, Seigneur, grâce à qui chaque *mitsva* nous apporte la sainteté et nous donne la *matza.* »

Puis il leur fit signe que le moment était enfin venu de se repaître.

L'impresario du West End, les yeux rivés sur le caviar, fut le premier à mordre dans son pain. Farineux, songea-t-il. Fade. Mais alors il sentit une des boursouflures de la *matza* éclater comme une pustule et, aussitôt, un liquide tiède lui coula sur le menton. Il allait s'essuyer avec sa serviette lorsque l'actrice, assise en face de lui, le regarda et poussa un cri terrifiant.

« Pauvre Hugh ! s'écria-t-elle. Regarde-toi ! »

Mais la seule vue de la femme avait suffi à le décontenancer : une épaisse substance rougeâtre avait éclaboussé sa poitrine ivoire et pantelante.

« Mon Dieu ! » hurla quelqu'un d'autre en laissant tomber sa *matza shemoura* dégoulinante.

La délicate Cynthia Cavendish porta les mains à sa bouche, voulant à tout prix cracher la substance tiède, rouge et collante, mais, en la voyant couler entre ses doigts, elle s'effondra sur le tapis, sans connaissance.

Horace McEwen, évitant adroitement Cynthia dans sa chute, regarda fixement sa serviette maculée de taches roussâtres, les lèvres tremblantes, puis plongea deux doigts dans sa bouche, à la recherche de dents déchaussées.

« Vous ne voyez donc pas que c'est du sang ?

— Salaud !

— Nous sommes couverts de sang rituel ! »

Le très honorable Richard Cholmondeley renversa sa chaise et, convaincu d'être à l'agonie, vomit de la bile et ce qu'il crut être du sang.

« Dites à Constance, lança-t-il à la cantonade d'un ton implorant, que les photos qui se trouvent dans le dernier tiroir gauche de mon bureau ne sont pas à moi. C'est Noddy qui m'a demandé de les garder à son retour de Marrakech. »

La rondelette épouse du ministre vomit sur son smoking de chez Moss Bros. avant qu'il ait eu le temps de la repousser.

« Regarde ce que tu as fait ! Non mais regarde ! »

Le romancier, ivre mort, se laissa glisser jusqu'au sol. Hélas, comme il se cramponnait à la nappe ancienne en dentelle irlandaise, il entraîna dans sa chute des verres d'une valeur inestimable ainsi que le plateau de saumon fumé. L'impresario, avec sa présence d'esprit habituelle, attrapa l'autre bout de la nappe à temps pour sauver le caviar. Tiraillé entre la faim et la furie, il s'empara d'une cuillère, la plongea dans le caviar une fois, deux fois, trois fois, avant de réclamer son manteau et son chapeau. Le comte polonais, livide, bondit sur ses pieds et provoqua Sir Hyman en duel.

Sir Hyman le désarçonna en lui répondant d'une voix douce, dans un polonais impeccable :

« Ton père était un escroc et ta mère une putain. Quant à toi, mon garçon, tu n'es qu'une tapette. Dis-moi où et quand. »

Lady Olivia se balançait sur sa chaise, le visage entre les mains, tandis que ses invités décampaient en jurant, fous de rage.

« Tu nous paieras cet affront, Hymie !

— Les choses n'en resteront pas là !

— "Ne l'annoncez point dans Gath, n'en publiez point la nouvelle dans les rues d'Askalon, de peur que les filles des Philistins ne se réjouissent..." »

Le dernier invité à partir prétendit avoir entendu Lady Olivia dire :

« Comment as-tu pu m'humilier de la sorte, Hymie ? »

Sir Hyman lui aurait répondu :

« Finis les rendez-vous avec cet ignoble petit polaque. Maintenant, mangeons l'agneau avant qu'il soit trop cuit.

— Je te méprise ! » aurait hurlé Lady Olivia en tapant du pied avant de foncer vers sa chambre.

On ne dispose que d'un seul récit, d'une exactitude douteuse, des suites de cette célèbre soirée. Il parut dans *Par le trou de la serrure, souvenirs d'un majordome*, dont une version tronquée fut publiée en feuilleton dans *News of the World*. Seule Olympia Press, maison d'édition établie à Paris, proposa le texte intégral. Dans un chapitre sulfureux consacré à ses années de service auprès de Sir Hyman, Albert Hotchkins décrit ainsi le souvenir du *séder* de la Pâque :

> Une fois que les invités de marque eurent déguerpi plus vite qu'un Italien s'enfuit du front et que Lady Olivia, en larmes, eut regagné sa chambre, le vieux cocu s'assit seul à table, heureux comme un Juif dans une braderie, et se paya une vraie crise de fou rire. Puis il fit sortir les petites gens de la cuisine, y compris l'humble voyou que je suis, et insista pour que nous cassions la croûte avec lui. Nous accourûmes plus vite que le renard dans le poulailler. Caviar, saumon fumé, agneau rôti. Sir Hyman ne dédaignait pas les libations, je le savais, mais c'était la première fois que je le voyais soûl comme une bourrique. Il nous fit le *Goon Show* à lui tout seul ! Il nous régala d'imitations tordantes de chacun de ses invités ainsi que de Churchill, de Gilbert Harding et de Lady Docker. Tout en jouant au piano, il chanta pour nous un vieil air de music-hall. (Pardonnez-moi, Reine Victoria, je sais que ça ne vous fait pas rigoler !)
>
> J'aimerais un beau jeune chevalier
> Qui me prendrait dans ses bras,
> Et saurait me caresser et me câliner
> Quand mon ventre a froid.
> Alors je serai sa mie,
> Je serai sa mie,
> J'aime tant Roger,
> Que je serai sa mie.

Ensuite, il interpréta quelques chansonnettes de Pâque en hébreu, en yiddish ou dans quelque autre patois ridicule, je n'aurais su dire, et autre chose en chinois. En chinois ? Oui. Car, cette nuit-là, Sir Hyman éclaircit un mystère plus sombre que le trou du cul d'un nègre. Il n'était pas, comme l'avait laissé entendre le chroniqueur du *Telegraph,* d'origine hongroise. Il avait vu le jour à Petrograd, ainsi qu'on disait à l'époque, et avait été élevé à Shanghai, où son père avait fui lorsque la révolution s'était répandue dans toute la Mère Russie comme un feu de broussaille.
Quelle nuit mémorable ! Nous avons fini par rouler le tapis et, pour reprendre une expression, par danser sans nous soucier du lendemain. Si je n'avais pas été au fait de ses préférences, j'aurais juré sur une pile de bibles que, cette nuit-là, la vieille tapette rusée comme un renard avait trempé son biscuit dans Mary, la servante la plus salace du comté de Clare, aussi portée sur la chose qu'un Chinois sur le chop suey. (Voir le chapitre sept : « Va donc te rhabiller, Fanny Hill ! ») Ce qui est sûr, en tout cas, c'est que nous les avons perdus de vue pendant deux ou trois heures et que, à leur retour, il était aussi silencieux qu'un cambrioleur, tandis qu'elle avait l'air innocent du chat qui vient d'avaler le canari, sauf que c'était plus vraisemblablement le foutre du vieux !

Il était généralement admis que Sir Hyman était homosexuel, mais l'une des plus célèbres beautés de l'époque, Lady Margaret Thomas, n'en croyait pas un mot. Son biographe reproduisit intégralement cette entrée de son journal intime :

Le 8 avril 1947

Dîner avec les Kerr-Greenwood dans Lowndes Square. Tout le monde très *simpatico* lorsque j'explique que Jawaharlal est en réalité un client des plus difficiles et que ce pauvre Harold, qui a un mal de chien à aider Dickie à se dépatouiller, ne rentrera sans doute pas d'Inde avant une quinzaine. Hymie Kaplansky, seul lui aussi, multipliant les jeux d'esprit, très drôle, nous régale de récits de son enfance sud-africaine. Il fit ses études dans un établissement pitoyable que ces gens osent comparer à Eton. Quelques semaines avant leur confirmation, le directeur convoquait les élèves pour faire leur éducation sexuelle. La masturbation, les prévenait-il, détruisait le corps et conduisait le pécheur tout droit à l'asile. Malgré tout, certains garçons parmi les plus observateurs avaient peut-être remarqué le petit tube qui pendait entre leurs jambes, celui qui se terminait par un coquet petit capuchon. Il était très flexible. Dans la baignoire, par exemple, il avait tendance à se ratatiner ou à se rétracter. Mais, selon les penchants de chacun, il durcissait et s'allongeait en réaction à certains stimuli, ce qui se révélait gênant.

Après la mort de son père durant le siège de Mafeking, la famille resta sans le sou. Hymie fut forcé de quitter l'école et sa mère d'accueillir des pensionnaires à la maison, jusqu'au jour où il restitua la fortune familiale, au centuple et même davantage, j'imagine. Hymie, assis au piano, a joué et chanté *We Are Marching to Pretoria* et nous avons tous chanté en chœur. Puis il a proposé de me raccompagner en soulignant que je serais en sécurité avec lui et qu'il devait à ce cher Harold de me protéger.

Je l'ai invité à prendre un dernier verre. Sans vergogne, nous avons échangé des ragots sur l'affaire Delaney. Il s'est hasardé à quelques conjectures sur Lady *** et Lord ***, et je lui ai donné l'assurance que ce n'était qu'un tissu de mensonges. Puis il m'a raconté dans les moindres détails l'horrible soirée qu'il avait passée en compagnie de la vilaine duchesse de ***, qui s'était comportée d'odieuse façon, ce soir-là, lors de la fête d'anniversaire de ***. De là, nous en sommes venus à parler des répugnants *** et ***. La deuxième bouteille de champagne était bien entamée lorsque Hymie a fondu en larmes et m'a avoué la honte que lui inspirait sa vie privée. Revenant sur ses années d'études, il s'est souvenu avec une douleur particulière de s'être fait « raser le derrière » par son chef de classe, qui a fini par être renvoyé pour pédérastie et pour avoir fait un enfant illégitime à une servante. « C'était un type plutôt libidineux », a dit Hymie.

Le rasage du derrière, m'a expliqué Hymie, nécessitait deux garçons mis dos à dos, les fesses dénudées, que le chef de classe lacérait avec une trique.

Il aurait tout donné pour pouvoir aimer une femme aussi ravissante et remarquablement intelligente que moi, a-t-il dit, mais, hélas, il était incapable d'obtenir la tumescence voulue en présence d'une personne du sexe opposé. Les hormones qu'on lui avait injectées dans une clinique de Zurich s'étaient révélées impuissantes à régler son problème, au même titre que son analyste de Hampstead. Pauvre amour ! Il m'avait toujours semblé bien courageux pour une tapette, mais il était si désespéré en cette occasion ! Je n'ai eu d'autre choix que de le prendre dans mes bras dans l'intention de le consoler. Bientôt, nous nous sommes trouvés dans un état que je qualifierais de déshabillé, et ses caresses et ses baisers, jusque-là sans enthousiasme, se sont faits gauchement insistants. Hélas, il était, pour ainsi dire, en terrain inconnu. J'ai donc dû le guider et l'instruire. Puis, eurêka ! À son grand étonnement, nous avons buté contre la preuve irréfutable de son ardeur.

« Qu'allons-nous faire ? » a demandé Hymie.

Au point où nous en étions, autant aller jusqu'au bout.

« C'est un miracle, a-t-il déclaré plus tard, éperdu de reconnaissance. Tu m'as sauvé. »

Le lendemain matin, cependant, il m'a avoué que le doute le rongeait.

« Et si cela ne devait plus se reproduire ? »

Nous avons plus d'une fois apaisé cette inquiétude de façon tout à fait satisfaisante, puis nous avons dû faire face au désagrément que représentait le retour d'Inde de ce cher Harold. Par chance, Hymie possédait dans Shepherd Market une adorable garçonnière. Pour ses affaires uniquement, a-t-il précisé.

Un après-midi, j'ai découvert, sur une tablette en verre de la salle de bains, une broche en or ancienne sertie de perles. Je la connaissais bien. J'étais avec Peter chez Asprey le jour où il l'avait achetée pour Di.

« Hymie, mon trésor, je croyais que les tiens n'avaient qu'un seul sauveur.

— Que veux-tu dire ? »

Je lui ai montré la broche.

« Ah ! Dieu merci, tu l'as trouvée. Di est dans tous ses états. Elle a dû la laisser là quand elle est venue prendre le thé avec Peter, hier.

— Il se trouve que Peter est à Cowes, en ce moment. »

Sir Hyman était aussi mentionné dans les journaux salaces de Dorothy Ogilvie-Hunt, présentés comme preuve lors du célèbre procès de l'homme au tablier noir. Tout indique que Dorothy, adorable mais de mœurs légères, ne se contentait pas de satisfaire les désirs de nombreux amants : elle notait aussi leurs prestations, de delta-moins à alpha-plus, cette dernière distinction étant rarement accordée. Les circonstances ayant précédé son premier rendez-vous galant avec Sir Hyman y étaient racontées en long et en large.

Le 2 mars 1944

Longue journée passée dans le bureau de l'état civil à Wormwood Scrubs. Notre travail est censé être top-secret, mais, au moment où je descendais de l'autobus, j'ai clairement entendu le chauffeur du n° 72 claironner : « MI5, tout le monde descend ! »

Puis quelques verres au Gargoyle avec Brian Howard et Goronwy. Guy est là et empeste l'ail, comme d'habitude, ainsi que Davenport, McLaren-Ross et ce jeune poète gallois qui se fait une fois de plus payer à boire. Tout ce beau monde est bourré. Certains d'entre nous mettent le cap sur le Mandrake, puis, les laissant là, je rentre en vitesse me changer en prévision d'un dîner chez les

Fitzhenry qui promet d'être d'un ennui mortel. Comme prévu, étant donné les penchants de Topsy, deux des Apôtres sont là, de même qu'un membre de la « brigade du tricot » de la reine. Contre toute attente, la soirée a été sauvée par Hymie Kaplansky. Les récits de ses années de jeunesse en Australie étaient tout à fait envoûtants. Son grand-père avait, paraît-il, été parmi les premiers colons. Le père d'Hymie est mort à Gallipoli, laissant la famille sans le sou. La mère d'Hymie, autrefois première danseuse du Bolchoï, a dû gagner sa vie comme couturière jusqu'au jour où son débrouillard de fils s'est rendu à Bombay, où il a fait fortune. Lorsque Hymie s'est installé au piano pour chanter *Waltzing Matilda* et d'autres chansons de l'intérieur du pays, dont certaines plutôt salées, nous avons tous chanté en chœur. La fête a pris fin à deux heures du matin, trop tard pour que je puisse rentrer à la campagne. J'ai décidé de prendre une chambre au Ritz. Mais le galant Hymie m'a proposé de m'héberger dans son appartement de Shepherd Market. « Vous serez parfaitement en sécurité avec moi, ma chère. »

Le juge Horner déclara les quatre pages suivantes irrecevables, mais il admit qu'elles se concluaient par la mention élogieuse « ALPHA-PLUS » suivie de quatre points d'exclamation.

De nombreux journaux intimes tenus pendant la guerre et publiés trente ans plus tard regorgeaient de références à Sir Hyman. Une entrée notable figurait dans celui du duc de Baugé. Le duc, dont le château se trouvait dans le Maine-et-Loire, était un habitué des célèbres soirées données par Hymie dans son propre château, aux limites d'Angers, sur les rives de la Maine. Le château d'Hymie, entouré d'un parc et de vignes, avait été érigé par une famille de militaires en 1502. Lourdement endommagé durant la Révolution et laissé à l'abandon pendant plus d'un siècle, il avait été amoureusement restauré par Hymie dans les années 1930. Durant l'Occupation, il fut la résidence officielle de l'Obergruppenführer de la SS Klaus Gehrbrandt, qui avait la réputation d'être un sybarite.

Le 27 juin 1945

Le charmant Sir Hyman, que j'avais perdu de vue durant l'Occupation, est de nouveau parmi nous. Nicole est ravie de le revoir. Moi aussi. Son château, dit-il, n'a subi que des dommages mineurs, mais des vols conséquents ont été perpétrés. Une précieuse tapisserie a disparu, au même titre que le portrait de Françoise d'Aubigné, qui devint la maîtresse de Louis XIV – madame de Maintenon. Henri, son sommelier, lui a donné l'assurance qu'il était parvenu à sauver les meilleures bouteilles de sa cave, malgré les nombreuses réceptions données par Gehrbrandt.

« Par simple curiosité, demanda-t-il à Henri, qui assistait aux soirées de l'Obergruppenführer ?

— Les mêmes personnes qui venaient aux vôtres, Sir Hyman. »

Nicole éclata en sanglots.

« Nous n'avions pas le choix. C'était horrible. Son père était charcutier. Il n'avait pas de manières. Il ignorait même que le pouilly-fumé n'accompagne pas le dessert. »

Sir Hyman, courtois comme à son accoutumée, lui prit la main et y déposa un baiser.

« C'est entendu, ma chère. Nous n'avons aucune idée de ce que vous avez dû endurer ici. »

En faisant des recoupements, Moses releva un hiatus intéressant. Sir Hyman, ou simplement Hymie, à l'époque, disparut en juin 1944 et il ne fut plus question de lui – et encore, de façon fugitive – avant le mois d'août de la même année. Son nom réapparut dans les journaux intimes d'un député travailliste, éminent pamphlétaire fabien qui avait été sous-secrétaire d'État dans le gouvernement de coalition, mais qui, couvert d'opprobres, avait dû renoncer à son siège en 1948. Apparemment, il s'était intéressé de trop près aux questions disciplinaires dans un établissement de santé destiné aux jeunes femmes en difficulté, lequel faisait la fierté de sa circonscription.

À l'époque, les fameuses soirées « fessées » avaient fait les choux gras de *News of the World*, qui avait publié des photos du député en tunique d'écolière.

Le 21 août 1944

Dîner au Lyon's Corner House avec une représentante de la Ligue contre la vivisection, qui s'inquiète des torts faits à la vie marine par le recours intempestif aux mines dans la lutte contre les sous-marins allemands. Je comprends son point de vue, mais je me vois dans l'obligation de lui rappeler que les animaux innocents sont souvent les premières victimes des guerres. Des escadrons de la mort SS ont assassiné tous les animaux du zoo de Berlin. Il est de notoriété publique que des pilotes américains écervelés, une gomme dans la bouche, larguent leurs bombes sur des troupeaux en train de paître plutôt que de s'exposer aux tirs antiaériens au-dessus de Cologne ou de Düsseldorf.
En retournant à la Chambre, j'ai dû me hâter de traverser Whitehall pour éviter de tomber sur Hymie Kaplansky, qui exhibait son bronzage et sa bonne mine sans la moindre gêne. On raconte qu'il rentre de vacances aux Bermudes. En fait, je suis étonné qu'il n'ait pas fui Londres plus tôt, celui-là, au plus fort du Blitz.

Puis, en lisant les *Journaux de Berlin* du baron Theodor von Lippe, Moses tomba tout à fait par hasard sur l'entrée suivante, qui le laissa pantois :

Le 18 mai 1944

Berlin est méthodiquement détruite par les *Bombenteppich* ou ce que les Alliés appellent les « bombardements de saturation ». Les gens ont pris l'habitude d'inscrire des messages à la craie sur les surfaces calcinées des immeubles en ruines. « *Liebste Herr Kunster, Lebst du noch. Ich suche Sie überall. Clara.* » « *Mein Engelein, wo bleibst du ? Ich bin in grosser Sorge. Dein Helmut.* » De l'hôtel Eden, il ne reste que la carcasse.

Hier, tandis que les bombes tombaient, le comte Erich von Oberg a offert une petite réception dans sa cave à vin, à laquelle assistaient Elena Hube, Felicita Jenisch, le baron Claus von Helgow, le prince Hermann von Klodt et la comtesse Katia Ingelheim. L'oie était excellente. Il n'a été question que des raids.

Le Dr Otto Raven[1], ce diablotin de financier suisse, était également présent. Avec son sourire satisfait, parfaitement déconcertant, il a déclaré que notre situation lui faisait penser à une assemblée de chrétiens persécutés dans les catacombes romaines.

De la part d'un Juif, l'allusion m'a semblé bizarre, mais Adam von Trott affirme qu'on peut lui parler en toute confiance de la suite des événements.

Naturellement, il n'en fallut pas davantage pour que Moses se lance à la recherche de catalogues d'éditeurs allemands et anglais, mais il ne dénicha qu'une seule autre référence à Herr Dr Otto Raven. Il la trouva à la Wiener Library, dans les journaux inédits d'une princesse suédoise qui avait passé la guerre à Berlin, mariée à l'un des Hohenzollern.

Le 17 juillet 1944

Hier, déjeuner chez Gabrielle. Pour commencer, cocktail de crabe et vol-au-vent au caviar. Pas un mot sur la mère juive de Gabrielle depuis sa dernière arrestation – cette fois, pour de bon. On n'y peut rien et j'en suis désespérée. On l'aurait envoyée au camp de Theresienstadt en Tchécoslovaquie.

---

1. *Raven* est le mot anglais pour « corbeau ». *(N.d.T.)*

Aujourd'hui, à Potsdam, Otto Bismarck a organisé une partie de chasse au sanglier. On n'en a abattu qu'un seul. Fait étonnant, l'heureux chasseur est un petit banquier suisse, Herr Dr Otto Raven. Il aurait appris à tirer, dit-on, dans la pampa, au sud de l'Amazone, où, après la mort de son père dans un duel, il a été élevé par le propriétaire d'un ranch. Il s'est assis au piano et a joué pour nous quelques chansons de cow-boys sud-américains, mais Otto Bismarck ne s'en est point amusé. Il était pour tout dire extrêmement irritable, troublé par le récent discours de Churchill, qui avait une fois de plus exigé une « reddition sans conditions ».

« C'est de la folie », a-t-il dit.

Mais Herr Dr Raven l'a assuré que le discours était destiné à l'opinion publique – pour encourager les Russes – et que, dans certaines circonstances, attendues avec impatience…

Plus tard, je les ai entendus se quereller dans la bibliothèque au sujet de Stauffenberg.

« … pas l'homme de la situation, a dit Herr Dr Raven. Il lui manque deux doigts à la main gauche, ce qui peut constituer un handicap fatal.

— C'est prévu pour le 20 juillet à Rastenburg et, cette fois, nous n'échouerons pas. »

Lorsque, six mois plus tard environ, à l'occasion du Nouvel An, le nom d'Hyman Kaplansky apparut sur la liste d'honneur du roi, il ne se trouva presque personne pour s'en étonner. Il n'était pas le premier donateur du Parti conservateur récompensé par un titre – et il ne serait pas le dernier.

Trois

Un samedi matin de 1974, une poignée de fidèles se réunirent devant la maison d'Henry pour célébrer la bar-mitsva de l'arrière-arrière-petit-fils de Tulugaq. Nialie, qui avait appris à intégrer des produits locaux aux recettes tirées du livre de Jenny Grossinger, servit du foie de poulet haché qu'elle avait mêlé à un peu de *schmaltz* de phoque pour lui donner du moelleux. La plupart des *knishes* étaient farcis de pomme de terre, mais certains contenaient du caribou haché. À défaut de bonbons, les enfants eurent droit à un bol rempli de délicieux yeux de phoque. Parmi les cadeaux reçus par Isaac se trouvait celui de son père, un recueil des sermons du *rebbe* qui régnait sur le 770, Eastern Parkway. L'ouvrage jetait un éclairage sur les mystères éternels, déchiffrait le code secret des textes sacrés :

> Nous pouvons hâter la venue du *Moshiach* en exprimant davantage notre *simcha* ou notre joie. Manifestement, le mot *simcha* est lié au mot *Moshiach*; sinon, pourquoi comprendraient-ils les lettres de l'alphabet hébreu *shin, mem* et *het*? De la même façon, il existe un lien intrinsèque entre Moïse et le *Moshiach,* ainsi qu'en témoigne le verset suivant : « *Le sceptre ne s'éloignera point de Juda, ni le bâton souverain d'entre ses pieds, jusqu'à ce que vienne le Shilo…* », où on observe sans contredit une référence cachée au *Moshiach,* les mots *yavo Shiloh* et *Moshiach* étant numériquement égaux. Égaux sont aussi les

mots *Shiloh* et *Moïse*, preuve irréfutable que la venue du *Moshiach* est intimement liée à Moïse. Par ailleurs, *yavo* est numériquement égal à *echad*, qui signifie « un » ; nous pouvons donc inférer que le *Moshiach* = Moïse + Un.

Un mois avant l'entrée d'Isaac à la *yeshiva*, Henry, rempli de joie, l'accompagna à New York. Ils se rendirent tout droit à Crown Heights. Ils s'arrêtèrent manger un hamburger à la mode de Loubavitch chez Mermelstein, dans Kingston Avenue, puis ils se promenèrent.

« On nous regarde, dit Isaac.

— Tu te fais des idées. »

Ils s'arrêtèrent pour jeter un coup d'œil dans la vitrine de Suri, remplie d'élégantes perruques destinées aux femmes des fidèles, qui se rasaient la tête pour se rendre indésirables aux yeux de tous sauf de leur mari. Dans la vitre, Isaac vit des hommes, de l'autre côté de la rue, chuchoter entre eux en le montrant du doigt.

Cheveux noirs lustrés. Peau brune.

« Ici, on va me prendre pour un monstre, dit Isaac.

— *Narishkeit.* Nous sommes entourés de braves gens », dit Henry en le prenant par la main et en l'entraînant jusqu'à la boutique de Tzivos Hashem.

On voyait partout, dans des cadres en plastique moulés et brunis pour ressembler à du pin, des portraits aux couleurs criardes du *rebbe*, semblables aux images de saints qu'on vend dans des stands aménagés devant les cathédrales des petites villes d'Europe. On trouvait aussi des gravures du *rebbe* sous forme de cartes postales, en format portefeuille ou imprimées sur des fourre-tout en toile. Isaac entendit un barbu dire : « Ne regarde pas, mais c'est le riche *meshuggena* qui vient du Nord. »

Henry demanda :

« Je t'offre quelque chose ?

— Rien, répondit Isaac en rendant à deux boutonneux

de son âge le regard furieux qu'ils lui avaient lancé. Allons-nous-en. »

Ensuite, Henry emmena Isaac à la *yeshiva*, où ils assistèrent à la leçon donnée par un des jeunes disciples du *rebbe*, qui se balançait sans cesse au-dessus de son texte.

« Quand nous nous regardons dans le miroir, que voyons-nous ? demanda-t-il aux hommes réunis autour de la longue table. Notre moi, bien sûr. Vous vous voyez, je me vois et ainsi de suite. Si nous avons le visage propre, nous voyons un visage propre. Si nous avons le visage sale, telle est l'image que nous renvoie le miroir. Si nous voyons le mal chez autrui, c'est donc que ce mal est aussi en nous.

« Quand nous regardons le haut d'un miroir, nous voyons notre visage. Mais, en baissant les yeux, que voyons-nous ? Les pieds. Vous voyez vos pieds, je vois mes pieds et ainsi de suite. Le *rebbe* a attiré notre attention sur le fait que, à l'occasion de Sim'hat Torah, on danse non pas avec sa tête, mais avec ses pieds. Notre maître bien-aimé en a inféré que les capacités intellectuelles d'une personne n'ont aucune importance le jour de Sim'hat Torah, et cela est vrai pour les juifs du monde entier.

« En vous regardant dans le miroir, vous constaterez également que le haut est compris dans le bas et que le bas est compris dans le haut. Mais l'inverse est aussi vrai. Chassidus nous enseigne que le bas se révèle dans le haut et que le haut se révèle dans le bas. »

Isaac bâilla. Il avait envie de voir Broadway. Le Felt Forum. Un match de hockey au Madison Square Garden. Les bureaux où *Screw* était publié. L'immeuble de McTavish sur Fifth Avenue.

« Nous allons saluer oncle Lionel ?

— Je ne crois pas. »

Par contre, Henry, muni de graphiques, emmena Isaac à l'Université Columbia. Pendant qu'Henry s'entretenait avec un climatologiste, Isaac resta assis sur un banc à l'extérieur du bureau. S'ennuyant ferme, il se plongea dans le Michné Torah qu'Henry lui avait acheté à la librairie Merkaz Stam. Le roi messianique, lut-il, sera un descendant de la maison de David. « Quiconque ne croit pas en lui ou qui n'attend pas sa venue, ce n'est pas simplement les prophètes autres [que Moïse] qu'il nie, mais la Thora et Moïse notre maître. »

Henry émergea enfin du bureau du climatologiste, l'air abattu.

« Dis-moi, *yingele,* crois-tu que ton père est fou ? »

Ils firent une autre escale, cette fois dans West 47th Street, où Henry devait voir quelqu'un à propos de boucles d'oreilles à diamant qu'il souhaitait offrir à Nialie.

« Tu en as pour longtemps ?

— Une demi-heure, peut-être.

— Je t'attends dehors. »

Partout, des barbus allaient et venaient, leur chapeau ballottant, une mallette enchaînée à leur poignet. Des sirènes hurlaient quelque part. La circulation s'immobilisa. Isaac rejoignit un groupe de personnes réunies en demi-cercle, au coin d'Eighth Avenue. Se faufilant, il tomba sur un jeune Noir en haillons qui faisait la roue tandis que deux de ses compagnons dansaient sur la tête. Il fut alors accosté par une fille vêtue d'un chemisier transparent et d'une minijupe argentée. Elle avait teint ses cheveux en orange et violet. Effrayé, Isaac revint sur ses pas.

En traversant Seventh Avenue, il vit au loin Henry faire les cent pas, chercher à droite et à gauche, ses papillotes tressautant. Sans réfléchir, Isaac se cacha dans le renfoncement d'une porte. Regardez-le, songea-t-il. Avec ses millions, il pourrait vivre ici dans un *penthouse.* Plus besoin de garder des photos cochonnes d'une maigrichonne dans le dernier tiroir de son bureau. Il n'aurait qu'à s'offrir une vraie pute. Mais non, il fallait que ce soit Tulugaqtitut. Maudit. Fait chier.

De plus en plus paniqué, Henry arrêtait les passants, leur décrivait Isaac, leur demandait s'ils l'avaient vu. Au bout de cinq minutes, Isaac, pris de pitié, sortit de sa cachette. Aussitôt qu'il le vit s'avancer dans la rue, Henry courut vers lui et le prit dans ses bras. « Hashem soit loué, tu vas bien ! » dit-il, les larmes aux yeux, tandis qu'Isaac, gêné, tentait de se libérer.

Deux jours plus tard, Henry repartit vers Tulugaqtitut avec une pleine cargaison de livres. Isaac ne le revit pas avant de rentrer chez lui, deux semaines avant la Pâque. Ensemble, ils entreprirent alors le voyage au cours duquel Henry allait mourir, seulement cent milles avant d'atteindre Tuktoyaktuk.

Quatre

La première chose que remarqua Isaac en rentrant à la maison pour la Pâque fut le trois-mâts prisonnier des glaces dans la baie. Maudit. Il ne manquait plus que ça. Comme si les garçons qui fréquentaient le Sir Igloo Inn Café n'avaient pas déjà amplement de quoi le taquiner. Le bateau, construit en Hollande, avait des bordages doubles, la proue et la poupe renforcées de plaques d'acier. Il regorgeait de sacs de céréales, de riz et de légumes séchés, l'immense congélateur rempli de viande fournie par le Notre-Dame-de-Grâce Kosher Meat Market. « L'arche d'Henry le Fou », disait-on.

« Tu viens à peine de rentrer, dit Nialie, et tu es déjà de mauvaise humeur.

— Laisse tomber. »

Bientôt, Nialie eut d'autres sujets d'inquiétude. La nuit précédant le départ d'Henry pour son périple, un gros corbeau noir et menaçant frappa de son bec la fenêtre de leur chambre. Nialie se réveilla en sursaut. Elle se cramponna à Henry, le supplia de renoncer à son projet, mais il n'en démordit pas. Le voyage faisait partie de la tradition. Chaque printemps, deux semaines avant la Pâque, Pootoogook et lui mettaient le cap sur un des camps de chasse des fidèles, à quelque deux cent cinquante milles vers l'est, en longeant la côte de l'océan Arctique. Les fidèles comptaient sur Henry pour apporter les caisses de pain de misère et de vin que requéraient les jours de fête. D'ailleurs, souligna Henry, cette expédition-ci lui procurerait un plaisir particulier : Pootoogook, rongé par l'arthrite, ne viendrait pas. Henry emmènerait plutôt avec lui Johnny, le petit-fils de Pootoogook, âgé de quinze ans et, pour la toute première fois, Isaac, qu'il espérait voir poursuivre la tradition.

Radieux, Henry réveilla Isaac de bonne heure. « Debout ! Debout ! Mettons-nous au service du Créateur ! »

Pour faire plaisir à Isaac, ils ne prendraient pas de chiens avec eux. Cette fois-ci, les traîneaux lourdement chargés de provisions seraient tirés par trois motoneiges rouges, la troisième remorquant une quantité de carburant suffisante pour l'aller-retour.

Quand la météo n'était pas trop mauvaise, Henry mettait en général cinq jours à rallier le campement puis, après y avoir passé une nuit, cinq jours à en revenir. Ainsi, il était de retour deux jours avant le premier *séder*, à temps pour fouiller sa maison préfabriquée à la recherche de pain au levain – Bedikat Chametz – et observer la *mitsva* de Tsedaka, qui consiste à distribuer de l'argent aux pauvres. Mais, cette année-là, en voyant Henry se mettre en route avec Johnny et Isaac, Nialie douta de revoir un jour son mari. Peu surprise de voir qu'il ne rentrait pas à temps pour le premier *séder*, elle fit comme il l'aurait souhaité : elle parcourut la maison, couvrit tous les miroirs avec des serviettes puis, assise sur un petit tabouret, elle se prit la tête entre les mains et se balança en chantant une mélopée funèbre.

Henry et les garçons accusaient cinq jours de retard lorsque Moses, passé prendre son courrier au Caboose, lut dans la *Gazette* :

DES HÉRITIERS GURSKY
PORTÉS DISPARUS
DANS L'ARCTIQUE

Dans le reportage, on mentionnait qu'Henry, juif hassidique, fils excentrique de Solomon Gursky, vivait dans l'Arctique depuis des années et avait épousé une autochtone. Une photo du trois-mâts prisonnier des glaces accompagnait l'article. Vaisseau d'une valeur estimée à trois millions de dollars que les habitants de la région, écrivait le journaliste, surnommaient « l'arche d'Henry le Fou ».

Moses jeta quelques affaires dans une valise, fonça vers l'aéroport de Dorval, de l'autre côté de Montréal, et attrapa le premier avion pour Edmonton, où il dut attendre pendant trois interminables heures une correspondance pour Yellowknife. Là, il se dirigea tout droit vers le quartier général des opérations de recherche et de sauvetage des Forces armées et se porta volontaire comme guetteur. Le chef des opérations, en ajoutant son nom à la liste, lui apprit que deux avions Hercules avaient déjà quadrillé la zone la plus probable pendant trois jours en volant à un mille de distance l'un de l'autre, à une altitude de mille pieds. La zone en question faisait trois cent cinquante milles de longueur sur deux cent cinquante de largeur. En cas de repérage, des sauveteurs-parachutistes disposant d'un hélicoptère Labrador étaient prêts à intervenir. La bonne nouvelle, c'était qu'Henry était arrivé à destination et, après une journée dans le campement, s'était remis en route avec des réserves de nourriture et de carburant suffisantes pour rentrer à bon port. Une opération terrestre était également en cours, des Esquimaux se déployant le long du trajet qu'Henry avait vraisemblablement suivi.

Le lendemain matin, un voile blanc cloua les avions au sol et Moses passa le plus clair de la journée au Trapline avec Sean Riley.

« Il aurait dû prendre ses chiens et non ces maudites motoneiges. Les motoneiges, ça ne se mange pas.

— Quelles sont leurs chances de s'en sortir, Sean ?

— C'est un territoire sacrément inhospitalier. Si Henry est en vie, ça ira. Sinon, ils sont foutus. Henry connaît la nature du terrain, mais Isaac ne vaut pas un clou et Johnny est un drogué. Si Henry n'est plus dans le décor, qui sait vers où ces gamins sont partis, à supposer que les motoneiges ne soient pas tombées en panne.

— Toutes les trois ?

— Impossible, je sais bien, mais il y a forcément eu un accident. Quelqu'un s'est renversé, est tombé du haut d'une falaise ou dans une crevasse, je n'en sais rien. Ils ont peut-être établi un campement, où ils attendent les secours.

— Ils n'avaient pas pris de fusées éclairantes ?

— Si tu veux mon avis, ils ont perdu le traîneau qui les transportait. Il nous reste juste à espérer que la nourriture et le carburant n'étaient pas dans celui-là. Écoute, Moses, ils peuvent tenir pendant dix jours, peut-être deux semaines. D'ici là, inutile de se faire du mouron. »

Les avions ne purent redécoller que deux jours plus tard. Cette fois, les appareils volèrent à seulement un demi-mille l'un de l'autre, à une altitude de cinq cents pieds. À l'instar des autres volontaires, Moses ne pouvait pas scruter le sol pendant plus de dix minutes d'affilée. Retenu par un harnais dans la trappe de chargement ouverte, à l'arrière de l'Hercules, il fixait en plissant les yeux la glace et la neige qui défilaient, par moins quarante.

Dès que le temps le permettait, ils décollaient. Puis, le vingt-troisième jour, on aperçut enfin le campement ; une silhouette solitaire sortit d'une tente et agita frénétiquement la main. L'Hercules descendit pour larguer un paquetage de survie et l'hélicoptère des sauveteurs-parachutistes décolla sur-le-champ. À l'aéroport de Yellowknife, malgré de strictes mesures de sécurité, Sean Riley parvint à s'entretenir brièvement avec le pilote de l'hélico, peu après son retour, et il se hâta vers le Trapline, où l'attendait Moses.

« Henry est décédé. Fracture des cervicales. Johnny est mort de faim. On a ramené Isaac ; il est à l'hôpital. Sa chambre est gardée par des agents de la GRC.

— Pourquoi ?

— Ils ont perdu le traîneau avec la nourriture. Pour survivre, Isaac a mangé des bouts des cuisses d'Henry, expliqua Riley en commandant un double scotch pour Moses et un autre pour lui.

— Et Johnny ?

— Il a refusé de s'offrir l'arrière-petit-fils de Tulugaq comme gueuleton. Que veux-tu ? Le petit crétin n'était qu'un sauvage. Tu vas dégueuler ?

— Non.

— Écoute, Moses, Henry était déjà mort. Tu aurais probablement fait la même chose. Moi, en tout cas, je n'aurais pas hésité. »

Moses commanda une autre tournée.

« Isaac jure qu'il a attendu dix jours avant de toucher au cadavre, poursuivit Riley, mais l'équipage de l'hélico a dit aux types de la GRC avoir trouvé de petits sacs remplis de cubes de viande accrochés à sa tente. Si Isaac avait attendu dix jours, comme il le prétend, le corps d'Henry aurait été plus dur qu'un rondin gelé. Il n'aurait eu que des éclats de chair à se mettre sous la dent, pas du bœuf bourguignon. Il y a encore autre chose. Un détail bizarre, s'il est véridique.

— Je t'écoute.

— Isaac dit que, un matin, il a été attaqué par des corbeaux. Peut-être qu'il délirait. Ou alors il a rêvé. »

En ville, on ne parlait que des rumeurs de cannibalisme. Alléchés par le nom des Gursky, des journalistes accoururent de Toronto, de Londres et de New York. Réunis au Trapline, ils concoctèrent une chansonnette pour commémorer l'événement :

> Il s'en passe de belles au pays du soleil de minuit,
> Mais la chose qui nous dérange,
> C'est qu'un petit Juif affamé,
> Qui avait envie de bouffer,
> Fasse cuire son papa et le mange.

Moses décida de ne pas rester pour L'ENQUÊTE JUDICIAIRE DU CORONER SUR LES CIRCONSTANCES DU DÉCÈS DE

HENRY GURSKY et
JOHNNY POOTOOGOOK.

Cependant, il était toujours à Yellowknife le jour où Isaac sortit de l'hôpital, flanqué de ses avocats. « Mon client, déclara l'un d'eux, est encore accablé par le deuil. Il ne souhaite pas faire de commentaires pour le moment. »

Cinq

Étant donné la nature du péché d'Isaac, on débattit longuement, à la *yeshiva,* de l'opportunité de le reprendre ou, plus exactement, de tolérer sa présence.

« Comment as-tu pu faire une chose pareille ? » lui demanda un *rebbe.*

Un autre déclara :

« Le jeune Esquimau à la rigueur. Mais ton propre père, *alav ha-sholem* ?

— L'autre était *trayf* », dit Isaac en leur lançant un regard furieux.

Depuis qu'il avait été innocenté par l'enquête du coroner, Isaac n'était rentré à la maison qu'une seule fois. À contrecœur, il avait accepté de passer avec sa mère l'*asseret yemei techouva,* les dix jours de pénitence entre Rosh ha-Shana et Yom Kippour, évitant le Sir Igloo Inn Café et le poste de traite de la Baie d'Hudson, où les taquineries étaient incessantes.

« Tiens, tu es venu pour faire rôtir ta mère ? »

Pas de réponse.

« Agnes, l'infirmière, aime bien que les hommes la mangent. Tu devrais essayer. »

Le vendredi soir, il se planta devant la maison de son père, d'un air de défi, et attendit que les fidèles, dont le campement se trouvait aux abords du village, arrivent avec leurs tambours et fassent défiler devant lui leurs offrandes traditionnelles, mais personne ne vint.

« Ils auraient tous fait comme moi », cria Isaac à Nialie en claquant la porte de sa chambre avant de s'effondrer sur son lit, dont la tête était décorée de lettres de l'alphabet hébreu.

Un *gimel* mortel s'échappait du bec d'un corbeau. Nialie lui apporta un bol de soupe.

« Et le premier qui s'avise de me dire que c'était un saint homme, hurla-t-il, je l'assomme ! Il y avait un autre aspect à sa personnalité ! Je suis le seul au courant !

— Au courant de quoi ? »

Il avait trop pitié de sa mère pour le lui dire.

« Laisse tomber. »

Le directeur de la *yeshiva* finit par découvrir la vérité au sujet de la marijuana et de la servante portoricaine.

« Il est écrit, argua Isaac en citant Melachim, qu'un roi peut avoir jusqu'à dix-huit femmes et concubines, et je suis un descendant de la maison de David. »

En apprenant que son fils avait été renvoyé, Nialie lui coupa les vivres. Furieux, Isaac se rendit à l'immeuble de McTavish, dans Fifth Avenue.

« Je viens voir Lionel Gursky.

— Vous avez rendez-vous ? demanda la réceptionniste.

— Je suis son cousin. »

Un adolescent trapu avec un blouson de moto en cuir noir, un jean cigarette et des bottes de cow-boy. Cheveux noirs lustrés, yeux bridés brûlants comme la braise, peau brune.

« Naturellement », fit-elle, amusée.

Au moment où le gardien de sécurité s'avançait, Isaac flanqua son passeport sur le comptoir. Le gardien grogna, incrédule, mais il téléphona au bureau de Lionel. Après un moment de silence, il dit : « Prends l'ascenseur jusqu'au cinquante-deuxième étage, petit. La secrétaire de M. Gursky t'attend. »

Isaac suivit la jeune femme qui le conduisit au bureau de Lionel, les yeux rivés sur ses jambes.

« M. Gursky est en retard pour une réunion du conseil d'administration. Il a dix minutes à vous consacrer. »

Elle appuya sur un bouton pour le faire entrer dans l'antichambre du bureau de Lionel, surveillé par une caméra et un gardien de sécurité armé. Derrière l'homme, au-dessus d'un vase Ming rempli de glaïeuls, trônait un portrait de M. Bernard.

D'autres portes, qui semblaient en chêne massif mais étaient en réalité blindées, s'ouvrirent. Le bureau de Lionel était le plus grand qu'Isaac ait jamais vu. Table de travail d'époque. Canapés en cuir. Corbeilles à papier assorties creusées dans des pieds d'éléphant. Épaisse moquette couleur crème. Murs tapissés de soie. Dans un cadre, une couverture du magazine *Forbes* sur laquelle apparaissait Lionel. Un tableau montrant des pêcheurs de morue de la Gaspésie. Des photos de Lionel serrant la main de Nixon, faisant la bise à Golda, prenant Sinatra dans ses bras, dansant avec Elizabeth Taylor, présentant un trophée à Jack Nicklaus.

« Ton père était un saint homme et un modèle pour nous tous, pauvres pécheurs, dit Lionel. Je te prie d'accepter mes condoléances, quoique tardives. »

Isaac, arborant un sourire équivoque, expliqua qu'il avait quitté la *yeshiva* à la suite d'un différend d'ordre religieux et qu'il souhaitait à présent s'inscrire dans un établissement laïque afin de poursuivre ses études à New York, mais plusieurs problèmes se posaient. À vingt et un ans, il hériterait de plusieurs millions de dollars ainsi que d'un joli paquet d'actions de McTavish. Entre-temps, sa mère décidait de tout. Elle tenait mordicus à ce qu'il retourne dans l'Arctique.

La secrétaire de Lionel les interrompit.

« Merci, Mlle Mosley. Je vais prendre l'appel dans la bibliothèque. Vous voulez bien tenir compagnie à mon cousin ? »

Isaac se mit à arpenter le bureau. Il s'aventura derrière la table de travail de Lionel, s'assit dans son fauteuil, le fit pivoter.

« Vous ne devriez pas faire ça.

— J'ai envie de pisser, dit-il en bondissant sur ses pieds.

— Il y a des toilettes dans le couloir, dit Mlle Mosley en tirant sur sa jupe. Première à droite et deuxième à gauche. Le gardien vous donnera la clé.

— Il n'y a pas de chiottes ici ?

— Ce sont les cabinets privés de M. Lionel.

— Je promets de lever la lunette. »

À première vue, la pharmacie ne contenait rien d'intéressant. Sur la table de verre, cependant, il y avait une boîte remplie de boutons de manchette : des perles, du jade, de l'or. Isaac en mit une paire dans sa poche et chipa aussi le flacon de pilules le plus prometteur.

Le gardien de sécurité avait remplacé la secrétaire.

« Dis, mon vieux, où est passée mon chaperon ?

— Sois gentil : assieds-toi et attends le retour de M. Lionel. »

Mais Lionel ne revint pas. Il envoya plutôt un petit homme rond et rosé avec une crinière de cheveux roux et frisés.

« Votre père était un être humain remarquable, dit Harvey Schwartz. Je le dis du fond du cœur. M. Lionel comprend votre situation et admire votre ambition. Il m'a chargé de vous verser une allocation de deux cents dollars par semaine, somme qui sera déposée dans votre compte bancaire dès que vous m'aurez fourni les renseignements nécessaires. Plus tard, j'aurai quelques documents à vous faire signer.

— Je repasse quand ?

— Nous vous les enverrons par la poste. Entre-temps, voici une enveloppe qui contient mille dollars en argent comptant.

— Où est mon foutu cousin ? demanda Isaac en lui arrachant l'enveloppe des mains.

— M. Lionel vous prie de repasser le voir très bientôt. »

Isaac loua un studio dans West 46th Street, près de Tenth Avenue. Pour compléter sa maigre allocation, il dénicha de petits boulots pour lesquels on n'exigeait pas de *green card*. Débarrasser les tables chez Joe Allen. Faire la plonge chez Roy Rodgers dans Broadway. Distribuer des cartes dans la rue pour DIAL 976-SEXY.

Quelques mois plus tard, Isaac, désormais âgé de quinze ans, mal rasé, fixait le plafond de son studio, le dos collé à son futon. Accablé par la canicule estivale, il ramassa son caleçon à rayures tigrées et essuya la sueur de son cou et de son visage. Puis il se roula un joint et, à tâtons, chercha une cassette qu'il glissa dans son Sony. Aussitôt que retentirent les vents violents soufflant sur la toundra, il rit avec tendresse. On entendit le hurlement lointain d'un loup, de la musique électronique, le bruit d'un corps-à-corps, puis la voix du narrateur résonna : « Les Hommes Corbeaux, ces créatures humanoïdes issues du vieux monde des esprits, attaquent les bonnes gens du fjord aux Poissons : leurs doigts terminés par des serres de hibou, leur nez en bec d'aigle, leurs grands bras ailés couverts de plumes. De nombreux villageois, effrayés, s'enfuient, mais d'autres, contre toute raison, décident de se battre. À l'avant-garde se trouve le capitaine Al Cohol, tenant tête aux pilleurs impitoyables, se battant comme dix dans un ensorcelant cercle de mort… »

Les murs de l'appartement d'Isaac étaient tapissés d'affiches et d'autocollants. David Bowie, Iggy Pop, Mick Jagger. Coincée entre Black Sabbath et Deep Purple, une photo aux couleurs criardes du *rebbe* qui régnait sur le 770, Eastern Parkway. En face, Marilyn Monroe, allongée nue sur un tapis blanc, lui souriait. Sur l'affiche, Isaac avait collé l'écusson qu'il avait l'habitude de porter sur la poche poitrine de sa veste et qui proclamait qu'il était un fantassin de l'ARMÉE D'HASHEM. Un autocollant sur un autre mur disait : NOUS VOULONS LE *MOSHIACH* TOUT DE SUITE.

Quelle époque, songea Isaac en inspirant à fond. L'époque de la *yeshiva*. Marcher dans le noir glacial pour réciter le *Modeh Ani*, la prière du réveil :

Modeh ani lefaneha, melekh hai v'kayam,
Je te rends grâce, Roi vivant et éternel,
Sheh hehezarta bi nishmati b'hemla.
De m'avoir, dans ton amour, rendu mon âme.

Merde à la *yeshiva.* Et merde aux Gursky. Quelle famille ! Lionel, cette ordure, n'avait jamais accepté de le revoir. Il n'était que son cousin, remarquez. Lucy, sa tante, *sa seule tante,* l'avait encore plus mal traité. Pas au début. Non monsieur. Au début, elle aurait juré qu'on n'avait rien vu de plus mignon que lui depuis l'invention du fil à couper le beurre. Il lui avait rendu visite dans son appartement du Dakota alors qu'il étudiait encore à la *yeshiva.* Il avait sonné en serrant contre lui une boîte enrubannée de chocolats *glatt* casher de chez Magen David, sans se douter qu'une réception avait lieu. Un petit Philippin en veston blanc lui avait ouvert, puis une dame tout essoufflée, portant un cafetan aussi large qu'une tente, avait traversé l'entrée pour venir l'accueillir. Elle était énorme, bouffie, un vrai pot de peinture, l'éclat de ses yeux noirs souligné par un produit argenté, ses mentons tremblotants. Lucy avait attrapé Isaac, qui battait en retraite, et l'avait tenu à bout de bras, dans le cliquetis de ses bracelets en or martelé. Isaac, à l'époque, avait encore ses papillotes, un fin duvet en guise de moustache, l'esquisse d'une barbe, un chapeau et un long manteau noirs, d'épaisses chaussettes blanches en laine.

« Je suis toute retournée ! s'était-elle écriée, assez fort pour attirer l'attention. Regardez, c'est mon neveu ! N'est-il pas adorable ? »

Puis, prenant Isaac par la main, elle l'avait jeté en pâture à ses invités, un à un, en chantonnant chaque fois :

« C'est le fils de mon frère, notre système d'alerte avancé. »

Au milieu des rires, elle ajoutait que son frère, un vrai saint, vivait dans l'Arctique, où, marié à une Esquimaude, il attendait la fin du monde.

« Il sera aux premières loges, là-haut, non ? »

Lucy avait fini par abandonner Isaac au centre d'un groupe composé de deux ou trois agents, d'un décorateur de théâtre et de la vedette d'une comédie musicale qui tenait l'affiche sur Broadway depuis des lustres. Isaac avait vu le comédien au « *Johnny Carson Show* ». Soucieux de faire bonne impression, il lui avait demandé :

« Ça ne vous fatigue pas trop de répéter les mêmes phrases, soir après soir ? »

L'acteur avait levé les yeux au ciel et tendu son verre vide à Isaac.

« Tiens », avait-il répondu.

En reculant, Isaac était entré en collision avec une jolie jeune fille portant une minijupe et un t-shirt sur lequel figuraient les mots : « À la recherche de Mister Goodbar ». Il distinguait ses mamelons.

« Pardon, pardon, avait-il dit.

— Hé, ça te va super bien. Tu es venu tout droit du tournage ?

— Quoi ? avait-il répondu en commençant à transpirer.

— Tu n'as pas eu le temps de te changer avant la soirée ?

— Ce sont mes vêtements.

— Et puis quoi encore ? Je sais très bien que Mazursky tourne dans le Village, ces jours-ci. »

Il avait encore revu Lucy avant la mort d'Henry, dans un immeuble de Broadway. Le jeune homme qui lui servait d'assistant personnel l'avait fait entrer dans son bureau. Lucy, son cafetan remonté jusqu'à ses genoux semblables à des tartes aux pommes, ses jambes grasses appuyées sur un pouf, criait dans le combiné.

« Dis à cette salope sans talent qu'elle a depuis longtemps passé l'âge de jouer les ingénues et que, dans un an, quand ses tétons toucheront ses chevilles, elle devra se contenter des miettes qu'on voudra bien lui jeter. Mais ce qui est sûr, c'est qu'elle ne travaillera plus jamais pour Lucy Gursky ! »

Elle avait raccroché et poussé vers Isaac un énorme plateau de brownies.

« Merde ! Attends ! Ils ne sont pas casher. »

Elle qui avait omis de le rappeler semblait néanmoins heureuse de le voir, tellement qu'elle avait annulé sa réservation au Russian Tea Room et demandé à son chauffeur de les déposer devant un restaurant casher de West 47th Street. Après avoir commandé une deuxième portion de *latkes* (« Je ne devrais pas, mais c'est une occasion spéciale, non ? »), elle l'avait régalé d'histoires tendres au sujet d'Henry. « Tu savais que ton père bégayait beaucoup avant de s'acoquiner avec des gens comme toi ? Le *rebbe* n'a donc pas que des mauvais côtés. »

Sautant sur l'occasion, Isaac, qui parlait si vite qu'elle avait du mal à le suivre, lui avait dit qu'il avait une idée de film. Il y était question du Messie. Emprisonné dans les glaces de l'Arctique pendant des siècles, il jaillit d'un pingo avec pour mission de réveiller les Juifs disparus et de les conduire jusqu'à *Eretz Yisroel.* Il a cependant un talon d'Achille. S'il ingère des aliments non casher, il perd ses pouvoirs magiques et devient fou furieux.

« J'adore ça ! » s'était-elle écriée.

Et, se doutant que tous les invités de sa prochaine soirée se fendraient la poire en entendant cette histoire, elle avait ajouté :

« Il faut absolument que tu m'envoies un synopsis. »

Lorsqu'il avait de nouveau communiqué avec elle après son renvoi de la *yeshiva,* elle lui avait hurlé dans les oreilles : « Je n'en reviens pas que tu aies le culot de me téléphoner, espèce de petit cannibale ! Tu me dégoûtes ! » Elle lui avait raccroché au nez.

Un mois plus tard, Lucy avait renvoyé son chauffeur chez lui en prétendant vouloir passer la soirée à la maison et avait pris un taxi jusque chez Sammy's Roumanian Paradise, restaurant qu'elle fréquentait les rares soirs où elle était seule et si déprimée qu'il n'y avait qu'une solution : se gaver d'œufs de poule fécondés, de *kishka* et de bavette, puis, sur le chemin du retour, sombrer dans un sommeil agité. Arrivée devant le Dakota, tandis que le chauffeur de taxi l'aidait à s'extirper de la banquette arrière, elle avait vu Isaac sortir de l'ombre.

« Va-t'en », avait-elle dit.

Les papillotes et le chapeau noir avaient disparu. Il portait un t-shirt crasseux, un jean déchiré aux genoux et des tennis.

« Pas question que tu montes chez moi. Fous-moi le camp. Animal.

— Je n'ai rien mangé depuis deux jours. »

Elle avait eu l'air de vaciller sur place.

« Vous êtes ma tante », avait-il dit en se mettant à pleurnicher.

Le souffle court, de la sueur lui dégoulinant sur le front et la lèvre supérieure, elle avait soupiré et dit :

« Je t'accorde cinq minutes. »

Mais, une fois chez elle, elle était entrée dans sa chambre et n'en était ressortie qu'après avoir enfilé un cafetan propre. Puis elle s'était laissée tomber sur le canapé et avait posé ses jambes enflées sur un pouf.

« Vous voulez entendre ma version des faits ? avait demandé Isaac.

— Non. Absolument pas. Mon sac est sur la commode, dans ma chambre, avait-elle dit, peu disposée à se relever. Je vais te donner quelque chose. Mais c'est la dernière fois. Attends. Je sais exactement combien j'ai. »

C'était une erreur. Il mettait trop de temps. Péniblement, elle s'était levée et l'avait rejoint dans sa chambre.

Isaac fixait la grande photo sur le mur : une femme svelte vêtue d'une robe de cocktail noire et sexy, son soutien-gorge bourré de mouchoirs en papier.

« C'est qui ? » avait-il demandé en souriant d'un air narquois.

Même habillée, il l'avait reconnue et n'attendait qu'une confirmation.

« Ah, ça, avait-elle dit en faisant la révérence, c'est une photo de ta tante Lucy dans la fleur de l'âge, prise par un petit polisson, à Londres, en 1972, si mes souvenirs sont exacts. Qu'est-ce que tu croyais ? Que j'étais née dans la peau d'un hippopotame ?

— Non. »

Elle avait sorti cent soixante-dix dollars de son sac et les lui avait tendus.

« N'oublie pas : je ne veux plus jamais te revoir ici.

— Compris. »

Être si riche et pourtant à sec. Renié par les siens. De quoi devenir cinglé. Devant une telle injustice, Isaac avait envie de crier, de tout casser.

Son appartement puait. Il ouvrit une fenêtre, mais il n'y avait pas un souffle d'air. Même les blattes étaient immobiles. En quête de réconfort, il inséra une autre cassette des aventures du capitaine Al Cohol dans son Sony.

« Maîtrisé par les sanguinaires Hommes Corbeaux, le capitaine Al Cohol, après s'être extirpé de la terrible table de la mort, se retrouve une fois de plus cruellement allongé sur la glace. »

Toologaq, le maître malveillant des Hommes Corbeaux, éclata d'un rire diabolique.

« "Prépare-toi, espion spatial, car ce courant électrique va te passer l'envie de te ré-*volt*-er." »

Merde, merde, merde. D'un coup de pied, Isaac envoya le magnétophone valser à l'autre bout de la pièce. Il avait seulement quinze ans. Il devrait donc patienter six ans avant de toucher son argent et ses actions. Cherchant à tâtons sa bombe aérosol, il gratifia le *rebbe* d'un jet de peinture dans le nez. Les jambes flageolantes, il se tourna et visa les parties intimes de Marilyn.

Puis on sonna à la porte. Trois inconnus. Un petit vieillard, un homme plus grand, entre deux âges, une fausse blonde malicieuse qui empestait le parfum.

« Je suis ton cousin Barney, dit l'homme entre deux âges. Voici ton grand-oncle Morrie et… »

Il saisit la blonde par les fesses pour la propulser vers l'avant.

« … la dauphine de Miss Bonne conduite. On regarde, mais on ne touche pas. »

M. Morrie soupira et fit claquer sa langue.

« Penser que le petit-fils de Solomon puisse vivre dans des conditions pareilles…

— La première chose que nous allons faire, dit Barney, c'est t'acheter des fringues convenables.

— Je parie qu'une moto serait plus à son goût, dit Darlene en plissant le nez. Avec raison, mon petit lapin en sucre. Vroum, vroum !

— Tu as déjà mangé au 21 ? » demanda Barney.

Leurs doigts terminés par des serres de hibou, se souvint Isaac en fixant les ongles de Darlene.

« Qu'est-ce que vous me voulez ? » demanda-t-il.

Barney lui arracha la bombe aérosol. Visant l'autocollant qui proclamait NOUS VOULONS LE *MOSHIACH* TOUT DE SUITE, il traça une ligne, biffa les mots, en quelque sorte. Puis, dans l'espace vide juste en dessous, il écrivit :

NOUS VOULONS MCTAVISH TOUT DE SUITE

M. Morrie s'attarda à New York une semaine de plus, refusant catégoriquement de partir avant d'avoir installé Isaac dans un appartement convenable et de lui avoir versé une allocation digne du petit-fils de Solomon. Ils déjeunèrent ensemble tous les jours.

« Vous savez, dit Isaac, vous êtes le premier membre de la famille à s'intéresser à moi.

— Après tout ce que tu as enduré… Et ta tante Lucy ?

— Ne prononcez jamais devant moi le nom de cet éléphant obsédé par le sexe.

— Lucy, une obsédée sexuelle ? Tu plaisantes ? »

Isaac lui fit voir les photos que contenait son dossier.

Les yeux de M. Morrie se gonflèrent de larmes.

« Songer que cette pauvre enfant ait pu être si malheureuse…, fit-il en glissant les photos dans sa mallette. Maintenant, dis-moi, Isaac : que veux-tu faire de ta vie ?

— Je veux réaliser des films.

— Tu sais ce que j'en dis, moi ? Pourquoi pas ? Dès que les choses se seront calmées… »

Six

Par un soir du même été, en 1976, Sam et Molly Birenbaum se faisaient ballotter sur les pistes du Aberdare Salient à bord d'un Land Cruiser de Toyota. Leur guide, un Blanc autrefois chasseur, traquait une hyène qui avançait en bondissant, les épaules inclinées. Bientôt, ils aperçurent une véritable meute d'hyènes en contrebas, le pelage graisseux et le ventre plein, qui riaient et gloussaient en se repaissant d'un hippopotame mort gisant sur le flanc dans le lit d'une rivière à sec. Comme la peau de l'animal était impénétrable, les hyènes dévoraient ses entrailles en passant par l'anus, plus tendre, et sortaient les unes après les autres de la cavité, la gueule pleine de morceaux dégoulinants de chair rose ou de boyau, repoussant les chacals attirés par la charogne.

« Je n'en peux plus, dit Sam. Enfant, c'était Rashi mon modèle, pas Denys Finch Hatton. On retourne à la tente, *tsatskeleh.* »

Molly était ravie de le voir si joyeux. À peine trois mois plus tôt, à Washington, il avait le teint terreux et était chaque jour plus aigri. De toute évidence, il en avait assez de courir d'aéroport en aéroport, de parcourir des centaines de milles pour n'obtenir qu'une brève déclaration d'un politicien ou quelques images banalisant une catastrophe. « À en juger par nos annonces publicitaires, lui dit-il un jour, les seules personnes qui regardent nos reportages, hormis les membres de la classe politique, n'arrivent pas à faire tenir leur dentier, souffrent d'insomnie, de brûlures d'estomac, de flatulences et, pour appeler un chat un chat, ont bien du mal à chier. »

Le soir de son anniversaire, Molly l'invita donc au restaurant La Maison Blanche et lui dit :

« Assez. »

Passant au yiddish, parce qu'il prenait plaisir à parler cette langue, elle lui rappela les vendredis soir chez L. B., les hommes dissertant autour de la table de la salle à manger recouverte d'une nappe au crochet, Moses et lui dans la cuisine, sidérés en voyant Shloime Bishinsky sortir des pièces de cinq cents de leurs cheveux. Elle lui dit qu'à l'époque où elle l'avait épousé, lui, journaliste débutant à la *Gazette* qui portait la moustache pour se vieillir, jamais elle n'aurait pu imaginer qu'il leur donnerait tout ce qu'il leur avait donné, aux enfants et à elle. Désormais, les enfants étaient grands et Sam avait mis beaucoup d'argent de côté. Le moment était donc venu de prendre une retraite anticipée. Il n'avait qu'à s'offrir une année de congé, peut-être deux, on n'était pas à quelques mois près, et après il déciderait s'il avait envie d'enseigner, d'écrire, de rejoindre PBS ou la National Public Radio, qui lui avaient tous deux fait une offre.

« Ouais, mais qu'est-ce que je ferais pendant toute une année, sans parler de deux?

— Nous partons en voyage », répondit-elle en lui présentant son cadeau d'anniversaire, un safari pour deux au Kenya.

Au début, tout se passa à merveille. Puis, le lendemain du jour où ils avaient vu les hyènes se repaître de l'hippopotame mort, ils s'arrêtèrent à l'Aberdare Country Club et Sam prit connaissance de l'actualité.

Le dimanche 27 juin, le vol 139 d'Air France reliant Tel-Aviv à Paris fut détourné après son décollage d'Athènes par des pirates de l'air appartenant au Front populaire de libération de la Palestine. Après avoir ravitaillé en Libye, l'Airbus était à présent cloué au sol à l'aéroport d'Entebbe, en Ouganda, où Son Excellence Al Hajji Docteur Maréchal Idi Amin Dada, titulaire de la Croix de Victoria, OSD, MC, nommée par Dieu pour sauver son peuple, annonça qu'il agirait comme médiateur entre les terroristes et les Israéliens.

« Le réseau va envoyer Sanders, ce jeunot qui ne connaît rien à rien.

— Ce n'est plus ton problème, Sam. »

Le lendemain, ils entrèrent dans la vallée du Grand Rift, chaude et humide, les collines couleur crottin cédant la place, de part et d'autre, à de vertigineuses parois violacées. Puis, sur le lac Baringo, infesté de crocodiles, ils prirent un bateau à moteur jusqu'au camp insulaire de Jonathan Leakey. Dominant le lac, le camp, taillé dans la falaise, était couvert de cactus, de roses du désert et d'acacias. Aussitôt arrivé, Sam fonça vers le bar, équipé d'un poste de radio.

Le mercredi 30 juin. Les pirates de l'air exigèrent la libération de cinquante-trois terroristes, cinq prisonniers au Kenya, huit en Europe et les autres en Israël. Si Israël n'accédait pas à leur demande avant le lendemain, à quinze heures, ils menaçaient d'exécuter les otages et de faire sauter l'avion. Un autre compte rendu, en provenance de Paris, celui-là, laissait entendre que quarante-sept des deux cent cinquante-six otages et douze membres d'équipage avaient été libérés et conduits à l'aéroport Charles-de-Gaulle. On y affirmait que les Juifs avaient été séparés des autres otages retenus dans le vieux terminal d'Entebbe, ségrégation imposée par les deux jeunes Allemands qui semblaient diriger l'opération. Selon encore un autre compte rendu, Chaim Herzog, ambassadeur d'Israël à l'ONU, avait réclamé l'aide du secrétaire général Kurt Waldheim.

Sam demanda à utiliser le téléphone. Après une attente interminable, il finit par obtenir le réseau à New York, puis il sortit du bureau en titubant, livide, à la recherche de Molly. Il la trouva au bord de la piscine. « Kornfeld, ce sniffeur de coke, m'a mis en attente. Je lui ai raccroché au nez. »

Le lendemain, ils continuèrent leur périple jusqu'au lac Bogoria. Sam, au grand regret de Molly, fit semblant de s'intéresser aux antilopes, aux gazelles et aux zèbres. Heureusement pour Sam, ils avaient ensuite droit à une pause de quatre jours à Nairobi avant de poursuivre jusqu'au Massaï Mara. Aussitôt installé au Norfolk Hotel, Sam acheta tous les journaux disponibles et alla rejoindre Molly sur la terrasse dans l'intention de prendre un verre avec elle. Il ne fut guère étonné de constater que la terrasse, en général presque déserte à cette heure, était envahie par les Israéliens. Un afflux soudain de touristes. De toute évidence, des militaires, hommes et femmes, en tenue civile. Ils chuchotaient entre eux, se levaient de temps en temps pour aller dire quelques mots à un vieil homme assis seul à sa table, une bouteille de Loch Edmond's Mist devant lui. C'était un homme de petite taille, maigre et nerveux, les mains et le menton posés sur le pommeau d'une canne en malacca.

« Arrête de le dévisager », dit Molly.

Sam gagna la réception en vitesse et décrivit le vieil homme. On lui dit qu'il avait pour nom Cuervo. M. Cuervo, lui apprit le commis, était un marchand d'objets d'art kikuyus et massaïs. Sa galerie avait pignon sur rue dans Rodeo Drive, à Los Angeles. L'Africana.

Sam retourna à la table et dit à Molly de le suivre.

« Mais nous venons d'arriver ! »

Ils prirent un taxi jusqu'à l'aéroport d'Embakasi, où Sam aperçut un Boeing 707 d'El Al. Il ravitaillait, lui dit-on, avant de repartir en direction de Johannesburg, selon l'horaire prévu. Deux avions non identifiés, un autre Boeing 707 et un Hercules, étaient parqués au bout du tarmac, sous la surveillance de touristes israéliens.

Au lieu de rentrer directement au Norfolk, Sam et Molly s'arrêtèrent au Thorn Tree Bar du New Stanley Hotel. Et ils tombèrent de nouveau sur lui, le vieil homme, flanqué de touristes dont les étuis d'appareils photo renfermaient à coup sûr des armes. M. Cuervo bavardait avec deux autres personnes. Sam apprit plus tard qu'il s'agissait de Lionel Bryn Davies, chef de la police de Nairobi, et de Bruce Mackenzie, ancien ministre de l'Agriculture qui conseillait désormais Jomo

Kenyatta. Après le départ des deux hommes, M. Cuervo invita Sam et Molly à sa table.

« Nous nous sommes déjà rencontrés, je crois, fit Sam.

— Non, je n'ai jamais eu ce plaisir. Mais je vous connais par la télévision, évidemment. Quel bon vent vous amène à Nairobi ?

— Nous faisons un safari.

— Ah.

— Et vous ?

— Demain, Mme Burns et vous devez absolument dîner avec moi au Alan Bobbé's Bistro. J'essaierai alors de répondre à au moins certaines de vos questions. Disons à sept heures pour l'apéro, ça vous va ?

— Vous êtes certain que nous ne nous sommes jamais rencontrés ?

— Hélas, oui. »

Dans la nuit du 3 juillet, à la suite d'un raid de quatre-vingt-dix minutes sur Entebbe, deux Boeing 707 d'El Al, dont un servait d'hôpital de fortune, se posèrent à l'aéroport d'Embakasi. Tôt le dimanche, quatre C-130 Hercules les rejoignirent. Des ambulances conduisirent au Kenyatta National Hospital les dix soldats israéliens les plus grièvement blessés. Puis les avions, ravitaillés, redécollèrent.

En prenant son petit déjeuner, Sam lut le compte rendu dans le *Sunday Nation,* qu'on avait dû informer du raid à l'avance. La journée s'écoula lentement ; Sam était irritable, replié sur lui-même, jusqu'au moment, tant attendu, d'aller retrouver Cuervo au Alan Bobbé's Bistro. Le maître d'hôtel, qui les attendait, sortit la bouteille de Dom Pérignon du seau à glace.

« Ne l'ouvrez pas tout de suite, s'il vous plaît, dit Molly. Nous allons attendre M. Cuervo.

— Malheureusement, M. Cuervo a dû quitter Nairobi précipitamment. Il vous prie d'accepter ses excuses et insiste pour que vous soyez ses invités. »

De retour à Washington, Sam, qui écrivait un article sur Cuervo pour le *New Republic*, fit les vérifications d'usage. Comme il s'y attendait, il n'y avait pas de galerie d'art appelée Africana dans Rodeo Drive et aucun Cuervo ne figurait dans l'annuaire de Los Angeles.

Sept

C'était en 1983. En automne. La saison des perdrix hébétées, soûles d'avoir picoré les pommettes fermentées qui jonchaient le sol, et des feuilles mortes à râteler. Il faisait frisquet. Dans l'air, on sentait que la neige était imminente, mais Moses n'avait toujours pas remplacé les moustiquaires par des contre-fenêtres. Le bois de chauffage pour l'hiver, que Legion Hall avait déchargé pêle-mêle dans l'allée, devait être cordé. Remettant ces corvées à plus tard, Moses, irrité par la poussière, encerclé par des cartons retournés, examina l'intérieur de sa cabane. Un océan de désordre. Pourquoi ? Parce qu'il était résolu à retrouver la Silver Doctor qui manquait à l'appel. On aurait dit que sa vie en dépendait. Épuisé, il se servit à boire. Puis le téléphone sonna.

« Salut, c'est moi. »

La harpie divorcée et trop bien habillée qu'il avait draguée à Montréal, le mardi précédent.

« Je serai à la gare d'autocars de Magog à quatre heures. J'apporte quelque chose ? »

Bon sang ! L'avait-il invitée pour le week-end ?

« Euh… non.

— Tu n'as pas l'air très content.

— Je suis ravi. Je t'attendrai à la gare. »

Tout de suite après avoir raccroché, Moses téléphona chez Grumpy et demanda à parler au barman.

« Moses Berger à l'appareil. Comment s'appelle la dame que j'ai rencontrée chez vous, mardi dernier ?

— C'était pas Mary ?

— Oui, c'est ça. Merci. »

Il ramassa les bouteilles vides et la vaisselle sale. Il vida les cendriers. Puis il commença à remettre ses papiers dans des boîtes. *Crétin. Soûlon. Pourquoi ne lui as-tu pas dit que tu étais au lit avec de la fièvre ?*

À une certaine époque, Moses avait pris plaisir à accueillir une femme dans sa cabane pour un week-end. C'était nouveau. Mais, âgé de cinquante-deux ans à présent – et de plus en plus grincheux, selon Strawberry –, il était habitué à se lever et à manger quand bon lui semblait, et ces intrusions lui étaient devenues intolérables. Seule Kathleen O'Brien, qu'il adorait, avait fait exception à la règle pendant quelques années. Malgré tout, avec le temps, il en était venu à appréhender ses visites à elle aussi. Visites qu'ils terminaient infailliblement, l'un et l'autre, dans un état de stupeur éthylique. Kathleen portée à sangloter et à s'apitoyer sur son sort, à sombrer dans l'incohérence, à déplorer le lot de ceux qu'elle appelait les Misérables. Le club sélect des proies dévorées par les Gursky. Elle, victime de M. Bernard, et Moses, terrassé par Solomon.

Chaque fois qu'elle venait, il fallait écouter l'une des cassettes. M. Bernard, moisissant dans son cercueil plombé, revenait les hanter : « Toutes les familles ont leur croix à porter, leur squelette dans le placard, c'est la vie… »

Au-dessus du cercueil de M. Bernard, le rabbin avait dit : « Voici un homme dont la richesse dépasse notre entendement. Il volait à bord de son jet privé. Il naviguait à bord de son yacht privé. Il a été reçu à Buckingham Palace et à la Maison-Blanche. Mme Roosevelt et Ben Gourion sont venus chez lui manger le bœuf bouilli et le kacha de Libby. Les premiers ministres de ce grand pays lui demandaient conseil. La vérité, c'est que M. Bernard, paix à son âme, a bâti l'une des plus grandes fortunes familiales d'Amérique du Nord. Mais, sur son lit de mort, qu'a demandé ce parangon, cette légende vivante ? Je vais vous le dire, moi, parce que c'est une belle leçon à tirer pour nous tous ici rassemblés. M. Bernard a demandé la seule chose que ses millions ne pouvaient pas lui procurer. La miséricorde de Dieu. Tel a été son dernier vœu. Il a imploré la miséricorde de Dieu. »

Mais M. Morrie, qui avait assisté aux derniers instants de la vie de son frère, raconta la vérité à Moses.

Sur le point de s'éteindre, ses yeux se voilant, M. Bernard eut un sursaut et vit Libby prendre sa main osseuse et cireuse puis la poser contre sa joue poudrée. Elle chanta :

> *Bei mir bist du schön,*
> Laisse-moi t'expliquer
> *Bei mir bist du schön,*
> Veut dire que tu es le plus grand…
> Je pourrais chanter Bernie, Bernie,
> Et même crier « *voonderbar* »…

M. Bernard essaya de la griffer, résolu à faire couler du sang, mais il n'en avait plus la force.

« Non, non », râla-t-il.

Voilà tout ce dont il fut capable.

« Bernie, Bernie, sanglota-t-elle, crois-tu en Dieu ?

— Comment peux-tu dire de telles niaiseries à un moment pareil ?

— Ce ne sont pas des niaiseries, mon lapin.

— Non mais, écoutez-la. Tu ne comprends donc pas ? Tu ne comprends donc rien ? Si Dieu existe, je suis foutu. »

Et sur ces mots, dit M. Morrie, il était mort.

Les visites de Kathleen, souvent imprévues, devinrent un véritable supplice. Mlle O., dame de qualité, autrefois pointilleuse et acerbe, sortait de sa Subaru au capot bosselé, la démarche mal assurée, le visage bouffi, vêtue d'un vieux chandail taché de nourriture et d'une jupe à la fermeture cassée, chargée d'un sac de la Société des alcools dans lequel les bouteilles s'entrechoquaient, puis elle parlait jusqu'à l'aube, ressassant sans fin les mêmes histoires.

Un soir qu'il la contemplait, ivre morte sur le canapé, ronflant la bouche grande ouverte, Moses se souvint que, lors du premier mariage d'Anita Gursky, elle l'avait fait sortir du Ritz pour lui épargner la lecture du poème que L. B. avait écrit en l'honneur des nouveaux mariés. Il se pencha, lui essuya le menton, l'embrassa sur les deux joues, la couvrit et, certain qu'elle ne l'entendrait pas, murmura :

« Je t'aime. »

Mais Kathleen remua.

« Moi aussi, dit-elle. Mais qu'allons-nous devenir ? »

L'enveloppe manquante la faisait encore enrager.

« Il n'aurait pas menti. Pas à moi. C'est l'avorton qui l'a prise, ou Libby. »

Gitel Kugelmass, qui s'éternisait au Mount Sinai, ne vint jamais dans la cabane de Moses, mais elle lui téléphonait souvent. La dernière fois pour l'avertir que le Dr Putterman était sûrement un agent infiltré de la GRC.

« Gitel, dit Moses, j'aimerais que vous veniez avec moi consulter un docteur de ma connaissance.

— Il s'agit peut-être de ce Dr Ewen Cameron de l'Allan Memorial que la CIA payait, c'est prouvé, pour administrer des médicaments hallucinogènes à des personnes âgées qui ne se doutaient de rien. »

Sur ce point, impossible, hélas, de la contredire.

« Sinon, tu n'as qu'à me mettre dans le prochain avion pour Moscou, où j'irai retrouver les autres dissidents à l'asile de fous. »

La dernière fois qu'il l'avait invitée à déjeuner, elle avait dit :

« Tu te souviens de la lettre que L. B. nous a envoyée, à Kronitz et moi, à Sainte-Agathe ? Celle dans laquelle il nous demandait de penser aux enfants ? Alors que mon Errol Flynn du Nord avait déjà fait ses bagages, avec son échiquier et tout. Eh bien, cette lettre va figurer dans le livre de ce jeune professeur, tu sais de qui je veux parler, il passe tout son temps à papoter à la télé… Il peste contre les armes nucléaires et porte des bijoux fabriqués par des Peaux-Rouges.

— Zeigler ?

— Exactement. Tu ne trouves pas ça ironique, toi, Moishe ? L. B., qui a passé sa vie à courir après la célébrité, n'est plus là pour assister à la publication de sa biographie. »

Dans la cabane de Moses se trouvaient trois lettres du Pr Herman Zeigler restées sans réponse. La dernière, véritable perle, était accompagnée de trois pièces jointes.

1. Un plan de la ville sur lequel figurait l'itinéraire précis emprunté par L. B. lors de ses promenades d'après-midi, du départ de la maison d'Outremont, dotée d'un jardin et d'arbustes ornementaux dans une rue bordée d'arbres, à l'avenue du Parc, au-delà du kiosque à journaux de Curly, du cinéma Regent, du salon de coiffure de Moe, du YMHA et de Fletcher's Field[2], puis à gauche sur l'avenue des Pins jusqu'à la Horn Cafeteria. Il invitait Moses à apporter des corrections ou à ajouter des variantes.

2. Une photographie du *Barde*, une sculpture de la tête massive de L. B. réalisée par Marion Peterson, CM, OC, qui trônait sur un piédestal dans le foyer de la Bibliothèque publique juive de Montréal.

3. Le professeur avait aussi eu le tact d'inclure des tableaux imprimés présentant la fréquence des propositions enchâssées, des auxiliaires de temps, des substantifs accompagnés d'adverbes attributifs, des locutions nominales, etc., dans la poésie de W. B. Yeats, T. S. Eliot, Robert Frost, W. H. Auden, Robert Lowell et L. B. Berger.

---

2. Le parc Jeanne-Mance. *(N.d.T.)*

Moses eut la satisfaction de constater que, au chapitre de l'utilisation des pronoms personnels, L. B. arrivait au premier rang.

Dans la lettre proprement dite, Zeigler sollicitait une entrevue avec Moses en lien avec une communication qu'il préparait pour un colloque, qui se tiendrait à Banff, portant sur « Le syndrome de l'échec chez les descendants des grands artistes canadiens ». « Il va sans dire, écrivait le professeur, que votre collaboration serait d'une importance primordiale. »

Moses n'avait pas vu Beatrice depuis des années, mais, en fan inconditionnel, il continuait de suivre son ascension. Déjà, elle s'était débarrassée du biodégradable Tom Clarkson, obtenant une jolie somme du divorce. Selon certaines rumeurs, elle s'apprêtait à épouser l'homme en qui plusieurs voyaient le futur haut-commissaire du Canada au Royaume-Uni. Cette fois, elle ne serait plus qu'à deux pas, c'est-à-dire à un mariage de plus, d'un titre de noblesse. Pendant ce temps, la polissonne, qui avait autrefois compté parmi les enfants de la Raven, exploiterait à son profit les garden-partys de Buckingham Palace. En esprit, Moses, ravi pour elle, la vit expliquer à Margaret Thatcher comment éviscérer et débiter un caribou, rappeler au prince Charles qu'ils s'étaient déjà rencontrés, au Elks Hall, dans la légendaire ville de Yellowknife.

Lucy lui envoyait les coupures de journaux et les articles de magazines qui la concernaient et qu'il risquait d'avoir ratés. Une photo, dans *People*, sur laquelle elle serrait Andy Warhol dans ses bras. Elle y avait écrit : « Regarde ce qu'est devenue ta petite Lucy ! » Des critiques, pour la plupart favorables, de ses productions sur Broadway et off-Broadway. Dans un reportage du magazine *New York* qui lui était consacré, on la disait mal embouchée, exécrable avec ses actrices, mais perfectionniste et ne lésinant jamais sur la dépense.

Son dernier coup de fil remontait à deux ou trois ans après la mort d'Henry, peut-être.

« Le cannibale est passé me voir hier soir.

— Qui ?
— Le fils d'Henry, Isaac.
— Comment va-t-il ?
— Il me donne la chair de poule. Voilà comment il va.
— Oui, j'imagine.
— On dirait que tu as bu.
— Quelle surprise !
— Viens faire un tour à New York. Je te paie l'avion. Si tu ne veux pas rester chez moi, je t'installe au Carlyle.
— Dis donc, je me souviens de t'avoir entendue dire à Henry qu'il n'avait qu'à me payer pour que j'aille le voir.
— Si nous nous étions mariés, nos enfants seraient adultes, à présent.
— Ç'aurait été irresponsable. Je suis un alcoolo fini et toi tu n'es jamais sortie de l'enfance.
— Je pèse deux cent quatre-vingts livres. Pas moyen de m'arrêter. Un vrai monstre. Un de ces quatre, je vais éclater comme une saucisse dans une poêle à frire », cria-t-elle en raccrochant.

Gitel, Beatrice, Lucy, Kathleen. Pour le reste, les femmes que Moses réussissait à attirer dans sa cabane lui offraient cinq minutes d'exaltation pour plusieurs heures d'énervement. Il y avait eu cette femme d'un certain âge qui ne supportait pas la fumée de ses cigares, et une autre qui avait passé le week-end dans son lit avec un bouquin de Sidney Sheldon. Des serviettes trempées sur le sol de sa salle de bains. Des cheveux dans son lavabo. Ses disques rangés dans la mauvaise pochette. Des femmes qui s'attendaient à ce qu'on leur fasse la conversation dès le saut du lit. Et maintenant, « c'était pas Mary », ainsi que le barman l'avait si judicieusement nommée, venait passer le week-end. Heureusement, elle voulut rentrer dès le samedi matin parce qu'il lui avait fait des remontrances.

« Je me moque bien de ce que tu penses, mais je ne fouinais pas. Tes papiers ne m'intéressent pas le moins du monde. Je me suis seulement dit que je te ferais l'agréable surprise de mettre un peu d'ordre dans cette porcherie. »

Moses la ramena à la gare de Magog.

« Je vais acheter mon propre billet, *si tu le permets.* Tiens, c'est à toi. Je me suis assise dessus. Fais-moi plaisir et fourre-toi-la dans le cul. »

Sa Silver Doctor.

Huit

Sur le chemin du retour, Moses s'arrêta au Caboose.

« Attends que je te raconte, lui dit Strawberry. Hier, dix heures et demie, la banque est ouverte depuis une bonne demi-heure, et Bunk a toujours pas encaissé le chèque de bien-être social qui lance sa beuverie mensuelle. »

Bunk et sa femme habitaient désormais une cabane juchée quelque part dans les collines, au-delà du lac Nick.

« Alors, hier soir, Hi-Test, qui s'inquiète, met une caisse de vingt-quatre dans son quatre-roues et va voir ce qui se passe. »

En entrant dans la cabane, Hi-Test détecta aussitôt une mauvaise odeur. Contournant Bunk, qui piquait un petit roupillon à la table de la cuisine, la tête blottie dans les bras derrière une barricade de bouteilles de Labatt 50, toutes vides, il suivit la mauvaise odeur jusque dans la chambre, d'où il ressortit aussitôt. Il secoua Bunk.

« Eh, dit-il, ta femme est morte, là-dedans.

— Ah, c'est donc ça, fit Bunk, soulagé. Je pensais qu'elle était en furie contre moi. C'est vrai qu'elle a pas dit un mot depuis hier. »

Le bar était rempli à craquer, la plupart des habitués célébrant l'arrivée des chèques de bien-être social. Seuls Legion Hall et Sneaker manquaient à l'appel.

« Ils se cachent dans les collines », expliqua Strawberry.

À peine une semaine plus tôt, Legion Hall et Sneaker avaient aménagé, au bord de la route 243, une sorte de stand où s'empilaient de grosses boîtes remplies – prétendument – de sirop d'érable. Un écriteau cloué au stand proclamait :

AIDÉ LES FERMIER ANGLOFONES
UN ESPÈCE EN VOIX DE DISPARISSION

Ils avaient écoulé deux cents boîtes et avaient déguerpi avant que leurs clients se rendent compte qu'ils avaient acheté un mélange d'huile à moteur usée et d'eau. La police provinciale menait l'enquête.

Moses fixait la mouche à saumon qu'il avait posée sur la table. Sa Silver Doctor. Lui qui avait passé des années à sillonner les rivières se rendit brutalement compte qu'il était le saumon et non le pêcheur. Hilare, Solomon le taquinait en lançant les mouches au-dessus de sa tête et, obéissant à ses désirs, Moses s'agitait, crevait la surface et dansait. Lorsqu'il avait mordu à l'hameçon, ses écailles étaient vert océan ; à présent, il n'était plus qu'un saumon noir, prisonnier des glaces dans une rivière sombre, coupé des eaux libres.

Récupérant sa mouche, Moses rentra chez lui. Mort une fois dans l'air, une fois dans l'eau et, désormais, croyait Moses, qui faisait les cent pas, un verre de Macallan à la main, mort pour de bon. S'il était encore vivant, Solomon aurait quatre-vingt-quatre ans, ce qui n'avait rien d'impossible, mais, après son apparition à Nairobi, il ne s'était plus manifesté qu'une seule fois. Un télégramme envoyé de Hanoi en 1978 en réponse au mémoire que Moses avait fait paraître dans *Encounter* au sujet du groupe qui se réunissait autrefois autour de la table recouverte d'une nappe au crochet.

VOIS LES CHOSES EN FACE. LE SYSTÈME ÉTAIT GÉNIAL. C'EST L'HOMME QUI EST VIL. ÇA NE MARCHERA PAS. LE SERMON SUR LA MONTAGNE. LE MANIFESTE. LE MONDE

CONTINUE DE PAYER CHER LE RÊVE DE QUELQUES JUIFS.

Solomon, soupçonnait Moses, n'était pas mort de vieillesse ; il avait plutôt péri au goulag ou dans un stade en Amérique latine. Où que ce fût, les corbeaux s'étaient réunis.

Mort, Moses. Éteint. Tu l'as compris en 1980, la première année où une profusion de roses rouges n'a pas orné la tombe de Diana McClure, à l'anniversaire de sa mort. Le saumon noir est donc obligé désormais de mettre de l'ordre dans les événements et de raconter l'histoire de Solomon, ou du moins ce qu'il croit en savoir. Ou bien de s'aventurer au large en abandonnant pour de bon le mausolée des Gursky.

Des problèmes.

« Salut, Beatrice. Devine qui t'appelle. Oui, Moses Berger, ton boute-en-train favori. Si tu quittes ce malotru, j'arrête de boire et c'est moi qui t'emmène à Londres. »

Moses jeta un coup d'œil au portrait de L. B., supportant courageusement le poids du cosmos, contemplant ses mystères, avant de se détourner, surpris par ses larmes. Il se resservit à boire. Puis, en mal de distraction, il alluma sa télévision, sachant que c'était l'heure où Sam Burns pontifiait sur PBS. Se faisait du souci pour Lech Walesa. Se disait écœuré par le massacre de Palestiniens à Sabra et Chatila. Mais on l'avait remplacé par une interview avec la brute elle-même, le suffisant Arik Sharon, ministre de la Défense. Moses, irrité, éteignit la télé.

Par chance, Henry n'avait pas vécu assez longtemps pour assister aux raids sur les camps de réfugiés, que le parti au pouvoir, dans le pays qui devait être un phare pour les nations, avait ignorés. Il n'avait pas non plus été témoin de la fin du monde et il était mort avant d'apprendre que Dieu, à supposer qu'il veuille nous faire expier nos péchés, nous ferait rôtir au lieu de nous faire geler, victimes des gaz à effet de serre. Une fois de plus, Moses prit la résolution d'aller voir Nialie au printemps, peut-être pour la Pâque, et se pardonna de ne pas avoir communiqué avec Isaac, une créature abominable à ses yeux.

Moses alluma un Montecristo, ouvrit une nouvelle bouteille de Macallan, mit de côté les journaux intimes de Solomon et se plongea dans les plus récentes coupures de presse consacrées aux Gursky. La bataille que se livraient les factions familiales pour le contrôle du « petit bas de laine » de M. Bernard s'intensifiait, se faisait de plus en plus acrimonieuse. Dans des annonces pleine page publiées dans le *New York Times* et le *Wall Street Journal*, entre autres, on lançait des appels concurrents aux actionnaires.

Depuis longtemps, des analystes financiers aguerris prédisaient que McTavish, à cause d'actifs sous-valorisés et d'une gestion peu inspirée ainsi que de quelques tentatives de diversification malavisées qui l'avaient rendue vulnérable, prêtait le flanc à une OPA hostile qui l'arracherait des mains des Gursky. Ce qu'ils n'avaient pas envisagé, en revanche, c'est que ce seraient des membres de la famille qui se livreraient une lutte sans pitié pour le magot. Le différend fut révélé au grand jour lorsque Isaac, ayant atteint l'âge de la majorité, hérita des actions que son père lui avait léguées en fiducie. Même si le bloc d'actions en question n'avait rien de très impressionnant et qu'Isaac lui-même était considéré comme un simple pion dans la lutte qui se dessinait, il commença à attirer l'attention le jour où on se rendit compte qu'il était le protégé de l'homme timide et discret que la presse avait surnommé « la pie des Gursky » : l'étonnant M. Morrie qui, depuis des années, accumulait subrepticement des actions de McTavish et les entassait à Tokyo.

Retranché dans une suite du Sherry-Netherland, M. Morrie était en passe de devenir le chouchou de la presse. Il était, après tout, le dernier survivant des trois frères fondateurs. Perspicace, un journaliste de *Money* avait remarqué les yeux humides et les mains tremblantes de M. Morrie lorsque « le lutin des Gursky », ainsi qu'il le qualifia, avait lu une déclaration : « À mon vieil âge, je suis peiné de voir nos enfants et nos petits-enfants se disputer avec acharnement l'entreprise que mon frère Bernard, ce génie, a bâtie avec un peu d'aide de ma part et de Solomon, mort si jeune. Il y a bien assez d'argent pour tout le monde. Rien ne me ferait plus plaisir que de réunir en privé toutes les parties pour mettre un terme à cette embarrassante querelle. Après tout, nous sommes de la même famille. Tout ce que je demande, c'est un siège au conseil d'administration pour mon fils Barney et mon neveu Isaac. Lionel, que Dieu le bénisse, peut rester au sein de McTavish, mais pas nécessairement à titre de PDG. J'espère sincèrement qu'il se rendra compte que la voix du sang est la plus forte. »

Lionel ne voulait rien savoir. Donné grand favori, ne fût-ce qu'en raison de son poste de PDG, il détenait la majorité des actions de feu son père et bénéficiait du soutien de son frère, Nathan, de sa sœur, Anita, et aussi, du moins le laissait-il entendre, de sa cousine Lucy, productrice sur Broadway. Barricadée dans son appartement du Dakota, Lucy refusait de parler aux journalistes, mais, selon des sources bien informées, elle détestait tellement Isaac, son neveu, qu'elle était disposée à fermer les yeux sur une vieille querelle familiale et à se ranger dans le camp de Lionel. À en croire les rumeurs, ses actions suffiraient à faire pencher la balance d'un côté ou de l'autre.

Puis, un impondérable entra en ligne de compte : le mystérieux Corvus Trust de Zurich. Un porte-parole du fonds, détenteur de 4,2 % des actions de McTavish, ne fit que renforcer les soupçons en déclarant que les membres de son groupe étaient « des acheteurs amicaux, voire des chevaliers blancs, et non des investisseurs hostiles ».

Suivant la lutte depuis sa cabane, Moses apprit que des pelotons d'avocats aux honoraires faramineux inondaient les tribunaux d'accusations et de contre-accusations, que des banquiers d'affaires et des maisons de courtage risquaient leur peau, d'un côté comme de l'autre, que des prédateurs indécis et des adeptes du chantage à l'OPA tournaient autour de l'arène, prêts à bondir.

Les journalistes se délectaient de ce qui était sans contredit la querelle familiale la plus croustillante des dernières années, des milliards étant en jeu.

Isaac faisait part à gauche et à droite de ses velléités dans le domaine du cinéma ; dans les talk-shows des uns et des autres, Barney bavassait à propos de ses intentions pour McTavish, notamment l'obtention d'une franchise dans la Ligue nationale de baseball et un projet visant à remorquer des icebergs de l'Arctique jusqu'au Moyen-Orient.

En suivant un tuyau, un journaliste du *New York Post* retrouva une femme qui affirmait avoir été la maîtresse de Barney, la désormais singulièrement grassouillette, voire imposante, Darlene. Il s'ensuivit des photos émoustillantes et une entrevue de fond dans *Penthouse*. Pour l'occasion, Darlene portait sa bague en forme d'ankh.

« C'est un symbole de vie égyptien, expliqua-t-elle. La plupart des wiccans la portent avec la pointe tournée vers l'extérieur pour se protéger contre les forces négatives, mais moi, je possède un fort bouclier psychique. Je la porte avec la pointe tournée vers l'intérieur. »

Elle ajouta qu'elle était sorcière depuis Camelot.

« L'époque du roi Arthur, vous savez. Je me réincarne toutes les sept générations. Je suis en partie juive, en partie mohawk, en partie aventurière du septième jour. Et je vous ai dit que j'avais été une bonne mère juive ? C'est à ce moment, vous savez, que j'ai assisté à la crucifixion. Très, très émouvant. »

L'intervieweur souligna que Barney niait avoir été l'amant de Darlene.

« Très bien, fit-elle en ouvrant le médaillon qu'elle portait au cou, mais alors comment explique-t-il ceci ? »

C'était, prétendait-elle, une boucle des poils pubiens de Barney.

« À cette époque révolue, il était très romantique, et un soir, au Ramada Inn, nous avons échangé des poils pubiens en gage d'amour éternel, ah, ah, ah. Si vous ne me croyez pas, je vous mets au défi de les faire analyser. »

Sur la couverture du magazine *New York,* on voyait Isaac survoler l'immeuble de McTavish, dans Fifth Avenue, vêtu de l'uniforme rouge et bleu du capitaine Al Cohol, une kippa fixée à ses cheveux à l'aide d'un trombone.

Comme c'était à prévoir, même le *National Enquirer* s'y mit et dut faire face à un procès en diffamation de deux cents millions de dollars. En une, l'*Enquirer* publia une photo d'Isaac à sa descente de l'hélicoptère de sauvetage à l'aéroport de Yellowknife.

LE CANNIBALE QUI RÊVE DE DEVENIR PRINCE HÉRITIER

D'autres publications, plus scrupuleuses, décidèrent de se distancier des Gursky. Indigné, Lionel découvrit qu'*Art & Antiques* avait reporté un photoreportage consacré à sa collection de billets de banque nord-américains. Folle de rage, sa femme s'alita lorsque *Town & Country* annula son article intitulé « Les scintillants Gursky », qui devait comporter, sur une double page, une photo de Cheryl, signée Avedon, dans sa salle de musique. « Robe : Arnold Scaasi, Saks Fifth Avenue ; Sara Fredericks, Palm Beach. Bas : Geoffrey Beene. Chaussures : Stuart Weitzman. Maquillage : Antonio Da Costa Rocha, New York. Bijoux : Asprey, Londres. »

Libby, qui était souffrante, convoqua Lionel à la résidence familiale de Westmount.

« Ton père m'a un jour dit que lors de sa dernière soirée à Montréal, juste avant de s'envoler à bord de son Gipsy Moth, Solomon l'avait mis en garde : si quelqu'un tentait de déposséder Henry ou Lucy de leurs actions, lui, Solomon, sortirait de sa tombe, s'il le fallait, et mon Bernie serait un homme fini. Un homme mort.

— Papa est mort d'un cancer. Tu t'en souviens ? demanda Lionel en écartant d'un revers de la main les appréhensions ridicules de sa mère.

— Je m'en souviens comme si c'était hier. Mais j'aimerais bien savoir qui a mis ce corbeau mort sur sa tombe. »

De retour à New York, Lionel convoqua Harvey Schwartz.

« Il y a un truc que j'aimerais lire dans les journaux. Seulement, il serait préférable que ça n'ait pas l'air de venir de moi. Je tiens de source on ne peut plus sûre qu'Isaac se prend pour le Messie. "Moïse plus un" ou une connerie du même genre. Le petit crétin était peut-être défoncé à mort, mais c'est ce qu'il a dit à des gens qu'il a invités à l'Odeon hier soir. Je tiens à flanquer la trouille aux petits actionnaires qui se demandent encore quoi faire de leurs procurations. Je veux lire ça demain dans la chronique de Liz Smith. Compris ?

— Lionel, cela m'est difficile à dire, mais j'ai décidé qu'il était de mon devoir de ne plus prendre part à ce qui constitue avant tout une querelle de famille.

— Combien Morrie t'a-t-il offert pour ton misérable petit bloc d'actions, espèce d'avorton ?

— M. Morrie est un être humain remarquable. Et je le dis du fond du cœur. Le fait qu'il se montre gentil avec moi depuis que je suis tout jeune n'y change rien. Cependant, je ne prendrai pas son parti non plus. »

C'est alors que les choses commencèrent à se gâter.

Un porte-parole du Corvus Trust déclara que le fonds préconisait une nouvelle orientation pour McTavish. Le nouveau PDG, qui ne serait pas nécessairement un membre de la famille, serait choisi par un trio représentant trois générations de Gursky : Morrie, Barney et Isaac.

Ensuite, M. Morrie se rendit au Dakota pour s'entretenir avec Lucy qui, de l'avis général, s'opposait catégoriquement à cette OPA. L'après-midi même, le bureau de Lucy sur Broadway publia un communiqué surprenant : Barney et Isaac Gursky feraient désormais partie du conseil d'administration de sa société. LG Productions, qui deviendrait sous peu une division de McTavish Industries, œuvrerait désormais dans le cinéma en plus de produire des comédies musicales et des pièces de théâtre. Lucy, indisposée, n'était pas en état de répondre aux questions des journalistes.

Dans la réception de l'immeuble McTavish, dans Fifth Avenue, le portrait de M. Bernard fut remplacé par celui d'Ephraim, tout en muscles noueux, manifestement prêt à bondir hors du cadre pour clouer tous ses adversaires au sol. Il était représenté à côté d'un trou dans la glace, les pieds solidement ancrés sur la banquise, un air de défi sur le visage, une capuche sur la tête, son corps recouvert de peaux de phoque, moins pour repousser le froid, eût-on dit, que pour emprisonner sa chaleur animale, de crainte qu'elle ne fasse fondre la glace. Dans son poing, il tenait un harpon dont la lance était faite de bois de caribou. Un phoque gisait à ses pieds et, à l'arrière-plan, les trois mâts du funeste *Erebus* ainsi que la silhouette déchiquetée des icebergs s'élevaient contre le ciel noir de l'Arctique, éclairé par des parasélènes, les fausses lunes du Nord.

De son domaine de Sainte-Adèle, M. Morrie, avec une sérénité inhabituelle, annonça son départ à la retraite.

« Barney et Isaac, ces deux jeunes hommes remarquables, n'ont pas besoin de vieux croulants au bureau, mais, s'ils ont envie de mauvais conseils, ils savent où me trouver. »

Demandant aux journalistes de l'attendre, M. Morrie se glissa dans la maison, ouvrit le coffre-fort mural et prit un trousseau de clés posé sur une grosse enveloppe en papier kraft portant la mention : Mlle O., PERSONNEL ET CONFIDENTIEL. Puis il invita les journalistes à le suivre dans son atelier.

« Voici mon nouveau bureau, mesdames et messieurs. Vous avez besoin d'une table de bonne facture, ou peut-être d'une bibliothèque ? J'accepte les commandes à compter d'aujourd'hui. Estimation gratuite sur demande. »

L'automne. La saison des perdrix hébétées, soûles d'avoir picoré les pommettes fermentées qui jonchaient le sol. Moses, qui avait besoin d'air frais, laissa tomber la bouteille de Macallan vide dans la corbeille à papier et sortit. En râtelant les feuilles mortes, il se demanda ce que Solomon aurait pensé de tout ça.

L'un des journaux intimes qu'il lui avait envoyés quelques années plus tôt était accompagné d'un mot irritant, comme lui seul en avait le secret.

« Je t'ai un jour dit que tu n'étais rien d'autre que le fruit de mon imagination. Tant que tu existes, je dois donc continuer d'exister. »

Mais il est mort, songea Moses au moment même où un rugissement sonore envahissait le ciel. Instinctivement, Moses se pencha au passage d'un avion, si bas qu'il frôla la cime des arbres. Se redressant, en déséquilibre, il ne parvint pas à localiser l'appareil. Puis il réapparut. Un Gipsy Moth noir le salua en agitant ses ailes. Il repassa au-dessus de la cabane, secouant de nouveau ses ailes. Sous le regard de Moses, il prit ensuite de l'altitude. Moses savait où il allait.

Au nord.

Où ça… au nord ?

Loin.

Scrutant l'ascension du Gipsy Moth, Moses crut le voir se transformer en un gros oiseau noir et menaçant, tel qu'on n'en avait pas vu au-dessus du lac Memphrémagog depuis la vague de froid sans précédent de 1851. Un corbeau qui battait des ailes. Un corbeau avec une irrépressible envie de se mêler de tout et de provoquer des choses, de jouer des tours au monde et à ses créatures. Il regarda l'oiseau monter, monter, toujours plus haut, jusqu'à ce qu'il le perde dans le soleil.

Mot de l'auteur

Il y a des années de cela, au moment de la parution d'un autre roman, un journaliste de la télévision m'a demandé : « Ce livre s'inspire-t-il de faits réels ou est-il le fruit de votre imagination ? »

Les Gursky sont le fruit de mon imagination, mais je n'ai pas inventé tout ce qu'on trouve dans *Solomon Gursky*. J'ai fait de nombreuses recherches sur Franklin, M'Clure, Back et Richardson ainsi que sur les membres de l'expédition tragique qui a tenté de faire le tour du monde en bateau en empruntant le passage du Nord-Ouest, puis j'ai ajouté ma touche personnelle aux événements. Je considère *Frozen in Time: The Fate of the Franklin Expedition*, d'Owen Beattie et de John Geiger, comme la plus originale des études récentes. À propos des mythes des Haïdas, je dois beaucoup à Bill Reid et à Robert Bringhurst, auteurs de *Corbeau vole la lumière*. J'ai tenté de recréer la vie londonienne du XIXe siècle et, sur ce plan, *Les Bas-fonds de Londres, crime et prostitution sous le règne de Victoria*, de Kellow Chesney, m'a apporté une aide inestimable. Je me suis beaucoup inspiré de *Red Lights on the Prairies* et de *Booze*, de James H. Gray, pour reconstituer l'histoire de l'Ouest, et aussi de *More Tales of the Townships*, de Bernard Epps. Je suis reconnaissant à Christopher Dafoe, rédacteur en chef du *Beaver*, d'avoir fouillé dans ses dossiers pour moi.

Je dois également avouer que je n'ai pas inventé le capitaine

Al Cohol. Il a été conçu par Art Sorensen, à l'époque où il travaillait au programme de lutte contre l'alcoolisme des Territoires du Nord-Ouest, et les textes radiophoniques que j'ai cités sont d'E. G. Perrault.

Enfin, j'aimerais souligner l'aide que m'a apportée ma femme. Au fil des ans, Florence a dû subir de nombreuses versions du roman. Sans ses encouragements et, à plus forte raison, ses indispensables remarques sur le texte, j'aurais, il y a longtemps déjà, renoncé à ce projet.

Mordecai Richler

Sources

Page 104 : John Milton, *Samson agoniste*, traduit de l'anglais par Joseph d'Avenel, Paris, J. Lecoffre, 1860. Page 156 : William Shakespeare, *Antoine et Cléopâtre*, traduit de l'anglais par André Gide, Paris, Gallimard, 1925. Page 232 : Cyril Connolly, *Le Tombeau de Palinure*, traduit de l'anglais par Michel Arnaud, Paris, Fayard, 1990. Page 282 : « *Echad mi yodea* – Un, qui connaît ? », *Danses d'Israël* [dansesdisrael.fr/danses/e/echad-mi-yodea-un-qui-connait]. Page 377 : T. S. Eliot, *La Cocktail-party*, suivi de *La Réunion de famille* et précédé de *Les Buts du drame poétique*, traduit de l'anglais par Henri Fluchère, Paris, Éditions du Seuil, s.d. Page 607 : T. S. Eliot, « Gérontion », *Poèmes 1910-1930*, texte anglais présenté et traduit par Pierre Leyris, Paris, Éditions du Seuil, 1947. Page 608 : Chaim A. Kaplan, *Chronique d'une agonie. Journal du ghetto de Varsovie*, découvert et présenté par Abraham I. Katsh, Paris, Calmann-Lévy, 1966. Page 625 : Michné Thora, *Séfer Choftim* (Le livre des juges), traduit de l'hébreu par Binyamin Apelbaum, Paris, Beth Loubavitch, 2010.

Crédits et remerciements

La traduction de cet ouvrage a été rendue possible grâce à une aide financière du Conseil des arts du Canada.

Nous reconnaissons l'aide financière du gouvernement du Canada par l'entremise du Programme national de traduction pour l'édition du livre, une initiative de la *Feuille de route pour les langues officielles du Canada 2013-2018 : éducation, immigration, communautés*, pour nos activités de traduction.

Les Éditions du Boréal sont inscrites au Programme d'aide aux entreprises du livre et de l'édition spécialisée de la SODEC et bénéficient du Programme de crédit d'impôt pour l'édition de livres du gouvernement du Québec.

Nous remercions le Conseil des arts du Canada pour son soutien financier et reconnaissons l'aide financière du gouvernement du Canada par l'entremise du Fonds du livre du Canada (FLC) pour nos activités d'édition.

Couverture : Dorion Scott, *Crow With Red Harness*

Ce livre a été imprimé sur du papier 100 % postconsommation,
traité sans chlore, certifié ÉcoLogo
et fabriqué dans une usine fonctionnant au biogaz.

MISE EN PAGES ET TYPOGRAPHIE :
LES ÉDITIONS DU BORÉAL

ACHEVÉ D'IMPRIMER EN MARS 2015
SUR LES PRESSES DE MARQUIS IMPRIMEUR